CIVILISATION
OCCIDENTALE

QUATRIÈME ÉDITION

CIVILISATION OCCIDENTALE

TOME II
Du seizième siècle
au vingtième siècle

F. ROY WILLIS
Université de Californie à Davis

 guérin Montréal
Toronto
4501, rue Drolet
Montréal (Québec) H2T 2G2 Canada
Tél.: (514) 842-3481
Téléc.: (514) 842-4923

Version anglaise
Volume 1 : ISBN-0-669-07215-X
Volume 2 : ISBN-0-669-07216-8

N° de cat. 84-81086

Conception de la couverture par Carmela M. Ciampa.

Illustration de la couverture : Gustave Caillebotte, *Paris, un jour de pluie (intersection rue de Turin et rue de Moscou), 1877.* (Gracieuseté du Art Institute of Chicago, fonds Charles H. et Mary F.S. Worcester.)

Les cartes et plans ont été préparés par Richard D. Pusey.

Version française
Manuel scolaire de cycle supérieur.
Index inclus.
Traduction : Andrée Galipeau, Richard LaRue, Pierre Forbes, Yves Nadeau, Paul Simon.
Révision linguistique : Louis Grégoire.

IMPRIMÉ AU CANADA.

PRÉFACE

La révision d'un manuel scolaire dont l'ambition est de présenter un panorama historique complet de l'Occident, de l'âge de pierre à l'époque actuelle, constitue pour son auteur un rappel salutaire, quoique déconcertant, du ferment extraordinaire qui continue d'animer la recherche et l'écriture historiques. La «nouvelle histoire», en faisant usage de techniques novatrices issues des sciences sociales et en exploitant de nouvelles sources documentaires, exerce actuellement une grande influence sur les études réalisées dans les domaines de l'économie, de l'urbanisme et de la démographie. L'informatique, en devenant un outil familier, a rendu possible un nouveau genre d'histoire scientifique, surtout grâce au traitement de données tellement volumineuses qu'une seule personne, ou même un groupe de recherche, ne peut espérer tirer grand chose par des moyens traditionnels. De nouveaux intérêts ont vu le jour, particulièrement celui de comprendre et de replacer dans une perspective historique, des groupes ne faisant pas partie de l'élite politique, économique et culturelle. Cette démarche a porté fruit et elle a permis de comprendre ceux qui n'ont laissé que peu de documents écrits derrière eux.

Peu de domaines ont progressé aussi rapidement et à l'intérieur d'une aussi courte période que l'histoire des femmes. Dans la troisième édition de cet ouvrage, publiée en 1981, je me suis efforcé pour la première fois d'incorporer dans la principale trame narrative la majorité des publications les plus récentes traitant de la question féminine. La quatrième édition a pu bénéficier des nombreux articles et monographies parus à ce sujet depuis 1981, ainsi que des progrès tout aussi significatifs réalisés dans ce domaine, visant à constituer un cadre, ou principe organisateur, pour la recherche actuelle et future. L'un des principaux objectifs de la présente édition est donc d'élargir et d'approfondir nos connaissances sur l'expérience des femmes dans la civilisation occidentale.

Pour chaque période historique, j'ai donc considéré la dichotomie existant entre les aspects public et privé de la vie des femmes. En effet, c'est l'importance de leur participation à la vie sociale, à titre individuel ou collectif, qui détermine la nature de leur expérience. En me donnant pour cadre général la vie publique plutôt que la vie «privatisée» ou domestique des femmes, j'ai fait une étude fort détaillée des aspects de leur histoire qui revêtent une importance particulière pour les chercheurs en histoire des femmes.

1. Premièrement, j'ai voulu *insister davantage sur les femmes qui ont le plus influencé individuellement les événements politiques, économiques, religieux ou sociaux* jalonnant l'évolution de la civilisation occidentale. Même si, autrefois, les femmes accédaient surtout à la vie publique grâce à leur appartenance familiale ou par le mariage, l'influence qu'elles exerçaient leur appartenait en propre et ceci mérite d'être mieux souligné. Par exemple, Aliénore d'Aquitaine détenait une grande partie de son autorité du fait qu'elle avait hérité des terres de son père, mais elle a tout de même dominé la politique européenne de l'Occident au XIIᵉ siècle après J.-C. grâce à sa forte personnalité. On se souvient de Catherine Parr parce qu'elle fut la sixième épouse du roi Henri VIII, mais son ouvrage *Lamentation of Complaint of a Poor Sinner* est devenu un classique de la littérature pieuse par ses mérites intrinsèques. Il faut dire cependant que la famille était l'institution par excellence qui permettait aux femmes d'exercer leur influence sur la vie publique par le biais de l'influence qu'elles avaient sur leur mari ou sur leurs fils. Le roi de France Louis IX ne serait peut-être jamais devenu un saint et un modèle de vertu morale s'il n'avait pas reçu de sa mère Blanche de Castille une éducation religieuse qui le marqua profondément. Mais s'il est vrai que les femmes ont été mères, grand-mères, épouses, sœurs et cousines et que leur action s'exerçait surtout sur les autres, il ne faut pas oublier qu'elles sont aussi intéressantes en elles-mêmes. Leur carrière offre des perspectives révélatrices sur ce que pouvait être leur vie. Il était impossible à certaines époques pour ces femmes remarquablement intelligentes et énergiques d'avoir accès aux avenues ouvertes aux hommes, en raison d'obstacles d'ordre juridique ou social.

2. Deuxièmement, j'ai tenté d'*identifier à une époque donnée les conditions particulières qui empêchaient les femmes de jouer un rôle dans la vie publique*. Je me suis surtout attardé sur l'enseignement que dispensaient la religion et la philosophie sur les femmes à chaque époque; sur les lois et les droits concernant celles qui désiraient participer à la vie publique; sur leurs conditions de vie matérielle: j'ai voulu savoir par exemple, dans quelle mesure le système économique avait besoin d'elles dans le marché du travail, ou en quoi l'attitude de la société envers la maternité et l'éducation des enfants déterminait leur aptitude à prendre part à la vie publique.

3. Troisièmement, prenant pour cible le plus grand nombre possible d'époques et de groupes sociaux, j'ai voulu examiner les *conditions matérielles de la vie des femmes*, leur influence démographique, les questions d'héritage et de dot, l'accessibilité à l'éducation, les conditions de travail en ville et à la campagne, les habitudes alimentaires et les soins médicaux et, plus important encore, la situation de la femme dans le cadre familial.

Je tiens à remercier, pour l'aide bienveillante qu'ils ont bien voulu m'accorder lors de la préparation de la quatrième édition de cet ouvrage: Frank J. Frost, de l'Université de Californie à Santa Barbara; Theresa McBride, du Holy Cross College, Worcester, Massachusetts; Elsie McKee, de l'Andover Newton Theological School; Kate Norberg, de l'Université de Californie à San Diego; Sarah B. Pomeroy, de Hunter College, City University of New York; Ellen Ross, Ramapo College of New Jersey; et enfin, Susan Mosher Stuard, de Haverford College, Haverford, Pennsylvanie, dont l'aide précieuse et les suggestions m'ont permis de mieux définir le cadre contextuel présidant à ma démarche sur l'histoire des femmes.

Le matériau portant sur l'histoire des femmes a été incorporé à la structure organisationnelle des éditions précédentes. Comme je l'ai mentionné dans ma préface à la deuxième édition en parlant de l'enseignement de l'histoire, «l'histoire de l'Occident me fait trop souvent l'effet d'un interminable voyage en chemin de fer sans aucune halte, une sorte d'Orient-Express où des villes comme Paris, Vienne et Istanbul ne seraient que de simples inscriptions entrevues à la façade des gares. Dans le présent ouvrage, j'ai voulu inviter en quelque sorte l'étudiant ou l'étudiante à s'arrêter et à explorer les méandres de ces grandes villes qui autrement n'auraient fait que défiler sous ses yeux. Mieux encore, j'ai voulu qu'il les visite avec les yeux de l'historien, telles qu'elles étaient à l'apogée de leur gloire.» C'est pourquoi j'ai organisé ce livre autour des quatorze villes les plus importantes, dont le rôle fut déterminant dans l'évolution de l'Occident, et qui possédaient un caractère urbain unique. Nous ouvrirons la série avec Athènes au Ve siècle av. J.-C. pour la clore dans le New York du XXe siècle, veillant à identifier le caractère distinctif de chaque métropole à l'époque de sa plus intense créativité. Les chapitres intercalés dans le récit chronologique brossent la toile de fond et établissent le contexte historique qui s'y rapporte. Le cadre organisationnel devrait permettre à l'étudiant de saisir en profondeur le caractère de la période représentée par chaque ville et d'acquérir les connaissances historiques essentielles à une meilleure compréhension de notre passé commun.

Comme les changements qui ont fait suite à la révision de la troisième édition ont été conservés, je tiens à remercier encore une fois les spécialistes qui m'ont aidé à préparer cette édition: Patricia Branca, de l'Université Carnegie-Mellon; Allan D. Breck, de l'Université de Denver; Ronald E. Coons, de l'Université du Connecticut; Robert Davis, de Chaffey College; George Drake, de Colorado College; Richard W. Hull, de New York University; Eugene E. Kuzinian, de l'Université du Texas à El Paso; Marvin Lunenfeld, de State University College, Fredonia, New York; Bruce T. Moran, de l'Université du Nevada; David Parker, de Vanderbilt University; Jan Rogainis, de Clemson University; Edward Ruestow, de l'Université du Colorado; Jane Slaughter, de l'Université du Nouveau-Mexique et George Y. Windell, de l'Université de la Nouvelle-Orléans. J'assume l'entière responsabilité des erreurs, contresens et particularités que l'on pourrait trouver dans l'une ou l'autre des quatre éditions de ce livre.

F. Roy Willis

TABLE DES MATIÈRES

24

L'ÈRE CONTEMPORAINE   437

CARTES ET PLANS

CIVILISATION OCCIDENTALE

INTRODUCTION
VILLES ET CIVILISATION

L a ville fut l'un des principaux moteurs du développement de la civilisation occidentale. Dans sa tragédie *Antigone*, Sophocle identifie les plus éclatantes réussites de l'homme comme étant la «parole, pensée prompte comme le vent, aspirations d'où naissent les cités». Depuis qu'elle a fait son apparition il y a quelque dix mille ans, la ville a concentré et intensifié l'énergie humaine pour la mettre au service de la conquête de l'environnement, favorisé les contacts humains et encouragé la créativité dans toutes les sphères artistiques et scientifiques. En même temps, elle a été responsable des plus sinistres aspects de la civilisation occidentale: le pillage de l'environnement, la cœrcition d'innombrables individus par des gouvernements, des armées et des exploitants; l'exclusion d'une grande partie de la population des progrès intellectuels et sociaux de leur temps; la ségrégation d'un large groupe de citoyens, les femmes, dans un univers exclusivement domestique, sans possibilité de participer aux prises de décisions politiques ou même de s'intégrer à l'activité économique; et aussi sans doute la glorification de la guerre.

Ces dernières années, de nombreuses disciplines relevant des sciences sociales ont étudié le phénomène de l'urbanisation, notamment la géographie urbaine, les sciences politiques, la sociologie, l'anthropologie sociale, l'économie et l'histoire. On a pu ainsi faire la lumière sur des questions fondamentales telles que l'impact de la croissance démographique, les structures spatiales du développement urbain, la structure occupation-nelle de la ville à différentes étapes de son développement, les relations hiérarchisées, la structure et les habitudes familiales, le fonctionnement des systèmes politiques et le rapport avec l'environnement. Ces données ont été

Vue de Moscou prise du Kremlin, par Philibert Louis Debucourt (1755-1832)   *(H. Roger-Viollet)*

d'une grande aide aux spécialistes de l'histoire des civilisations. Ces derniers ne doivent cependant pas oublier que ce qui distingue leur discipline des autres sciences sociales est le respect témoigné au caractère unique des différentes périodes qui constituent l'histoire de la civilisation.

L'objectif que nous visons dans le présent ouvrage est de relever ce défi en insistant sur les réussites des grandes villes représentatives de la civilisation occidentale. Plus de la moitié du livre est consacrée à l'étude de quatorze villes décrites à l'apogée de leur puissance créatrice. Chaque ville suscite plusieurs questions. La plus fondamentale, celle qui a pour but de faciliter l'analyse de ses structures économiques et sociales est la suivante: *Comment la ville produit-elle des richesses?* La ville a été pourvoyeuse de services gouvernementaux, religieux, juridiques, militaires et commerciaux; elle fut également productrice de biens, grâce au travail de ses artisans à l'époque préindustrielle, puis de ses ouvriers d'usine après la révolution industrielle du XVIIIᵉ siècle. Par ailleurs, elle s'est aussi livrée à l'exploitation en s'appropriant par les armes une richesse économique que d'autres avaient acquise.

La question suivante est: *Quelles relations sociales se sont développées à l'intérieur de ce système économique?* Nous nous intéresserons à la distribution des richesses, au statut social acquis de naissance ou grâce à la profession, aux relations entre classes sociales, à l'importance de la mobilité dans la structure sociale et aux différents modes de vie caractérisant chacune des classes sociales.

Nous examinerons tout particulièrement le rôle étroit et essentiellement privé que la société réservait aux femmes, les définissant comme ménagères, mères et éducatrices et limitant leur participation à la vie politique et économique — en d'autres mots, publique — de la ville.

La troisième question posée concerne la superstructure politique: *Comment les citoyens envisageaient-ils les rapports entre l'individu et l'État en théorie et comment ces rapports étaient-ils vécus dans la réalité?* Tous les systèmes politiques reposent sur une ou plusieurs théories concernant la nature du gouvernement, mais ces hypothèses ne sont pas toujours formulées explicitement. Lorsque l'insatisfaction envers un système politique établi devient généralisée, les théoriciens construisent de nouvelles formules qui reflètent leur propre conception de la nature humaine et du système étatique idéal; comme nous le verrons plus loin, ces théories sont parfois mises à l'essai, en général à la suite d'une révolution. Nous aborderons donc le sujet des doctrines politiques en analysant la distribution des pouvoirs dans la ville et, puisque la plupart des villes concernées sont aussi des capitales, au sein de l'État.

Notre quatrième question est: *Comment la ville dépense-t-elle ses richesses?* Les habitudes de consommation qui caractérisent les différentes couches sociales ont fait l'objet d'un grand nombre d'études remarquables, et nous sommes maintenant plus en mesure de nous représenter le mode de vie des classes moins fortunées au même titre que celui de l'élite sociale. En plus des dépenses individuelles, nous devrons analyser les dépenses publiques, particulièrement celles consacrées à l'embellissement ou à l'amélioration des installations urbaines, sans oublier de mentionner le gaspillage des ressources urbaines, depuis la défaite en temps de guerre jusqu'à la destruction de l'environnement.

Notre cinquième question porte sur la vie intellectuelle de la ville : *Quel est le but vers lequel tendent les activités intellectuelles des citoyens de la ville?* Les villes qui nous intéressent ayant un caractère aussi diversifié, ce sont les traits les plus distinctifs de chacune qui doivent retenir notre attention, ainsi que leur contribution personnelle à l'évolution intellectuelle de la civilisation occidentale. Nous pouvons nous demander, par exemple, dans quelle mesure Athènes a encouragé l'essor de la philosophie et du théâtre, Rome le droit et Vienne, la musique. Il faudra toutefois expliquer, pour chaque cas, quel fut l'apport de l'environnement urbain dans cet essor : pourquoi Paris, au XIIIe siècle, réussit-elle à attirer entre ses murs des théologiens venus de toute l'Europe et, vers la fin du XIXe siècle, des artistes et des écrivains; pourquoi c'est vers Lisbonne, une ville pourtant si petite, que convergèrent les cartographes et les techniciens maritimes du continent tout entier; pourquoi Berlin, après avoir été le centre du savoir militaire, se transforma pendant quelques mois en véritable incubateur pour les artistes d'avant-garde puis revint, en moins de temps encore, à des préoccupations militaires.

Enfin, nous poserons la question : *En quoi les réalisations culturelles et scientifiques nées de la ville ont-elles été le reflet des conceptions de ses citoyens sur la nature humaine, Dieu et la beauté?* Il est vrai que les œuvres produites étaient pour la plupart le fait d'une élite, mais cela ne suffit pas pour les exclure de l'histoire de la civilisation. Nous verrons donc comment s'exprime le concept de beauté chez les Grecs en admirant le Parthénon; ce que la Vénus de Botticelli nous révèle sur la conception de la divinité chez les Florentins; et en quoi la loi du mouvement découverte par Newton justifie l'hypothèse d'un univers soumis à la loi naturelle.

Cependant, on ne doit pas considérer la ville et la campagne comme étant deux entités distinctes. Jusque vers 1800, trois pour cent de la population du globe vivait dans des villes de 5 000 habitants ou plus; et jusqu'en 1950, ce chiffre n'atteignait pas plus de trente pour cent. Pendant la plus grande période d'évolution de la civilisation occidentale, on vivait en majorité de la terre. De plus, la ville a toujours été dépendante de la campagne pour son alimentation et ses matières premières. Dans cet ouvrage, nous ne négligerons donc pas les populations rurales : nous aborderons les techniques agricoles et le transport des produits en vrac, la structure sociale des campagnes et ses répercussions sur la ville, ainsi que les besoins, valeurs et aspirations de ses habitants. Nous explorerons les fermes de la *campagna* romaine aussi bien que Rome, les grands domaines délabrés de l'aristocratie. Nous parlerons de Paris avant la révolution, de la culture du navet et du trèfle à l'époque de la révolution agraire aussi bien que des filatures de coton de Manchester.

Cet ouvrage trahit un enthousiasme non déguisé pour les villes, à quelques remarquables exceptions près. Si seulement on pouvait manifester autant d'enthousiasme pour toutes les œuvres nées de la civilisation occidentale!

13

LISBONNE À L'ÉPOQUE DE MANUEL LE GRAND ET MADRID À L'ÉPOQUE DE PHILIPPE II

Jamais la situation géographique n'a-t-elle contribué aussi spontanément à la prospérité matérielle, et peut-être également à l'intensité culturelle, qu'au Portugal et en Espagne, aux XVe et XVIe siècles. Jusqu'à cette époque, la côte atlantique de l'Europe ne représentait que bien peu de choses aux yeux de ses habitants, sauf pour la pêche ou, occasionnellement, comme route pour une croisade. En visitant le cap Finisterre, en Espagne, où comme son nom l'indique, se termine l'Europe, le bohémien Leo de Rozmital remarqua :

Partout on ne voit que le ciel et la mer. On dit que l'eau est si agitée que personne ne peut la traverser, et que personne ne sait ce qui se trouve au-delà. On dit que certains ont essayé de savoir ce qui se trouvait au-delà et prirent la mer avec des galères et des navires. Mais personne n'en revint.

Pour ce qui est des terres à l'intérieur du Portugal, juste au sud, elles étaient misérablement pauvres.

Ni les hommes ni les bêtes ne trouvent à boire ou manger, et cela est causé par l'absence de routes. Il n'est pas rare que s'écoulent quatre ou cinq années sans qu'on y voie de visiteurs. Les gens construisent dans les cuvettes des montagnes ou sous terre. Ils sortent peu, surtout pas le midi, en raison de la chaleur écrasante. Ils travaillent et font leurs affaires surtout la nuit. Ils se nourrissent surtout de fruits et ne boivent pas de vin.[1]

1 Malcolm Letts (sous la direction de), *The Travels of Leo of Rozmital*, Cambridge, Cambridge University Press, 1957, p. 100.

Galion portugais du début du XVIe siècle   *(National Maritime Museum, Londres)*

Malgré tout, l'Espagne et le Portugal, qui avaient historiquement souffert économiquement de leur isolement en périphérie du monde connu, bénéficiaient d'une situation idéale pour lancer les premiers grands voyages de découvertes dans le nord et le sud de l'océan Atlantique. Les premiers voyages, suivis de l'établissement des premiers comptoirs commerciaux et de l'implantation de colonies, furent entrepris par l'Espagne et le Portugal cent ans au moins avant que les autres pays de la côte atlantique ne possèdent les techniques, l'audace, la stabilité politique et peut-être même le désir d'aller chercher une part des bénéfices de ces aventures profitables.

LISBONNE À L'ÉPOQUE DE MANUEL LE GRAND

Manuel le Grand
(Historical Pictures Service, Inc.)

Quand, en 1147, Lisbonne fut reprise des mains des Maures après plus de quatre cents ans d'occupation, elle était bien différente des villes arabes prospères, comme Séville et Cordoue. Selon le témoignage d'un croisé anglais qui prit part à la conquête, «les bâtisses de la ville étaient si entassées les unes sur les autres, sauf dans le quartier des marchands, qu'on ne trouvait presque pas de rues plus larges que trois mètres. Parce qu'il y avait tant de gens, il n'y avait pas une forme de religion consacrée, chacun y faisant sa propre loi; les éléments les plus dépravés de toutes les régions s'y étaient assemblés comme dans un cloaque. Ils en avaient fait le lieu de prédilection de toute la luxure et de toutes les abominations».[2] Le développement, au XIIIe siècle, d'une forme de commerce international élémentaire, qui comprenait le troc du vin, du sel et des fruits séchés contre des étoffes et des produits de luxe, permit une expansion rapide de la communauté marchande. Le

Lisbonne
Sans religion
Pauvre

2 Cité dans H. V. Livermore, *A History of Portugal*, Cambridge, Cambridge University Press, 1947, p. 75.

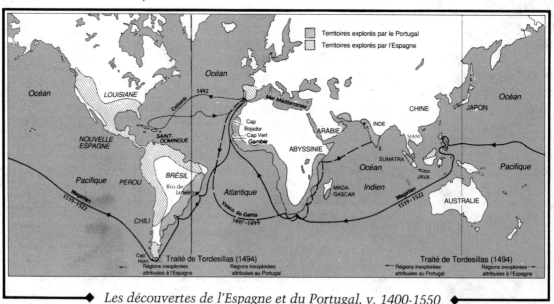

Les découvertes de l'Espagne et du Portugal, v. 1400-1550

roi avait fait un choix judicieux quand il y avait transporté sa cour, s'établissant dans l'inexpugnable château royal situé sur une des deux hautes collines qui dominaient le quartier des affaires, près de la rivière. Lisbonne était la capitale naturelle du pays. Elle possédait le meilleur des deux bons havres du pays, facilement accessible à l'océan par les eaux calmes du Tage. Elle se trouvait sur les routes nord-sud du pays; on pouvait facilement la défendre contre les attaques terrestres et maritimes, comme le découvrirait plus tard Napoléon. Grâce aux terres fertiles longeant le Tage, Lisbonne pouvait, du moins à ses débuts, subvenir à ses besoins alimentaires. Vers la fin du XIVe siècle, sa population s'élevait à quarante mille personnes. On y comptait à peu près mille avocats, bureaucrates et médecins; la majorité de la population laïque s'adonnait au commerce, à l'artisanat ou à la construction navale. Vers 1385, la guilde des marchands fut suffisamment puissante pour provoquer un changement de dynastie. Agissant contre le gré de l'aristocratie et du clergé, elle reconnut Jean d'Aviz, le fils illégitime du roi précédent, comme défenseur du royaume et, peu de temps après, comme roi.

Le roi Jean Ier conclut immédiatement une alliance avec l'Angleterre pour se protéger contre toute ingérence de l'Espagne. Il cimenta l'alliance en épousant Philippa, la fille de Jean de Gand, à l'époque l'aristocrate le plus puissant en Angleterre, qui revendiquait lui-même le trône du royaume espagnol de la Castille. Jean et Philippa eurent cinq fils talentueux. Le troisième, Henri, que les étrangers, mais pas les Portugais, appelaient le prince navigateur, était le génie et la force d'âme responsable des premières grandes découvertes du Portugal. Placide et pieux, Henri avait comme seule ambition d'ouvrir au commerce et à la colonisation portugaise la côte de l'Afrique de l'Ouest et les îles de l'Atlantique. Encore jeune, il avait participé à une expédition contre la ville musulmane de Ceuta, de l'autre côté du détroit de Gibraltar, que les Portugais avaient conservée comme ville de garnison entourée d'Arabes hostiles. C'est là que son imagination avait été animée par la description des grandes routes commerciales traversant le Sahara pour rejoindre Tombouctou, des grands bassins des fleuves Sénégal et Niger, et de l'empire légendaire du prêtre Jean, en Éthiopie.

Pour diriger un programme d'exploration maritime, Henri quitta la cour de Lisbonne et s'installa à la pointe sud-ouest du Portugal, dans le village de Sagres, sur le promontoire du cap Saint-Vincent. À cet endroit, les navires qui remontaient lentement la côte, en provenance de Gibraltar, faisaient face à la force des grands vents de l'Atlantique et plusieurs, selon les dires d'Henri, «quittèrent ce monde et furent projetés sur ces rochers et sur la plage.» Il s'agissait cependant de l'endroit au Portugal le plus près de l'Afrique; on y trouvait un bon port dans la ville voisine de Lagos. Mais surtout, on n'y trouvait aucune distraction pouvant nuire aux tâches essentielles pour lesquelles Henri avait réuni un groupe d'experts: la conception navale, la production cartographique, l'observation astrono-

Le prince Henri le Navigateur

Henri le Navigateur, par Nuño Gonçalves (ayant œuvré de 1450 à 1471)
Le volet de l'Infanta du Polyptyque de saint Vincent montre le fondateur de l'empire outre-mer du Portugal et d'autres membres de la famille royale. (Museu Nacional de Arte Antiga, Lisbonne)

mique et la fabrication d'instruments. À Sagres, il réunit secrètement, et mit à la disposition de ses capitaines, toute la technologie maritime moderne : les *portalani*, cartes dont les marins italiens et catalans s'étaient servis pour indiquer des parcours le long des côtes fidèlement représentées de la Méditerranée; la boussole et la rose des vents; l'astrolabe et le quadrant pour mesurer l'altitude des corps célestes, afin de calculer la latitude. Ses constructeurs navals conçurent la caravelle, un navire léger et facile à manœuvrer, qui remplaça les galères mues par rames. Il fit d'elle un magnifique vaisseau capable de braver les grands océans, particulièrement après que l'on eut adopté une combinaison de voiles carrées et triangulaires (ou voiles latines). Henri confia aux capitaines de ses vaisseaux des missions d'exploration, les renvoyant inlassablement jusqu'à ce qu'ils aient atteint leur but. Cette persistance fut particulièrement observable dans l'opération qui avait retardé toute l'exploration de la côte africaine : le contournement du cap Bojador, au sud du Maroc. Les premiers voyages, qui permirent la redécouverte et la colonisation de l'île de Madère et de l'archipel des Açores, se firent sans embûches et devinrent profitables dès le départ, grâce au développement rapide de la production du sucre et du vin. On pensait que le cap Bojador était la fin du monde connu et qu'au-delà se trouvait ce que les Arabes appelaient la mer verte des ténèbres où brillait un soleil tropical si intense qu'il noircissait les Blancs. Le cap Bojador fut finalement contourné en 1434, et des expéditions suivantes descendirent plus bas, le long de la côte monotone et menaçante, bravant les coups de vent violents et les vagues énormes, pour atteindre le cap Blanc. De là, en 1441, un des capitaines d'Henri ramena de la poussière d'or et un groupe d'esclaves noirs qui furent baptisés et vendus.

(ci-contre)
Panorama de Lisbonne au XVIᵉ siècle
Le nouveau palais du roi Manuel est adjacent aux quais, sur le Tage. Les vieilles rues du quartier Alfama serpentent dans les collines, vers le château Saint-Georges. (Bildarchiv d. Ost. Nationalbibliothek)

◆ *Lisbonne à l'époque de Manuel le Grand* ◆

Période étudiée	Les années d'explorations océaniques, entre la découverte de Madère (1419) et le voyage de Vasco de Gama (1497-1499), et surtout le règne du roi Manuel Iᵉʳ (1495-1521)
Population	100 000 habitants
Superficie	6,2 kilomètres carrés
Forme de gouvernement	Monarchie absolue
Dirigeants politiques	Le prince Henri le Navigateur; le roi Jean II; le roi Manuel Iᵉʳ
Base de l'économie	Commerce des épices avec l'Inde et l'Extrême-Orient; services portuaires; bureaucratie royale; commerce des esclaves.
Vie intellectuelle	Poésie (Camões); peinture (Nuño Gonçalves)
Principaux édifices	Monastère des Hiéronymites; tour de Bélem; entrepôt royal (Casa da India); palais royal.
Religion	Catholique

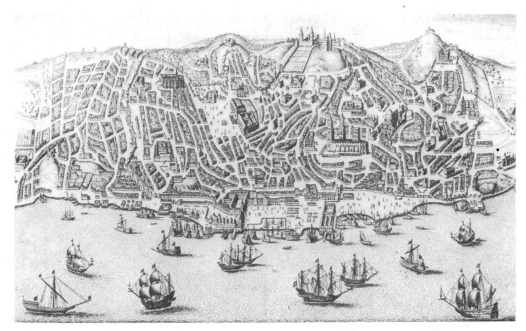

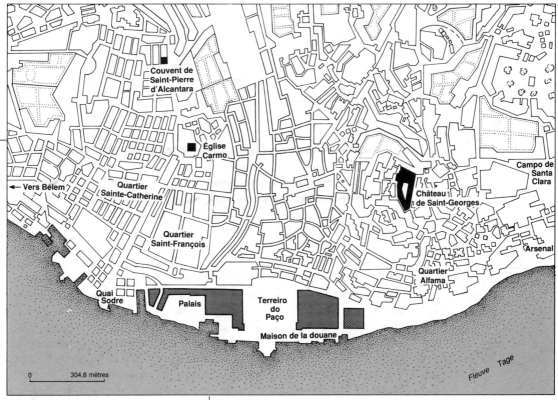

Couvent de
Saint-Pierre
d'Alcantara

Église
Carmo

Campo de
Santa
Clara

← Vers Bélem

Quartier
Sainte-Catherine

Château
de Saint-Georges

Quartier
Saint-François

Arsenal

Quartier
Alfama

Quai
Sodre

Palais

Terreiro
do
Paço

Maison de la douane

0   304,8 mètres

Fleuve   Tage

LISBONNE À L'ÉPOQUE DE MANUEL LE GRAND

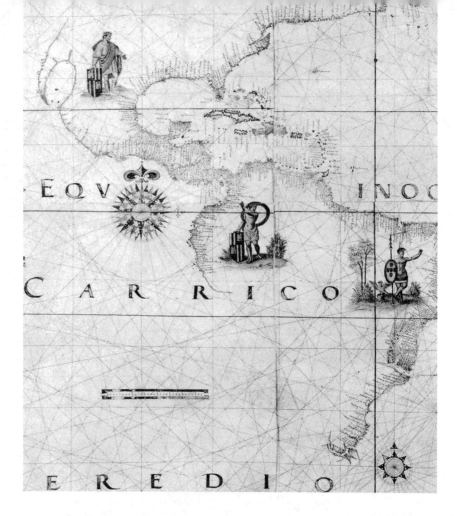

Un _portalano_ des côtes nord et sud-américaines, 1555-1563
(Bildarchiv d. Ost. Nationalbibliothek)

La combinaison du zèle missionnaire avec le prétexte des croisades, très naturelle chez les Portugais et les Espagnols après des siècles passés à essayer de chasser les Musulmans de leurs terres, constitue l'élément moteur de leurs efforts d'expansion. Il y gagnèrent l'appui des papes. Ce soutien se concrétisa par l'octroi d'une série de bulles qui accordaient des indulgences à ceux qui avaient trouvé la mort en Afrique et qui donnaient au Portugal le monopole sur les découvertes, les conquêtes et le commerce de l'Afrique de l'Ouest jusqu'aux Indes. Un intérêt scientifique sincère pour le résultat des découvertes géographiques fut aussi un facteur déterminant. Les livres de bord de Cadamosto, un des capitaines d'Henri, résument des informations fascinantes sur les coutumes sociales, l'alimentation, les pratiques commerciales, l'habillement, le climat, etc. Même pour le prince Henri, les motivations économiques devinrent essentielles, surtout lorsqu'il s'aperçut des gains qu'il pouvait réaliser. La monarchie avait accordé à Henri le monopole commercial avec toutes les terres découvertes. Il détenait aussi le monopole de la pêche au thon sur la côte méridionale du Portugal, sur l'importation du sucre et sur l'industrie du savon. C'est donc lui qui bénéficia le plus du détournement des livraisons d'or du commerce saharien au profit des vaisseaux portugais et du commerce important des esclaves, qui commençait à se développer avec les chefs du Sénégal et de la Guinée. Contrairement aux marchands de Lisbonne à qui il avait concédé des droits de commerce, Henri dépensa beaucoup plus d'argent durant ses voyages d'exploration qu'il n'en rapporta, et mourut endetté.

◆ *Les principaux voyages d'exploration* ◆
aux XIVᵉ et XVᵉ siècles

Année	*Explorateur*	*Commanditaire du voyage*	*Régions explorées*
1418-1460	Différents capitaines	Portugal (Henri le Navigateur)	Madère, les Açores, côte de l'Afrique de l'Ouest jusqu'au cap Vert
1487-1488	Bartolomé Dias	Portugal (Jean II)	Côte africaine jusqu'au cap de Bonne-Espérance
1492	Christophe Colomb	Espagne (Ferdinand et Isabelle)	Bahamas, Saint-Domingue
1493	Christophe Colomb	Espagne (Ferdinand et Isabelle)	Îles des Antilles
1497-1498	Jean Cabot	Angleterre (Henri VII)	Terre-Neuve, Nouvelle-Écosse
1497-1499	Vasco de Gama	Portugal (Manuel Iᵉʳ)	Cap de Bonne-Espérance, l'océan Indien jusqu'à l'ouest de l'Inde
1498	Jean et Sébastien Cabot	Angleterre (Henri VII)	L'expédition se perdit en mer
1498	Christophe Colomb	Espagne (Ferdinand et Isabelle)	Île de la Trinité, Venezuela
1499	Americ Vespuce	Espagne (Ferdinand et Isabelle)	Côte nord-est de l'Amérique du Sud
1500	Pedro Álvarez Cabral	Portugal (Manuel Iᵉʳ)	Brésil, route de l'océan Indien jusqu'à l'ouest de l'Inde
1502-1504	Christophe Colomb	Espagne (Ferdinand et Isabelle)	Côte de l'Amérique centrale
1519-1522	Fernand de Magellan	Espagne (Charles Quint)	Première circumnavigation du globe. Cap Horn, océan Pacifique
1524	Giovanni de Verrazano	France (François Iᵉʳ)	Côte américaine, de la Virginie jusqu'à Terre-Neuve
1533, 1534	Jacques Cartier	France (François Iᵉʳ)	Québec, fleuve Saint-Laurent
1577-1580	Francis Drake	Angleterre (Élizabeth Iʳᵉ)	Circumnavigation du globe. Cap Horn, côte ouest des Amériques du Nord et du Sud

La valeur commerciale et missionnaire de la côte de la Guinée amena Henri à établir, à l'île Arguin, la première forteresse et le premier comptoir commercial européens d'outre-mer, un type de colonisation qui fut le modèle pour tous les grands empires coloniaux de l'Europe. L'exploration continua et, à la mort d'Henri, en 1460, le fleuve Gambie avait été atteint. Ainsi Henri avait grandement contribué aux progrès techniques des navires portugais, exploré plus de deux mille quatre cents kilomètres de côtes en Afrique de l'Ouest, fait de Madère et des Açores des colonies portugaises prospères et il avait établi des liens avec des tribus de l'Afrique de l'Ouest pour le commerce des esclaves, de l'or et de l'ivoire. On avait aussitôt commencé à christianiser les habitants païens, une tâche déléguée à l'ordre du Christ, ordre religieux militaire dirigé par un parent du roi portugais. Mais au cours du siècle suivant, les missionnaires envoyés par le Portugal adoptèrent une attitude nonchalante dans leur recherche de futurs convertis, choisissant des concubines parmi les femmes du pays et se forgeant une réputation de cupidité. Il faudra attendre que les Jésuites prennent le contrôle des missions portugaises, dans les années 1550, pour voir le spectaculaire travail de conversion du Portugal commencer à rivaliser avec celui des Franciscains espagnols.

Après la mort d'Henri, le monopole de l'ouest de l'Afrique fut concédé à un riche marchand de Lisbonne qui augmenta sa fortune en continuant à commanditer des expéditions le long de la côte africaine. Elles apportèrent la décevante nouvelle que la côte africaine tournait vers le sud encore une fois, à l'embouchure du Niger : les explorateurs n'avaient toujours pas trouvé une nouvelle route maritime vers les Indes. Le roi Jean II (1481 à 1495), un colonialiste compétent, enthousiaste et sans pitié, décida alors d'envoyer Bartolomé Dias pour le grand voyage qui lui permit de découvrir le cap de Bonne-Espérance. Mais le roi Jean ne sut profiter de la plus belle occasion qui lui avait été offerte. Quand Christophe Colomb, un navigateur génois qui travaillait depuis 1476 au Portugal comme cartographe, acheteur de sucre et maître marin, avait proposé qu'on lui fournisse une flotte pour naviguer plein ouest à travers l'Atlantique pour découvrir la route des Indes, du Japon et de la Chine, Jean avait refusé. (Il envoya tout de même une expédition pour vérifier les théories de Colomb, mais les navires suivirent une route incorrecte vers le nord et durent revenir à cause des coups de vent.) Colomb présenta alors son plan à Ferdinand et Isabelle d'Espagne, qui l'acceptèrent en 1492. Dans l'immédiat, le refus de Jean fut sans doute judicieux. L'ouverture d'une route contournant l'Afrique, donnant au Portugal la possibilité de briser le monopole de Venise sur le commerce des épices en Asie, rapporta des bénéfices dès le départ. Ce fut en fait la plus grande contribution que Jean laissa au Portugal. Son successeur, Manuel le Grand (1495 à 1521), allait voir ce plan réussir à la perfection.

Instauration de l'empire colonial portugais

Le plus beau monument de Manuel, le monastère des Hiéronymites, à Bélem, un peu plus bas sur le Tage, fut construit pour commémorer le plus grand exploit de son règne, l'ouverture de la route des Indes par Vasco

Volet du reliquaire, par Nuño Gonçalves
La peinture la plus célèbre de Gonçalves, le
Polyptyque de saint Vincent, *est constituée de*
plusieurs volets, et fut réalisée vers 1460. Elle
présente non seulement la famille royale, mais
aussi les principaux chevaliers, moines, ban-
quiers et médecins (et même des mendiants) de
Lisbonne au XVe siècle. Sur ce volet, un rabbin se
tient debout, derrière un aristocrate agenouillé,
tandis qu'un mendiant observe depuis l'arrière-
plan.   (Gracieuseté du Museu Nacional de Arte
Antiga, Lisbonne)

LISBONNE À L'ÉPOQUE DE MANUEL LE GRAND

de Gama, en 1497-1499. Manuel savait très bien que des voyages secrets commandités par le roi Jean avaient amené les marins portugais à un niveau technique qui leur permettait d'entreprendre une grande expédition vers l'Inde. Comme le Tout-Lisbonne, il avait été surpris quand Colomb, revenant sur le Tage en 1493, déclara avoir découvert l'Inde après avoir navigué à l'ouest. Il était déterminé à tirer profit du traité de Tordesillas (1494) qui avait vu les Portugais et les Espagnols s'entendre pour que les régions situées à 360 lieues à l'ouest d'une ligne imaginaire reliant les deux pôles passant aux îles du cap Vert constituent le territoire d'exploration de l'Espagne; toutes les régions à l'est de cette ligne relèveraient du Portugal. Le traité donnait carte blanche au Portugal dans l'océan Indien. Manuel choisit Vasco de Gama, un marin expérimenté dans la trentaine, pour prendre le commandement de quatre navires (dont deux avaient été spécialement construits pour le voyage) et d'un équipage de 170 hommes. Ils reçurent les tous derniers équipements nautiques, un traité sur la navigation, des bornes de pierre pour marquer leur suprématie et, curieusement, des objets de troc de peu de valeur et des cadeaux inadéquats pour offrir aux princes indiens. Ils étaient passés maîtres dans l'art de l'exploration, mais dans l'art du commerce, ils avaient des leçons à recevoir de leurs voisins de l'Est. Après avoir passé une nuit de vigile dans une petite église de Bélem (Bethléem), sur les quais du Tage, de Gama et son équipage se rendirent au rivage dans une procession cérémoniale au milieu d'une foule immense, consciente de l'importance du voyage pour l'avenir de Lisbonne.

De Gama suivit d'abord la route habituelle, des îles Canaries jusqu'à l'Afrique de l'Ouest. Mais après quelques jours dans les îles du cap Vert, il s'éloigna au large de l'Atlantique. Au cours d'un long voyage semi-circulaire qui le garda hors de vue des côtes plus longtemps qu'aucun marin ne l'avait jamais fait — d'août à novembre 1497 —, il atteignit la pointe sud de l'Afrique. Remontant la côte est, contrôlée par les Arabes, jusqu'à ce qui est aujourd'hui le Kenya, il rencontra un pilote indien extraordinaire qui le conduisit sans peine au grand port d'épices de Calicut, sur la côte de Malabār en Inde. Il n'y eut pas de grande exaltation pour le saluer en tant que premier Européen à contourner l'Afrique pour atteindre un port indien. Deux Arabes parlant espagnol reçurent le premier détachement de débarquement avec ces paroles: «Diable, quel vent vous amène en ce lieu?». Leur réponse, «Nous sommes venus trouver des chrétiens et des épices», amena la question surprenante, «Pourquoi le roi de Castille, le roi de France ou la seigneurie de Venise ne viennent-ils pas aussi?» Bien que ses babioles et ses étoffes aient été méprisées et ses présents reçus avec dédain, de Gama réussit tout de même à recueillir un chargement de poivre, de cannelle et d'autres épices. Après une année tourmentée, il rentra à Lisbonne en 1499, avec seulement deux navires et deux tiers de ses hommes. Cependant, Manuel avait plusieurs raisons d'être enthousiaste. Non seulement la cargaison ramenée permettait-elle de couvrir largement les frais du voyage, mais ses marins avaient trouvé la route menant à la source

La tour de Bélem (Bethléem)
*Cette tour de style manuélin, située sur la plage d'où Vasco de Gama était parti en 1497 à destination de l'Inde, fut construite pour protéger l'embouchure du Tage.
(Heyward Associates, Inc.)*

d'enrichissement la plus rapide au monde : celle des épices qui avaient fait l'envie de l'Europe et la fortune de Venise. Il adopta le titre grandiose de «lord de la Guinée et de la conquête maritime et commerciale de l'Éthiopie, de l'Arabie, de la Perse et de l'Inde». Il changea le nom de l'entrepôt royal pour la *Casa da India* et s'adjugea le monopole sur le commerce des épices. Il projeta immédiatement d'employer la force pour briser le contrôle des Arabes sur le commerce des épices.

Une autre flotte, envoyée l'année suivante et dirigée par Pedro Alvarez Cabral, vira à l'ouest et découvrit le Brésil, avant de continuer vers l'Inde. Chaque année, des flottes fortement armées affrontaient des navires musulmans presque sans défense sans subir de pertes importantes; et à partir de 1509, un réseau soigneusement conçu de ports autour de l'océan Indien fut établi. La «Goa dorée», saisie de l'emprise de son sultan en 1510, devint le principal centre portugais sur la côte indienne. Des expéditions encore plus ambitieuses furent envoyées afin de contrôler l'accès du golfe Persique, avec la conquête de la ville d'Ormuz, et pour obtenir un accès direct au commerce des épices en Asie du sud-est, en saisissant Malacca, près de ce qui est aujourd'hui Singapour. À partir de Malacca, la route était facile jusqu'à Canton, en Chine, et le Portugal obtint rapidement le droit d'établir un comptoir commercial à Macao, à l'embouchure de la rivière Canton. Les Portugais furent donc capables de devenir, grâce à leur flotte et à leur chaîne de villes forteresses, ainsi qu'à leurs «fabriques», les principaux négociants européens du réseau commercial qui unissait les terres entourant l'océan Indien et le sud de l'Asie.

La courte prospérité de Lisbonne

Le cloître du monastère de Batalha
Cette pièce en pierre chantournée de style manuélin rappelle les sculptures raffinées des temples indiens que les Portugais venaient de découvrir. Manuel fit décorer le cloître de plantes semi-tropicales qui grimpaient sur les sculptures. (F. Roy Willis)

Lisbonne était le cœur de cet empire commercial et était devenue, à la mort de Manuel, le plus grand entrepôt du monde. Elle avait réussi à obtenir le monopole ou une grande partie des importations commerciales de tous les produits africains et asiatiques demandés en Europe : l'or et les esclaves de l'Afrique, le sucre de Madère, le poivre de l'Indonésie, la cannelle du Ceylan, le clou de girofle de Ternate, la soie et la porcelaine de la Chine, l'argent du Japon et les chevaux de la Perse. Elle était devenue le principal acheteur des produits européens expédiés en Orient. Elle envoyait souvent des navires à Anvers, où elle vendait ses produits tropicaux au nord de l'Europe. Elle continua à prospérer jusqu'à ce que, avec ses cent mille habitants, elle devienne une des douze plus grandes villes de l'Europe. Mais bientôt, Lisbonne montra elle-même les signes de la faiblesse de son empire. Soutenir des soldats, des marins, des administrateurs et des marchands pour un empire mondial fut excessivement lourd à supporter, avec seulement un million de Portugais. La force militaire portugaise fut incapable de maintenir la revendication de son pays sur le monopole des épices dans l'océan Indien, surtout lorsque les navires vénitiens rétablirent leur concurrence dans les années 1520. L'économie du pays ne put retirer le maximum d'avantages de son empire, en raison d'un système bancaire déficient, incapable de financer les entreprises mercantiles, et de l'industrie du pays qui ne pouvait répondre aux exigences de l'exportation. Inévitablement, l'inflation suivit l'entrée de l'or de la Guinée et la chute des prix à l'exportation, causée par un surplus d'épices et de sucre. Sous Manuel, Lisbonne connut une période de gloire éphémère et étourdissante, suivie d'une profonde désillusion.

L'atmosphère de ces années, où un siècle d'explorations courageuses rapportaient soudainement des profits — c'est du moins ce qu'il semblait — peut être ressentie aujourd'hui dans le monastère de Bélem, miraculeusement conservé à la suite du grand tremblement de terre de 1755 qui détruisit tout le centre de Lisbonne, et dans le plus grand poème du Portugal, *Les Lusiades*, de Luís de Camões (1524-1580). Tous deux furent inspirés par Vasco de Gama. Manuel avait consacré une partie des profits du monopole des épices à la construction d'un monastère de style gothique flamboyant, sur le Tage, près de la plage où Vasco de Gama avait mis les voiles. Édifice vaste, avec ses voûtes en éventail et ses colonnes délicatement sculptées, le monastère des Hiéronymites est surtout remarquable pour ses ornements de pierre taillée. Partout sur l'édifice, autour des fenêtres et des portes, sur le toit et les murs, se trouvent de somptueux motifs décoratifs en dentelle, dont plusieurs semblent venir directement des navires et des terres que les Portugais avaient découverts — cordes enroulées, coquillages, feuillages tropicaux, coraux, goélands, vagues, fruits. Ce style unique fut appelé manuélin, et c'est dans ce style que Manuel construisit la chapelle funéraire de sa famille à Batalha, dont les colonnes non complétées témoignent encore des rêves irréalisés du lord de la Guinée.

Les *Lusiades*, publié en 1572, est une tentative de réécriture non dissimulée, et très réussie, de l'*Énéide* de Virgile, décrivant le voyage de Vasco de Gama et les gloires passées du Portugal, grâce au poème épique. Camões commence ainsi :

> *Je chante les combats et les héros fameux qui, partis des rives occidentales de la Lusitanie, et s'élançant à travers des mers jusqu'alors inexplorées, laissèrent loin derrière eux la Trapobane, après avoir surmonté mille obstacles : des guerres, des périls qui dépassaient la force humaine; je chante ces héros qui, dans des contrées lointaines fondèrent un nouveau royaume qu'ils élevèrent si haut.*
>
> *Je chante la mémoire glorieuse de ces rois qui propagèrent la foi, agrandissant l'empire, et dans leurs expéditions dévastèrent les terres impies de l'Afrique et de l'Asie, et ceux qui par leurs exploits s'affranchirent de la loi de la mort. Voici ce que répandront mes chants par tout l'univers, si mon génie et mon art suffisent à une telle entreprise.*
>
> *Qu'elles soient oubliées les longues pérégrinations du sage grec et du Troyen; qu'elle se taise la renommée des victoires d'Alexandre et de Trajan : car moi, je chante le cœur courageux des Lusitaniens qui soumirent à leurs lois Mars et Neptune. Oubliez tout ce que célébra la Muse antique, car, dans mes vers, une valeur plus haute va paraître.*[3]

Cependant, un élément du poème de Camões incite les Portugais à se demander si tout son cœur était dans son récit épique. Il s'agit du discours qu'il attribue à un vieil homme qui regarde de Gama prendre la mer à Bélem et qui condamne toute l'aventure du voyage vers l'Inde. Le grand poète avait peut-être anticipé ce qu'un observateur de Lisbonne écrirait en 1608 :

> *Le prix à payer pour les brillantes découvertes, la bravoure et la ténacité fut qu'alors que notre découverte du monde progressa, l'agriculture du Portugal s'affaiblit et sa population rurale diminua. (...) Si nous considérons ce qui provient des Indes orientales et que nous pouvons voir dans cette ville [Lisbonne], épices, ambre, perles, pierres précieuses et autres objets de grande valeur, ainsi que l'or des mines, on verra que tout cela est bien plus que ce qu'aurait pu importer la flotte de Salomon. Pourtant, toute cette richesse obtenue par les conquêtes indiennes, et qui apporta à Lisbonne des perroquets dans des cages dorées, ne nous donna pas des champs pour la culture ou pour faire paître le bétail, ou des travailleurs pour cultiver les champs. Au contraire, elle nous enleva tous ceux qui auraient pu faire cela pour nous. (...) Je ne crois pas vraiment en ces choses indiennes. Que les hommes s'occupent des choses qu'ils trouvent chez eux.*[4]

TENOCHTITLÁN ET LA CONQUÊTE DES AMÉRIQUES

Alors qu'au cours de la première moitié du XVIe siècle, le Portugal bâtissait un empire commercial en Afrique et en Asie, sa voisine et rivale, la puissante Espagne, bâtissait un empire très différent,

3 Luís de Camões, *Les Lusiades*, Chant I, v. 1 à 3, cité dans Jacques Fressard, *Camoëns*, Paris, Éditions Seghers (coll. «Écrivains d'hier et d'aujourd'hui», no 14), 1964, p. 105.

4 J. B. Trend, *Portugal*, Londres, Ernest Benn, 1957, p. 146.

mais tout aussi lucratif du côté des Amériques. L'empire colonial espagnol se déployait autour de deux grandes villes. D'abord Séville, en Espagne même, ville portuaire de l'Atlantique sur le Guadalquivir, qui reçut le monopole du commerce américain et devint ainsi la cinquième ville de l'Europe avec, en 1558, une population de cent cinquante mille habitants; et, en Nouvelle-Espagne (la région qui couvre le Mexique, le Guatemala et le sud des États-Unis d'aujourd'hui), Tenochtitlán, la capitale de l'empereur aztèque Moctezuma II, qui fut rebaptisée Mexico et qui devint le centre administratif des colonies espagnoles. Durant le XVIᵉ siècle, elle avait une surprenante population de plus de cent mille habitants.

Les voyages de Christophe Colomb

Cette nouvelle étape dans l'histoire de l'Espagne avait débuté de façon spectaculaire, en 1492. Le roi Ferdinand d'Aragon et la reine Isabelle de Castille, dont le mariage avait unifié presque toute l'Espagne, avaient complété en janvier la reconquête de la péninsule aux dépens des Musulmans, en s'emparant de Grenade. Trois mois plus tard, ils acceptaient d'envoyer Christophe Colomb, un capitaine génois de la marine marchande, pour naviguer à l'ouest à travers l'Atlantique afin de «découvrir et prendre possession des îles et des terres océaniques», ce qui pour eux voulait dire le Japon et la Chine. Leurs objectifs étaient multiples. Si Colomb atteignait l'Orient, ils espéraient pouvoir inaugurer une œuvre missionnaire et gagner de nouvelles forces militaires pour poursuivre leur croisade contre les Musulmans. Ils pourraient ainsi prendre le contrôle du commerce des épices de l'Asie avant les Portugais et rétablir l'équilibre

◆ *Tenochtitlán à l'époque de Moctezuma II* ◆

Période étudiée	Le règne de l'empereur Moctezuma II (1502-1520) et la conquête espagnole du Mexique (1519-1521)
Population	80 000 à 100 000 personnes
Superficie	Environ 13 kilomètres carrés
Forme de gouvernement	Empire despotique; empire formé de tribus soumises devant payer le tribut au gouvernement central aztèque
Base de l'économie	Agriculture dans la vallée de Mexico; tribut de l'empire (nourriture, matières premières, devises); transformation (vêtements de coton, plumages, orfèvrerie); marché central
Vie intellectuelle	Sculptures monumentales; pyramides; astronomie
Principaux édifices	Palais de Moctezuma II; Grand Temple; chaussées; aqueducs
Divertissement public	Festivals religieux (comprenant des sacrifices humains); célébrations de victoires militaires; danse; musique; jeux de hasard
Religion	Polythéisme (mais surtout le Quetzalcóatl et le Tlaloc)

financier de leur monarchie. Une puissante armée, stimulée par la campagne de Grenade, était prête pour une nouvelle croisade et de nouveaux butins. Enfin, les Espagnols avaient déjà acquis de l'expérience en colonisant les îles Canaries et ils tiraient profit de la production de sucre et de vin, aux dépens d'une population locale subjuguée. Ils étaient prêts à répéter l'expérience dans les nouvelles îles que découvrirait Colomb.

Ce furent les îles Caraïbes, et non pas l'Asie continentale, que Colomb découvrit quand il débarqua pour la première fois, le 12 octobre, après avoir navigué sans problèmes pendant trente-trois jours depuis les îles Canaries. Cette journée extraordinaire est décrite dans le *Journal* de Colomb :

Jeudi, 11 octobre

Il navigua ouest-sud-ouest. Ils eurent grosse mer, plus que jusque-là au long du voyage.

Ils virent des pétrels et un jonc vert tout près de la nef amirale. Ceux de la caravelle Pinta *virent un roseau et un bâton et ils saisirent un autre bâtonnet tra-*

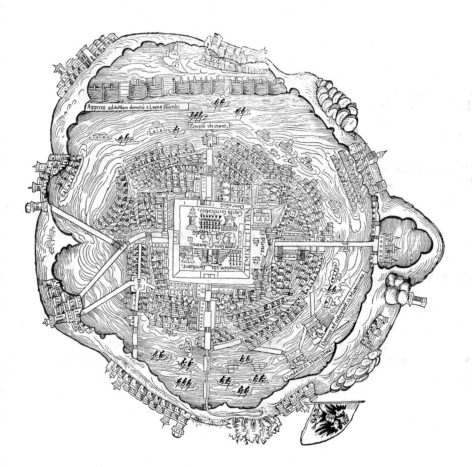

Tenochtitlán sous les Aztèques
Des chaussées au-dessus du lac mènent aux îles densément peuplées de la capitale aztèque. Sur la grande place centrale se trouvent les principales pyramides et le palais de l'empereur Moctezuma II.   (Conseil national du tourisme mexicain)

vaillé, à ce qu'il leur parut, avec le fer; puis encore un morceau de roseau et une autre herbe qui pousse en terre, enfin une planchette. Ceux de la caravelle Niña virent aussi d'autres signes de terre et un rameau d'épine chargé de ses fruits. À cette vue, ils respirèrent tous et se réjouirent. (...) À la deuxième heure après minuit, la terre parut, distante de deux lieues. Ils carguèrent les voiles (...), puis se mirent en panne, temporisant jusqu'au jour du vendredi où ils arrivèrent à une petite île des Lucayes qui, dans la langue des Indiens, s'appelait Guanahani. Alors ils virent des gens nus, et l'Amiral se rendit à terre dans sa barque armée (...). Arrivés à terre, ils virent des arbres très verts et beaucoup d'eau et des fruits de diverses espèces. L'Amiral appela les deux capitaines et tous ceux qui sautèrent à terre (...) et il leur demanda de lui rendre foi et témoignage de ce que, lui, par devant tous, prenait possession de ladite île — comme de fait il en prit possession — au nom du Roi et de la Reine, ses Seigneurs (...).[5]

Colomb profita au maximum de ses découvertes — les plantes médicinales, les anneaux en or que portaient dans leur nez les autochtones, tous les fruits inconnus, la docilité des insulaires — mais poussa vers son objectif premier, le Japon, qu'il croyait être dans une des îles environnantes. Des Bahamas, il se rendit à Cuba et à Hispaniola (Haïti); mais après le naufrage de son vaisseau amiral, il dut rentrer en Espagne. Il laissa derrière lui plusieurs marins qui furent tous tués, surtout pour avoir molesté les femmes des villages indiens. Il maintint jusqu'à sa mort qu'il avait trouvé les Indes, et appela ses habitants *los Indios* (les Indiens), un nom qui fut employé par tous les autres explorateurs pour désigner les habitants des Amériques. Ferdinand et Isabelle décidèrent de coloniser les îles sur-le-champ; ils renvoyèrent Colomb avec dix-sept navires et mille deux cents colons mais, chose étonnante, il n'y avait aucune femme. Au cours de son deuxième voyage, Colomb explora la côte sud de Cuba et découvrit la Jamaïque; mais la colonie d'Hispaniola se rebella et fut traitée maladroitement par Colomb. En 1498, il fit un troisième voyage avec un groupe de colons qui, cette fois, comportait trente femmes, les premières Espagnoles à traverser l'Atlantique. Bien qu'ayant découvert l'île de la Trinité et l'embouchure du fleuve Orénoque au Venezuela, les monarques espagnols le firent remplacer comme gouverneur et, avec les fers, il fut renvoyé au pays par ses successeurs. Il put entreprendre une autre expédition, en 1502, au cours de laquelle il explora le Costa Rica et la côte du Honduras. Mais écarté de tout pouvoir gouvernemental et déçu de n'avoir pas trouvé les îles des Épices, Colomb se retira, aigri mais riche.

À ce moment, les Espagnols comprirent qu'il avait découvert un continent immense et inconnu, et qu'ils avaient avantage à profiter de ce qu'il avait trouvé plutôt que de se lamenter de ce qu'il n'avait pas trouvé. Des prêtres avaient accompagné Colomb lors de son second voyage pour entreprendre la conversion des autochtones, et, en 1512, des évêchés furent créés à Saint-Domingue et Porto Rico. Dès leur arrivée, en 1500, les frères s'étaient chargés de christianiser les Indiens et, peu après,

5 Christophe Colomb, *La Découverte de l'Amérique, tome I: Journal de bord 1492-1493*, Paris, François Maspero (coll. «La Découverte», n° 1), 1979, p. 57-60.

de les protéger de l'oppression des conquérants. Avant même la mort de Ferdinand d'Aragon, en 1516, son gouvernement avait commencé à recevoir les protestations du grand frère dominicain Bartolomé de las Casas. Cette requête aboutit à la rédaction de lois qui ordonnaient l'amélioration du traitement des Indiens sur les grandes propriétés foncières. Malheureusement, ces lois furent facilement contournées. Des colons, dont plusieurs femmes dans les familles ou les serviteurs des colons, furent envoyés en nombre de plus en plus grand dans les îles des Antilles, et ensuite sur le continent. Durant le XVIe siècle, les femmes comptaient pour le dixième des colons. La couronne encourageait ceux qui n'avaient pas la chance d'épouser une Espagnole à épouser des Indiennes converties. Les colons espagnols répandirent la mort chez la plupart des autochtones, leur apportant des maladies et les tuant au travail. La faible quantité d'or fut rapidement épuisée, et les îles devinrent plutôt une source de produits tropicaux (comme la canne à sucre) pour l'Europe, et le point de départ d'expéditions vers le continent. Le plus important centre colonial, établi sur l'isthme de Panamá, fut la ville de Darién, fondée par Balboa. Il fut le premier des grands conquérants espagnols, ou *conquistadores*, et, en 1513, il dirigea l'expédition qui permit d'apercevoir l'océan Pacifique pour la première fois. Il paraissait clairement qu'il y avait une fortune à faire dans le Nouveau Monde avec la pêche aux perles, l'esclavage et l'or. Le grand voyage de Magellan en 1519-1522, commandité par l'Espagne, qui contourna le cap Horn et traversa le Pacifique jusqu'aux îles des Épices (appelées aujourd'hui îles Moluques), ne servit qu'à décourager les Espagnols de remettre en question le monopole portugais en Asie. Il était évident que le détroit de Magellan ne pouvait servir de route commer-

Le Grand Temple de Tenochtitlán, reconstitué par Ignacio Marquina
(Gracieuseté du American Museum of Natural History)

ciale acceptable, puisqu'il avait fallu trente-huit jours à Magellan lui-même pour traverser les eaux infernales du cap Horn.

La conquête du Mexique

De 1519 à 1550, les Espagnols concentrèrent leurs efforts sur l'acquisition d'un empire en Amérique centrale et du Sud. En 1519, Hernán Cortés mena une expédition de six cents hommes, seize chevaux, quelques canons et treize mousquets, de Cuba jusqu'à la côte continentale, à Veracruz. En route, il prit possession d'une esclave indienne, la Malinche, qu'il rebaptisa Marina; elle connaissait le maya et l'aztèque. Malinche devint non seulement sa maîtresse, mais aussi sa traductrice et conseillère lors de la campagne contre les Aztèques. (*Malinche* est aujourd'hui un mot mexicain qui désigne un traître!). Après qu'elle lui eut donné un fils, Cortés la donna en mariage à un de ses soldats. «Nous sommes venus ici pour servir Dieu et le roi, ainsi que pour nous enrichir», écrivit un de ses soldats. Leur esprit était rempli des glorieuses histoires des derniers romans chevaleresques, leur ambition attisée par la perspective d'une promotion sociale au sein de la noblesse espagnole, leur cupidité avivée par les rumeurs concernant les richesses de l'empire des Aztèques. Bref, les hommes de Cortés étaient prêts à attaquer un Empire de près d'un million de personnes. Cortés les mena de la jungle humide du golfe du Mexique jusqu'à l'escarpement abrupt qui protégeait la vallée de Mexico. Plus ils avançaient, plus les villages qu'ils rencontraient semblaient prospères, et plus les symboles de la richesse et de la civilisation se multipliaient. Finalement, ils virent, à leur grand étonnement, la ville lacustre de Tenochtitlán, aussi grande que les principales villes d'Europe et même encore plus belle. Quatre jours après que Cortés eut dupé Moctezuma II, et que celui-ci l'eut fait entrer paisiblement dans la ville avec ses hommes, Moctezuma II le conduisit avec ses capitaines au sommet de la pyramide centrale de la ville et, selon Cortés:

lui dit de regarder cette grande ville et toutes les autres villes établies aux alentours dans la lagune, et beaucoup d'autres villages construits sur la terre ferme... Au sommet de ce grand temple maudit, on était si haut que l'on dominait tout parfaitement. Et de là-haut nous vîmes les trois chaussées qui entrent à Mexico, celle d'Iztapalapan, par laquelle nous étions arrivés quatre jours plus tôt, celle de Tlacopan, par laquelle plus tard nous partîmes, en fuite, la nuit de notre grande défaite... et celle de Tepeyacac. Nous voyions l'aqueduc qui venait de Chapultepec pour fournir la ville en eau douce, et de place en place, sur les trois chaussées, les ponts par où l'eau de la lagune entrait et sortait d'une partie à l'autre. Nous voyions sur cette grande lagune une multitude de bateaux, les uns qui arrivaient avec des fournitures, les autres qui repartaient chargés de marchandises... et nous voyions dans ces villes des temples et des oratoires en forme de tours et de bastions, toutes resplendissantes de blancheur, chose merveilleuse! — et les maisons à terrasses, et le long des chaussées d'autres tours et des oratoires semblables à des forteresses. Et, après avoir bien regardé et considéré tout cela, nous tournâmes nos regards vers la grande place du marché et la multitude de gens qui y achetaient et vendaient: la rumeur et le bourdonnement des paroles qui s'y prononçaient résonnaient à plus *d'une lieue. Et il y avait parmi nous des soldats qui avaient été dans plusieurs parties du monde, à Constantinople, dans toute l'Italie et à Rome, et ils dirent qu'ils n'avaient jamais vu un marché aussi bien organisé et ordonné, aussi grand, aussi rempli d'une telle foule.[6]*

Cortés venait de trouver une des plus grandes villes du monde. Au cours des mille cinq cents ans précédant cette conquête, les Indiens d'Amérique avaient créé une civilisation remarquable, sans aucun contact avec l'Asie, d'où ils étaient originaires, ni avec l'Europe ou l'Afrique. Les plus grandes réalisations se rencontrent en Méso-Amérique (ou Moyenne Amérique), une région s'étendant du centre du Mexique jusqu'au Nicaragua et dans les Andes péruviennes. Des archéologues ont réussi, en Méso-Amérique, à suivre le développement de villages permanents, avec des techniques agricoles sophistiquées et une grande variété de cultures et d'animaux, en remontant aussi loin que 7000 ans av. J.-C. Mais la première vraie civilisation urbaine fut fondée par le peuple olmèque, le long de la côte du golfe du Mexique, sur des sites tels que La Venta, près de Veracruz, entre 1200 et 400 av. J.-C. Les Olmèques furent les premiers à développer des coutumes de vie urbaine qui devaient se maintenir, sous diverses formes, jusqu'à l'arrivée des Espagnols — de grands centres religieux habités par des dirigeants religieux et militaires, de vastes temples en forme de pyramides, l'adoration d'une divinité de la fertilité représentée par un jaguar, des costumes cérémoniaux et des œuvres artistiques en poterie et en jade ainsi que des systèmes astronomiques associés à l'agriculture et à la religion.

Entre l'an 300 av. J.-C. et l'an 300 de notre ère, deux nouveaux grands centres urbains furent créés dans les vallées intérieures du Mexique. Dans

La civilisation précolombienne des Amériques

6 Jacques Soustelle, *La vie quotidienne des Aztèques à la veille de la conquête espagnole*, Paris, Hachette, 1955, p. 35-36.

Uxmal, au Mexique
Grand centre cérémoniel maya, la ville d'Uxmal fut construite principalement entre les ans 600 et 900 de notre ère. On aperçoit la pyramide abrupte du Magicien, face aux ruines du jeu de pelote.
(Lee Boltin Picture Library)

Tambour aztèque
Ce tambour de bois sculpté, très rare, fut utilisé pendant les processions religieuses des rites aztèques. (Lowie Museum of Anthropology, University of California, Berkeley)

La pyramide du Soleil, à Teotihuacán
Teotihuacán, à environ cinquante kilomètres de Mexico, était le centre cérémoniel de la religion toltèque. La pyramide mesure environ 65 mètres de haut et sa base couvre quatre hectares. (F. Roy Willis)

la riche vallée semi-tropicale de Oaxaca, les Zapotèques aplanirent le haut d'une montagne, Monte Albán, et créèrent un immense complexe d'édifices religieux qui comportait aussi un jeu de pelote, des pyramides, des tombeaux ainsi qu'un observatoire qui permit des observations extraordinaires et précises des étoiles et des planètes. Plus au nord, une ville plus grande encore, Teotihuacán, fut construite dans la vallée de Mexico. Teotihuacán fut conçue selon un plan en quadrilatère, ses plus importants édifices étant alignés le long d'une voie principale, maintenant appelée le Chemin des Morts. Des immeubles harmonieux, avec des panneaux saillants que supportaient des colonnes inclinées, pavaient la voie jusqu'à la pyramide de la Lune, sur laquelle se dressaient, à quelque trente-cinq mètres de hauteur, douze temples. Une pyramide encore plus impressionnante, la pyramide du Soleil, la plus grosse construction jamais réalisée en Méso-Amérique, fut complétée, en l'an 100 de notre ère, à bras d'hommes, car les Indiens n'utilisaient pas la roue ou les bêtes de somme. Monte Albán et Teotihuacán connurent leur apogée durant les années 300 à 600, alors que Monte Albán, avec ses 26 000 habitants, était plus grande que Paris et que Teotihuacan, avec peut-être 200 000 habitants, constituait une des plus grande villes du monde. Durant le VIIe siècle, les deux agglomérations déclinèrent, sans doute en raison de défaites militaires, bien que la culture de Monte Albán ait été plus tard ravivée par un nouveau peuple conquérant, les Mixtèques.

Les voyageurs européens, depuis la venue des Espagnols, ont été plus qu'impressionnés par les grands centres cérémoniels des peuples mayas de la presqu'île du Yucatán et des régions avoisinantes. Les Mayas étaient de grands guerriers, des fermiers et des marins habiles, et des constructeurs ambitieux. Ils surpassaient les autres peuples indiens par leurs connaissances poussées en astronomie, en mathématiques et leur développement

du calendrier. Leur plus grande période de réalisations couvre les années 300 à 900, alors qu'ils développèrent de magnifiques centres cérémoniels, comme Palenque, dans la jungle du sud-ouest du Mexique, et Uxmal, dans les plaines côtières du Yucatán. Leurs palais étaient ornés de murales éclatantes ou de stèles en pierres gravées, avec des motifs géométriques complexes composés de blocs de pierre. Des jeux de pelote grandioses pouvaient accueillir des milliers de spectateurs. Ce jeu, opposant des équipes, consistait à envoyer une petite balle de caoutchouc dans un petit cercle de pierre, sans l'aide de la tête, des pieds ou des mains des joueurs. Il arrivait que les perdants soient exécutés. Des temples consacrés à des divinités, comme Chac, dieu de la pluie, se dressaient sur des pyramides très abruptes. Les souverains mayas, portant leurs costumes et leurs bijoux d'or, d'argent et de jade raffinés, étaient inhumés dans des tombeaux spectaculaires. Les villes mayas connurent un regain de vie dans les années 1000 à 1200, après avoir été conquises par le peuple toltèque, du centre du Mexique. Leurs sciences et leurs arts traditionnels progressèrent de nouveau, particulièrement l'astronomie dont le centre d'activités se situait dans l'observatoire circulaire de Caracol, dans la grande ville de Chichén Itzá. Cependant, quand les Espagnols entrèrent dans la péninsule du Yucatán, la majorité des édifices mayas étaient en ruines et recouverts de végétation.

À leur arrivée en Amérique, les Espagnols ne trouvèrent que deux civilisations indiennes toujours prospères — l'Empire inca au Pérou et l'Empire aztèque au Mexique. Les Incas s'étaient établis dans la vallée de Cuzco, aux XIIIe et XIVe siècles et ensuite, suivant de nombreuses conquêtes militaires sur une période de seulement cinquante ans (v. 1440-1490), ils fondèrent un empire andin de plus de trois mille deux cents kilomètres de long. Ils étaient avant tout des organisateurs politiques qui obligèrent les citoyens à effectuer des projets d'État grandioses, dont un des plus beaux réseaux de ponts et de routes jamais réalisés. Des relevés géographiques et des recensements précis permirent aux dirigeants de recueillir des taxes importantes. Architectes et ingénieurs travaillèrent de pair pour construire de vastes forteresses, des temples et des palais à Cuzco, tout comme dans les Andes, à Machu Picchu. L'empire était cependant trop centralisé et les Espagnols purent facilement dominer les populations limitrophes après avoir exécuté l'empereur.

Les Aztèques étaient la dernière et la plus militariste des cultures indiennes de la Méso-Amérique. Contrairement aux Incas qui employaient leurs effectifs pour maintenir un empire uni, les Aztèques partaient en guerre pour s'emparer de victimes et les sacrifier ensuite à leurs dieux insatiables, particulièrement l'abominable Huitzilopochtli. Ils conquirent les tribus avancées de la vallée de Mexico au XIIIe siècle, et y trouvèrent des pyramides colossales comme celles des Toltèques, alors disparus. S'inspirant de ces idées, comme tous bons conquérants, ils élevèrent aussi de grandes pyramides sur les îles créées par une série de lacs marécageux.

La culture aztèque

La création de leur ville dans sa lagune était une tâche qui s'apparentait à la construction de Venise. Il fallut créer de l'espace en draguant la vase entre les piliers alignés; des champs pour l'agriculture furent créés en déposant des couches de sédiments sur des plates-formes flottantes en roseaux, comme on peut le voir aujourd'hui dans les jardins flottants de Xochimilco; la pierre devait être apportée de la campagne hostile. En 1519, la ville était belle et prospère. Au centre était le Grand Temple, aujourd'hui la place principale de Mexico, où l'on faisait parader les prisonniers qu'on conduisait à la pierre sacrificielle pour y être décapités. En face du temple s'élevait le palais impérial. Comme le temple, il s'agissait d'un complexe d'édifices regroupés autour de cours intérieures et entrecoupés de canaux. Tous ces édifices peints en blanc qui accueillaient des centaines de prêtres et d'aristocrates en visite, les cours de justice et le trésor public, les prisons, une école de musique et même une volière abritant des espèces rares, étaient entrelacés d'arbres en fleurs. C'est pour cette union entre l'aristocratie sacerdotale et guerrière que Tenochtitlán existait. C'est grâce à ses canaux et à ses places ouvertes que la ville remplissait sa troisième fonction, celle de marché. C'est là, dans des allées méticuleusement entretenues, qu'étaient vendues toutes les marchandises de la vallée — l'or et l'argent, les plumes, les chaussures, les denrées alimentaires, les colorants pour la teinture, les matériaux de construction et les médicaments. Pour faciliter les communications, la ville était divisée en rectangles réguliers, séparés par des rues longues et larges, dont une moitié était une bande de terre, et l'autre un canal. La campagne, qui fournissait à la ville la nourriture et les victimes des sacrifices, était exploitée, ne recevant jamais de bénéfices pour les denrées qu'on allait y chercher. Il n'est donc pas surprenant que les voisins des Aztèques se soient laissés aussi facilement persuader par Cortés afin de l'aider à combattre leurs maîtres.

Les femmes aztèques

La société était soigneusement divisée en classes dont les devoirs et les droits étaient fixés par des lois religieuses. Le mariage, rite sacré, indiquait que l'homme, généralement vers vingt ans, venait d'atteindre l'âge adulte. Une fille pouvait se fiancer très tôt, mais ne se mariait qu'à quatorze ou quinze ans. Cependant, elle était souvent une parmi d'autres épouses ou concubines, surtout si son mari était d'un rang social élevé. La population masculine étant décimée par la guerre, la polygamie était monnaie courante. Donner naissance commandait le respect et une déesse de la fertilité y veillait. Les femmes qui mouraient en couches avaient droit aux mêmes rites funéraires que les soldats morts au combat. Il n'était pas rare qu'une femme ait jusqu'à vingt enfants. Malgré tout, on attendait de la majorité des femmes aztèques beaucoup d'ardeur au travail, que ce soit à la maison dans la préparation des repas, dans la filature et le tissage ou encore dans les travaux des champs. Bien que les citadines fussent de plus en plus confinées à leurs résidences, selon la volonté de leurs pères ou de leurs maris, plusieurs pratiquaient des métiers, la plupart étant prêtresses, sages femmes ou docteurs. Les adultères, quand venait le temps de les punir, étaient traités différemment. On exécutait les coupables, hommes ou femmes, en leur écrasant la tête avec une pierre; mais les femmes étaient d'abord étranglées! Les femmes qui atteignaient un âge avancé étaient grandement respectées et on recherchait leur avis. On leur permettait de consommer de l'alcool, mais l'ivrognerie pouvait entraîner la peine de mort chez les jeunes. Les conquérants espagnols furent grandement impressionnés par la beauté et la culture des femmes aztèques les plus en vue et les épousèrent souvent, créant ainsi la principale branche de la noblesse de la Nouvelle-Espagne. Même les filles de l'empereur Moctezuma II épousèrent des envahisseurs espagnols et s'occupèrent des grandes propriétés qu'on leur confia. Elles pouvaient ainsi atténuer, dans une certaine mesure, l'amertume qui montait au sein de la population indienne à cause de son état d'asservissement.

Deux ans après l'arrivée de Cortés, Tenochtitlán avait perdu sa beauté. *La construction de*
Lors d'un soulèvement provoqué par la destruction de ses temples par les *Mexico*
Espagnols, Moctezuma II fut lapidé par son propre peuple, et Cortés perdit le tiers de ses hommes en tentant de fuir par les chaussées durant la nuit. Soutenu par les armées ennemies des Aztèques, il revint en 1521 et assiégea la ville pendant trois mois, pour finalement la détruire pièce à pièce. Les débris des maisons et des temples furent jetés dans le lac et les canaux, alors que plus d'indigènes périrent à la suite d'une épidémie de variole que sous n'importe quelle arme espagnole. L'année suivante, Cortés décida de reconstruire sur le même emplacement ce qui deviendrait la métropole de la colonie, «puisque la ville avait été si réputée et si importante». Avec le travail de milliers d'Indiens, une ville espagnole tout aussi impressionnante fut érigée.

Sur l'emplacement du temple aztèque, une vaste cathédrale moderne fut construite et une société européenne se forma autour d'elle. Le plan rectangulaire des rues donna à la ville un aspect de régularité et d'immensité qui impressionna les navigateurs anglais prisonniers qui y furent amenés: «La ville de Mexico, écrivit un de ceux-ci, a des rues si larges et si droites que si l'on se trouve en un endroit élevé, au bout d'une de ces rues, on peut voir pour un bon kilomètre au moins.» La ville avait été conçue selon les idées des théoriciens italiens, comme Alberti et Filareti, et exécutée par l'administration espagnole absolue comme il n'avait pas été possible de le faire en Italie — avec des façades uniformes le long des rues, des réserves d'eau municipales, des rues recouvertes de pavés, des granges et des abattoirs contrôlés par la ville et une université d'État. Mais Mexico n'était que le point de départ de l'urbanisation du Mexique par les Espagnols. Comme les Romains, ils créèrent un empire formé de villes. Plusieurs villes furent construites dans des régions non développées dans le but arrêté d'isoler les colons espagnols pour éviter qu'ils n'exploitent les Indiens. D'autres, comme Veracruz dans la mer des Caraïbes, servaient de comptoirs commerciaux; plusieurs autres, comme

MEXICO.

Mexico sous le régime espagnol
Les Espagnols préservèrent presque intégralement le plan de la ville aztèque de Tenochtitlán (voir page 19) quand ils reconstruisirent la capitale catholique de la Nouvelle-Espagne. La cathédrale et le palais principal furent érigés là où s'élevaient les pyramides et le palais de Moctezuma II.

Querétaro, étaient des centres miniers ou manufacturiers; et beaucoup d'autres étaient des missions, fondées par les frères mendiants pour concilier la propagation de la foi au développement économique par l'entremise du travail des Indiens. Cette construction de villes au Mexique, au XVIe siècle, fut le meilleur exemple de réussite en planification urbaine entre l'époque de l'Empire romain et le XIXe siècle, même si pour les Indiens conquis, comme l'écrivit un frère espagnol, ce fut une des dix plaies qu'apportèrent les Espagnols en Amérique.

Au sein de ces villes coloniales magnifiques, les Espagnols créèrent une vie sociale élégante, et parfois même intellectuelle, d'une qualité comparable à celle de l'Espagne. Les centres de cette vie sociale furent les deux villes vice-royales de Mexico et de Lima, et ce, principalement parce que les vice-rois d'Espagne amenaient avec eux leurs épouses et leurs familles. En effet, les villes hispano-américaines n'étaient pas isolées comme leurs homologues portugaises. Les sièges régionaux du gouvernement, comme la ville de Guatemala, et les riches centres miniers, comme Potosí en Bolivie ou Guanajuato au Mexique, devinrent aussi des centres pour l'art et l'éducation. L'université de Mexico fut fondée en 1551 et elle demeura pendant plusieurs siècles le principal centre d'études en Amérique latine. Tout comme en Europe durant la Réforme catholique, de nombreux monastères et couvents furent fondés dans les villes. Pour les femmes aristocrates, les couvents permettaient à tout le moins un accès au monde de l'éducation. Juana Inès de Cruz, rédigeant des œuvres dévotes dans son couvent de Mexico, au XVIIᵉ siècle, devint une des figures les plus connues de la littérature coloniale de l'Amérique latine, en plus de devenir une des premières féministes en affirmant que l'intelligence n'avait strictement rien à voir avec sexe d'un individu.[7] Les villes devinrent aussi des centres pour l'hyperdulie de l'Église latino-américaine envers la Vierge Marie, bien que plusieurs des frères véhiculassent une opinion exceptionnellement misogyne concernant l'infériorité des femmes. Les missionnaires voyaient dans le culte de la Vierge et des saints une façon idéale d'éloigner les Indiens convertis des images païennes qui avaient orné leurs temples et de leur inculquer la vertu de la chasteté prénuptiale, impopulaire chez eux. Le plus haut lieu de pèlerinage du Mexique fut institué à Guadalupe, en 1531, pour vénérer une image de la Vierge qu'un paysan déclarait avoir miraculeusement trouvée dans sa houppelande, à l'endroit où la Vierge lui avait demandé de cueillir des roses.

La base de l'économie du nouvel empire colonial était moins équilibrée que sa planification urbaine. En 1550, les Espagnols avaient conquis tout le Mexique, l'Amérique centrale et, grâce à l'expédition de Pizarro en 1530, l'immense Empire inca. En 1550 aussi, tous les conquistadores s'étaient vus relevés de leurs fonctions gouvernementales, et une administration centralisée avait été mise sur pied par le gouvernement espagnol. Les soldats reçurent en récompense l'octroi de droits tributaires dans des zones précises, ce qui leur permit de recevoir des marchandises et, au début, de profiter du travail des Indiens qui y vivaient. En quelques années, d'immenses propriétés furent constituées par les premiers conquérants et les nouveaux colons venus d'Espagne, et même par des chefs indiens. Plusieurs domaines à l'intérieur des terres se spécialisèrent dans l'élevage d'animaux, surtout les bovins, les moutons, et les chevaux; d'autres fournissaient des céréales aux plus grandes villes. Les régions tropicales se convertirent à la plantation de la canne à sucre et du tabac, en utilisant des esclaves noirs quand les moyens le permettaient. Cependant, la plupart des Indiens continuèrent de s'occuper de leurs terres, remettant leur tribut aux seigneurs comme ils l'avaient fait auparavant à leurs maîtres indiens. Mais les Espagnols étaient surtout intéressés par l'or et l'argent. «Je ne suis pas venu ici pour ces raisons [Dieu et la foi], avoua Pizarro à un frère, je suis venu m'emparer de leur or.» Les premiers chargements d'or provinrent du butin des Empires aztèque et inca. Très souvent, les pièces méticuleusement ouvrées étaient fondues pour en faciliter le transport. Puis on passa à l'exploitation de l'or provenant du lit

L'économie de l'empire colonial espagnol

---

7 C. R. Boxer, *Women in Iberian Expansion Overseas, 1415-1518*, 1975, p. 39.

des rivières, qu'on épuisa rapidement. Finalement, à partir de 1530, on creusa des mines pour en extraire l'argent, et dans les années 1540, des «ruées vers l'argent» furent provoquées par la découverte de filons d'argent formidablement abondants au centre du Mexique et aussi de la fameuse montagne d'argent à San Luis Potosí, en Bolivie.

Durant la seconde moitié du XVIe siècle, les colonies hispano-américaines envoyèrent en Europe leurs produits tropicaux, comme le sucre et le tabac, des peaux pour la fabrication d'articles de cuir et, surtout, de l'or et de l'argent. En retour on expédiait du vin, de l'huile, de la farine, des articles manufacturés comme des outils de métal et des étoffes, ainsi que des animaux domestiques. À l'apogée des échanges commerciaux, 133 navires quittèrent Séville pour l'Amérique en une seule année, un nombre considérable selon les normes de l'époque. Ces transactions eurent des répercussions majeures en Espagne. Les effets furent principalement ressentis à Séville, où la guilde marchande contrôlait le monopole du commerce, et où plusieurs nouvelles installations portuaires furent construites. L'aristocratie locale rompit avec la tradition de sa classe en se lançant en affaires. La production de savon, de porcelaine et d'étoffes fut développée pour l'exportation. Les marchands s'enrichirent en acceptant des commissions pour devenir les intermédiaires des marchands des autres villes d'Espagne et de l'étranger qui souhaitaient participer au commerce avec les Antilles; ils construisirent des palais somptueux de style mauresque. À partir de Séville, l'élan économique se transmit à la Castille, où le volume des échanges commerciaux dans les grandes foires et les manufactures de quelques-unes des villes se multiplia. Mais l'Espagne en général ne reçut pas un grand coup de barre économique de l'acquisition de l'empire, car après 1550, lorsque les Amériques eurent besoin de grandes quantités de produits finis, l'économie espagnole — pour des raisons que nous considérerons plus tard — ne fut pas capable de soutenir une telle production. De plus, l'expédition de lingots qui, selon les théories économiques du XVIe siècle, était considérée comme une importation idéale, eut des effets très nuisibles. La couronne prélevait un cinquième de tout l'argent importé en Espagne, et le considérait comme une source inépuisable de revenus pour financer ses aventures militaires à l'étranger. Elle n'avait pas soupçonné que les effets d'une importation massive d'argent en Espagne, et ses dépenses ultérieures dans les autres régions de l'Europe, feraient augmenter les prix et le coût général de la vie, non seulement en Espagne mais aussi à travers toute l'Europe. Au cours du XVIe siècle, les prix quadruplèrent en Espagne, provoquant de grandes souffrances pour la majorité de la population qui ne pouvait comprendre les causes ou contrecarrer les effets de la dévaluation de la monnaie. En même temps, les initiatives créatives étaient découragées alors qu'il était si facile de faire fortune en contrôlant les lingots.

Les résultats malheureux du colonialisme espagnol

Ainsi, les Espagnols se targuaient faussement, en 1550, d'avoir conquis et exploité un empire qui les aiderait à maintenir leur suprématie en Europe pour une période illimitée. Mais le bilan financier était déjà défavorable. Ils n'avaient pas que détruit d'anciennes civilisations dans leurs colonies des Antilles et du continent américain, ils avaient aussi commencé à décimer la population indienne avec la maladie et le travail forcé. Il est impossible d'obtenir des statistiques précises, mais on estime que la population autochtone du Mexique serait passée de 11 millions d'individus, au début de la conquête espagnole, à 2,5 millions, en 1600. L'élimination des sacrifices humains, la compassion dans le traitement des personnes résultant de l'intervention de frères indignés, comme Bartolomé de las Casas, auprès de la couronne et la mise en vigueur de la justice compensaient peu pour une telle tragédie. Contrairement à ce qui s'était produit aux États-Unis, les Espagnols ne se déplacèrent pas en masse pour occuper les terres disponibles. (Durant tout le XVIe siècle, seuls quelque cent mille Espagnols quittèrent leur pays.) On vit plutôt une oligarchie coloniale s'emparer de vastes propriétés et, suivant les politiques gouvernementales, on se lança dans un malencontreux programme économique basé sur l'exploitation minière de l'argent. L'économie de l'Espagne avait été bouleversée par l'inflation et la monarchie dépendait exagérément des revenus provenant des Antilles pour rembourser ses créanciers, pour entretenir ses armées et construire ses flottes navales. L'importation continuelle de richesses ne pouvait être maintenue qu'à un certain nombre de conditions. Il fallait suffisamment d'esclaves indiens et africains pour travailler dans les mines. Il fallait aussi que les convois maritimes qui transportaient annuellement les trésors échappent aux corsaires anglais, français et hollandais. Enfin, il était indispensable que l'on puisse continuer à expédier aux colonies les produits manufacturés dans le nord de l'Europe. Durant son «siècle d'or», l'Espagne filait des jours heureux, mais elle filait surtout vers sa ruine.

MADRID À L'ÉPOQUE DE PHILIPPE II

Lorsque Madrid avait été choisie comme capitale de l'Espagne, en 1561, il s'agissait à la fois d'un geste symbolique et d'une décision personnelle de la part de Philippe II qui préférait les plateaux secs et venteux de la Castille. C'était une indication que le roi considérait l'Espagne comme un pays unifié, plutôt qu'une union temporaire de royaumes indépendants, et qu'il considérait l'Espagne comme la plus importante de ses possessions en Europe et en Amérique. En fixant sa capitale au centre de l'Espagne, un emplacement extrêmement reculé pour un monarque qui devait communiquer fréquemment par mer avec des endroits aussi éloignés l'un de l'autre que Palerme, Amsterdam ou Lima, il marqua l'intégration de toutes ses tâches de monarque absolu de l'Espagne. «Il était juste, écrivit un témoin de l'époque, qu'une monarchie aussi prestigieuse puisse compter sur une ville qui constituait son cœur — un centre vital au sein du corps qui pourvoyait équitablement aux besoins de tous les états, aussi bien en temps de paix qu'en temps de guerre.»[8]

8 Cité dans John H. Elliott, *Imperial Spain, 1496-1716*, Londres, Edward Arnold, 1963, p. 247.

Le règne de Charles Quint

Philippe II
(Gracieuseté du Museo del Prado, Madrid)

Philippe voulait éviter la dispersion des efforts et des forces qui avait caractérisé le règne de ses prédécesseurs. En épousant Ferdinand d'Aragon, Isabelle avait fait plus qu'unir la majeure partie de l'Espagne, elle avait engagé la Castille dans les conflits européens d'Aragon — en premier lieu, la lutte avec la France pour le contrôle des Pyrénées, du royaume de Naples et de la Sicile. En 1494, Ferdinand avait déjà été forcé d'envoyer une armée pour déloger les Français de Naples. Les mariages dynastiques intensifièrent davantage l'implication de l'Espagne. Ferdinand et Isabelle marièrent leur fille Jeanne la Folle à Philippe le Beau, fils de l'empereur autrichien Maximilien Ier et de Marie, l'héritière de la Bourgogne. Puisque Jeanne n'était pas la première héritière du trône, il apparut à l'époque qu'on lui avait simplement trouvé un mari riche et influent. Mais la maladie décima tous les principaux héritiers aux trônes d'Espagne et d'Autriche; c'est alors que le fils de Philippe et Jeanne, Charles, hérita de la moitié de l'Europe et de la majorité des régions colonisées d'Amérique. En 1506, à la mort de son père, il avait hérité des Pays-Bas. À la mort de Ferdinand, en 1516, il était devenu le souverain de l'Espagne, de Naples et de la Sicile, ainsi que des colonies espagnoles d'Amérique. En 1519, à la suite du décès de Maximilien, il devint souverain de l'Autriche et de quelques régions du sud de l'Allemagne. Il fut élu empereur du Saint Empire quelque temps après, alors qu'il n'avait que dix-neuf ans. Finalement, lors du décès de son duc en 1535, Milan se joignit au Saint Empire romain.

Charles Quint était bien disposé à l'égard de l'Espagne et après son abdication, en 1556, il s'y retira pour y vivre en réclusion monastique. Son éducation et la nature de son empire firent qu'il lui était impossible de placer l'Espagne au centre de sa politique. Élevé à la cour de Bourgogne, en Flandre, il n'avait jamais appris à bien s'exprimer en espagnol. Une de ses premières tâches fut de réprimer le soulèvement des villes espagnoles, la révolte des Comuneros, en 1521. Au cours des sept années suivantes, alors qu'il allait apprendre à aimer l'Espagne et sa conception du catholicisme, il se vit confronté à une série de problèmes extrêmement complexes, créés par ses autres responsabilités territoriales. En sa qualité de chef du Saint Empire romain, il crut de son devoir de mener les princes catholiques dans la lutte contre Martin Luther et ses appuis princiers et urbains. Il fut ainsi impliqué dans une série de guerres religieuses en Allemagne. Comme souverain de Naples et de Sicile, il était constamment en guerre, en Italie, avec François Ier, l'ambitieux roi français. Comme souverain d'Autriche, il eut à essuyer le plus fort de l'offensive du sultan ottoman Süleyman Ier le Magnifique, qui mena les Turcs aux murs de Vienne, en 1529. Dans toutes ces entreprises, Charles s'attendait à ce que la Castille et l'Empire américain paient pour les principales dépenses, alors qu'il avait rapidement épuisé les ressources des Pays-Bas et le crédit que lui avaient accordé les banquiers allemands. L'Empire européen de Charles Quint était ainsi un fardeau gênant pour la majorité de ses sujets espagnols et il reconnut ce fait. Dès 1521-1522, il avait cédé ses territoires autrichiens et allemands à son jeune frère Ferdinand, et lors de son abdication, il légua à son fils Philippe ce qu'il croyait être un empire gouvernable — l'Espagne et ses colonies américaines, les Pays-Bas, Milan, Naples et la Sicile. Ce geste avait pour but d'effacer un demi-siècle d'insuccès : l'incapacité d'écraser les protestants, de reprendre la Hongrie aux mains des Turcs ou d'établir un contrôle impérial sur les principautés allemandes.

Philippe II (1556-1598) était indéniablement espagnol. En dépit de sa mâchoire abaissée, caractéristique des Habsbourg, de ses yeux bleus et de sa chevelure blonde, ses sujets se souvinrent davantage de son héritage ibérique que de celui de ses ancêtres Habsbourg allemands. Lorsqu'il arriva en Espagne pour en être le roi, il ne quitta plus jamais la péninsule. Il admirait, en plus de les personnifier lui-même, les grandes vertus espagnoles qu'étaient la dignité personnelle, la sobriété et la frugalité de la vie quotidienne ainsi que la dévotion religieuse. Plusieurs de ses traits de caractère étaient ceux des plus grands aristocrates espagnols : une volonté que la justice soit rendue aux plus pauvres, un amour de la littérature et de la musique, et l'opiniâtreté au travail. Mais pour Philippe, ces caractéristiques revêtaient une importance universelle. Son acharnement au travail et son désir de tout faire lui-même est conforme à la doctrine de la monarchie de droit divin. Son sens des responsabilités envers l'Église, alors que la Réforme catholique dirigée par les Espagnols mettait tout en œuvre pour réprimer le mouvement protestant, le rendit intolérant face à l'hérésie dans son pays et à l'étranger.

Le choix de Madrid pour capitale et la construction, tout près, du palais impérial el Escorial, furent le résultat direct de la volonté de Philippe de diriger une monarchie d'une manière absolue et bureaucratique. Madrid, comme Versailles en France, sous Louis XIV, était un lieu où la noblesse

La personnalité de Philippe II

Plaza Mayor, à Madrid
Les galeries marchandes entourant la place principale de Madrid, au cours des XVIe et XVIIe siècles, furent érigées en 1619. Les autodafés, mises à mort des hérétiques par le feu, avaient lieu au centre de cette place où se dresse, aujourd'hui, la statue de Philippe III, le fils de Philippe II. (Peter Menzel)

pouvait être contrôlée. On attendait des plus grands aristocrates qu'ils y construisent leurs maisons. Et on attendait des autres citoyens qu'ils puissent y accueillir la plus basse noblesse, un devoir qu'ils évitaient en construisant des maisons sans étage. Un cérémonial élaboré à la cour imposait aux grands des tâches inutiles et grandes consommatrices de temps, grugeait leurs revenus et ne leur laissait pas de temps pour conspirer dans leurs propriétés. La noblesse n'avait pas à payer de taxes, pas plus qu'elle n'avait à assister à la seule assemblée représentative, la Cortés, qui se réunissait pour accepter les demandes de revenus du roi. Philippe gouvernait par l'entremise de conseils, comme le Conseil des Antilles et le Conseil de Flandre, qui étaient administrés par des fonctionnaires professionnels (le plus souvent de la basse noblesse), mais qui agissaient simplement comme conseillers. Quand cela était possible, il nommait des membres de sa famille à la régence de ses territoires européens. Philippe lui-même prenait toutes les décisions, de la plus insignifiante à la plus décisive. Toute la paperasse qu'il accumulait autour de lui aurait justifié à elle seule l'existence d'une capitale centralisée. Il prévoya même un château spécial pour la conservation exclusive de celle-ci, au début de son règne! Il tenait à lire chaque dépêche provenant de toutes les parties de son empire et à la commenter ensuite par écrit. La lenteur de Philippe faisait cependant partie de sa politique. «Avec le temps, je peux vaincre mes adversaires, quels qu'ils soient», remarqua-t-il. «Si la mort venait de l'Espagne, commenta un de ses représentants à l'étranger, nous serions tous immortels.»

◆ *Madrid à l'époque de Philippe II* ◆

Période étudiée	Le règne de Philippe II (1556-1598)
Population	1561 : 30 000 personnes
Superficie	1561 : 0,65 kilomètres carrés
Forme de gouvernement	Monarchie absolue; administration par des conseils royaux; assemblée représentative, la Cortés, pour l'octroi des revenus
Base de l'économie	Bureaucratie gouvernementale; soutien de la cour et de la noblesse; lingots provenant de l'empire; commerce de la laine
Vie intellectuelle	Peinture (Titien, El Greco); dramaturgie (Lope de Vega); littérature (Miguel de Cervantès)
Principaux édifices	Palais el Escorial (à l'extérieur de la ville); palais Alcázar; monastères (particulièrement Descalzas Reales)
Divertissement public	Festivals religieux, incluant la mise à mort par le feu des hérétiques (autodafés); théâtre
Religion	Catholicisme. Application stricte des enseignements de la Réforme catholique (Inquisition; Index; autodafés des protestants; surveillance stricte des Arabes et des Juifs convertis)

La satisfaction de Philippe dans la langueur paisible de ses fonctions administratives, dans le palais Alcázar, s'accompagnait d'une satisfaction qui émanait du caractère religieux de sa capitale. L'Église catholique possédait le tiers du territoire de Madrid. Les clochers et les dômes de ses couvents et de ses églises dominaient déjà la silhouette de la ville. Au début du XVIIᵉ siècle, le clergé espagnol comptait deux cent mille membres et l'Église possédait le tiers des terres de l'Espagne. Plusieurs couvents et monastères étaient encore des institutions mondaines, car avec ce qu'il en coûtait pour fournir une dot pour le mariage, plusieurs familles nobles devaient placer leurs filles, sauf une, dans les couvents. Elles y vivaient, notaient des observateurs, dans un luxe qui différait peu de la vie de la cour. Il se développa même un amour courtois inusité, appelé *galanteo de monjas* («faire la cour aux religieuses»), qui voyait un galant (jeune homme courtois) se présenter à la grille d'un couvent pour rencontrer sa religieuse bien-aimée et échanger

La politique religieuse de Philippe II

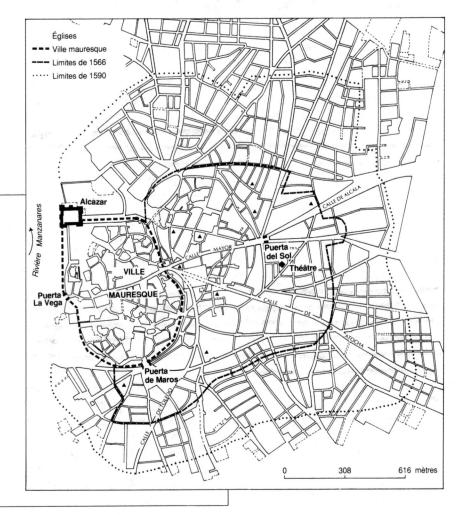

Pique-nique sur les bords du Manzanares, par Francisco de Goya (1746-1828)

Au moment où Philippe II la choisit pour être la capitale de l'Espagne, Madrid comptait 30 000 habitants regroupés au sommet de la colline entourant le palais forteresse. Quand Goya peignit cette scène en 1776, les riches aristocrates imitaient le faste de la cour du roi de France.
(Gracieuseté Museo del Prado, Madrid)

avec elle des promesses suggestives, à défaut d'être réalisables. Il n'est alors pas surprenant que l'on rapportât si souvent des cas de viol de religieuses. Cependant, d'autres couvents observèrent les directives strictes mais réalistes de sainte Thérèse ou l'abnégation des Clarisses; cela contribua à faire de l'Espagne le pays d'Europe où le culte de la Vierge était le plus répandu. Le culte des saints fut encore plus soutenu quand l'Église, en 1622, canonisa en bloc trois grands Espagnols — sainte Thérèse, saint Ignace de Loyola et saint François Xavier. L'Église était celle de la Réforme catholique. Durant les dix premières années du règne de Philippe, l'atmosphère religieuse en Espagne était devenue plus sévère surtout à la suite des dernières sessions du concile de Trente. Un inquisiteur général haineux débusquait des hérétiques dans les plus hautes sphères de la noblesse espagnole et parmi les ecclésiastiques. Son fait d'armes fut d'emprisonner le primat d'Espagne pendant dix-sept ans et de déclarer ses textes coupables de véhiculer des opinions hérétiques. Une censure plus stricte encore empêchait l'entrée en Espagne de livres aussi irréprochables que ceux de Thomas More. Par peur de la contagion, les Espagnols n'avaient pas le droit d'étudier dans les universités étrangères. La découverte de supposées cellules protestantes, à Séville et Valladolid, déclencha une vague d'exécutions qui mit fin à tout danger de progression du luthéranisme au pays. Quand les Maures de Grenade, se sentant maltraités, se soulevèrent, on ordonna leur dispersion un peu partout dans le reste de l'Espagne. Les Juifs convertis qui n'avaient pas été chassés par Ferdinand et Isabelle, étaient soumis à une surveillance très stricte de la part de l'Inquisition. Philippe coopérait pleinement à toutes ces mesures de l'Église car, dans son esprit, le catholicisme espagnol devait conserver sa pureté exceptionnelle, ne devait pas même être souillé par des contacts avec d'autres pays catholiques d'Europe dont la foi était moins intense.

Philippe ne partageait pas les délices des citoyens de Madrid pour le théâtre de Lope de Vega (1562-1625). On comptait, à Madrid, deux théâtres permanents et huit troupes de comédiens, alors que des troupes itinérantes se produisaient partout en Espagne. Le théâtre espagnol avait commencé par des pièces religieuses subventionnées par l'Église, à l'occasion des fêtes religieuses. Mais avec l'ouverture du premier théâtre de Madrid, en 1579, Miguel de Cervantès (1547-1616), malheureux poète et dramaturge, leur présenta des recréations sobres d'œuvres romaines. Peu de temps après, Lope de Vega fit irruption sur la scène théâtrale, y injectant vie, spontanéité, romantisme, humour et bouffonnerie. Bref, comme Shakespeare, son homologue contemporain, il écrivit pour le public des pièces qui lui plaisaient. On pourrait dire qu'il fut trop productif : il composa mille cinq cents pièces, une centaine d'entre elles en une journée chacune. Mais il réussit à présenter sur scène des êtres humains crédibles, représentatifs de la société espagnole de son époque. *Fuenteovejuna*, une des pièces les plus populaires qu'il écrivit, mettait en scène une petite ville espagnole appelée Fuenteovejuna qui, révoltée, avait assassiné son dirigeant local. Le drame se situait dans la recherche du coupable. Mais pas un seul des villageois ne trahissait la confiance des autres. À la fameuse question «*¿Quién mató al condestable?*» («Qui a tué le constable?»), chacun répondit «Fuenteovejuna».

Le théâtre espagnol en général, et les pièces de Lope de Vega en particulier, est devenu récemment une source essentielle pour bien comprendre l'attitude de l'Espagne envers les femmes à la fin du XVIe siècle. Bien que plusieurs «pièces d'honneur», comme elles étaient appelées, justifiaient encore l'isolement presque total des femmes avant le mariage et leur isolement partiel après le mariage, Lope montrait la nouvelle réalité des femmes en tant que personnes, réalité qui faisait finalement son entrée dans le débat sur le rôle des femmes durant la Renaissance espagnole (voir p. 428-431, Tome I). Dans le théâtre de Lope et d'autres auteurs, comme le démontre Melveena McKendrick, apparaît la *mujer varonil* (la «femme masculine»), ou plus exactement la femme qui déroge à la tradition espagnole. Elle se présente sous plusieurs formes : la femme qui rejetait l'amour et le mariage était la plus populaire, suivie de près par la femme hors-la-loi et la guerrière. Un peu moins populaires étaient les femmes comme Diane chasseresse, une personne dont la force physique et l'habileté lui procurent la liberté; l'érudite; la femme de carrière; et la vengeresse.[9] Bien que ces types intéressaient les auditoires parce qu'ils n'étaient pas communs au sein de la société espagnole, McKendrick montre que le fait de les voir représentés donnait aux femmes qui les voyaient, du moins indirectement, un sens nouveau de la liberté de choix qui s'offrait à elles. Ainsi, même si Lope satisfaisait généralement le sentiment de supériorité des

9 Melveena McKendrick, *Woman and Society in the Spanish Drama of the Golden Age: A Study of the Mujer Varonil*, Cambridge, Cambridge University Press, 1974, p. 312.

hommes en amenant ses femmes hardies à se soumettre, il initia les femmes à la remise en question du code d'honneur gouvernant les rapports entre les sexes qui, plus tard, fut plus ouvertement exploité par les auteurs des nouvelles générations.

Cervantès se remit de ses déceptions théâtrales en se tournant vers l'écriture de romans. Sa vie avait été remplie d'aventures qui l'inspirèrent: il fut blessé à Lépante, emprisonné pendant cinq ans par les Maures, percepteur d'impôts à la Manche, dramaturge à Madrid, emprisonné à cause de ses dettes. L'amour profond de Cervantès pour les péchés mignons de l'humanité et sa sensibilité pour les chagrins qui y sont reliés s'unirent pour faire de *Don Quichotte* l'un des meilleurs livres du monde, immédiatement reconnu lors de sa publication en 1604, et du chevalier visionnaire l'un des plus merveilleux personnages de la littérature:

En un village de la Manche, du nom duquel je ne me veux souvenir, demeurait, il n'y a pas longtemps, un gentilhomme de ceux qui ont lance au râtelier, targe antique, roussin maigre et levrier bon coureur. (...)

Il faut donc savoir que le temps que tout notre susdit gentilhomme était oisif (qui était la plupart de l'année) il s'adonnait à lire des livres de chevalerie avec tant d'affection et de goût qu'il oublia quasi entièrement l'exercice de la chasse et même l'administration de ses biens (...). Et par ainsi du peu dormir et beaucoup lire, son cerveau se sécha de telle sorte qu'il en vint à perdre le jugement. Il emplit sa fantaisie de tout ce qu'il lisait en ses livres, tant des enchantements comme des querelles, batailles, défis, blessures, passions, amours, tourments et extravagances impossibles (...).

Enfin, son jugement étant tout à fait perdu, il vint à tomber en la plus étrange pensée où jamais tomba fol au monde; ce fut qu'il lui sembla être fort à propos et nécessaire, tant pour l'accroissement de son honneur que pour le service de la république, qu'il se fît chevalier errant, et qu'il s'en allât par tout le monde avec ses armes et son cheval pour chercher les aventures (...).[10]

Philippe mourut en 1598, l'année où fut jouée la première pièce de Lope de Vega, un an avant la naissance de Vélasquez et six ans avant la publication de *Don Quichotte*. La valeur culturelle de l'Espagne était déjà incontestable et allait continuer de grandir. La prépondérance militaire espagnole en Europe durerait encore un demi-siècle et le contrôle de l'Espagne sur son Empire américain devait se prolonger jusqu'au XIXᵉ siècle. L'Espagne avait même acquis le Portugal en 1580 et allait le gouverner jusqu'en 1640. Mais Philippe avait pavé la voie au déclin de son royaume. Il laissa un pays plusieurs fois ruiné; un empire colonial en déclin démographique et économique; une paysannerie exploitée et épuisée; une noblesse privilégiée et bigote; et une foi uniforme

10 Miguel de Cervantès, *L'Ingénieux Hidalgo Don Quichotte de la Manche*, traduction de César Oudin et François Rosset, Paris, Gallimard (coll. «Bibliothèque de la Pléiade»), 1949, p. 31-34.

mais intolérante. De plus, l'Espagne était sur le point de perdre sa plus riche possession européenne, les Pays-Bas. Cependant, pour constater les causes et les effets de l'échec ultime des politiques étrangères inspirées par l'interprétation de la Réforme catholique de Philippe II, on doit se tourner non pas vers Madrid mais vers Amsterdam.

14

AMSTERDAM À L'ÉPOQUE DE REMBRANDT

Dans cette république florissante, cette ville incomparable, des hommes de toutes les nations et de toutes les sectes vivent ensemble dans la plus parfaite harmonie; et tout ce qu'ils désirent, avant de confier leurs biens à qui que ce soit, c'est de savoir si c'est un homme riche ou pauvre, honnête ou malhonnête. — Baruch Spinoza

En 1610, les pères fondateurs d'Amsterdam approuvèrent le plan des Trois Canaux, un des projets d'aménagement urbain les plus beaux et les plus ambitieux jamais entrepris. La superficie de la ville devait passer de 450 à 1 800 acres pour accueillir une population qui augmentait rapidement grâce à l'afflux de réfugiés fuyant la furie espagnole, d'intellectuels et de Juifs qui appréciaient la vie loin de toute persécution. Il y avait aussi des travailleurs et des marchands à l'affût de profits que la croissance économique de la ville pouvait leur apporter. La population, qui s'établissait à cinquante mille personnes en 1610, avait doublé depuis le début de la révolte des Pays-Bas contre les Espagnols en 1567; elle doubla au cours des dix années suivantes et, en 1660, elle atteignit deux cent mille personnes. Le génie du groupe d'hommes qui permit ce développement — le directeur des travaux publics, le maître maçon, le maître charpentier et le maître sculpteur de la ville — consistait à combiner l'attrait

À gauche: des maisons le long du canal Prinsengracht, à Amsterdam *(Louis Goldman/Photo Researchers, Inc.)*; en mortaise: Rembrandt, autoportrait *(Bildarchiv d. Ost Nationalbibliothek)*.

esthétique avec les fonctions sanitaires et économiques. Trois gigantesques canaux demi-circulaires furent creusés autour de la vieille ville par des ouvriers. Des canaux, disposés en rayons, facilitaient le passage entre les nouvelles voies navigables, les rivières et les canaux du centre de la ville. Des lotissements furent aménagés en enfonçant des piliers dans la vase molle jusqu'à ce qu'ils reposent fermement dans le sable situé plus en profondeur. On laissa de larges avenues bordées de tilleuls devant les maisons. À l'endroit où les perspectives se rejoignaient, on laissa de l'espace pour quatre grandes églises, connues respectivement sous le nom d'églises du Nord, du Sud, de l'Est et de l'Ouest. L'impression générale était celle d'un ensemble complexe de couleurs, présenté avec une dignité contenue, contrairement à l'exubérance exotique des canaux vénitiens. Les eaux des canaux, d'un vert exceptionnel, reflétaient les tuiles d'un rouge éclatant, la brique chamois, les portes vertes, les fenêtres bordées de blanc et les toits d'ardoise bleue. Ces éléments constituaient un sujet de prédilection pour les artistes bien traités de la ville. La ville exigeait en outre que chaque maison soit pourvue d'installations sanitaires et on inspectait les fossés et les égouts. (Malgré tout, les visiteurs se plaignaient que les citadins lançaient leurs ordures dans les canaux, «produisant de mauvaises odeurs et des émanations, ce qui est une vilaine chose».) Les canaux permettaient aux commerçants d'utiliser leurs résidences comme entrepôts, les marchandises pouvant y être livrées par petits bateaux et hissées aux étages supérieurs des maisons à l'aide des palans qui dépassaient des combles.

◆ *Amsterdam à l'époque de Rembrandt* ◆

Période étudiée	La vie de Rembrandt (1606-1669)
Population	50 000 personnes (1610); 100 000 (1620); 200 000 (1660).
Superficie	1,12 km^2 (1610); 4,52 km^2 (1630)
Type de gouvernement	Gouvernement fédéral (Stathouder; États généraux représentant les sept Provinces-Unies); gouvernement municipal oligarchique (bourgmestres, échevins, conseillers, appelés collectivement «régents»)
Base de l'économie	Marine marchande; principal négociant de produits en Europe; compagnies de commerce outre-mer (Compagnie des Indes orientales, Compagnie des Indes occidentales); services financiers (Banque de change, Banque de prêts, Bourse); denrées alimentaires locales
Vie intellectuelle	Peinture (Rembrandt, Vermeer, Ruisdael, Cuyp, Steen); poésie (Van den Vondel); philosophie (Spinoza); mathématiques (Descartes)
Principaux édifices	Habitations de la bourgeoisie le long des Trois Canaux; églises du Nord, du Sud, de l'Est et de l'Ouest; hôtel de ville
Divertissements publics	Parades et dîners de la garde civique; danses; banquets; patinage
Religion	Calvinisme; tolérance envers d'autres religions, dont le judaïsme

L'église de l'Ouest, par Jan Van der Heiden (1637-1712)
Rembrandt fut inhumé dans cette église calviniste, sur le Prinsengracht. (Bildarchiv d. Ost. National-bibliothek)

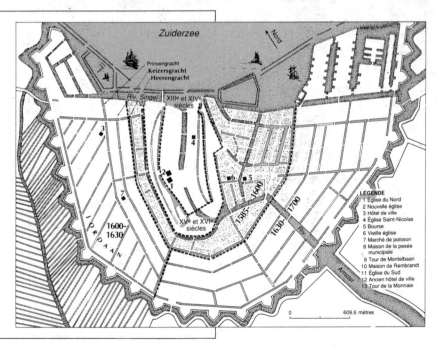

Zuiderzee

Nord

Prinsengracht
Keizersgracht
Heerengracht

Riv. Singel

XIIIe et XIVe siècles

3

4

2

6 5

7

1585 1600

1630 1700

Riv.

XVe et XVIe siècles

1600-
1630

JORDAAN

Amstel

LÉGENDE
1 Église du Nord
2 Nouvelle église
3 Hôtel de ville
4 Église Saint-Nicolas
5 Bourse
6 Vieille église
7 Marché de poisson
8 Maison de la pesée municipale
9 Tour de Montelbaan
10 Maison de Rembrandt
11 Église du Sud
12 Ancien hôtel de ville
13 Tour de la Monnaie

0   609,6 mètres

Quand le volume des marchandises l'exigeait, on construisait des entrepôts spécialisés le long des canaux, d'où l'on pouvait accéder facilement au port, situé à l'embouchure de la rivière. À Amsterdam, même les entrepôts avaient du charme. «Parmi les grandes villes, écrivait un visiteur français, Amsterdam est la plus belle que j'ai vue.»

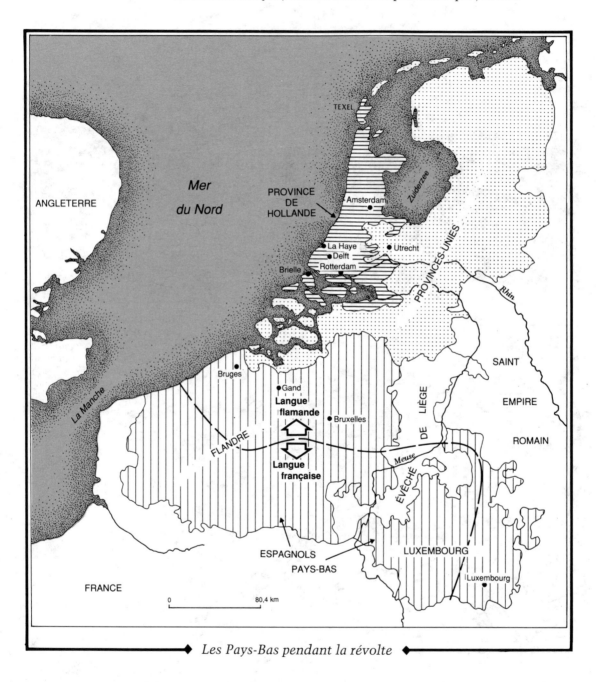

ANGLETERRE

Mer du Nord

TEXEL

PROVINCE DE HOLLANDE

Amsterdam

Zuiderzee

PROVINCES-UNIES

La Haye
Delft
Brielle
Rotterdam

Utrecht

Rhin

La Manche

Bruges

Gand

Langue flamande

Bruxelles

SAINT

EMPIRE

ROMAIN

ÉVÊCHÉ DE LIÈGE

FLANDRE

Langue française

Meuse

ESPAGNOLS PAYS-BAS

LUXEMBOURG

FRANCE

0   80,4 km

Luxembourg

♦ *Les Pays-Bas pendant la révolte* ♦

Mais les Néerlandais n'avaient pas seulement créé une ville exceptionnelle, ils avaient aussi créé un style de vie unique. Ils s'étaient battus pour se libérer du catholicisme espagnol et avaient accepté le calvinisme sans pour autant faire d'Amsterdam une autre Genève. Leur libéralisme religieux était une leçon de morale et servait aussi à montrer au monde entier les avantages économiques qui résultaient de la liberté de conscience. Avec le fruit de l'agriculture comme unique ressource naturelle, ils avaient fait d'Amsterdam le plus grand centre commercial du monde et un important centre manufacturier. Ils avaient même su tirer profit de la guerre perpétuelle. S'étant joints à la lutte coloniale cent ans après le Portugal et l'Espagne, ils avaient surpassé les premiers et rejoint les deuxièmes. Les flottes du trésor espagnol commencèrent à ignorer Lisbonne et Séville pour se rendre plutôt dans les Pays-Bas. Peut-être plus encore que les Florentins, ses classes moyennes économes avaient transformé leur vie de famille en une œuvre d'art. Leurs artistes peintres avaient réagi en créant des œuvres d'art inspirées de ces scènes de la vie. «La réputation d'Amsterdam devint si grande, déclara un contemporain, que plusieurs personnes, dans des contrées reculées, crurent qu'il ne s'agissait pas d'une ville, mais bien d'un pays entier, et désiraient former avec elle des alliances.»

AMSTERDAM DEVIENT LA PLAQUE TOURNANTE DU COMMERCE EUROPÉEN

Au XVIe siècle, Anvers avait été la capitale européenne de la finance et du commerce international. Elle fut cependant saccagée, en 1576, par des soldats non rétribués et rebelles, tandis que six mille de ses citoyens furent tués. En 1585, après un siège de quatorze mois, elle fut occupée par le duc de Parme. Des navires néerlandais bloquaient l'embouchure de l'Escaut. Le reste des liens commerciaux d'Anvers ayant été coupés, Amsterdam fut en mesure de s'approprier son rôle commercial et financier: elle allait conserver cette prédominance durant quelque cent cinquante ans. «Voilà Anvers elle-même transformée en Amsterdam», se réjouit un réfugié. Les pays concurrents étaient déterminés à découvrir les causes de cette métamorphose. «Les richesses et la variété des chargements [des Néerlandais] font l'envie de la présente génération et pourraient étonner toutes les générations futures, écrivait au milieu du XVIIe siècle un marchand anglais. Et pourtant, les moyens par lesquels ils y sont parvenus sont assez clairs et essentiellement imitables par presque toutes les nations, mais le seraient bien plus facilement par nous, du Royaume d'Angleterre.»[1]

---

1 Cité dans Charles Wilson, *The Dutch Republic and the Civilisation of the Seventeenth Century*, Londres, Weidenfeld and Nicolson, 1968, p. 33.

La base économique de la prospérité d'Amsterdam

D'autres grandes villes portuaires auraient pu tirer avantage des mêmes facteurs qui contribuèrent à l'essor d'Amsterdam. Avec leurs capitaux et leur savoir-faire commercial, les réfugiés d'Anvers se disséminèrent dans tous les ports du nord et du sud de l'Europe, de Dantzig (Gdansk) à Livourne, bien qu'une majorité d'entre eux choisirent Amsterdam. Plusieurs de ces villes auraient pu rivaliser pour le rôle tant convoité de pivot central du réseau commercial complexe de l'Europe. Des compagnies de navigation pouvaient espérer s'enrichir en achetant les surplus de grains de la Pologne et d'autres pays de l'est de l'Europe pour les revendre aux pays menacés par la famine, notamment au sud de l'Europe dans la dernière décennie du XVIᵉ siècle et dans certaines régions de l'ouest de l'Europe pendant presque tout le XVIIᵉ siècle. L'inhabileté de l'Espagne et du Portugal à développer des industries capables d'exporter des marchandises vers leurs propres empires offrit aux autres pays une occasion extraordinaire de distribuer le tissu, la ferronnerie, l'armement, les meubles, la corde, le goudron et le bois d'œuvre qui étaient échangés contre les lingots des Amériques. Le déclin de la puissance espagnole durant les dernières années du règne de Philippe II, et surtout la faiblesse des Portugais pendant l'union avec l'Espagne (1580-1640), laissèrent non seulement les convois qui transportaient le trésor, mais aussi certaines régions des empires coloniaux, à la merci des pays étrangers. Le développement spectaculaire de la navigation européenne offrait une chance extraordinaire au pays qui réussirait à obtenir un monopole, même partiellement, du matériel naval. C'était surtout le cas en ce qui concerne le bois d'œuvre et le goudron que l'on devait aller chercher en Scandinavie à cause de la déforestation massive de l'ouest de l'Europe, complétée au XVIᵉ siècle. Des revenus encore plus importants pouvaient résulter de la vente ou de l'affrètement de navires. Mais ce fut cependant Amsterdam, plus que tout autre port d'Europe, qui fut prête pour profiter de ces possibilités lucratives.

Le premier atout d'Amsterdam était sa marine marchande exceptionnelle. Les visiteurs contemplaient la forêt de mâts qui s'étendait le long du rivage de la ville et ils étaient éblouis par le fait que la majorité des navires appartenaient à des marchands d'Amsterdam. Plusieurs avaient été construits pour l'industrie de la pêche en mer du Nord qui avait connu un essor inattendu quand, au XVIᵉ siècle, les bancs de harengs s'étaient inexplicablement déplacés de la Baltique à la mer du Nord. Fumé ou mariné, le hareng était devenu le produit d'exportation le plus important des Pays-Bas, en plus d'être le principal aliment de ses villes. Des navires de guerre étaient envoyés pour protéger les flottes de pêche au hareng lorsqu'elles sillonnaient les côtes d'Angleterre et d'Écosse. D'autres navires se spécialisaient dans le transport des marchandises volumineuses, en particulier pour le commerce des céréales, du bois d'œuvre, du cuivre et du fer sur la Baltique. Dans les années 1590, les Néerlandais développèrent un important type de transporteur de marchandises, le *fluit*, ou la flûte, qui révolutionna le commerce du transport. C'était simplement

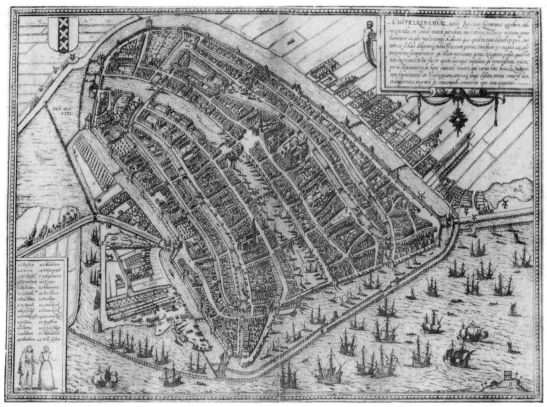

une barge à faible tirant d'eau, manœuvrée par quelques marins et presque sans défense, qu'on pouvait construire rapidement et économiquement, qui servait au transport des marchandises. Les flûtes permirent aux Néerlandais d'offrir des tarifs de transport plus bas que leurs rivaux, bien qu'il s'en trouve pour dire que les maigres salaires versés aux équipages y étaient aussi pour beaucoup. Avec le début des voyages de commerce illégaux vers les Antilles à la fin du XVIe siècle, les Néerlandais construisirent des navires encore plus gros qui pouvaient effectuer les longs trajets transocéaniques. Au milieu du XVIIe siècle, ils possédaient la moitié des navires marchands de l'Europe.

Le deuxième atout consistait dans le fait que les marchands d'Amsterdam étaient prêts et capables de transiger dans presque tous les domaines du commerce mondial. La liste des prix d'Amsterdam, publiée hebdomadairement, servait de référence partout en Europe. On offrait tous les services commerciaux, tels que la classification rigoureuse des marchandises, les facilités de paiements, les assurances, le courtage et le règlement juridique et rationnel des conflits commerciaux. Les denrées traitées par Amsterdam l'étaient avec une efficacité exemplaire. Les navires pouvaient être déchargés et rechargés avec de nouvelles commandes en l'espace de quelques jours. Mais ce qui incitait les

Une esquisse d'Amsterdam, en 1575

À la veille de l'expansion du plan des Trois Canaux, Amsterdam était protégée par la grande courbe de la rivière Singel. Les plus petits navires pouvaient suivre le canal Damrak pour se rendre au centre de la ville. (Bildarchiv d. Ost. Nationalbibliothek)

Un aspect d'Amsterdam au XVIIe siècle
(Bildarchiv d. Ost. Nationalbibliothek)

négociants étrangers à effectuer leurs achats à Amsterdam, c'était la variété des produits qui y étaient offerts. Nulle part ailleurs en Europe on ne vendait autant de blé, d'équipement naval, d'armement ou de poisson. On y contrôlait la majorité du métal exporté par la Suède et de la laine des moutons espagnols, une part importante du sel du Danemark, et même une partie des étoffes de laine non finies d'Angleterre. Plusieurs des produits amenés à Amsterdam étaient des matières premières ou des produits semi-finis qui pouvaient être transformés, à profit, en produits finis pour l'exportation. À Amsterdam, comme dans les villes voisines de Delft et Leyde, de petites compagnies manufacturières virent le jour. À Amsterdam même, on teignait et apprêtait l'étoffe brute, on brassait la bière, on soufflait le verre, on coulait le matériel de guerre, on coupait le tabac, on fabriquait du papier, on imprimait des livres, on façonnait des bijoux et on tannait le cuir. Même les produits agricoles provenant des sols riches et humides entourant la ville et des nouvelles terres gagnées sur la mer (les *polders*) alimentaient le commerce. Le beurre et les fromages de grande qualité des Pays-Bas étaient exportés, tandis que du beurre et des fromages de moindre qualité étaient importés pour nourrir les fermiers qui avaient vendu les produits laitiers de qualité supérieure. Mais la plus grande tentation à laquelle les Néerlandais succomberont en 1594, avec la fondation de la Compagnie du Levant, était de briser le monopole des épices détenu par les Portugais et des Espagnols.

La première flotte envoyée par la nouvelle compagnie utilisa des cartes tracées par Jan Van Linschoten, un Néerlandais qui avait séjourné plusieurs années à Goa, au service de l'archevêché portugais. Le livre de Van Linschoten, *Itinerario*, avec ses instructions détaillées concernant la navigation vers l'Amérique et l'Inde, fut marquant dans le développement des Indes orientales par les Néerlandais et les Anglais. La petite flotte de quatre navires se rendit aussi loin qu'aux îles Java et aux Moluques et elle ramena une cargaison modestement profitable de poivre et de macis. Grâce à la possibilité d'accéder aux territoires des épices et à la suite des difficultés évidentes que le Portugal éprouvait pour maintenir son monopole, un grand nombre de navires furent envoyés par des compagnies d'Amsterdam et d'autres ports néerlandais. Quelques-uns essayèrent de contourner l'Amérique du Sud, mais la plupart naviguèrent sans problèmes en contournant l'Afrique jusqu'aux îles indonésiennes. Là encore, les pratiques commerciales des Hollandais triomphèrent. Ils apportèrent des marchandises pour le troc, comme des munitions, de la verrerie et des jouets; ils étaient honnêtes et ils ne firent aucun prosélytisme. Ils entraient cependant en compétition entre eux. C'est pourquoi, en 1602, sous la pression des États généraux, ils formèrent une compagnie monopoliste, la Compagnie à charte néerlandaise des Indes orientales. Elle se vit accorder

Les compagnies de commerce outre-mer d'Amsterdam

tous les droits sur le commerce néerlandais entre le cap de Bonne-Espérance et le détroit de Magellan. Elle pouvait faire la guerre et la paix, construire des forts, s'emparer de vaisseaux étrangers et frapper de la monnaie. Ayant fourni la moitié du capital initial, Amsterdam exerçait un rôle de premier plan au sein de la compagnie, et son siège social ainsi que ses entrepôts, qui existent toujours, y furent construits. Très tôt, la Compagnie des Indes orientales envoya chaque année une flotte aux îles des épices, rapportant bien sûr des épices, mais aussi de la soie et du coton. Ses membres conclurent rapidement des traités avec les princes indigènes, et revendiquèrent des territoires, d'abord aux îles Moluques et, plus tard, dans l'archipel indonésien. À Batavia, sur l'île de Java, ils construisirent leur capitale administrative et militaire, et s'en servirent pour établir un empire commercial au sein des États asiatiques, d'où ils pouvaient aussi drainer des profits. Ils chassèrent les Portugais de la Malaisie et de Ceylan,

Le Géographe, par Jan Vermeer (1632-1675)
Vermeer privilégiait souvent les effets de lumière sur ses sujets, les montrant à travers l'embrasure sombre d'une porte, entre des rideaux ouverts ou près d'une fenêtre. Presque toutes ses scènes se situaient, à Delft, dans sa propre résidence. (Stadelsches Kunstinstitut und Stadtische Gallerie)

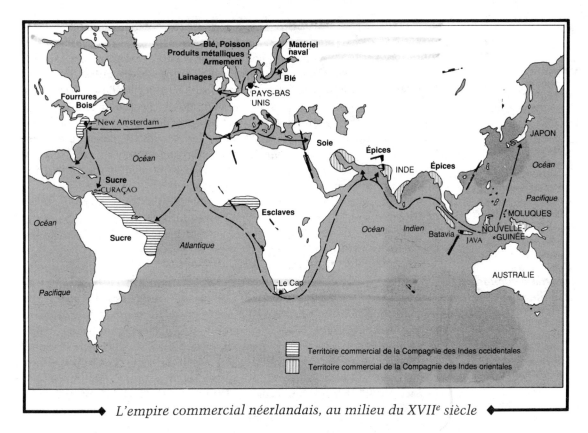

L'empire commercial néerlandais, au milieu du XVIIᵉ siècle

et massacrèrent les derniers marchands anglais d'Amboine, dans les îles Moluques. Ils fondèrent un poste de commerce à Nagasaki, auquel les Japonais accordèrent le monopole de leurs exportations commerciales, et enfin, ils implantèrent une colonie au cap de Bonne-Espérance pour desservir leurs flottes voyageant vers l'Extrême-Orient. Aux marchandises européennes déjà disponibles dans leurs entrepôts, ils pouvaient ainsi ajouter du poivre, de la cannelle, de la muscade, du coton, de la soie, de la porcelaine, du thé et du café.

Dix-neuf ans après la fondation de la Compagnie des Indes orientales, une société calviniste belliqueuse fonda la Compagnie des Indes occidentales dans le but de s'attaquer au commerce, aux possessions et aux navires des Espagnols dans l'hémisphère occidental. Son exploit le plus spectaculaire fut la capture de toute la flotte du trésor espagnol, en 1628, alors que celle-ci mouillait dans un port de Cuba. Elle établit une base merveilleuse pour le commerce et le pillage en occupant la rocailleuse île de Curaçao, dans les Caraïbes, occupa les provinces productrices de sucre du Brésil pendant plusieurs années et vendit des esclaves de l'Afrique de l'Ouest dans les colonies espagnoles. À la suite de l'exploration par Henry Hudson du fleuve qui fut plus tard baptisé en son honneur, la Compagnie tenta d'implanter la colonie de la Nouvelle-Hollande, fondant une ville appelée la Nouvelle-Amsterdam, sur la pointe de l'île de Manhattan, ainsi qu'un poste de commerce, plus en amont sur le fleuve, où se situe aujourd'hui Albany. À peine quelques milliers de Néerlandais émigrèrent et la colonie fut conquise par les Anglais, sans trop de difficultés, en 1664. La Nouvelle-Amsterdam fut rebaptisée New York et les descendants des premiers colons, comme les Rensselaer et les Roosevelt, s'ajustèrent rapidement au nouveau régime. La Compagnie des Indes occidentales fut bientôt déchirée par les désaccords entre les marchands d'Amsterdam et les autres commerçants néerlandais, surtout en raison de l'aspect déficitaire de plusieurs de ses entreprises commerciales. La compagnie déclara finalement faillite.

Malgré tout, les deux compagnies avaient livré un immense empire commercial aux Pays-Bas. Joost Van den Vondel, le grand poète hollandais, résuma leurs exploits avec sa franchise coutumière: «Pour l'amour des profits, nous explorons les ports du monde entier», observa-t-il.[2]

Amsterdam comme centre financier

Le troisième atout d'Amsterdam fut la disponibilité d'un vaste capital associé aux moyens de l'investir. Les classes moyennes d'Amsterdam s'étaient enrichies au cours du XVIe siècle grâce au commerce du grain et du matériel naval sur la Baltique; s'ajoutaient à cela les grands héritages des réfugiés venus s'y installer en provenance des villes textiles de la Flandre, ainsi que d'Anvers, pendant la guerre contre l'Espagne. Les Juifs chassés d'Espagne et du Portugal amenèrent avec eux un peu de capital, mais leur impact fut plus considérable avec la fortune qu'ils créèrent grâce au commerce du sucre du Brésil et, plus tard dans le siècle, avec le commerce des actions.

Le commerce impérial aux mains des Compagnies des Indes orientales et occidentales fit la fortune de plusieurs investisseurs, particulièrement celle des administrateurs. Plusieurs résidences cossues sises le long des canaux appartenaient aux fameux Heeren («gentilshommes») XVII et Heeren XIX, les dix-sept directeurs de la Compagnie des Indes orientales et les dix-neuf directeurs de la Compagnie des Indes occidentales. D'autres profitèrent de la guerre. Selon un bourgmestre d'Amsterdam, «on reconnaît de par le monde que bien qu'il soit généralement naturel que la guerre détruise un pays et son peuple, ces pays [les Pays-Bas], au contraire, en ont grandement profité». Les marchands d'Amsterdam ravitaillaient les armées des ducs d'Albe et de Parme et, plus tard, les armées de Louis XIV durant la guerre contre les Néerlandais. Ils ravitaillaient les navires des deux camps lors de la guerre opposant le Danemark et la Suède. Ils nourrirent les têtes rondes et les loyalistes durant la guerre civile anglaise. À la fin du siècle, Amsterdam était le principal fournisseur de toute la gamme du matériel guerrier. Comme Milan au siècle précédent, elle comptait plusieurs magasins capables d'équiper une armée de cinq mille hommes.

2 Cité dans Boxer, *Dutch Seaborne Empire*, p. 113.

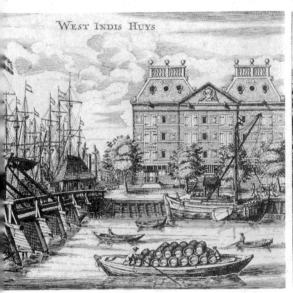

WEST INDIS HUYS

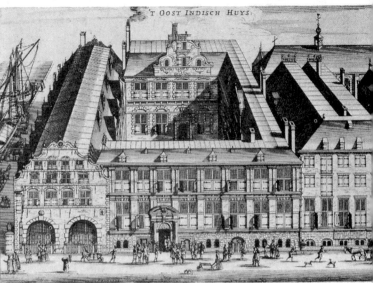

'T OOST INDISCH HUYS

Pour faciliter l'investissement lucratif de la richesse, la ville d'Amsterdam créa et continua d'administrer le système bancaire le plus efficace et le plus sûr d'Europe : la Banque de change d'Amsterdam. L'argent provenait d'aussi loin que de Russie et de Turquie, alors que les riches du continent cherchaient la sécurité pour leurs fortunes. La renommée de la banque, écrivit un aristocrate anglais, était «un autre attrait pour inciter les gens à venir y déposer la partie de leur fortune qu'ils pouvaient transférer et qu'ils ne pouvaient mettre à l'abri chez eux. Mais il n'y avait pas [seulement] que ces gens-là, qui venaient de leurs pays pour y déposer leurs fortunes, mais aussi d'autres qui ne quittaient jamais les leurs; soit qu'ils prévoyaient pour une retraite ou pour les coups durs, soit qu'aucun endroit plus sûr que celui-là n'existait. Eux qui, pourtant, pouvaient placer leur argent dans n'importe quelle partie du monde.»[3] Peu de temps après, la ville fonda la Banque de prêts d'Amsterdam, qui offrit à ses meilleurs clients des prêts à un taux d'intérêt de trois pour cent, réussissant bientôt à écarter les prêteurs italiens. Finalement, il y eut la Bourse d'Amsterdam (ou Beurs) qui était le lieu des spéculations sur les denrées. Dans sa cour à colonnades, les marchands venus de partout au monde participaient à la spéculation la plus centralisée de l'Europe.

Bref, la ville d'Amsterdam fut une génératrice de fortunes merveilleusement organisée. On y trouvait le revenu par citoyen le plus élevé de l'Europe. Cependant, sa richesse était loin d'être partagée équitablement entre ses citoyens.

Les Maisons des Compagnies des Indes orientales et occidentales, à Amsterdam
L'élégante maison de la Compagnie des Indes occidentales (à gauche), construite de briques rouge foncé en 1641, servit d'abord d'entrepôt et d'abattoir; c'était aussi un lieu de rencontre pour les directeurs de la compagnie. Les premiers bureaux et les premiers entrepôts de la Compagnie des Indes orientales (à droite) avaient des dimensions plus modestes; mais avec la prospérité grandissante de la compagnie au XVIIᵉ siècle, on érigea un vaste entrepôt et arsenal le long de la rive. (Gracieuseté du Rijksmuseum d'Amsterdam)

3 Cité dans Violet Barbour, *Capitalism in Amsterdam in the Seventeenth Century*, Baltimore, Johns Hopkins University Press, 1950, p. 46.

L'Aumône, par Rembrandt (1606-1669)
L'aide aux pauvres était en grande partie la responsabilité des particuliers qui donnaient soit directement aux indigents qui frappaient à leur porte, soit, quand ils étaient plus riches, en établissant des hospices dans les secteurs les plus pauvres, où les vieillards pouvaient être logés gratuitement. (Gracieuseté du Rijksmuseum d'Amsterdam)

REMBRANDT ET L'ÂGE D'OR DE LA PEINTURE HOLLANDAISE

Les origines de l'art hollandais

Le caractère de la peinture hollandaise était grandement influencé par la société qu'elle devait satisfaire. Elle était protestante, d'une manière péjorative, car les peintres ne devaient pas, et souvent ne pouvaient pas, peindre de grands tableaux religieux comme ceux produits lors de la Renaissance italienne. Tous les tableaux avaient été retirés des églises néerlandaises et les ministres calvinistes n'en commandaient pas de nouveaux. Des commandes corporatives provenaient des guildes miliciennes (ou *schutterij*), des guildes marchandes et professionnelles, comme celles des chirurgiens, et des administrateurs des orphelinats et des hospices. Les mœurs calvinistes empêchaient les dirigeants politiques d'être représentés comme bourgmestres ou conseillers; on les voyait plutôt dans des portraits collectifs, dans leurs fonctions économiques ou sociales. Des marchands riches commandaient des portraits d'eux-mêmes et de leurs familles; quatre des plus grandes peintures de Rembrandt furent des portraits de la famille Tripp. Finalement, pour vendre plus tard dans des boutiques d'art, lors de foires ou dans la rue, les artistes peignaient des scènes de la vie quotidienne, que les gens de toutes les classes, des plus riches aux plus modestes, aimaient pouvoir accrocher dans leurs maisons pour rehausser leur décor. Le choix des sujets était très restreint et les artistes se spécialisaient habituellement dans un domaine précis : les paysages champêtres, les paysages marins et les vues du ciel ; les décors de maisons ; les cours et les jardins ; les rues et les places des villes ; les décors d'église ; et, pour au moins un artiste, le bétail.

Les natures mortes donnèrent aux femmes la chance de travailler dans leurs propres foyers et de produire des tableaux vendables sur-le-champ. Il en résulte que l'on connaît un bon nombre de peintres flamandes et néerlandaises. Une des pionnières de la création de ce type de peinture fut Clara Peeters d'Anvers (1594-v. 1657). Bien qu'elle se spécialisât dans la représentation de pièces de monnaie et de vases de métal éclatants ainsi que d'arrangements floraux compliqués, elle peignit également un autoportrait fascinant. Parmi les artistes récemment redécouvertes, notons Judith Leyster (1609-1660), originaire d'Haarlem comme Frans Hals qui, en plus des natures mortes, peignit aussi des festins si réalistes et humoristiques qu'on en attribua au moins un à Hals par erreur. Parmi les artistes nées à Amsterdam, la plus connue fut Rachel Ruysch (1664-1750), la fille d'un professeur de botanique. Ses compositions florales, dans lesquelles on pouvait remarquer des insectes, des serpents et des lézards minutieusement peints, étaient grandement appréciées, et vendues dans toute l'Europe.

La Joyeuse Compagnie, par Judith Leyster (1609-1660)
Tout comme Frans Hals, Leyster vécut à Haarlem et illustra souvent des scènes de bombance ; voilà peut-être pourquoi on attribua deux fois par erreur ce tableau à Hals. (Giraudon / Art Resource)

Parmi les innombrables peintres néerlandais, seuls quelques artistes atteignirent la renommée par la qualité unique et exceptionnelle de leur travail qui métamorphosait de simples paysages. Pour la peinture des paysages, spécialement pour ses arbres noueux battus par des vents violents par des jours de soleil nébuleux, il y avait Jacob Van Ruisdael. Pour les portraits, accomplis de main de maître avec un air de gaieté et d'abandon, il y avait Hals. Pour le bétail, il y avait Albert Cuyp. Pour peindre des décors intérieurs, le maître était Vermeer, dépassé seulement par Rembrandt dans la compréhension et l'amour de la lumière. Les tableaux de Vermeer sont tous empreints d'une fausse simplicité — une cuisinière versant, dans un bol brun, du lait d'un pot en porcelaine, une femme lisant une lettre, une jeune femme à l'épinette. La technique semble partout identique. Une ou deux silhouettes vêtues simplement et affairées à des tâches innocentes sont éclairées par une fenêtre, souvent invisible, dans le coin d'une pièce sobrement décorée. Mais la lumière devient l'objet le plus important du tableau. Elle brille dans les plis d'une robe de soie, luit dans les plis d'une carte murale, fait frémir les perles d'un collier ou rehausse les montants d'une chaise. Ses tableaux ont une qualité propre aux grandes œuvres d'art, qui est celle d'élever notre appréciation de la réalité qui nous entoure.

Les origines du réalisme de la peinture hollandaise sont multiples. Il s'agissait de prolonger une tradition d'observation précise et détaillée commencée en Flandre au XVᵉ siècle avec les Van Eyck, et qui n'avait jamais été interrompue. Mais le progrès exceptionnel des techniques de la science en Hollande, au XVIIᵉ siècle, fut aussi exploité par les artistes. Pour faciliter la navigation, les Néerlandais inventèrent le téléscope au début du XVIIᵉ siècle.

Ils développèrent beaucoup d'adresse à confectionner et à polir des lentilles. Van Leeuwenhoek, un entomologiste d'Amsterdam, les utilisa pour le microscope avec lequel il étudia des structures telles que les globules sanguins ou les gouttes d'eau, qui intéressaient particulièrement les peintres. Les scientifiques s'appliquèrent bien sûr à l'étude de la lumière. Pendant que les peintres exploraient les multiples façons de suggérer les types de lumière à travers les nuages, les pièces ensoleillées, la richesse des tissus ou les traits humains, un grand homme de sciences néerlandais émit l'hypothèse que la lumière voyageait par ondes. Vers la même époque, l'université de Leyde devint un des centres européens de recherche médicale qui contribua considérablement à l'étude anatomique. Cet atout pour les artistes devint très évident lorsqu'on vit les peintures saisissantes de dissections anatomiques faites par plusieurs d'entre eux. La plus célèbre de toutes fut celle de Rembrandt, la *Leçon d'anatomie du docteur Joan Deyman*,

Le Concert, par Jan Vermeer
(Isabella Stewart Gardner Museum)

de même que sa gravure déchirante, la *Descente de croix*, où le sentiment de la mort est plus réaliste que toute autre vision idéalisée d'un Christ aux membres raidis, ramené au sol après sa crucifixion.

Par-dessus tout, ce réalisme intimiste est dû au fait que les tableaux étaient destinés en grande partie à l'institution centrale d'Amsterdam, la maison familiale, et qu'ils étaient souvent la représentation de cette maison et de la famille qui l'habitait.

Le jeune Rembrandt

Rembrandt était à la fois le plus grand et le plus individualiste des peintres néerlandais. Sa vie est liée à Amsterdam bien plus que tout autre peintre que nous avons mentionné. En 1631, à l'âge de vingt-cinq ans, il s'installa à Amsterdam en permanence, maîtrisant déjà les qualités qui assuraient sa popularité auprès de ses mécènes: un contrôle de la représentation de la lumière, l'habileté à suggérer le mouvement dans les scènes collectives et une psychologie pénétrante dans l'art du portrait. Il s'associa avec un marchand d'art et il fut introduit sur-le-champ dans l'élégante société des Trois Canaux. En quelques mois, il avait terminé les portraits de deux riches marchands que connaissait son agent. En 1639, il était assez à l'aise pour acheter une maison et épouser Saskia, la fille d'un régent d'une des provinces voisines, qui devint un de ses modèles préférés. Durant les années 1630 et 1640, Rembrandt devint le peintre le plus populaire d'Amsterdam, étant sollicité par des familles telles que les Tripp, et par les guildes marchande et milicienne. Rembrandt profita grandement des années de prospérité d'Amsterdam, gagnant et dépensant des sommes considérables, collectionnant lui-même des œuvres d'art et, jusqu'à

Détail de la Leçon d'anatomie du docteur Joan Deyman, par Rembrandt
(Gracieuseté du Rijksmuseum d'Amsterdam)

La Ronde de nuit, par Rembrandt
(Gracieuseté du Rijksmuseum d'Amsterdam)

la mort de Saskia, en 1642, remplissant leur maison d'importations exotiques de la Compagnie des Indes orientales, telles que de la poterie indonésienne, des armures japonaises et des épées arabes.

Au début, la société patricienne d'Amsterdam reçut avec admiration les innovations de Rembrandt dans l'art du portrait conventionnel, l'obscurité derrière les visages qui s'éclaire au fur et à mesure qu'on l'observe, le désordre organisé des personnages dans les portraits collectifs ou l'introduction d'un moment dramatique, lorsque, par exemple, le docteur Deyman ouvre le crâne du cadavre qu'il dissèque. Un mythe qui circule toujours veut que les membres de la milice figurant dans le portrait de groupe le plus célèbre de Rembrandt, la *Ronde de nuit*, aient été furieux de sa détermination à créer une scène dramatique, les reléguant au second plan, et qu'ils refusèrent de le payer. Pourtant, Rembrandt fut promptement payé et le tableau suspendu à une place d'honneur dans le vestibule de la guilde milicienne. La *Ronde de nuit* souligne la maîtrise de Rembrandt pour le style artistique baroque (voir le chapitre 15). Rembrandt avait en particulier exploité au maximum le clair-obscur, le contraste entre l'ombre et la lumière, développé en Italie au XVIe

Portraits de Rembrandt: dans sa jeunesse et dans sa vieillesse
Rembrandt peignit de nombreux autoportraits, comme les deux qui sont présentés ici. (Bildarchiv d. Ost. Nationalbibliothek)

siècle. Les silhouettes se déplacent vivement dans l'espace, alors que le capitaine et son lieutenant s'avancent vers le spectateur, à la tête de la masse compacte de la garde civile. Les drapeaux, les tambours, les lances, les hallebardes et les fusils créent dans l'obscurité une atmosphère d'activité confuse. La sobriété des couleurs, somptueuses seulement sur la ceinture rouge du capitaine, l'uniforme jaune du lieutenant, la robe de la petite fille et le velours rose du garde à gauche, les rend encore plus poignantes. (Cependant, le titre du tableau est inapproprié: on a découvert récemment, en le nettoyant, que la ronde de la milice avait lieu... le jour!)

Les mêmes qualités baroques du mouvement dans l'espace, du clair-obscur et de l'effet dramatique des couleurs étaient présentes dans un grand nombre de peintures religieuses produites par Rembrandt durant ces années. À cette époque, il était le seul peintre important d'Amsterdam encore intéressé par l'illustration des scènes bibliques. Malgré cela, plusieurs de ses peintures se vendirent sans difficultés. Sa grande série de tableaux représentant la passion du Christ fut commandée par le prince d'Orange, pour son palais de La Haye. Rembrandt prouva aussi qu'on pouvait obtenir les mêmes effets en gravure, en dessinant à l'aide d'une aiguille sur une plaque recouverte de cire; en y versant de l'acide nitrique, on produisait une plaque servant à l'impression. Ses scènes bibliques étaient nombreuses, mais il produisit aussi de petites scènes tristes de mendiants estropiés, de violoneux aveugles et de lépreux, bref, des plus misérables de la ville. Ainsi, à l'apogée de sa renommée, l'intérêt premier de Rembrandt pour la condition humaine, dans ce qu'elle a de plus poignant, était déjà évident.

DU SIÈCLE D'OR AU SIÈCLE DES PERRUQUES

D ans l'histoire néerlandaise, le XVIIIᵉ siècle est souvent appelé, avec dérision, le siècle des perruques, alors que les bourgeois indépendants imitaient les coutumes des Français et modelaient leur société sur le pays qui les avait mené à leur déclin. À ce moment, la catastrophe économique affectait presque tout le pays. «La plupart de leurs grandes villes sont tristement délabrées, écrivit James Boswell, en 1764, et plutôt que de trouver tous les gens au travail, vous rencontrez une multitude de pauvres bougres qui crèvent de faim dans l'inertie.»⁴ Seule Amsterdam conserva sa prospérité. Des maisons coquettes de style classique sobre furent construites le long des trois canaux. Le même nombre de navires qu'au milieu du XVIIᵉ siècle accostait le long de la rivière Ij, et les capitalistes d'Amsterdam engloutissaient des sommes d'argent importantes dans l'achat de titres d'État dans tous les pays voisins. Mais la richesse ne reposait plus sur une base solide d'innovations commerciales, sur une production industrielle importante et sur un accroissement démographique. La population des Pays-Bas, et même d'Amsterdam, ne connut pratiquement pas de variation entre 1660 et 1800, alors qu'en France et en Angleterre elle était en hausse vertigineuse. Presque tout au long du XVIIIᵉ siècle, le nombre d'habitations à Amsterdam resta stable. Le nombre d'industries diminua et, faute de commandes, plusieurs chantiers navals furent paralysés. Sa flotte de pêche au hareng était réduite au quart de ce qu'elle avait été à son apogée. Ses fabricants de munitions ne ravitaillaient plus toutes les armées d'Europe. Amsterdam vivait précairement de l'héritage de son siècle d'or.

Les raisons qui expliquent la fin de l'essor économique d'Amsterdam, et par le fait même son déclin face à des villes florissantes comme Londres et Paris, sont en partie imputables aux Néerlandais eux-mêmes. À son apogée, Amsterdam avait accordé trop d'importance au commerce outre-mer par rapport à l'industrie. Les profits issus de la petite industrie étaient réinvestis dans le commerce; et les profits du commerce, à la fin du XVIIᵉ siècle, avaient été dirigés vers des investissements immobiliers ou des titres. L'accumulation de la richesse se faisait au détriment de l'établissement d'une révolution industrielle à grande échelle. De plus, les Néerlandais avaient laissé partir vers d'autres pays, comme la Prusse et l'Angleterre, leurs ouvriers spécialisés. Ils pouvaient même en avoir chassé plus d'un avec le

Le déclin économique d'Amsterdam

4 James Boswell, *Boswell in Holland*, Londres, W. Heinemann, 1952, p. 288.

niveau extraordinairement élevé des taxes indirectes sur les produits de première nécessité. Un ouvrier néerlandais payait trois fois plus de taxes que son homologue anglais. Le fardeau des taxes et, en somme, l'appauvrissement général du pays était dû en partie aux guerres dans lesquelles les Néerlandais s'étaient impliqués pour en tirer profit. Leurs conflits avec les Portugais, leur intervention dans la guerre entre le Danemark et la Suède, leurs accrochages incessants avec les dynasties autochtones et leurs rivaux européens en Extrême-Orient, les provisions de convois pour leurs flottes qui sillonnaient les eaux européennes afin d'assurer la «liberté des mers», tout cela coûtait des sommes énormes. Même les navires dont ils dépendaient pour leur richesse montraient des signes de vieillissement. Surtout en raison du contrôle des guildes, aucune innovation technologique d'importance n'apparut dans la construction navale néerlandaise après 1630.

Ce fut cependant le progrès de ses rivales qui détruisit principalement la suprématie économique d'Amsterdam. On avait toujours dédaigné les Néerlandais en tant qu'intermédiaires. La concentration de leurs efforts sur la transformation des matières premières ou des produits semi-finis les rendirent vulnérables le jour où les autres nations entreprirent elles-mêmes de les transformer. Le transport du fret déclina lorsque la Grande-Bretagne et la France constituèrent des marines marchandes au XVIIIe siècle et que leurs innovations technologiques dépassèrent celles des Néerlandais. Les pêcheries furent envahies par un grand nombre de navires anglais, écossais, scandinaves et belges qui vendirent leurs prises dans leur pays ou se tournèrent vers un nouveau marché, à Hambourg. L'industrie néerlandaise fut incapable de rivaliser avec les industries de luxe qui étaient créées en France avec l'aide financière et le contrôle de l'État; elle ne pouvait pas non plus rivaliser avec les prix et la qualité de la production de masse qui vit le jour en Angleterre, notamment dans l'industrie du textile, à la fin du XVIIIe siècle.

Le mercantilisme

Cette compétition accrue n'aurait sans doute pas été aussi dommageable, n'eût-elle été accompagnée de l'adoption par les gouvernements anglais et français, et aussi par le gouvernement néerlandais, d'une théorie économique appelée mercantilisme. En l'absence d'un grand théoricien pour en dicter les principes, comme Adam Smith le fera au XVIIIe siècle pour le libéralisme, les gouvernements ne firent que des efforts modestes pour appliquer les méthodes mercantiles. Pourtant, l'opposition des Anglais et des Français aux Néerlandais reposait sur une importante base théorique. Les mercantilistes soutenaient que les lingots — d'or et d'argent — constituaient le trésor national. Pour accumuler une fortune dépassant ce qui pouvait être extrait de ses propres mines, un pays devait exporter plus qu'il n'importait, la différence étant payée en lingots. Plus simplement, un pays devait tout faire pour obtenir un bilan commercial qui lui serait favorable. De plus, les mercantilistes croyaient que le potentiel du commerce mondial possible était limité et qu'un pays ne pouvait augmenter le nombre de ses transactions qu'aux dépens des autres pays. «Qu'importe une raison ou une autre?», commentait un général anglais, tout juste avant que l'Angleterre n'attaque les Néerlandais. «Tout ce qui importe, c'est que nous allions chercher une plus grande part du commerce détenu présentement par les Néerlandais.» Les colonies et les empires commerciaux étaient nécessaires pour ravitailler les métropoles en matières premières et en denrées commerciales qu'elles ne pouvaient produire; il fallait donc qu'ils restent des marchés captifs. Les commerçants illégaux devaient être éloignés de force des monopoles coloniaux ou commerciaux d'outre-mer. Le rôle de l'État était d'intervenir dans l'économie nationale pour maintenir la qualité de la production, pour créer de nouvelles industries et pouvoir ainsi augmenter les exportations. Le pouvoir de l'État pouvait servir à briser les monopoles commerciaux des autres pays ou à acquérir des colonies; pour y parvenir, le recours à la guerre n'était pas écarté.

Les Néerlandais étaient heureux de respecter les lois du mercantilisme, quand cela servait leurs intérêts. Ils employèrent la force pour garantir leur contrôle sur le commerce des épices de l'Indonésie et des îles Moluques, et ils réussirent à faire accepter unanimement la fermeture de l'Escaut, entre 1648 et 1863, pour empêcher qu'une revitalisation d'Anvers ne nuise à Amsterdam. Mais il manquait aux Pays-Bas un gouvernement central fort (qu'on ne désirait d'ailleurs pas), nécessaire à la supervision d'une production industrielle. De plus, il devint évident, au cours des trois guerres contre l'Angleterre (en 1652-1654, 1665-1667 et 1672-1674) et lors de la guerre contre la France (1672-1678), qu'ils deviendraient les principales victimes de l'adoption du mercantilisme par les Anglais et les Français. L'industrie navale anglaise connut un essor remarquable lorsqu'une politique gouvernementale dicta que les importations devaient être transportées à bord de navires anglais ou de navires du pays exportateur. En Angleterre et en France, des tarifs douaniers servaient à empêcher l'importation des produits néerlandais, alors que des subventions généreuses étaient accordées aux industries que l'on venait de créer. Malgré le fait que les Néerlandais aient réussi l'exploit de détruire la flotte britannique à l'embouchure de la Tamise, en 1667, les guerres entre les Pays-Bas et l'Angleterre causèrent des torts considérables à l'économie néerlandaise. L'invasion du roi Louis XIV, en 1672, fut stoppée uniquement par la destruction des digues et l'inondation de la région s'étendant de la Zuiderzee au Rhin. La guerre, bien que n'ayant pas affecté la prospérité d'Amsterdam, avait néanmoins contribué à miner ses énergies et à détourner ses ressources vers des activités non productives.

L'hégémonie d'Amsterdam avait été éphémère, mais avait laissé à la civilisation des leçons importantes: que la tolérance contribue non seulement au bonheur des masses, mais qu'elle est également excellente pour les affaires; qu'une grande ville peut se développer dans un petit pays aux ressources naturelles limitées, grâce à des services commerciaux et manufacturiers que des pays plus riches et plus populeux ne sont pas en mesure d'offrir; qu'une ville peut quadrupler sa superficie en vingt ans tout en s'embellissant; et que l'austérité peut être une vertu aussi grande que la splendeur exubérante.

15

LA VILLE BAROQUE ET SES DIRIGEANTS

Dans chacune des périodes qui virent la civilisation parvenir à une certaine homogénéité, la ville fut la représentation la plus concrète des réalités politiques et sociales des classes dirigeantes; ou, pour être plus exact, de leurs volontés et de leurs goûts. La ville baroque du XVIIᵉ siècle et du début du XVIIIᵉ siècle en témoigne merveilleusement.

La ville baroque doit son existence au réaménagement et à l'agrandissement, sur une bien plus grande échelle, d'un noyau urbain déjà existant; ce fut surtout le cas des capitales. Dans d'autres circonstances, elle résulte de la volonté de créer de toutes pièces une ville nouvelle aux dimensions tout aussi prestigieuses. La Rome de l'époque du pape Sixte Quint (1585-1590), illustre très bien ce que nous venons d'avancer. C'est sous son pontificat que l'on compléta le dôme de la basilique Saint-Pierre, le joyau de la ville. De longues avenues partageaient le tissu urbain du Moyen Âge, reliant entre elles des places majestueuses dominées par des obélisques de l'Égypte ancienne. Place-des-Quatre-Fontaines, là où se croisaient deux longues avenues, l'architecte du pape avait construit avec ingéniosité une église dont les dimensions correspondaient exactement à celles d'un des piliers de la basilique Saint-Pierre. Une de ces avenues reliait la porte d'entrée monumentale de la ville, conçue par Michel-Ange, au palais papal du Quirinal. L'autre reliait l'ancienne basilique de Sainte-Marie-Majeure et l'église Trinité-des-Monts, d'où l'on jouissait d'un panorama sur toute la vieille ville de Rome. Les papes étaient devenus des décorateurs de théâtre et Rome était leur théâtre. À Paris, les rois Bourbon, maîtres d'un absolutisme bureaucratique, façonnèrent la ville dans le même esprit de discipline qu'ils imposaient à la société en général. Le bord de la Seine devint une vitrine où s'alignaient des façades grandioses élevées par décret

Bibliothèque du monastère Wiblingen, en Allemagne   *(Gracieuseté du Centre des renseignements de l'Allemagne)*

royal. On décida d'agrandir la cour du palais du Louvre par de longues galeries à frontons, qui reliaient les pavillons du palais des Tuileries et les perspectives bien tracées des jardins symétriques. De grandes surfaces agrémentées de jardins intérieurs furent construites afin de procurer des logements à la noblesse. On utilisa d'abord de la brique rouge et des motifs de plâtre jaune qui exprimaient le caractère badin et jovial du roi Henri IV. Plus tard, de la pierre calcaire sombre et massive fut employée, reflet de l'amour-propre grandissant de Louis XIII et de Louis XIV. Là où la Neva se jetait dans les marais du golfe de Finlande détrempés par la pluie, le tsar autocrate de Russie, Pierre le Grand (1689-1725), posa la première pierre de Saint-Pétersbourg, la nouvelle capitale impériale. Cette ville aux tons pastel, allait devenir une suite de palais, d'écoles, de ministères, d'arcs de triomphe, d'avenues monumentales et de jardins géométriques. Même à Londres, au sein d'une ville médiévale reconstruite dans la confusion, à la suite du grand incendie de 1666, Christopher Wren érigea l'immense dôme de la cathédrale Saint-Paul. Incapable d'imposer un plan ordonné à l'ensemble de la ville, il s'attacha plutôt à incorporer les points de vue symétriques et les façades splendides de l'idéal baroque à la construction des palais de la banlieue.

La ville baroque était l'expression concrète de la volonté des monarques puissants ou des classes privilégiées qui avaient réussi à s'imposer au cours des luttes de pouvoir des XVIe et XVIIe siècles. Durant cette période, la politique de presque tous les États d'Europe s'intéressait au dialogue entre la monarchie d'une part, et la noblesse foncière et la bourgeoisie la plus riche d'autre part. La majorité de la population européenne en était exclue. De cet échange d'idées, qui prit plusieurs formes (du débat sincère sur des questions de principe, jusqu'à la guerre civile sans équivoque), trois principaux types de gouvernements monarchiques émergèrent. En Russie, le système de gouvernement monarchique — amélioré par Pierre le Grand — était l'autocratie, la forme la plus poussée du monarchisme absolu. Nulle contrainte ne pouvait être imposée aux actions du souverain, que ce soit par l'Église, par le système judiciaire ou même par les institutions constitution-nelles qui représentaient les éléments les plus influents du pays. L'expression parfaite de cette forme de monarchie était la ville de Saint-Pétersbourg, créée par Pierre. L'absolutisme, la deuxième forme de monarchie, trouva son modèle idéal en France sous Louis XIV (1643-1715). Dans l'État absolutiste, la monarchie réussit à affaiblir presque irrémédiablement les institutions médiévales, tant constitutionnelles que judiciaires, qui avaient été érigées pour entraver son pouvoir. Ceci n'empêchait pas le roi de continuer à reconnaître le contrôle qu'exerçait la loi divine sur ses actions, ainsi que le rôle de la tradition dans la limitation des pouvoirs du gouvernement et la nécessité de s'entendre avec les nobles et les bourgeois les plus riches et les plus puissants. À Paris comme à Versailles, la ville-palais de Louis XIV, on pouvait observer les forces aussi bien que les limites de l'absolutisme. En Angleterre, les classes supérieures étaient parvenues à dominer la politique face aux visées absolutistes des monarques. On créa un type de monarchie limitée (ou oligarchie) qui favorisa les idéaux de cette oligarchie. C'est ce que reflète la reconstruction partielle de Londres, après le grand incendie de 1666.

Il faut cependant être prudent et éviter d'exagérer les variations qui existent au sein de cette culture urbaine et parmi ces types de gouvernement. Le style baroque était le résultat d'une symbiose entre l'exubérance émotive délirante et la discipline rigoureuse (notamment dans l'aménagement mathématique de l'espace); entre le désir de l'ordre et le désir de la liberté; entre l'imagination éclatée de l'artiste et l'esprit expérimental ordonné du scientifique; entre la religiosité sensuelle du Sud et l'abnégation puritaine du Nord. Et ce sont les nuances, bien plus que les types, qui distinguent les gouvernements de l'époque baroque. La France n'était pas totalement asservie et l'Angleterre n'était pas entièrement libre. Nous découvrirons donc des différences au sein d'une culture étonnamment homogène, plutôt que dans des sociétés sans rapport entre elles.

LES RÔLES DE LA VILLE BAROQUE

L a Renaissance avait simplement modifié la ville médiévale, changeant l'aspect de quelques rues ou de quelques places et ajoutant ici de grands palais, là des églises, dans des quartiers qui gardaient l'essentiel de leur cachet médiéval. De nouvelles grandes villes, comme celles de l'architecte Filareti, furent créées sur la table à dessin sans avoir jamais vu le jour. Mais entre le XVIIe et le XVIIIe siècle, les villes anciennes furent transformées et de nouveaux et plus vastes ensembles urbains furent complétés. Dans la ville nouvelle, son rôle et son style étaient en parfaite harmonie.

Le palais   Le principal rôle de la nouvelle ville était de servir de lieu de résidence au souverain et à un groupe restreint de la haute société qui formait sa cour.

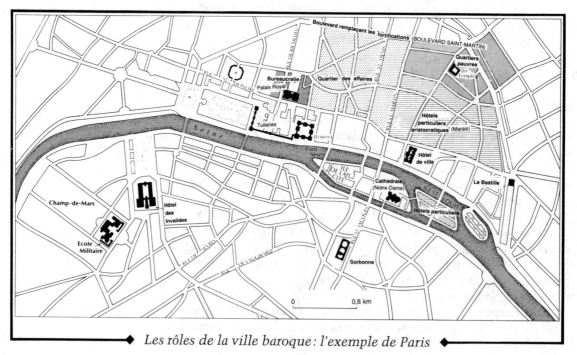

◆ *Les rôles de la ville baroque : l'exemple de Paris* ◆

Il fallait donc un ou plusieurs palais, ainsi qu'un grand nombre de maisons palatiales à proximité. Le palais poursuivait, d'une certaine manière, un objectif psychologique. Il confirmait l'infériorité de la masse de la population, par le contraste de ses maisons avec celle du souverain. On marquait aussi, par une barrière physique, l'absence du peuple dans les décisions politiques. La démonstration la plus évidente de cette rupture se produisit lorsque des souverains s'établirent juste à la périphérie des capitales dans des palais construits eux-mêmes comme des villes. C'est ce que firent le roi de France Louis XIV, à Versailles, et l'impératrice d'Autriche Marie-Thérèse, à Schönbrunn. Dans des circonstances comme celles-là, les simples citoyens devaient marcher quinze ou trente kilomètres simplement pour apercevoir l'extérieur de la résidence des souverains. Et même lorsque le palais était l'édifice principal de la ville, comme cela arrivait le plus souvent, l'architecte employait toutes les astuces possibles pour souligner son isolement du reste de la ville. L'élévation au côté est du palais du Louvre, à Paris, présente un rez-de-chaussée si banal et rébarbatif que peu de gens étaient tentés de s'en approcher. Une garde militaire permanente ou encore de longues séries de grilles dentelées formaient une barrière contre les intrus qui auraient voulu s'approcher d'un peu trop près, surtout des modestes palais des petits États germaniques ou encore des palais des rois du Danemark qui ressemblaient à des résidences.

Le caractère de la société courtisane accordait aux femmes de la noblesse un statut et un pouvoir plus grands à l'intérieur du mariage et dans l'ensemble de la société. Essentiellement, avoir de l'influence sur un monarque absolu, comme Louis XIV, se traduisait directement en pouvoir politique. La coutume avait déjà été établie à l'époque d'Henri IV, lorsque Gabrielle d'Estrées, en sa qualité de maîtresse avouée d'Henri, put introduire sa famille dans le cercle des plus fortunés de l'aristocratie française. Louis XIV ne cacha pas qu'il avait des maîtresses et reconnut les nombreux enfants naturels qu'il eut avec celles-ci. Mais généralement il ne suivait que son propre avis quand il s'agissait de son fils et ne leur permit jamais d'exercer une influence politique directe, jusqu'à ce qu'il succombe, à la fin de sa vie, à la ferveur religieuse de Mme de Maintenon. D'abord sa maîtresse et, plus tard, son épouse, Mme Maintenon joua un rôle important dans la pratique d'une austérité nouvelle dans la vie de cour, en stimulant le progrès des filles par une éducation morale stricte, comme celle que dispensait la maison de Saint-Cyr, qu'elle fonda. Elle incita aussi le roi à chasser les huguenots de France. Les femmes pouvaient, plus souvent que les hommes, capter l'attention du roi lors de ces brèves entrevues où l'on sollicitait des faveurs pour obtenir des postes importants ou encore pour l'octroi de bénéfices gouvernementaux. Un groupe de parents de la famille royale était haut placé dans la hiérarchie de la cour de Versailles et écoutait ceux qui désiraient obtenir des faveurs. Le membre le plus célèbre de ce groupe fut la duchesse de Montpensier, la cousine du roi qu'on appelait, à la cour, la Grande Mademoiselle. Des auteurs féministes du XVIIe siècle défendirent avec énergie ce système d'octroi des faveurs, car il permettait aux femmes de défendre le principe du mérite plutôt que celui du rang social. Elles firent même l'éloge de l'intrigue, qui permettait à une femme d'influencer les cercles du pouvoir à la faveur de parents masculins retenus par la guerre ou par les affaires. Selon les féministes, la mobilité sociale des femmes pouvait se réaliser de plein droit par une mésalliance, c'est-à-dire par le mariage d'une femme riche d'une classe inférieure avec un homme ayant des entrées à la cour. Mais le même résultat pouvait aussi être obtenu par la corruption, ou par l'achat d'un rang élevé de l'administration. Finalement, les femmes appréciaient l'accent mis sur l'habileté à se conduire correctement dans le monde compliqué de l'étiquette des cérémonies de la cour, puisque la connaissance des mœurs de la noblesse diminuait la prédominance du critère du sang.

Le palais était le théâtre où se déroulait ce cérémonial extrêmement complexe. Tous les moments de la journée du souverain étaient consacrés à imposer des activités qui exigeaient beaucoup de temps de la part de la noblesse de la cour, qui bien souvent était entièrement exclue de l'exercice réel du pouvoir. Louis XIV servit de modèle à presque tous les monarques de l'Europe. Il voulait, par exemple, que tous les gens de la cour soient à la porte de sa chambre lors de son lever. Les plus privilégiés étaient admis à voir le roi recevoir l'eau bénite offerte et ils pouvaient solliciter des faveurs. Ensuite, tous les autres pouvaient entrer pour voir le roi s'habiller et découvrir à qui revenait l'honneur de lui remettre sa chemise. Il restaient assez longtemps pour le voir se faire raser, boire un verre de vin ou d'eau

Escalier du château d'Augustburg, à Brühl en Allemagne
Des architectes baroques, comme Balthazar Neumann (1687-1753), atteignirent les sommets de l'effet théâtral dans la réalisation d'escaliers monumentaux, où des motifs géométriques complexes étaient combinés à des motifs colorés en stuc, ainsi qu'à la peinture des plafonds. *(Gracieuseté du Centre des renseignements de l'Allemagne)*

Le château de Versailles, en France

Mille nobles et quatre cents serviteurs occupaient la vaste étendue de Versailles, où Louis XIV déménagea la cour en 1681. La galerie des Glaces occupait presque toute la longueur de la façade longeant les jardins, et le point de vue fut prolongé par la construction d'un grand canal. Lors des soirées de gala, des gondoliers, qu'on était allé chercher à Venise, offraient des promenades en canot aux courtisans. (H. Roger-Viollet)

et réciter ses prières. Finalement ils l'accompagnaient à la messe du matin. De telle cérémonies sans importance permettaient au roi d'abuser de la vanité et des ambitions de la noblesse, de garder celle-ci à l'œil (et ainsi l'empêcher de comploter), et d'engloutir sa fortune dans des dépenses ostentatoires. Cette vie de cour factice se déroulait même dans les plus petites cours, comme celle de Nassau, qui contrôlait une principauté d'à peine quelques milliers d'habitants; elle était imposée à la noblesse la plus récalcitrante. Pierre le Grand alla même jusqu'à imposer que les nobles se rasent afin qu'ils ressemblent aux Français!

Le palais accueillait aussi les bureaucrates qui exerçaient effectivement le pouvoir gouvernemental. Si le palais devenait trop petit pour recevoir le nombre grandissant d'administrateurs indispensables aux monarques centralisateurs, on construisait à proximité des ministères gouvernementaux. Les affaires internationales de l'Église catholique étaient administrées depuis le palais du Vatican qui, une fois agrandi, comptait plus de mille pièces, vingt cours intérieures et quatre-vingts escaliers. Les ministères de Versailles furent réunis autour de l'entrée de la cour du palais, où convergeaient trois larges avenues. Là, dans des édifices bien proportionnés, se trouvaient les hôtels particuliers pour les messieurs des Bâtiments, pour les messieurs des Receveurs généraux, etc. Pierre le Grand décida d'imiter le modèle bureaucratique de Stockholm. Le plan original de Saint-Pétersbourg avait consacré une rive de l'île Basile, sur la Neva, à la construction de douze bâtiments gouvernementaux

La bureaucratie

identiques. Le concept d'un secteur de la ville consacré uniquement aux édifices gouvernementaux apparut avec l'avènement de la ville baroque. Malheureusement, la monotonie inspira trop souvent les architectes tout comme elle caractérisa la vie bureaucratique.

Les hôtels particuliers de l'aristocratie

La présence de la cour nécessitait un grand nombre de résidences pour l'aristocratie; ces résidences devaient être construites avec assez de dignité pour que ses membres puissent s'inviter mutuellement à dîner. Pierre le Grand insista pour que chaque membre de la noblesse construise une résidence à Saint-Pétersbourg et il interdit même l'emploi de la pierre, pour toute construction ailleurs en Russie, tant que sa ville ne serait pas complétée. Les nobles français exigèrent des hôtels particuliers séparés de ceux de leurs voisins par de hauts murs. Ils comportaient une cour intérieure entourée d'écuries et de bureaux et, fréquemment, de grands jardins à l'arrière. À Paris, la demande était forte pour de telles résidences puisque des centaines de familles de la classe moyenne avaient accédé à la noblesse grâce à l'achat d'une fonction dans l'État. Certaines épouses commencèrent à organiser des activités, principalement des *salons* dans le but de faciliter l'entrée de leur mari dans la classe nouvelle. Au milieu du XVIIe siècle, près de 250 femmes organisaient des salons à Paris. Leurs résidences étaient devenues de petits centres voués à la promotion de la peinture, de la tapisserie, de l'ameublement et de la sculpture. C'était aussi des lieux où les intellectuels étaient invités à lire et à discuter des extraits de leurs œuvres. Même ceux qui s'opposaient à l'influence exercée par ces femmes soi-disant parvenues grâce à leurs salons, ne tarissaient pas d'éloges pour les réceptions de Mme de Rambouillet, membre de la vieille noblesse. Son salon (tenu dans sa «Chambre bleue», à travers des tapisseries flamandes, de la verrerie vénitienne et de la porcelaine chinoise), avait un niveau d'excellence qu'espéraient atteindre toutes les hôtesses. La demande pour des hôtels particuliers fut à l'origine d'un des plus florissants exemples de spéculation immobilière à Paris, lorsqu'un groupe d'ingénieurs, pour construire un pont, se vit accorder le droit de combler deux petites îles en amont de l'île de la Cité, afin de pouvoir vendre les terrains ainsi créés. L'île Saint-Louis devint rapidement le quartier préféré des nobles et des avocats, dont les manoirs ceinturaient l'île. À Londres, où la vie aristocratique était considérablement moins guindée, la plupart des bien nantis résidaient dans des maisons en rangées, quoique à partir du XVIIe siècle, des maisons furent construites autour de places. En plus de créer un espace ouvert qui pouvait devenir un parc de verdure, une place avait l'avantage d'établir l'homogénéité de la classe qui y vivait, puisque les propriétés qu'on y trouvait avaient alors approximativement la même valeur.

La ville et les exigences de l'armée

L'armée accompagnait le souverain dans la ville puisqu'elle était véritablement le garant de son pouvoir. «On appelle citadelle, la partie de la ville fortifiée aussi bien du côté de la ville que du côté de la campagne et dont la fonction principale est le cantonnement des soldats qui doivent garantir que les habitants de la ville resteront fidèles à leurs devoirs», écrivait un théoricien français. L'armée avait besoin d'un édifice ou d'un lieu fortifié qui servirait de centre d'opérations, en temps de rébellion, et d'où elle pourrait éventuellement reprendre la ville, un endroit qui symboliserait, au yeux des citoyens, la puissance du monarque. La flèche élancée des cathédrales de Saint-Pierre et Saint-Paul marquait, à Saint-Pétersbourg, l'île forteresse où les tsars de Russie gardaient leurs prisonniers de guerre. Des forteresses médiévales, comme la Tour de Londres et la Bastille à Paris, constituèrent les principales garnisons royales bien que l'on construisît aussi un grand nombre d'édifices militaires. C'était particulièrement vrai à Berlin, où les militaires représentaient près du quart de la population.

Les militaires avaient besoin de champs de manœuvres qui devaient être aménagés au centre des villes. Le Champ-de-Mars, où s'élève aujourd'hui la tour Eiffel, était le principal terrain de manœuvres de Paris. La garde équestre anglaise s'entraîna sur les terres sablonneuses situées derrière Whitehall. Même dans une ville comme Boston, au Massachusetts, les terres communales servaient principalement à entraîner la milice. Regarder parader les soldats était l'un des divertissements gratuits les plus populaires des foules citadines.

La portée plus longue et plus précise des canons gênait grandement les villes qui devaient construire de nouvelles fortifications plus complexes et qui demandaient plus d'espace. Au début du XVIIᵉ siècle, l'enceinte médiévale était à toute fin pratique inutile, et les ingénieurs militaires concevaient des motifs de maçonnerie plus ingénieux, ainsi que des ouvrages de terre pour amortir les attaques d'artillerie. Mais les nouveaux murs étaient si imposants qu'il était impossible de les déplacer pour s'adapter à l'augmentation de la population. On devait sacrifier les jardins et les vergers qui avaient fait le charme de la plupart des villes médiévales, construire des édifices ayant en moyenne six étages, mais qui pouvaient parfois en compter dix, et repousser la population pauvre vers des quartiers encore plus congestionnés. Heureusement pour Paris, Louis XIV avait décidé de défendre le pays le long de ses frontières, où son ingénieur Vauban construisait les villes fortifiées les plus inexpugnables de l'Europe. Il permit à Paris de devenir une ville ouverte, transformant les remparts en boulevards et les portes de la ville en arcs de triomphe. Quand on érigea un mur à la fin du XVIIIᵉ siècle, autour d'une ville dont la superficie avait doublé, il ne s'agissait plus de la protéger, mais simplement de faciliter la perception des taxes sur le transit des marchandises. Londres put également se passer d'une nouvelle enceinte, mais il n'en fut pas de même pour la majorité des capitales.

Les nouvelles fortifications

Le rôle économique des villes, même des capitales essentiellement administratives, restait important. La nécessité d'un système destiné à superviser les transactions d'affaires de la révolution commerciale vit

Les exigences du monde des affaires

Hôtel des Invalides, à Paris
Cet hôpital militaire fut fondé par Louis XIV pour accueillir sept mille soldats blessés. L'empereur Napoléon Ier y fut inhumé sous le grand dôme.
(Hirmer Fotoarchiv)

naître les marchés boursiers et les banques. Wren fit de la nouvelle Bourse royale, et non pas de la cathédrale Saint-Paul, le point de mire de la reconstruction de Londres. Pierre le Grand réserva la pointe de l'île Basile pour la Bourse, qui fut reconstruite plusieurs fois afin de lui donner une position dominante sur la rive qui faisait face à la ville. L'emplacement rapproché de la Bourse, des grandes banques et des compagnies de commerce outre-mer, amena la création d'un secteur de la ville voué aux transactions commerciales. À Londres, ce fut la *City*, le secteur compris entre la cathédrale Saint-Paul et la Tour de Londres, qui vit apparaître une variété extraordinaire de boutiques spécialisées, de boursiers, de banquiers, d'artisans, de membres de corporations, de journalistes, de compagnies de transport et d'avocats.

Plus bas que la City, se trouvaient les docks, autre condition requise à l'existence de tout grand centre commercial. Dans ce domaine, les grandes villes de l'Europe se ressemblaient. On pouvait observer la même forêt de mâts dans le bassin de Londres, dans la mer de Paille de Lisbonne ou à Hambourg, le long des quais de l'Elbe. Même les villes de l'intérieur dépendaient du transport maritime et l'on trouvait des quais encombrés sur la Seine, à Paris, sur la Moskova, à Moscou, sur le Danube, à Vienne et à Budapest, ainsi que sur le Main, à Francfort. Pour toutes les grandes villes, le rôle principal de cette navigation était l'approvisionnement en victuailles et en matières premières pour les artisans, l'importation de denrées en provenance des régions éloignées. La paix sociale de la ville dépendait de l'approvisionnement continuel de ces produits. Lorsque la Seine gela en 1788, empêchant l'arrivée de barges qui transportaient la nourriture, la misère des classes les plus pauvres augmenta à tel point que l'année suivante, elles se révoltèrent.

La construction d'églises dans les villes

Les besoins religieux devaient aussi être satisfaits mais les églises furent rarement les édifices les plus importants de la ville. Il arrivait parfois que l'on érige des églises dans le but avoué d'exprimer concrètement la prééminence d'un mouvement religieux. C'est ainsi qu'à Amsterdam, les quatre églises baptisées selon les points cardinaux représentaient le calvinisme libéré de la répression espagnole; Saint-Paul de Londres était l'expression la plus amène du caractère œcuménique de l'Église anglicane. À Rome, l'église du Gesú fut pour l'ordre des Jésuites l'affirmation triomphante de l'ambition de la Réforme catholique. Mais c'est encore une fois à Paris que la Réforme catholique inspira les projets de construction d'églises, de monastères et de couvents les plus prodigieux d'Europe. À Paris, l'inspirateur de la reprise de la ferveur catholique fut le grand prêcheur saint François de Sales, qui persuada bon nombre de femmes de la noblesse de fonder des ordres nouveaux ou radicalement réformés. Mme Acarie, une belle et riche veuve qui connut des crises de mysticisme, fut encouragée à fonder des maisons françaises de l'ordre des Carmélites, comme sainte Thérèse l'avait fait en Espagne. Saint François persuada ensuite sainte Jeanne de Chantal à fonder l'ordre de la Visitation, l'un des ordres de religieuses les plus accessibles, ouvert aux plus âgées et aux infirmes, ainsi qu'à celles encore incertaines de leur vocation. Leur joli couvent, construit par François Mansart, accueillit des femmes de toutes les couches de la société française et donna un exemple de vie de couvent diamétralement à l'opposé de l'austérité des Carmélites. L'ensemble le plus magnifique de tous, le couvent de Val de Grâce, fut fondé par la mère de Louis XIV, Anne d'Autriche, pour les religieuses aristocrates avec qui elle aimait prier. Dans la première moitié du XVIIe siècle, plus de soixante monastères et couvents furent érigés à Paris. À partir de 1650, plusieurs églises qui furent construites à Paris ou ailleurs en Europe poursuivirent des objectifs religieux moins spécifiques. À Paris, la splendide église à dôme des Invalides est, comme son nom l'indique, rattachée à l'hôpital militaire, alors que les grands monastères d'Autriche et du sud de l'Allemagne, où l'architecture baroque atteignit ses formes les plus extravagantes, semblent plus destinés à donner un vaste aperçu de l'esthétique et des plaisirs mondains qu'à satisfaire à la règle de saint Benoît.

Ainsi, les urbanistes devaient satisfaire les besoins de la cour royale et de l'aristocratie, ceux d'une bourgeoisie commerciale aisée, ceux d'une importante classe militaire et, à un degré moindre, ceux des Églises. Bien qu'ils reconnussent sans doute l'existence d'une classe ouvrière considérable, ils n'en tinrent jamais compte.

LE STYLE DE LA VILLE BAROQUE

L e style des concepteurs de la ville baroque s'accordait à merveille avec les fonctions de la ville baroque, et parmi ceux qui désapprouvaient ce style, plusieurs le faisaient en raison de la fonction qu'ils remplissaient. Ainsi, les protestants du XIXe siècle critiquèrent l'attrait sensuel des églises de la Réforme catholique de Rome. Mais nous devons

La signification du baroque

d'abord écarter toute confusion de vocabulaire. Le mot *baroque* voulait dire à l'origine «forme irrégulière». C'est à partir du milieu du XVIe siècle qu'il vint à désigner l'architecture de l'Italie, car elle se caractérisait aussi par des formes bizarres et extravagantes. Ce style domina en Italie durant le XVIIe siècle et pendant presque tout le XVIIIe siècle. Il se propagea ensuite à l'Espagne et au Portugal, ainsi qu'aux États catholiques de l'Allemagne et de l'Autriche. Les principales caractéristiques du style architectural furent le mouvement et la tension, l'effet théâtral et l'émotion. Le mouvement et la tension étaient obtenus en utilisant des courbes sinueuses, des motifs sculptés et en représentant, sur les murs et les plafonds, de vastes peintures aux couleurs chatoyantes. L'effet théâtral était obtenu par la création constante d'illusions d'optique, par la combinaison de riches marbres colorés, de pierres précieuses, de stuc et de métaux brillants auxquels s'ajoutaient des statues empreintes de volupté débridée. L'émotivité était exprimée dans la représentation exagérée de la souffrance des saints, ou simplement en rejoignant les sens par la couleur ou la forme. Le baroque finit par désigner une série de caractéristiques propres à l'architecture, à la sculpture et à la peinture. Les façades étaient composées de trois voussures, deux convexes et l'autre concave; les autels étaient conçus comme des scènes de théâtre; les statues s'étendaient sur les murs et les plafonds, ne se contentant plus de reposer dans des niches bien définies; les projections horizontales se composaient d'ovales plutôt que de carrés ou de cercles; les plafonds peints donnaient une impression d'ouverture vers le ciel.

Le baldaquin de la basilique Saint-Pierre de Rome (à gauche), par Gian Lorenzo Bernini (1598-1680)
Le baldaquin de Saint-Pierre, surplombant le maître-autel et la tombe de saint Pierre, fut érigé entre 1624 et 1633. Ses colonnes torsadées en bronze et ses gigantesques spirales supportant une sphère et une croix furent façonnées à partir de métal prélevé sur le Panthéon. (Peter Menzel)

Sainte Thérèse en extase, dans la chapelle Cornaro de Sainte-Marie-de-la-Victoire de Rome (à droite), par Bernini
Conçue comme un théâtre, la chapelle fut créée par Bernini pour présenter la statue de l'Ange pénétrant le cœur de la mystique espagnole, sainte Thérèse d'Avila, avec la flèche qui la met en communion avec le Christ. La sainte semble flotter, entourée d'une lumière dorée, alors que des rayons brillent depuis des ouvertures cachées dans des puits de métal doré. (Editorial Photocolor Archives /Alinari)

Le Royal Navy College (école navale), à Greenwich
D'abord prévue comme un pensionnat pour les marins, l'école, conçue par Christopher Wren (1632-1723), associe le souci des détails classiques dans la décoration de l'édifice à la liberté baroque du traitement des tours jumelles.
(Gracieuseté de British Tourism Authority)

On dit souvent que l'Europe septentrionale rejeta le baroque parce que ses artistes et ses protecteurs trouvaient les caractéristiques de ce style répugnantes. L'architecte du roi d'Angleterre, Inigo Jones, décrivait avec dédain, au début du XVIIe siècle, le style de Rome : «Les ornements externes devraient être toujours solides, proportionnés selon les règles, virils et simples… Tous ces ornements composés qui proviennent de la volubilité de vos artistes et qui furent l'idée de Michel-Ange et de ses successeurs n'ont pas, selon moi, leur place dans l'architecture sérieuse.»[1] La réponse de ces gens du Nord, particulièrement en Angleterre, en France et dans les Pays-Bas, fut de revenir à ce qu'ils estimaient être le classicisme pur, c'est-à-dire qu'ils perpétuèrent le style de la Haute Renaissance. Il en résultait un emploi judicieux de l'ordre des chapiteaux, l'équilibre des façades plutôt que le mouvement, la simplicité et la sobriété de la décoration intérieure, ainsi que la retenue dans le choix des couleurs. Il faut cependant se souvenir que les artistes et les architectes du Nord n'atteignirent jamais cet idéal classique, car ils ne rejetaient pas complètement les caractéristiques du style baroque et partageaient en partie les idéaux intellectuels de cette époque. C'est pourquoi on peut parler de villes baroques, tant dans le sud que dans le nord de l'Europe. Que les motifs aient été ceux du baroque romain ou du classicisme français, les villes furent des créations baroques. Examinons de plus près ce qu'elles avaient en commun.

On doit d'abord remarquer que les artistes et les architectes baroques italiens affectionnaient beaucoup la géométrie et les mathématiques, un goût acquis lors de la Renaissance et qui fut grandement amplifié par les progrès scientifiques du siècle. Les urbanistes étaient fascinés par les motifs

Le rapport entre le style baroque et le classicisme du Nord

Les principales caractéristiques du style baroque

1 Cité dans Nikolaus Pevsner, *An Outline of European Architecture*, Harmondsworth (Angleterre), Penguin, 1964, p. 309.

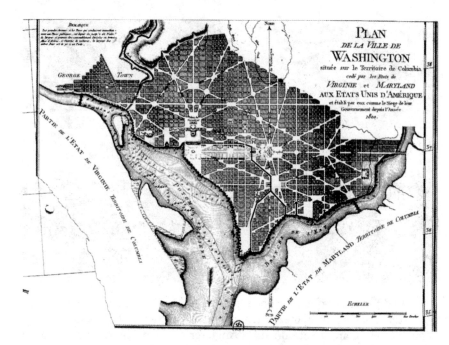

géométriques et aimaient concevoir abstraitement toutes les variations possibles dans la planification de la ville. Pour les formes les plus simples, ils vouaient un culte à la ligne droite, la recherche de l'infini et, de là, ils créèrent le concept du point de vue à l'infini d'après les rues où chaque maison est identique aux autres. Ils affectionnaient les intersections des lignes droites qui pouvaient être transformées en ronds-points et embellies par des fontaines ou des statues, ou alors qui permettaient aux panoramas d'aboutir sur des édifices monumentaux. Ils dessinèrent des places carrées, oblongues, ovales et en forme d'étoile qui furent toutes finalement construites, dans certaines villes. La base mathématique sur laquelle reposait la conception du tracé urbain, était aussi populaire au nord qu'au sud. Partout, les piétons et les rues médiévales sinueuses disparurent, et les bien nantis, avec leurs attelages, purent emprunter à loisir les longues avenues qu'il aurait été épuisant et ennuyeux d'arpenter à pied. Les squares de Londres, la demi-étoile de la nouvelle ville de Karlsruhe, et même les canaux d'Amsterdam, témoignèrent de cette intégration du baroque à la planification géométrique de l'espace.

Le besoin d'infini s'exprima de bien d'autres façons dans le Sud et le Nord. Le miroir devint un élément décoratif fort populaire, et sa plus spectaculaire démonstration, la galerie des Glaces à Versailles, est la pièce la plus réputée du royaume de France. La peinture des plafonds fut adoptée par le Nord presque sans modifications, comme par exemple lorsque Louis XIV, personnifiant Apollon, flottait au-dessus des têtes des courtisans sur les grandes surfaces de toiles peintes à Versailles par Charles Le Brun, le peintre de la cour. Les jardins français cherchaient à marier l'artificiel et le naturel, de préférence sur un horizon s'étendant à l'infini. Les grands palais, que ce soit à Munich, Hampton Court ou Versailles, utilisaient des canaux artificiels pour attirer les regards vers des forêts disparaissant à l'horizon.

Par-dessus tout, ce fut en adhérant à l'émotivité du baroque que les artistes et les architectes réussirent à combler les désirs de leurs mécènes. Les dimensions inouïes suscitaient de fortes émotions. Le jardin devant le château de Versailles mesure quelque cinq cent cinquante mètres; le toit en cuivre du Panthéon fut utilisé pour fabriquer les énormes colonnes torsadées de la châsse de Bernini au-dessus du maître-autel de la basilique Saint-Pierre de Rome. L'exubérance italienne atteignit le Nord avec l'application de quelques-unes de ses innovations, telles que l'emploi des fontaines et la décoration des parcs et des rues avec des statues élancées représentant des dieux païens. L'élément clé dans l'aménagement des espaces intérieurs était l'utilisation de la forme ovale, tant pour les motifs des planchers que pour les peintures des plafonds et pour les niches des façades. Il résultait de cet emploi des formes ovales, de préférence aux formes carrées ou circulaires, une élégance charmante et touchante que les courtisans des XVIIe et XVIIIe siècles jugeaient parfaitement adaptée à leur style de vie. Ces motifs produisirent ce qu'on a appelé la polyphonie spatiale, un entremêlement de plusieurs courants d'intensité architecturale importants en un seul motif complexe. En Angleterre, le grand maître de cet art fut Christopher Wren, et il le poussa à l'extrême quand, après le grand incendie de 1666, on lui commanda les plans des cinquante et une églises de la ville. Son génie atteignit son apogée avec les tours des églises qu'il conçut, une multitude d'entre elles créées à partir du même motif géométrique initial. On ressent cette même qualité dans toutes les villes baroques, même lorsqu'on tenta d'utiliser, par tous les moyens, les formes classiques les plus pures. Paris et Versailles sous Louis XIV, Londres sous Wren, Saint-Pétersbourg sous Pierre le Grand, Washington, D.C. sous l'ingénieur L'Enfant et Rome sous Bernini, toutes ces villes sont les fruits d'une même époque.

L'AUTOCRATIE DE LA RUSSIE

Après avoir observé les caractéristiques du rôle et du style qui donnèrent à chaque ville baroque un air de famille, nous verrons maintenant l'abondante diversité qui existait au sein de cet ensemble. En Russie, en France et en Angleterre, nous observerons l'essor de trois types de règnes monarchiques, ainsi que les conséquences sur les différentes formes d'urbanisme adoptées à Saint-Pétersbourg, à Paris et Versailles, et à Londres.

L'exemple le plus poussé de la monarchie absolue se rencontre en Russie. Le premier État russe, dirigé à partir de Kiev, du IXe au milieu du XIIIe siècle, avait été aussi évolué que les États contemporains de l'Europe occidentale. Il avait donné aux Russes une langue nationale écrite à l'aide de l'alphabet cyrillique, ainsi qu'une religion nationale, la foi orthodoxe

Les origines de l'État russe

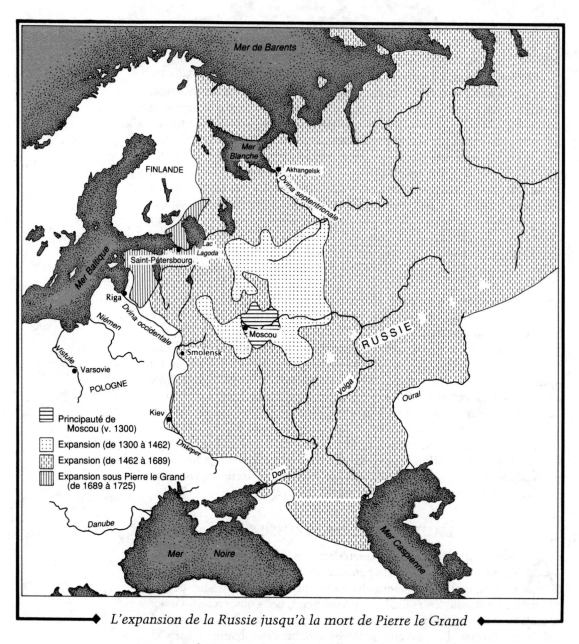

L'expansion de la Russie jusqu'à la mort de Pierre le Grand

grecque de Byzance dont il avait hérité. Alors que la puissante aristocratie des boyards se rassemblait autour du prince, la majorité des paysans était sans doute libre; aussi, le commerce grandissant avec Byzance (et, à un moindre degré, avec l'Occident) permettait à une classe marchande importante de prospérer dans des villes telles que Pskov et Novgorod. Cette évolution prometteuse fut interrompue lors de l'invasion des Tatars, menés par Gengis Khān et son neveu Batû Khān qui, après avoir conquis presque toute l'Asie, prirent d'assaut le sud de la Russie et détruisirent Kiev, en 1240. Les Tatars exercèrent leur suzeraineté au cours des deux siècles suivants, coupant de manière définitive tous les contacts de la Russie avec l'Occident et détruisant ses liens commerciaux, sauf ceux de Novgorod. Après la brutalité de la conquête initiale, les Tatars furent satisfaits de percevoir des tributs monétaires et de recruter des militaires. Ils laissèrent derrière eux une tradition de gouvernement autocratique dont héritèrent les dirigeants locaux qui leur avaient servi d'intermédiaires, principalement les princes de Moscou. La ville de Moscou était de création toute récente, fondée à la limite de «la civilisation», au XIIᵉ siècle. Au début du XVᵉ siècle, ses dirigeants avaient annexé un si grand nombre de territoires environnants qu'ils possédaient la plus importante principauté sous le règne du chef tatar. En 1480, ils furent assez puissants pour refuser de payer leur tribut aux Tatars et les confinèrent dans trois khanats de l'extrême sud de la Russie. Après la chute de Constantinople, en 1453, le prince de Moscou, Ivan III le Grand (1462-1505), s'appropria le titre d'autocrate qui avait appartenu à l'empereur byzantin. Il épousa Sophia, nièce du dernier empereur byzantin, et prétendit que Moscou avait hérité de la prééminence de Constantinople et qu'elle devenait ainsi la troisième Rome.

Ivan III le Grand fut le véritable créateur de l'absolutisme russe. À la manière des Tatars, il se comporta comme si l'exercice de son pouvoir n'était pas entravé par le contrôle de la justice. Il contrôlait une Église d'État qui le reconnaissait en tant qu'autorité suprême. Il fit de la noblesse foncière une aristocratie de service qui ne recevrait des privilèges qu'en proportion des services qu'elle rendrait à l'État. Pour atteindre cet objectif, il créa une classe appelée *pomietchiks*, à qui l'on céda des terres pour la vie en retour de services au tsar, en particulier pour lutter contre l'aristocratie héréditaire. Il introduisit aussi la coutume, qui serait plus tard grandement développée, de confiner le paysan à sa terre pour qu'il ne puisse pas échapper au travail du seigneur ou au paiement des taxes dues à l'État. Le symbole de cette nouvelle monarchie de l'Europe de l'Est, une région considérée par la plupart des Européens comme le summum du barbarisme, était le magnifique Kremlin, construit pour Ivan par des architectes qu'on avait fait venir d'Italie. La forteresse originale de Moscou avait été construite, au XIIᵉ siècle, en forme triangulaire. Elle était située à la jonction de deux rivières comme le prisaient la plupart des villes russes, et avait été agrandie à quelques reprises, en utilisant généralement du bois. Mais de 1485 à 1495, les architectes italiens construisirent l'immense muraille du Kremlin (qui existe toujours), longue de 2,4 kilomètres, haute de 18 mètres et d'une épaisseur de 4,5 mètres, avec de la brique rouge vif et ils brisèrent le créneau régulier du mur avec des tours de guet et des tours d'entrée tapageusement décorées. À l'intérieur, ils créèrent, en contraste avec les lignes horizontales et les couleurs riches des murs, un ensemble fantaisiste de cathédrales. Au lieu d'une vaste église, il y en avait six, d'un blanc éclatant et surmontées d'un ensemble époustouflant de dômes en forme d'oignon, dont les toits

Moscou sous Ivan III le Grand (1462-1505)

étincelants, faits d'or en feuilles, pouvaient être vus à des kilomètres à la ronde. À côté des cathédrales, ils édifièrent un palais pour le métropolite de Moscou (le prélat de l'Église russe) et un splendide palais pour le tsar, où l'impératrice Sophie entreprit d'initier la noblesse boyarde à la vie élégante de la cour de Byzance.

L'ampleur des réalisations d'Ivan III donnait cependant une fausse idée de la puissance réelle de l'absolutisme russe. La superficie immense de la Russie, en constante progression à la suite des conquêtes et de la colonisation vers l'est, rendait vains les efforts pour y exercer un contrôle strict et encourageait les déplacements des paysans, toujours à la recherche de meilleures terres. Les aristocrates fonciers résistèrent si vigoureusement aux tentatives du tsar de les contrôler qu'Ivan IV le Terrible (1534-1584) décida d'utiliser la force pour les combattre. Il transplanta plusieurs aristocrates de Moscou près des frontières et céda leurs terres à la nouvelle aristocratie de service. Des milliers de vieux boyards furent exécutés, alors que le régime de terreur, appelé l'*opritchina* ou «royaume séparé», fut imposé à la noblesse. Les *opritchiniki* furent les premiers représentants de la police secrète de Russie, des sadiques de noir vêtus, montant des chevaux noirs et portant une tête de chien sur leurs selles, qui frappaient sans discrimination dans tout le centre de la Russie. La réaction survint durant le règne du fils idiot d'Ivan, la «période des conflits» de la Russie, où les nobles tentèrent de diriger le pays comme une oligarchie, où la paysannerie se souleva lors d'une révolte déchirante et où les Polonais portèrent leurs attaques jusqu'à Moscou. Le compromis qui vit, en 1613, un noble médiocre, Michel Romanov, devenir tsar, ne restaura pas concrètement l'absolutisme qu'on n'avait jamais contesté en théorie. L'asservissement légal de la paysannerie, en 1649, raffermit le contrôle de la noblesse. Le patriarche de Moscou proclama même sa suprématie théorique sur le tsar. La taxation imposée aux paysans n'apporta pas de revenus suffisants pour maintenir une force militaire efficace, mais elle les maintint constamment en rébellion. À la suite de l'invasion polonaise, une réaction brutale envers les étrangers entraîna finalement l'isolement des marchands et des techniciens étrangers au sein de ghettos dans les grandes villes russes. Il ne fallait pas que les influences modernes pernicieuses de l'Occident viennent détruire les vieilles traditions de la Moscovie.

Les objectifs de Pierre le Grand (1689-1725)

Le règne de Pierre le Grand est un moment décisif de l'histoire de la Russie, car il dirigea une autocratie efficace en l'associant à la modernisation forcée des structures politique, économique et sociale du pays. Pierre grandit dans le quartier étranger de Moscou, exilé du Kremlin par la régente, sa demi-sœur Sophie Alexeïevna. Selon un visiteur européen, on la disait «astucieuse, impartiale et pleine d'ambition. Bien qu'elle n'ait jamais lu Machiavel, elle en comprend naturellement toutes les maximes». Néanmoins, sa cruauté envers les opposants de la noblesse et les faveurs qu'elle accorda à son favori, Vassili Galitzine, lui coûtèrent l'appui d'une importante faction de la garde du palais, les Streltsy. Lorsqu'en 1689 une rumeur circula à l'effet que Sophie voulait assassiner Pierre pour devenir impératrice, celui-ci réussit à renverser son gouvernement et à la séquestrer dans un couvent pour le reste de sa vie. De ces dures années, Pierre conserva une fascination pour les progrès techniques de l'Occident, un mépris de l'aristocratie moscovite qui luttait de façon acharnée contre le progrès, un dégoût à l'égard des ambitions du clergé orthodoxe et une méfiance pour les intrigues des Streltsy. Son admiration pour la technologie occidentale se confirma durant sa première visite en Europe occidentale, en 1697-1698. Les nombreuses défaites contre la Suède durant la Grande Guerre du Nord (1700-1721), le convainquirent de la suprématie de l'armée, de la marine ainsi que de la fonction publique suédoises. La vieille tradition de Moscou devenait pour lui un obstacle à la modernisation de la Russie.

Au début, il essaya de modifier les habitudes de vie de Moscou, contraignant les nobles à s'habiller à l'occidentale, à raser leurs longues barbes et à travailler pour les ministères gouvernementaux. Mais en 1703, il s'empara de l'embouchure du fleuve Neva qui se jette dans le golfe de Finlande, une fenêtre sur l'Occident. Il y entreprit sur-le-champ de construire la nouvelle capitale, Saint-Pétersbourg. Pour construire sa ville, il rétablit le dialogue avec la noblesse russe. La paysannerie devait être attachée plus solidement à la terre tandis que les propriétaires fonciers étaient amenés à découvrir un nouveau mode de vie au service de l'État. Ils recevraient des connaissances occidentales au sein des régiments de la garde, de l'académie navale, de l'artillerie et des écoles d'ingénierie. Ils allaient avoir la possibilité de s'élever dans la hiérarchie, tant au sein du service militaire que du service public. À Saint-Pétersbourg, sous la férule du tsar lui-même, ils bénéficieraient des plaisirs de la vie sociale à l'européenne.

Pour Pierre, il était donc primordial que les femmes de l'aristocratie russe puissent tenir les mêmes rôles dans la vie courtisane de Saint-Pétersbourg que leurs homologues françaises, plus émancipées. La séclusion des femmes, poussée à l'extrême par la vieille tradition à Moscou, scandalisait les Européens de l'Ouest. Un Allemand souligna que «le plus grand honneur qu'un Moscovite puisse faire à un ami était de lui laisser voir sa femme». Les femmes de l'aristocratie s'assoyaient derrière un grillage dans une tribune spéciale, lors des offices à la cathédrale, ou derrière un paravent lors des festins d'État. Les femmes de la famille impériale, même la régente Sophie, demeuraient dans une section cloîtrée du palais, le *terem*. En 1699, Pierre piqua les Moscovites à vif en ordonnant qu'ils amènent leurs femmes à un bal d'État. Mais ce n'est qu'en 1718 qu'il mit en marche un programme destiné à occidentaliser les citoyennes russes (et les citoyens!). Il décréta que sous la surveillance du grand chef de la police, des assemblées seraient tenues trois fois par semaine, selon l'usage des Français, et que durant celles-ci, les hommes et les femmes, pendant au moins cinq heures, participeraient à des conversations et à des jeux. Bien que leurs parents réprouvaient l'idée, cette innovation fit le bonheur des jeunes femmes célibataires, qui avaient dès lors le loisir de rencontrer des jeunes hommes, également disponibles (alors qu'auparavant, les mariages au sein de l'aristocratie étaient convenus par ententes juridiques, sans même que les futurs époux se soient rencontrés). Pierre ordonna que les mariages ne puissent avoir lieu sans le «consentement et la volonté» des couples. Ses efforts pour éduquer les femmes à l'occidentale, en forçant les familles à envoyer les jeunes filles dans des institutions huppées ou princières en Allemagne, furent abandonnés en raison de l'opposition des parents. Il faudra attendre le règne des impératrices Élizabeth Petrovna et Catherine II la Grande pour voir les femmes russes dépasser la simple imitation des coutumes occidentales. À ce moment, du moins au sein de la noblesse, les femmes russes rivalisaient d'élégance et d'intelligence avec leurs homologues occidentales. À l'époque de Catherine, qui écrivait elle-même un peu pour le théâtre, il y avait au moins soixante-dix auteures dans la capitale russe. Il n'est donc pas surprenant que le transfert de la capitale dans la ville de Saint-Pétersbourg ait reçu l'appui si enthousiaste des femmes de la noblesse, qui étaient ainsi libérées du *terem*.

La création de Saint-Pétersbourg

Tout à Saint-Pétersbourg révélait le caractère autocratique de son fondateur. L'endroit était une terre marécageuse où la dysenterie tua dix mille des premiers conscrits affectés à la construction de la ville. Il fallut contraindre la noblesse à quitter le climat froid, mais salubre, de Moscou pour le crachin incessant de la côte de la Baltique. Ils reçurent l'ordre de construire des maisons aux dimensions déterminées par la police, après l'inspection de leurs résidences de Moscou. Les commerçants furent regroupés dans des rues distinctes, comme la rue des fabricants de canons, la rue des armuriers, etc. Les ministères du gouvernements furent regroupés dans des pavillons identiques sur l'île centrale que Pierre espérait transformer en une nouvelle Amsterdam. La marine reçut l'île Kronstadt, dans le golfe. L'armée installa ses quartiers sur l'île Saint-Pierre-et-Saint-Paul, et, plus tard, ses terrains de manœuvres sur le Champ-de-Mars, comme à Paris. Durant le siècle suivant, les successeurs de Pierre, particulièrement l'impératrice Élizabeth (1741-1762) et Catherine II la Grande (1762-1796), choisirent Rome et Paris, plutôt qu'Amsterdam, comme modèle d'urbanisme. Elles firent confiance à l'imagination de l'architecte italien Bartolomeo Francesco Rastrelli qui fut responsable, plus que tout autre architecte, de l'aspect du Saint-Pétersbourg d'aujourd'hui et des palais champêtres de Peterhof et Tsarskoïe Selo. Sur la rive sud du fleuve, de grandes perspectives baroques furent dégagées: trois avenues convergeant sur le nouveau palais d'Hiver, aujourd'hui le musée de l'Ermitage; les longues façades du palais impérial et des palais aristocratiques le long du rivage, qui rappellent Paris à l'observateur d'aujourd'hui; des places et des jardins immenses; et, partout, la force unificatrice de la couleur jaune pâle du stuc qui ornait tous les édifices. Saint-Pétersbourg était une création artificielle, la volonté d'un seul homme qui obligea la Russie à adopter rapidement la technologie occidentale, en particulier la technologie militaire. Mais elle divisa la Russie. D'une part, il y avait l'autocratie et la partie de l'aristocratie et de la bourgeoisie qui avait adopté les coutumes occidentales. D'autre part, on retrouvait la grande majorité de la population qui n'était pas touchée par ces réformes, sauf pour fournir les ressources humaines et financières servant à la modernisation.

L'ABSOLUTISME EN FRANCE

Le modèle pour la majorité des États européens, au XVIIᵉ siècle et au début du XVIIIᵉ siècle, a été l'absolutisme de Louis XIV, en France. Pour y parvenir, Louis XIV n'eut pas à foncer à vive allure comme l'avait fait Pierre, car les bases de l'absolutisme français avaient été solidement établies au cours des deux siècles précédents. À la fin du XVᵉ siècle, Louis XI avait laissé à la monarchie une armée permanente, des revenus importants provenant d'une taxation régulière, le droit incontesté de légiférer et de juger, le pouvoir de faire la guerre et la paix de même que le droit de nommer des évêques et des abbés. Au cours du demi-siècle suivant, les successeurs de Louis, malgré des guerres ruineuses, comme celle menée contre l'Italie par François Iᵉʳ (1515-1547), dirigèrent la France comme un exemple ultime de ce que devait être la «nouvelle» monarchie. Cette évolution fut cependant interrompue, quoique temporairement, par les guerres de Religion (1562-1598). Ces guerres n'étaient pas seulement une tentative par les plus fanatiques des quatorze millions de catholiques français pour éliminer le calvinisme, la religion avouée de près d'un million de personnes faisant partie des classes marchandes et professionnelles les plus dynamiques du pays. Ses adeptes vivaient surtout dans les villes du Nord, mais aussi un peu partout dans la campagne du Sud. Les rois de France

Portrait de Catherine de Médicis (1519-1589) réalisé en France au XVIᵉ siècle
Catherine, l'arrière-petite-fille de Laurent le Magnifique, dirigea la France pendant les trente dernières années de sa vie, soit durant les règnes successifs de ses trois fils. Elle joua un rôle crucial dans le massacre des huguenots français qui eut lieu à Paris, à la Saint-Barthélemy, durant la nuit du 23 au 24 août 1572. (H. Roger-Viollet)

s'attaquaient aux calvinistes parce qu'ils voyaient dans leurs villes fortifiées et leurs réseaux de congrégations merveilleusement organisés une menace au pouvoir absolu de la monarchie, particulièrement dans les provinces de la périphérie. Les trois grandes factions de la noblesse luttèrent entre elles, et ce faisant, dévastèrent presque toute la France pour contrôler le trône. La reine mère, Catherine de Médicis, supervisa la destinée de ses trois fils incapables, François II, Charles IX et Henri III, qui régnèrent successivement de 1559 à 1589. Elle considérait comme nécessaires au bien-être de sa famille toutes les mesures qu'elle avait décrétées, dont l'appel au meurtre des dirigeants protestants français qui, peut-être à sa surprise, avait dégénéré en massacre, le jour de la Saint-Barthélemy en 1572 (massacre au cours duquel trois mille protestants périrent). L'étonnant résultat des guerres allait cependant renforcer le pouvoir de la monarchie.

Henri IV et le rétablissement de l'autorité (1589-1610)

Devenu roi après l'assassinat d'Henri III en 1589, Henri de Navarre, souverain victorieux et chef de la faction des Bourbon, était un personnage à la fois cynique, brutal et charmant dont les qualités étaient précisément ce dont avait besoin la monarchie pour mettre fin au chaos des guerres. Son cynisme s'exerça quand, par trois fois, il se convertit du calvinisme au catholicisme, d'abord à la cour lorsqu'il était encore enfant, avant le massacre de la Saint-Barthélemy et, finalement, quatre ans après avoir accédé au trône. C'est alors qu'en tant que catholique, il accorda, avec l'édit de Nantes (1598), la tolérance aux calvinistes, faisant d'eux, d'un trait de plume, le segment de la population le plus loyal et le plus productif. Durant les dix années qui suivirent son accession au trône, il employa la force pour réprimer les catholiques extrémistes et pour mettre fin aux interventions de l'Espagne en France. Enfin, par son charisme — ou plutôt en étant lui-même l'exemple parfait du courtisan de la Renaissance, un amalgame d'érudition, de chevalerie et de romantisme — il se donna l'image du vert galant. Cette réputation de roi populaire devait bien servir les intérêts de la monarchie plus tard, bien que des spécialistes soutiennent aujourd'hui qu'Henri était baucoup moins populaire que le laissaient croire les propagandistes royalistes.

Les guerres avaient cependant augmenté le pouvoir de la monarchie face à toute opposition. Les membres de la noblesse s'étaient éliminés les uns les autres. Le chaos avait gravement affaibli la bourgeoisie, incitant plusieurs calvinistes à émigrer, ce qui entrava le développement de l'industrie et du commerce. Les classes marchandes de France, contrairement à celles de l'Angleterre et des Pays-Bas, n'étaient pas en mesure de revendiquer une partie du pouvoir politique, mais ils voyaient dans la personne du roi l'unique garant contre le retour à la confusion féodale. Cette attitude s'exprima à travers la nouvelle philosophie politique d'un groupe appelé les *Politiques*, qui soutenait que seule la souveraineté royale garantissait la paix et l'ordre social. Dans son important ouvrage *La République*, Jean Bodin (v. 1530-1596), leur grand écrivain, prétend qu'un État existe seulement lorsqu'un souverain exerce «un pouvoir absolu sur les citoyens et les sujets, sans contraintes juridiques»; qu'un souverain gouverne selon la volonté de Dieu et qu'il n'a de comptes à rendre qu'à Dieu; que le souverain est la seule personne capable de légiférer, pouvant, s'il le désire, permettre la tolérance des calvinistes. Bref, les guerres avaient permis de justifier les aspirations absolutistes de la monarchie française, et ce, de façon réfléchie.

Mais ce qui fut peut-être plus important, c'est que Henri transforma à nouveau Paris en une grande capitale. À l'époque de Catherine de Médicis, Paris s'était rebellée plus ou moins ouvertement contre la monarchie. C'était une ville divisée en groupes sociaux isolés qui s'ignoraient mutuellement, une ville ravagée par la maladie et la famine et, surtout, ignorée par une cour extravagante. En 1594, Paris avait finalement accueilli Henri, après qu'il se soit converti au catholicisme pour la troisième fois. (On lui attribue le célèbre «Paris vaut bien une messe!») En retour de cet accueil, Henri entreprit de transformer Paris en une ville digne des nouvelles aspirations monarchiques. Il y eut d'abord des travaux de restauration, notamment le nettoyage des rues jonchées d'immondices, la restauration des réserves d'eau, et la reconstruction des ponts. Puis vint la revitalisation du commerce, encouragée par la politique de Sully, l'habile ministre des finances dont la frugalité rétablit la fiabilité des bons du gouvernement et dont le mercantilisme encouragea la création de nouvelles industries à Paris. Vint enfin la mise en forme de la ville, selon les normes du goût royal, un exercice qui allait durer près de trois siècles et qui contribuerait à l'aspect actuel de la ville. «Il me ferait grand plaisir, écrivait le roi à Sully, à propos d'une rue en construction sur la rive gauche, si vous pouviez vous assurer que ceux qui commencent à construire sur ladite rue, fassent en sorte que les façades de toutes les maisons soient du même ordre [architectural], car de voir cette rue avec une composition uniforme, à partir du pont, présenterait un décor splendide.» La pointe de l'île de la Cité devint un modèle pour les nouveaux îlots urbains — un heureux mélange de ponts de pierres grises, de maisons de briques rouges uniformes avec des revêtements de pierres jaunes et des toits d'ardoise abrupts. Par sa forme triangulaire et son usage audacieux des perspectives qui attiraient les regards vers une statue équestre d'Henri située à un point central, elle annonçait déjà la ville baroque.

Henri IV et la restauration de Paris

L'assassinat d'Henri, en 1610, jeta la France dans le chaos; sa veuve, Marie de Médicis lutta pour que la noblesse n'ignore pas Louis XIII (1610-1643), le nouveau roi qui, à l'époque, était âgé de neuf ans. Le Trésor de l'État avait été promptement partagé parmi celle-ci, et les provinces étaient devenues pratiquement indépendantes de la couronne. Pour mettre fin à cette anarchie de l'administration, le cardinal de Richelieu, homme d'Église brillant qui dirigea le gouvernement au nom de Louis de 1624 à 1642, utilisa les bureaucrates qu'il croyait les plus dignes de confiance: les commissaires itinérants. Ces officiels, rebaptisés intendants, avaient la responsabilité de

L'autorité du cardinal de Richelieu et du cardinal Mazarin

provinces spécifiques et disposaient du droit de lever des impôts, administraient les cours de justice et la police. Ils demeurèrent le principal instrument de l'absolutisme royal jusqu'à la révolution de 1789. Sous Richelieu, le gouvernement royal se regroupa autour du premier ministre qui gouvernait par l'intermédiaire de ses propres agents au sein du conseil royal et dans les principaux ministères gouvernementaux à Paris, ainsi que par l'entremise des intendants provinciaux. Même les édifices de Paris témoignaient de cette nouvelle orientation: juste au nord du Louvre, Richelieu fit construire le Palais-Cardinal (aujourd'hui le Palais-Royal), un immense palais doté d'un vaste jardin privé de forme rectangulaire. Autour du quartier de Richelieu, tous ses principaux fonctionnaires cherchèrent à construire leurs demeures dans le même style austère adopté par leur protecteur, ces immeubles solides et luxueux témoignant eux-mêmes de la richesse qui récompensait la bourgeoisie qui servait loyalement la couronne.

Le successeur de Richelieu au titre de premier ministre, le cardinal Mazarin, était un Italien rusé et persuasif qui s'était fait l'amant, et peut-être le mari, d'Anne d'Autriche, la veuve de Louis XIII. Il chercha à gouverner la France au nom de Louis XIV, le fils de cinq ans de Louis, en s'appuyant sur le système créé par Richelieu. Il se buta cependant à la Fronde, cette révolte parisienne qui bouleversa presque tous les progrès de la monarchie vers l'absolutisme que le demi-siècle précédent avait permis.

La Fronde (1648-1652), ainsi nommée d'après les combats de boue auxquels se livraient les enfants de Paris, fut une démonstration imprévisible de la colère de tous ceux qui ressentaient des griefs contre la monarchie. Elle débuta quand une décennie de récoltes désastreuses amena les paysans à s'attaquer violemment aux percepteurs d'impôts et aux riches Parisiens qui tentaient d'acheter leurs terres à des prix dérisoires. Elle atteignit Paris quand le Parlement, qui représentait les riches avocats et qui revendiquait le droit d'approuver tous les édits royaux avant qu'ils n'aient force de loi, exigea à la fois la fin des abus engendrés par la vente des fonctions gouvernementales et la réduction du pouvoir des intendants. Quand la monarchie accepta les demandes du Parlement, ce fut au tour de la grande noblesse de se soulever. Paris fut occupée par les armées de la noblesse tandis que des armées privées pillaient et incendiaient le reste de la France pour le compte des aristocrates. Mazarin s'enfuit du pays. Les émeutiers de Paris terrifièrent le roi qui n'avait que treize ans, quand ils entrèrent en masse dans sa chambre, le forçant à fuir — sans doute l'expérience décisive de sa vie, qui lui laissa une si grande méfiance des Parisiens que seul le transfert complet du gouvernement à Versailles lui permit de l'apaiser. Les armées royales eurent finalement raison du reste des forces de la noblesse, permettant à Louis XIV et à Mazarin de rentrer à Paris.

Les circonstances favorisent l'absolutisme français

Les effets véritables de la Fronde ne se firent vraiment sentir qu'après la mort de Mazarin, en 1661, lorsque Louis put diriger la France à sa manière et devenir son propre premier ministre. Le désordre absolu des guerres de religion et de la Fronde justifiaient un pouvoir monarchique ferme; il restait

Louis XIII et Anne d'Autriche, par Pierre Paul Rubens (1577-1648)
Grâce à des costumes somptueux et des décors élégants, Rubens, le plus grand peintre baroque de la Flandre, créait des atmosphères d'opulence autour de ses modèles royaux. (The Norton Simon Foundation)

à voir comment un despote scrupuleux utiliserait ses pouvoirs. La situation n'avait jamais été aussi favorable pour démontrer au monde entier les pouvoirs de la monarchie française. Toutes les puissances rivales de la France étaient en déclin ou vivaient des périodes de désordre. L'Angleterre se remettait de plusieurs guerres civiles et les Pays-Bas étaient grandement affaiblis par les guerres maritimes contre l'Angleterre et les conflits terrestres contre l'Espagne. L'Espagne ne pouvait même plus lever ses grandes armées et ses flottes maritimes imposantes (dont les dépenses avaient conduit Philippe II à la ruine). La guerre de Trente Ans avait laissé l'Allemagne en crise économique; la Pologne était entre les mains d'une noblesse anarchique; et l'Autriche était agitée par une nouvelle attaque des Turcs qui, en 1683, assiégèrent Vienne. Par contre, la France était l'État le plus puissant et le plus riche d'Europe. Elle avait une population nombreuse, dix-huit millions d'habitants contre seulement cinq millions pour l'Angleterre, et son agriculture était la plus diversifiée et la plus prospère du continent (même si le pays connut quelques périodes de famine). Richelieu l'avait dotée d'une puissante marine et d'une infanterie restructurée qui remporta une importante victoire à Rocroi, contre les Espagnols, en 1643. En dépit des conflits sociaux incessants, la France jouissait par-dessus tout d'un véritable patriotisme national qui s'exprimait par la vénération au roi.

Louis crut sincèrement qu'il était redevable à la France et à Dieu de profiter de ces avantages. Comme la majorité des Européens de son époque, il était convaincu que seule la monarchie absolue pouvait garantir l'ordre et concentrer l'énergie de la nation pour le bien commun.

Il entreprit de donner lui-même l'exemple du travail acharné et de la rigueur pour toutes les tâches, aussi banales soient-elles. Enfant, on lui avait appris à détester les rois fainéants de la période mérovingienne, surtout Louis V le Fainéant. La sobriété qui le caractérisait, doublée d'un physique splendide, lui permit de conjuguer les longues heures consacrées à l'administration avec le respect des rites pointilleux de la cour, même les plus astreignants. Le seul à ne jamais s'ennuyer à Versailles, il acceptait l'inconfort par principe. Lorsqu'on lui apprit que certains âtres de Versailles cesseraient d'enfumer le château si les cheminées étaient construites plus hautes, il répondit qu'il fallait supporter la fumée car les cheminées devaient rester invisibles du jardin. Les valets parcouraient plusieurs centaines de mètres pour lui servir ses repas (qu'il mangeait souvent froids); le vin gelait parfois dans les coupes. Le roi restait stoïque. L'essentiel était de conserver l'aspect majestueux de la royauté en dépit des privations personnelles. Dans son œuvre, Louis croyait n'avoir de compte à rendre qu'à Dieu, et seulement à lui, car il l'avait choisi pour régner. Cette conception du droit divin des rois lui procura un sentiment de satisfaction personnelle, alors qu'il devenait évident, même à son principal général, que les guerres qu'il entreprenait menaient la France à la ruine.

Agression militaire et gloire

Tout au long de son règne, la principale préoccupation de Louis fut d'atteindre la gloire militaire pour la France et la monarchie. Le château de

Louis XIV, par Hyacinthe Rigaud (1659-1743)
Rigaud devint le peintre préféré de la cour de Louis XIV après 1688. Pour mettre en valeur le haut rang social de ses sujets, il les représentait vêtus de velours, de soieries et de fourrures, et utilisait des couleurs éclatantes, ainsi que des motifs entremêlés. (Giraudon)

L'entrée de la galerie des Glaces du château de Versailles; La traversée du Rhin de Louis XIV, par Antoine Coysevox (1640-1720)

La galerie des Glaces (à gauche), la principale pièce du château, accueillait les réceptions royales et les festivals. Elle mesure 75 mètres de long. Dix-sept grands miroirs reflètent la lumière provenant des fenêtres du mur opposé, qui s'ouvrent sur le parc. Les triomphes de Louis XIV lors de ses premières guerres (à droite) fournirent des sujets flatteurs appropriés pour les cinquante sculpteurs et peintres qui décoraient les pièces du château de Versailles. (H. Roger-Viollet; Editorial Photocolor Archives / Alinari)

Versailles fourmille de représentations glorifiantes des premiers succès militaires de Louis; mais il y a chaque fois une justification concrète, telle la prise d'une forteresse stratégique ou la capitulation d'une ville étrangère prospère. Lors de sa première guerre, la guerre de Dévolution (1667-1668), Louis se couvrit de gloire en unissant la frontière de la France avec les Pays-Bas espagnols, car il craignait qu'un envahisseur puisse atteindre Paris en quatre jours. Sa deuxième guerre, contre les Néerlandais (1672-1678), fut en partie inspirée par le désir mercantiliste de détruire la suprématie commerciale des Pays-Bas, et aussi par le désir d'éradiquer l'un des châteaux forts du calvinisme. Il convoitait aussi les possessions espagnoles situées à l'est de ses frontières. Pendant deux années, ses armées connurent toujours le succès; mais en 1674, les Néerlandais percèrent les digues pour créer une barrière maritime entre le Rhin et la Zuiderzee et, avec le répit qu'ils avaient gagné, en profitèrent pour lever une armée de coalition, composée des forces européennes craignant l'usage cruel, par la France, de la force pour soutenir ses ambitions grandissantes. Pour faire échec à la tentative d'hégémonie européenne de Louis, les Néerlandais, les Anglais, les Espagnols, les Autrichiens ainsi que plusieurs des États germaniques unirent leurs efforts. On neutralisa les Français et la paix fut finalement acquise aux dépens des Espagnols, qui laissèrent à Louis un petit territoire des Pays-Bas espagnols et la prospère province francophone de Franche-Comté, bloquant ainsi la route des invasions germaniques par la trouée de Belfort.

Une fois la paix réinstaurée, les luttes juridiques servirent de prétexte à la France pour s'emparer des villes importantes d'Alsace, dont la ville citadelle de Strasbourg; puis, en 1688, les forces de Louis traversèrent le Rhin pour subjuguer le petit État germanique du Palatinat, où elles détruisirent le palais de l'Électeur à Heidelberg. Ce geste précipita l'Europe dans quelque trente années de guerre ininterrompue au cours desquelles la France ne fit plus aucun gain territorial. Durant sa troisième guerre, la guerre de la Ligue d'Augsbourg (1689-1697), Louis fit à nouveau face aux forces qui avaient repoussé ses attaques contre les Pays-Bas, et il fut encore neutralisé.

En 1700, il tenta le plus grand coup de son règne. Il était prêt à risquer une guerre contre toute l'Europe afin de permettre à son deuxième petit-fils d'hériter de tout l'Empire espagnol, que le roi mourant d'Espagne lui avait légué plutôt qu'à l'autre prétendant, le deuxième petit-fils de l'empereur d'Autriche. Durant la guerre de Succession d'Espagne (1701-1714), les armées françaises furent vaincues à maintes reprises, en Italie par les forces de la Savoie et de l'Autriche, en Allemagne et dans les Pays-Bas espagnols par les Anglais dirigés par le duc de Marlborough. Avec une dette nationale de trois milliards de livres, la paysannerie criait famine et Paris était au bord de la révolte. Louis accepta le traité d'Utrecht de 1713, selon lequel l'Autriche recevait la plupart des possessions européennes de l'Espagne, dont Milan et les Pays-Bas espagnols. La Grande-Bretagne recevait Gibraltar et l'île de Minorque, ainsi que le monopole de l'approvisionnement des esclaves pour l'Empire espagnol. Le petit-fils de Louis conservait l'Espagne et son empire outre-mer, mais les trônes d'Espagne et de France ne seraient jamais unifiés. L'installation de la plus jeune lignée des Bourbon sur le trône espagnol apporta peu à la France durant le siècle suivant. Le seul résultat digne d'intérêt de ces vingt-huit ans de guerre fut l'établissement d'une frontière défendable, s'étirant de la Manche à la Suisse.

Les forces et les faiblesses de l'économie française

L'absolutisme de Louis ne produisit des résultats positifs, en fait de politiques économiques et étrangères, que jusqu'au début des années 1680. Sous la gouverne de son secrétaire des Finances, le parcimonieux Jean-Baptiste Colbert, la perception des impôts devint plus juste et plus équitable. Le protectionnisme fut relâché; des canaux et des routes furent construits, dont le canal du Languedoc qui relie la Méditerranée et l'Atlantique. De nouveaux types d'industries furent créés, comme la soierie et la verrerie, alors que des compagnies de commerce outre-mer furent fondées. Mais le mercantilisme poussa Colbert à commettre de graves erreurs, comme les tarifs élevés sur le commerce avec les Néerlandais, et celle encore plus grave d'interdire l'exportation du blé français. Il dut aussi accepter la guerre comme étant un élément essentiel à l'expansion commerciale. Mais les guerres contribuèrent au déclin de Colbert tandis qu'elles favorisèrent le secrétaire de la Guerre, Louvois, qui, malgré son talent d'organisateur de l'armée, ne fit qu'inciter le roi à provoquer la coalition antifrançaise.

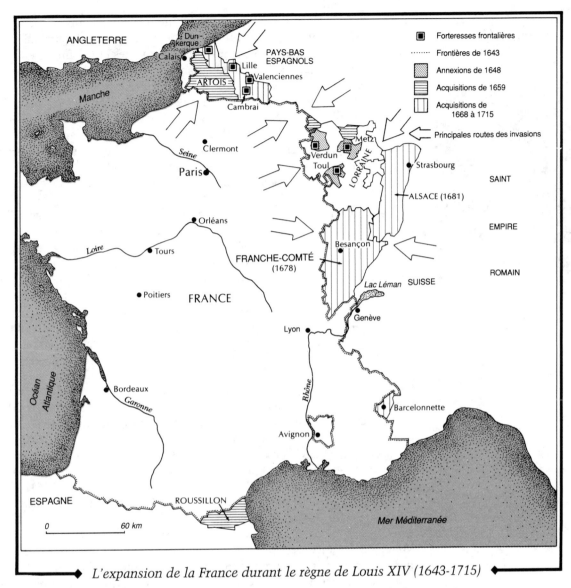

L'expansion de la France durant le règne de Louis XIV (1643-1715)

Colbert fut aussi incapable de persuader le roi de l'importance de la contribution économique des huguenots français. Du vivant de Colbert, Louis tenta de convertir les huguenots en cantonnant des troupes parmi eux, puis en 1685, deux ans après la mort de Colbert, Louis révoqua l'édit de Nantes. Pour atteindre l'uniformité religieuse, qu'il considérait comme essentielle à l'absolutisme royal, il chassa de France 100 000 protestants, dont plusieurs des meilleurs artisans ainsi que de nombreux chefs de file du commerce, 9 000 marins, 600 officiers de l'armée et 12 000 soldats. En Europe, la persécution des huguenots causa une profonde indignation, alors qu'en France plusieurs y virent une erreur scandaleuse.

La centralisation de la culture

Françoise d'Aubigné, marquise de Maintenon, par Pierre Mignard (1612-1695)
Après avoir été la gouvernante des enfants de Louis XIV et plus tard sa maîtresse, Mme de Maintenon l'épousa en 1684. Élevée dans le calvinisme, elle devint une catholique dévote et essaya d'imposer une morale plus stricte au sein de la noblesse du palais. Elle démontra un profond intérêt pour l'éducation des filles et fonda une école pour les filles pauvres de l'aristocratie. (Giraudon)

La centralisation de la vie française autour du roi Louis n'engendra qu'un seul véritable succès, celui du monde des arts. Les réalisations des écrivains, des sculpteurs, des peintres, des architectes et des musiciens de son règne lui valurent la réputation durable de l'âge d'or de la France.

L'avènement de ce nouvel âge de la littérature française trouva ses racines à Paris, durant la première moitié du XVIIe siècle. Déjà, en 1637, Pierre Corneille (1606-1684) avait créé un grand héros romantique dans *Le Cid*, une tragi-comédie mettant en scène un commandant militaire espagnol du XIe siècle. Il avait continué à faire les délices des amateurs de théâtre de Paris avec une série de drames ayant pour cadre la Rome antique. Mais la majorité des Parisiens cultivés se régalaient des pages beaucoup plus légères des romans sentimentaux. Le premier à retenir l'attention du public fut *L'Astrée* d'Honoré d'Urfé, dont l'action se situe dans les montagnes du centre de la France au Ve siècle, et où des bergers et des bergères s'engagent dans des discussions hautement stylisées à propos de l'amour non partagé. Il s'agit aussi du premier roman féministe: le gouvernement de la communauté est dirigé par une femme, et l'héroïne de *L'Astrée* sera un exemple pour les femmes cultivées de la fin du siècle, celles qu'on appellera désormais les *femmes savantes*.

L'Astrée, publiée en 1607-1610, inaugura en France un siècle d'écrits féministes rédigés par des femmes et des hommes. Ce courant fut combattu avec de moins en moins de vigueur, faut-il le préciser, par des misogynes fidèles aux idées d'Aristote ou au néo-platonisme. Il semble que les conditions politiques aient été alors idéales pour qu'une telle ferveur s'exprime à l'endroit des femmes. Marie de Médicis fut régente entre 1610 et 1617 et exerça une grande influence sur le trône jusqu'en 1631. Elle demanda au grand peintre flamand Pierre Paul Rubens (1577-1640) de produire vingt et une grandes peintures illustrant sa vie. Dans cette série de tableaux, c'est elle qui est clairement mise en évidence, et non pas son mari, Henri IV, ou son fils, Louis XIII. Quant à Anne d'Autriche (1643-1661), elle se fit la protectrice de plusieurs auteurs féministes durant sa régence. Son portrait et celui de Marie de Médicis étaient généralement représentés dans les séries de peintures populaires (faites par des artistes comme Simon Vouet), qui étaient consacrées aux femmes célèbres ou héroïques. La première période d'écriture féministe, qui se prolongea jusqu'en 1630, fut principalement consacrée à réfuter la notion d'infériorité des femmes. Des chefs religieux novateurs, comme saint François de Sales, amenèrent l'idée d'égalité dans les conceptions chrétiennes sur le mariage et en matière de responsabilité sociale.

En 1622, Marie de Gournay (1566-1645), qui jouissait d'une grande réputation dans les milieux intellectuels parisiens pour avoir réédité les *Essais* de Michel de Montaigne, se joignit au débat avec son livre percutant, *Égalité des hommes et des femmes*. Pour elle, c'était la société, plutôt que la nature, qui avait rendu les hommes et les femmes différents. En modifiant l'éducation et les coutumes du mariage, on mettrait fin au clivage injuste de leurs rôles respectifs. S'inspirant de la Bible et des écrits des Pères de

Mme de Sévigné (1626-1696)
Reconnue pour ses brillantes conversations à Paris et à Versailles au XVIIe siècle, Mme de Sévigné n'acquit sa grande réputation de styliste littéraire que plus tard, lors de la découverte, et de la publication subséquente au XVIIIe siècle, d'une série de ses lettres. (Art Resource)

l'Église eux-mêmes pour démontrer la fausseté des paroles que l'on prête souvent à saint Paul, et à d'autres, et qui autorisent la discrimination envers les femmes au sein de l'Église, elle étaya son argument avec d'autres exemples venant des philosophes classiques et de la vie des femmes. À partir des années 1630, on commença à glorifier publiquement les femmes et ce mouvement se poursuivit quelque temps sans embûches. Des livres comme *La Femme héroïque* de Jacques du Bosc et *La Tribune des femmes puissantes* de Pierre Lemoyne, avec des illustrations didactiques, furent des succès de librairie. Mais parmi tous les auteurs, c'est Madeleine de Scudéry (1607-1701) qui connut le plus de succès, assurant sa richesse avec une série de romans dont *Femmes illustres* et *Le Grand Cyrus*. Plus tard, grâce au salon littéraire qu'elle tenait, elle permit à de nouveaux auteurs dans le besoin de profiter de son mécénat. Elle put ainsi poursuivre, jusqu'au règne de Louis XIV, le rôle d'hôtesse qui avait été créé par la marquise Catherine de Rambouillet et sa fille Julie, protectrices de la littérature les plus connues du siècle. Le terme «précieux», sans aucune connotation péjorative, s'appliqua d'abord au salon de Mme de Rambouillet, mais le salon de Madeleine de Scudéry avait des exigences si excessives en matière de raffinements littéraires et personnels qu'il devint, dans les années 1650, la cible d'attaques satiriques mordantes de la part de quelques-uns des plus éminents écrivains français. On croyait que les femmes précieuses avaient avantage à rester chez elles où elles pouvaient «contenir et mépriser les hommes de leurs familles»[2], comme le fit remarquer Nicolas Boileau dans l'une de ses satires, *Contre les femmes*.

Deux femmes célèbres à la cour et dans les salons, dans le deuxième tiers du siècle, ne furent pas accusées de préciosité. Mme de Sévigné (1626-1696), cette brillante et jolie veuve, était entrée dans la vie sociale parisienne en 1651 et avait aussitôt été accueillie dans les plus prestigieux salons (dont celui de Mme de Scudéry) et à la cour par Louis XIV lui-même. Durant sa vie, elle fut vantée pour ses brillantes conversations teintées de malice, et fut elle-même une excellente hôtesse, dans son manoir loué dans le Marais, quartier aristocratique de Paris. Quand, au début du XVIIIe siècle, on découvrit plus de 1 500 lettres qu'elle avait écrites à sa fille (dans le château familial du sud de la France), elle devint immédiatement une des stylistes les plus admirées du XVIIe siècle. Elle y résume les duels intellectuels des salons, l'œuvre des nouveaux auteurs et les intrigues de la cour. Mais ces lettres témoignent aussi d'un travail d'analyse personnelle, mené avec intelligence et détachement. Elle appréciait particulièrement une jeune auteure, Mme de La Fayette (1634-1692) qui, comme elle, œuvrait dans les milieux extérieurs à la société royale en tant qu'observatrice et participante. Mme de La Fayette était devenue une grande amie de la fille de Charles Ier d'Angleterre, Henriette-Anne Stuart, qu'on avait forcée à épouser le jeune frère de Louis XIV. En observant la vie d'épouse d'Henriette-Anne (qu'elle décrivit dans une biographie pénétrante, après la mort prématurée de celle-ci) et les nombreuses liaisons dans les cercles de la cour, Mme de La Fayette développa graduellement l'analyse psychologique de l'attrait physique en amour et la notion de retenue morale qui ressortaient de son plus grand roman, *La Princesse de Clèves* (1678). Mariée à un homme décent pour lequel elle n'éprouve aucun sentiment, la princesse de Clèves ressent une profonde affection pour un jeune et brillant aristocrate, le duc de Nemours. Quand il la prend dans ses bras pour danser avec elle, alors qu'elle ne sait rien de lui, l'auteure remarque: «Quand ils commencèrent à danser, il s'éleva dans la salle un murmure de louanges. Le roi et la reine se souvinrent qu'ils ne s'étoient jamais vus, et trouvèrent quelque chose de singulier de les voir danser ensemble sans se connoître.» Bref, comme dans un opéra de Wagner, une tragédie guette ce couple maudit par l'amour.[3] Cependant, la princesse refoule d'abord sa passion puis, réalisant son intensité, refuse d'y céder, même après la mort de son mari. Peut-être le dernier paragraphe du roman contient-il une part d'ironie?

Néanmoins, [Nemours] ne se rebuta point encore, et il fit tout ce qu'il put imaginer de capable de la faire changer de dessein. Enfin, des années entières s'étant passées,

2 Carolyn C. Lougee, *Le Paradis des Femmes: Women, Salons, and Social Stratification in Seventeenth-Century France*, Princeton, Princeton University Press, 1976, p. 61.

3 Janet Raitt, *Madame de Lafayette and «La Princesse de Clèves»*, Londres, George G. Harrap, 1971, p. 106.

le temps et l'absence ralentirent sa douleur et éteignirent sa passion. Madame de Clèves vécut d'une sorte qui ne laissa pas d'apparence qu'elle pût jamais revenir. Elle passoit une partie de l'année dans cette maison religieuse, et l'autre chez elle, mais dans une retraite et dans des occupations plus saintes que celles des couvens les plus austères; et sa vie, qui fut assez courte, laissa des exemples de vertus inimitables.[4]

La centralisation à la cour, par Louis XIV et Colbert, du protectorat des arts et de l'établissement des standards artistiques diminuèrent l'influence des salons parisiens. La vie intellectuelle fut dominée par l'Académie française, qu'avait fondée Richelieu. Dans les années 1660, des scientifiques furent admis à l'Académie des sciences, et des peintres à l'Académie de peinture. Les femmes avaient été admises presque dès le début à l'Académie de peinture, mais en nombre limité toutefois. Lorsque la première artiste, Catherine Duchemin, fut admise en 1663, Louis XIV déclara qu'il souhaitait «accorder son soutien à tous ceux qui excellaient dans les arts de la peinture et de la sculpture, et d'inclure tous ceux qui le méritaient, sans égard à leur sexe». Deux sœurs, Madeleine et Geneviève de Boulogne, furent admises en 1669 et Madeleine participa même, avec la peinture de ses natures mortes, à la décoration du château de Versailles.

L'admiration de Colbert pour Rome et sa volonté de faire de Paris une nouvelle Rome étaient perceptibles partout: dans la façade du Louvre, dans les sujets antiques que privilégiaient les peintres, dans les arcs de triomphe aux portes de la ville. Mais, lorsque Louis XIV entreprit d'agrandir le château de Versailles, l'orientation et le style changèrent. Le château lui-même devint l'école de la nouvelle génération d'architectes, de décorateurs, de peintres et de sculpteurs. Les jeunes artistes devaient apprendre sous la férule des trois grands maîtres qui avaient créé Versailles: Louis Le Vau en architecture, Charles Le Brun en peinture et André Le Nôtre en aménagement de jardins. C'est aussi à Versailles qu'on encourageait les plus grands auteurs de théâtre de France, Molière (1622-1673) pour les comédies, et Racine (1639-1699) pour les drames. Molière était un satiriste acerbe, mais humain, qui fit crouler la cour de rire avec les petites manies des bigots, dans le *Tartuffe*; avec les préoccupations d'un parvenu, dans le *Bourgeois gentilhomme*; et avec ses *Femmes savantes*. L'effet comique qu'il réussit à produire est si profond qu'il en devient tragique, comme dans l'*Avare* où le vieil Harpagon perd presque la raison lorsqu'il croit avoir perdu tout son argent:

Au voleur! au voleur! à l'assassin! au meurtrier! Justice, juste Ciel! je suis perdu, je suis assassiné, on m'a coupé la gorge, on m'a dérobé mon argent. Qui peut-ce être! Qu'est-il devenu! Où est-il! Où se cache-t-il! Que ferais-je pour le trouver! Où courir! Où ne pas courir! (...) Mon esprit est troublé, et j'ignore où je suis, qui je suis, et ce que je fais. Hélas! mon pauvre argent, mon pauvre argent, mon cher ami! on m'a privé de toi; et puisque tu m'es enlevé, j'ai perdu mon support, ma consolation, ma joie; tout est fini pour moi, et je n'ai plus que faire au monde: sans toi, il m'est

4 Madame de La Fayette, *La Princesse de Clèves*, Paris, Société Les Belles Lettres, 1934, p. 180.

impossible de vivre. C'en est fait, je n'en puis plus; je me meurs, je suis mort, je suis enterré. N'y a-t-il personne qui veuille me ressusciter, en me rendant mon cher argent (…)?[5]

Dans un autre registre, Racine était un superbe poète capable de produire des alexandrins classiques, avec la rigueur stricte de leurs rythmes, une forme d'évocation quasi musicale et profonde de la psychologie. Dans *Phèdre*, par exemple, la femme de Thésée, Phèdre, éprouve un fol amour pour son beau-fils Hippolyte et cherche à lui avouer sa passion:

Oui, Prince, je languis, je brûle pour Thésée.
Je l'aime, non point tel que l'ont vu les enfers,
Volage adorateur de mille objets divers,
Qui va du dieu des morts déshonorer la couche;
Mais fidèle, mais fier, et même un peu farouche,
Charmant, jeune, traînant tous les cœurs après soi,
Tel qu'on dépeint nos dieux, ou tel que je vous voi.
Il avoit votre port, vos yeux, votre langage,
Cette noble pudeur coloroit son visage
Lorsque de notre Crète il traversa les flots,
Digne sujet des vœux des filles de Minos.
Que faisiez-vous alors? Pourquoi, sans Hippolyte,
Des héros de la Grèce assembla-t-il l'élite?[6]

Si un homme aussi médiocre que Louis XIV eut la prétention d'être un Roi-Soleil, des auteurs de la trempe de Racine en furent plus que responsables.

L'OLIGARCHIE EN ANGLETERRE

Le troisième type de règne monarchique, la monarchie parlementaire, fut créé en Angleterre au XVIIe siècle. Forts des pouvoirs et de la richesse qu'ils avaient acquis pendant le règne des Tudor, les classes possédantes, aussi bien la petite aristocratie foncière des campagnes que les classes marchandes des villes, rejetèrent les tentatives des rois Stuart de former une monarchie absolue d'inspiration française. Ils formèrent plutôt une alliance, non pas entre le roi et le peuple, mais entre le roi et les riches.

L'essor de la petite noblesse des Tudor

Presque sans exception, les classes qui réussirent à limiter le pouvoir de la monarchie avaient acquis leur richesse sous les Tudor. Quand Henri VIII prit le pouvoir, la vieille noblesse féodale avait presque disparu pour faire place aux nouveaux lords nommés par les Tudor et choisis au sein de la petite noblesse qui était en train de se développer. La confiscation des terres des monastères et la vente de terres appartenant à la couronne avaient permis à plusieurs marchands de la ville, à plusieurs employés du gouvernement, ainsi qu'à plusieurs avocats de devenir gentilshommes

5 Molière, *L'Avare*, acte IV, scène VII.
6 Racine, *Phèdre*, acte II, scène V.

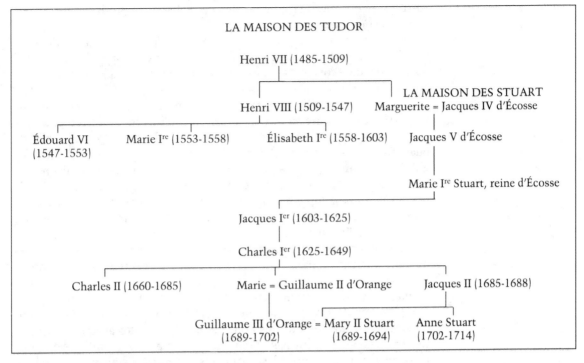

LA MAISON DES TUDOR

Henri VII (1485-1509)

LA MAISON DES STUART

Henri VIII (1509-1547)   Marguerite = Jacques IV d'Écosse

Édouard VI   Marie Ire (1553-1558)   Élisabeth Ire (1558-1603)   Jacques V d'Écosse
(1547-1553)

Marie Ire Stuart, reine d'Écosse

Jacques Ier (1603-1625)

Charles Ier (1625-1649)

Charles II (1660-1685)   Marie = Guillaume II d'Orange   Jacques II (1685-1688)

Guillaume III d'Orange = Mary II Stuart   Anne Stuart
(1689-1702)   (1689-1694)   (1702-1714)

fonciers. Ils exploitèrent leurs terres nouvellement acquises espérant en retirer des profits et rehausser leur statut social. Certaines familles réputées, bénéficiant de la confiance totale des Tudor, acquirent d'immenses portions de terres confisquées aux monastères et elles établirent ainsi la base de leurs futures revendications en matière politique. On parvint même à réaliser des profits, dans ce que certains auteurs qualifient de première révolution industrielle. Des progrès fulgurants furent enregistrés dans le domaine de l'exploitation des mines de charbon et dans l'emploi de ce charbon comme combustible industriel; dans le domaine de la métallurgie, notamment pour le traitement du cuivre, du fer et du plomb; dans la production d'étoffes non finies; et dans la fabrication du verre. Mais c'est chez les marchands engagés dans le commerce outre-mer que les plus grandes fortunes se firent. Durant le règne d'Élizabeth Ire, de grandes compagnies virent le jour dans le but d'établir des liens commerciaux avec des pays comme la Russie ou encore avec les Indes orientales. Des navires anglais partirent à la recherche d'une route pour la Chine en passant par le nord-est, et ils explorèrent finalement la côte nord-est de l'Amérique du Nord. D'autres marins s'enrichirent en pillant les flottes du trésor ainsi que les possessions espagnoles ou en procurant des esclaves africains aux colonies espagnoles. Certaines compagnies, comme la Compagnie de la Virginie, fondée en 1606, virent dans l'installation de colons anglais dans les plantations outre-mer un investissement lucratif. La création de cultures d'exportation, comme le tabac en Virginie et la canne à sucre dans les Antilles, permirent aux compagnies de réaliser des profits tardifs, mais lucratifs pour leurs actionnaires.

Fait plutôt étonnant durant cette période de progrès économique, le rôle des femmes dans la vie des affaires de l'Angleterre fut moins important qu'à la fin du Moyen Âge. Le nombre de femmes impliquées dans les affaires diminua de façon substantielle au cours du XVIe siècle. Certes, plusieurs d'entre elles continuèrent à administrer des entreprises importantes comme celles assurant la vente de matériel pour les compagnies outre-mer ou encore celles pour le creusage de mines de charbon sur des propriétés privées. D'autres étaient membres de grandes guildes, comme celles des brasseurs et des poissonniers. Les raisons qui expliquent ce déclin de l'activité des femmes sont nombreuses. Il semble que les hommes adoptèrent une attitude plus patriarcale et qu'il aient été moins disposés à confier des responsabilités à leurs femmes, sauf quand il s'agissait d'administrer le manoir familial. Les guildes devinrent plus restrictives envers les femmes, faisant toutefois exception pour les veuves de leurs anciens membres. Le développement de centres de production à haut capital permit plus difficilement aux femmes de rivaliser avec les plus grandes compagnies manufacturières dans le domaine le plus important, la production du textile. L'augmentation de la population, après le début du siècle, a peut-être forcé les hommes sans travail à s'arranger pour que les femmes ne puissent pas obtenir leur juste part, le nombre d'emplois disponibles étant limité. Il se peut aussi qu'avec l'éducation classique qu'elles avaient reçue grâce à Érasme et à Thomas More, les femmes aient choisi de se consacrer à des activités intellectuelles plutôt que commerciales. Quelles que soient les raisons, la réduction des possibilités d'emploi pour les femmes permit aux auteures féministes du siècle suivant d'exiger plus d'équité pour les femmes dans le monde des affaires en Angleterre.

L'ère élisabéthaine

Ainsi, à la fin du XVIe siècle, bon nombre de propriétaires fonciers, d'industriels et de marchands se sentaient indépendants de la couronne et étaient prêts à réclamer plus de pouvoir au sein du gouvernement lorsque les politiques de la couronne ne les satisfaisaient pas. Cependant, avec la menace constante de l'Espagne, Élisabeth rencontrait peu d'opposition au Parlement, où elle réclamait sans cesse des fonds pour la défense et l'administration. Le conflit national culmina avec la défaite de l'Invincible Armada, et il faut y associer un sentiment de prospérité et de puissance économique. Tout ceci entraîna un fort sentiment de solidarité nationale qui, par une alchimie inexplicable, encouragea le génie de William Shakespeare (1564-1616). La culture de l'ère élisabéthaine était ce dont un peuple vigoureux, exubérant et plein d'assurance avait besoin — des madrigaux à chanter, des poèmes d'amour à réciter, des tragédies sanglantes à raconter, des comédies grivoises pour faire rire, et des manoirs pittoresques et confortables pour vivre. Sans l'apport de Shakespeare, toute cette création n'aurait eu qu'un certain charme adolescent. Mais, grâce à l'œuvre de Shakespeare, sa maîtrise de la psychologie, son superbe sens scénique et, par-dessus tout, sa poésie incomparable, l'art dramatique atteignit ses plus hauts sommets. La langue de Shakespeare (et la traduction anglaise contemporaine de la Bible, la version du roi Jacques) conféra au discours anglais un rythme, une subtilité et une signification émotive qui ne se sont jamais démentis. Cette langue, enseignée à des générations successives d'écoliers en Angleterre, alors que de l'autre côté de la Manche les élèves apprenaient la clarté pénétrante de la logique de Descartes, contribua grandement à l'incompréhension mutuelle et dangereuse qui sous-tendait l'empressement des Anglais et des Français à s'affronter presque tout au long des XVIIᵉ et XVIIIᵉ siècles. Les belles paroles que Shakespeare prête à Jean de Gand, dans sa pièce *Richard II*, ont tout pour susciter la fierté nationale :

(...) *Cet auguste trône des rois, cette île porte-sceptre, cette terre de Majesté, ce siège de Mars, cet autre Éden, ce demi-paradis, cette forteresse bâtie par la nature pour se défendre contre l'invasion et le coup de main de la guerre, cette heureuse race d'hommes, ce petit univers, cette pierre précieuse enchâssée dans une mer d'argent qui la défend, comme un rempart, ou comme le fossé protecteur d'un château, contre l'envie des contrées moins heureuses, ce lieu béni, cette terre, cet empire, cette Angleterre* (...).[7]

Précisément à l'époque où Shakespeare écrivait ces lignes, Élisabeth Iʳᵉ se sentit obligée d'aller personnellement au Parlement, afin d'insister pour obtenir les fonds dont elle avait besoin, le sentiment d'urgence nationale suscité par la menace de l'Armada espagnole ayant alors diminué. Élisabeth ne pouvait que rappeler aux membres du Parlement les grandes réalisations qui avaient été accomplies et faire appel à leur fierté commune pour l'Angleterre : «Je sais que j'ai le corps d'une femme délicate et faible, dit-elle aux parlementaires prosternés, mais j'ai le cœur d'un roi, et d'un roi d'Angleterre en plus!» Ainsi, par la force de sa personnalité, elle perpétua jusqu'à sa mort l'absolutisme de son père.

Son successeur, le roi Jacques Iᵉʳ (1603-1625) ne comprit pas le secret de l'absolutisme des Tudor qui résidait dans l'accord réciproque entre le roi et les classes privilégiées. Il croyait au droit divin des rois, écrivit un livre expliquant sa théorie, et discuta fréquemment du sujet au Parlement. «Ce qui concerne le mystère du pouvoir du roi, disait-il, ne peut se contester légalement, car il s'agirait alors d'une ingérence dans les faiblesses des princes et ce serait enlever la vénération mystique qui leur appartient, selon la volonté de Dieu.» Charles Iᵉʳ (1625-1649) indisposa plusieurs protestants anglais, l'année de son accession au trône, en épousant Henriette-Marie, la fille catholique romaine du roi de France Henri IV. Leur union, marquée par la dignité de leur affection mutuelle, fut perçue comme

Les conflits constitutionnels à l'époque des premiers Stuart

---

7 William Shakespeare, *Richard II* (traduction de François-Victor Hugo), acte II, scène I, dans *Œuvres complètes*, volume 1, Paris, Gallimard (coll. «Bibliothèque de la Pléiade»), 1959, p. 554.

Élisabeth Iʳᵉ, par Nicholas Hilliard (1537-1619)
Élisabeth avait trente-neuf ans lorsque Hilliard, fils d'un orfèvre, exécuta son portrait. Le peintre miniaturiste était reconnu pour ses minutieuses représentations des détails des bijoux et des vêtements. (Collection privée)

le symbole du nouvel idéal du mariage, le «mariage amical», en voie de transformer la famille anglaise. Dans la famille à «lignée ouverte», selon la coutume anglaise des XVᵉ et XVIᵉ siècles, le mari et la femme avaient un lien éloigné au sein d'une famille élargie qui regroupait tous les membres d'un clan (ou d'une lignée) qui se joignaient, pour des raisons politiques ou économiques, à un autre clan par le mariage. Au début du XVIIᵉ siècle, comme l'expliquait Lawrence Stone, ce mode familial eut tendance à être remplacé par la «famille nucléaire patriarcale limitée», dont les principales caractéristiques étaient l'ignorance des liens parentaux éloignés, l'entente morale et souvent religieuse d'un homme et d'une femme, ainsi que la soumission de la femme à son mari. Des observateurs anglais ne considéraient cependant pas Henriette-Marie comme suffisamment soumise et croyaient que son autorité, surtout pendant les années de la crise (1640 à 1642), était responsable de la recherche par Charles de relations plus soutenues avec les puissances catholiques comme la France, et même avec le pape, et de l'opposition que les factions puritaines rencontraient au sein des Églises d'Angleterre et d'Écosse.

Henriette-Marie de France (1606-1669), par Antoine Van Dyck
Alors qu'elle n'avait que quinze ans et qu'elle ne parlait pas l'anglais lorsqu'elle épousa Charles Ier, Henriette-Marie devint sa compagne et sa conseillère fidèle. Elle lui conseilla par erreur de soutenir un coup militaire contre le Parlement, contribuant à faire baisser encore plus la popularité du roi. (The Bridgeman Art Library)

Malgré le désir de Jacques Ier et de Charles Ier de jouir des mêmes pouvoirs que les rois de France, les monarques anglais ne possédaient pas d'armée régulière, ni le droit de taxer, ni une bureaucratie complaisante. Ils devaient obtenir le consentement du Parlement pour mobiliser des troupes et lever des fonds autres que ceux traditionnellement retirés des tarifs douaniers et de leurs terres. De plus, ils dépendaient de la petite noblesse pour l'administration des districts locaux. Jacques Ier et Charles Ier tentèrent tous deux de corriger cette faiblesse, particulièrement apparente alors que le coût de la révolution épuisait leurs ressources financières traditionnelles. Entre 1603 et 1640, presque toutes les classes possédantes s'unirent contre Jacques Ier et Charles Ier, jugeant leurs méthodes pour augmenter leurs revenus comme des innovations constitutionnelles. Il s'agit de la démonstration la plus claire des conflits constitutionnels de l'Angleterre du XVIIe siècle. Jacques Ier et Charles Ier tentèrent de percevoir des revenus qui échapperaient au contrôle parlementaire en réinstituant les droits féodaux, en exigeant des prêts par la force et en réclamant des paiements qui, sous l'apparence des taxes, ne l'étaient pas. Ils tentèrent de contourner l'administration régulière en fondant de nouveaux conseils bureaucratiques destinés à servir leur absolutisme. En 1640-1642, la Chambre des lords et la Chambre des communes unirent leurs efforts pour contrecarrer ces prétentions d'absolutisme royal. Le premier ministre du roi fut exécuté et des lois furent adoptées pour assurer que le Parlement se réunisse au moins tous les trois ans et qu'il puisse contrôler les dépenses spéciales.

L'opposition puritaine

La question constitutionnelle fut aggravée par le problème que posait le puritanisme. Les calvinistes anglais, ou puritains, avaient recruté plusieurs membres parmi la petite noblesse foncière de l'est de l'Angleterre, à l'université de Cambridge et au sein de la classe marchande de Londres. Les rois Stuart, comme Louis XIV en France, recherchaient l'unité religieuse. Non seulement refusaient-ils les changements exigés par les puritains dans l'Église d'Angleterre, mais ils les persécutèrent sans relâche. Un certain nombre d'entre eux s'enfuirent aux Pays-Bas et dans la colonie du Massachusetts, alors que la plupart restèrent pour lutter contre le roi d'Angleterre. Au cours des onze années durant lesquelles Charles Ier gouverna sans l'appui du Parlement (1629-1640), il permit à son archevêque de Canterbury de rétablir certains rites catholiques au sein de l'Église et d'imposer l'usage du livre de prières anglican à l'Église calviniste d'Écosse. Les Écossais répliquèrent, en 1638-1639, en déclarant la guerre à l'Angleterre; leur invasion amena Charles Ier à convoquer le Parlement pour demander des fonds. Mais en 1641, les puritains du Parlement, après avoir contribué à l'échec de la tentative des rois de créer un absolutisme constitutionnel, exigèrent que le poste d'évêque soit aboli et que l'Église d'Angleterre s'inspire de l'Église calviniste. Grâce à cette controverse, le roi trouva des partisans parmi ceux qui s'étaient opposés à ses prétentions absolutistes, mais qui ne pouvaient tolérer le radicalisme des changements religieux proposés. En 1642, le roi voulut arrêter les dirigeants radicaux au Parlement et, ne les y trouvant pas, dut quitter Londres et réunir ses partisans près de la ville d'Oxford qui lui était restée fidèle. En août, le roi et le Parlement préparaient leurs armées en prévision d'une épreuve de force.

Les guerres civiles anglaises (1642-1648)

Les historiens ne s'entendent pas pour expliquer pourquoi des individus choisirent d'appuyer le roi ou le Parlement. Ils s'accordent toutefois quant à la division géographique. Les grands propriétaires fonciers, et leurs ouvriers du nord et de l'ouest, appuyèrent le roi contre les francs-maçons, la plus petite noblesse et la majorité des classes marchandes des grandes villes de l'est et du sud. La plupart des calvinistes convaincus appuyèrent le Parlement, tandis que les anglicans fidèles firent confiance au roi. Et encore une fois, on remarque ici une décision motivée par la classe, car l'appui calviniste provenait de la plus petite noblesse et des marchands. Des études récentes, au sujet de l'attitude des Anglaises face à la guerre civile, suggèrent que plusieurs des plus petites sectes extrémistes, comme les Indépendants et les Brownistes, aient eu beaucoup d'attrait pour les femmes parce qu'elles avaient la volonté de les considérer égales aux hommes et que, antiroyalistes, elles aient été en majorité composées de femmes. Par ailleurs, des manifestations féminines à Londres, bruyantes et parfois même violentes, les pétitions remises au

Le roi Charles Ier lors de son procès, par Edward Bower

Charles fut jugé sous des accusations de trahison par une Haute cour de justice spéciale, pour avoir déclaré la guerre au Parlement. Il refusa d'admettre sa culpabilité ou sa non-culpabilité, mais il fut tout de même condamné et exécuté, en 1649. (Collection du col. Sir John Carew-Pole)

Parlement par des femmes et de nombreux autres exemples de pressions individuelles au sein même des familles, laissent croire qu'un grand nombre de femmes s'opposaient à la guerre comme telle, en raison des souffrances humaines et économiques dont elle était la cause. Leur désespoir face à la guerre les incita à s'exprimer, en tant que femmes, se dotant ainsi d'une tribune politique qu'on leur avait refusée jusqu'alors en temps de paix. On a aussi soutenu que les femmes qui avaient demandé la permission de pratiquer une religion différente de celle de leur mari mettaient en doute la nature patriarcale de la famille, telle qu'enseignée par les anglicans et les calvinistes. On trouve cependant peu de preuves concrètes qui démontrent que la recherche de l'égalité aurait incité les femmes à se joindre aux puritains lors de la guerre.

Affirmer que la guerre civile fut une guerre de classes relève des plus grands problèmes d'interprétation. Il ne fait aucun doute que pour les puritains extrémistes, il s'agissait bien de cela. Les *Diggers* constituaient un petit groupe qui croyaient à la communauté de la propriété; les *Levellers* exigeaient le suffrage universel et n'écartaient pas le recours à la violence pour détruire soit le royalisme, soit le despotisme parlementaire. Mais il est difficile de prouver que le déterminisme économique, parmi la majorité des partisans du roi ou des parlementaires, c'est-à-dire une sympathie de classe ou des préoccupations matérialistes, orienta les allégeances. Le

Oliver Cromwell, par Peter Lely (1618-1680)
Les compétences militaires et le talent d'organisateur de Cromwell contribuèrent grandement à la défaite des armées royalistes durant la guerre civile. Il eut moins de succès pour créer un gouvernement constitutionnel viable à la place de la monarchie. Durant son protectorat, entre 1653 et 1658, il assura lui-même une large part du pouvoir.

choix des citoyens était avant tout dicté par leurs préférences religieuses ou politiques. Plusieurs parmi ceux qui approuvaient l'octroi de pouvoirs accrus au Parlement ne pouvaient tout simplement pas se résoudre à combattre le roi consacré; et parmi ceux qui s'apposaient aux ambitions du Parlement, plusieurs se rallièrent à la foi puritaine qu'il défendait pour lutter contre le roi.

Durant la première étape des guerres civiles (1642-1646), les bourgeois parlementaristes (ou Têtes rondes), réussirent à vaincre les armées indisciplinées du roi. En Oliver Cromwell, ils trouvèrent un grand général dont l'armée modèle, les «Côtes de fer», composée de fermiers puritains, était une force solide et fanatique qui avait détruit les principales troupes du roi lors de la bataille de Naseby (1645) et qui, un peu plus tard, captura le roi lui-même. Cependant, le succès provoqua la dissolution du camp parlementaire qui tenta d'offrir, au cours des quatorze années suivantes mais sans y parvenir, une solution de remplacement au gouvernement royal. En 1646-1648, l'extrémisme calviniste du Parlement rallia plusieurs parlementaires à la cause de Charles, et Cromwell dut retourner au combat pour vaincre cette fois la nouvelle coalition des partisans des Églises écossaise, anglicane et calviniste qu'avait réussi à rassembler Charles. «Coiffé de sa couronne, nous lui trancherons la tête», annonça-t-il. La chose se fit en 1649.

L'Angleterre devint une république puritaine, ou un *commonwealth*. Cromwell assainit le Parlement pour que les presbytériens extrémistes y soient mieux représentés. Mais trouvant leur fanatisme gênant, il se sentit obligé, en 1653, de prendre lui-même la direction de l'État. «Il n'y avait dans leurs esprits que des renversements», dit-il. Mais Cromwell lui-même, dans son rôle de Protecteur, fut encore moins habile à mettre sur pied un gouvernement viable, n'ayant, pour le soutenir, que la force de son armée. Il ne réussit pas à trouver une solution au dilemme de l'association du gouvernement des pieux, tel que proposé par Calvin, et du gouvernement de l'ensemble du peuple qu'il souhaitait ardemment réaliser. Il combattit les Néerlandais sur mer, une opération qui coûta très cher à ses partisans, et il dut constamment faire face au fardeau financier que représentait l'entretien d'une armée de cinquante mille hommes. Ces exigences financières lui firent perdre la plus grande partie de ses appuis. Les exigences des dévots qui, comme à Genève au temps de Calvin, se traduisaient par la proscription presque totale des plaisirs de la vie, devinrent de plus en plus gênantes. Après la mort de Cromwell, des dirigeants modérés au sein même de l'armée décidèrent de restaurer la monarchie, seule façon, selon eux, d'éviter le chaos. Le fils du roi exécuté, Charles II, fut rapatrié en Angleterre et installé sur le trône, à la condition expresse que les pouvoirs de la monarchie soient ceux définis par les accords constitutionnels de 1640-1641.

La restauration (1660-1688)

La période de la restauration avec Charles II, (1660-1685), et Jacques II, (1685-1688) fut l'apogée de l'ère baroque de l'Angleterre. En réaction à

Sous le contrôle du Parlement (1642)
Sous le contrôle de Charles Ier (1642)

★ Batailles

ÉDIMBOURG

ÉCOSSE

Mer du

Durham

Mer d'Irlande

Bataille de Marston Moor
1644 ★

Hull

Nord

Nottingham

GALLES

Bataille de Naseby
★ 1645
● Naseby

ASSOCIATION

● Cambridge

Bataille d'Edgehill
1642 ★

DE L'EST

Oxford

LONDRES

Newbury
★
Bataille de Newbury
1642,1644

Douvres

Southampton

Manche

FRANCE

CORNOUAILLES

0   60 km

◆ *Les guerres civiles anglaises* ◆

l'austérité de la révolution puritaine, l'aristocratie renaissante, dirigée par son nouveau roi qui aimait les plaisirs de la vie, se permit tous les débordements sensuels et émotifs, tant dans les arts que dans la vie quotidienne. Le théâtre foisonnait d'intrigues amoureuses compliquées, dont plusieurs se tramaient effectivement dans les cercles de la cour. Toute les extravagances de Versailles sous Louis XIV furent introduites dans la vie aristocratique — les perruques, les rubans, les chaussures à talons

La cathédrale Saint-Paul de Londres, par Christopher Wren (1632-1723)

Wren n'utilisa que des formes classiques, dont l'arc de triomphe, pour la nef de la cathédrale Saint-Paul, mais introduisit des courbes baroques dans les clochers de la façade ouest. (Gracieuseté du British Tourist Authority)

hauts, les visages poudrés et les lorgnettes, ainsi que l'étiquette. Mais à travers tous ces artifices, de véritables réalisations virent malgré tout le jour grâce à la culture de la Restauration. Elle produisit le plus grand compositeur de musique de l'Angleterre, Henry Purcell, dont l'opéra *Dido and Æneas* se compare avantageusement aux meilleurs opéras italiens de l'époque; le plus grand architecte de l'Angleterre, Christopher Wren; et quelques bons poètes modestes, dont Andrew Marvell. En 1667, le grand poète puritain John Milton publia le plus célèbre de tous les poèmes baroques, en rupture avec la cour de Charles II par son esprit, mais fidèle au style de la Réforme catholique de Rome avec ses paradis remplis de saints et d'anges, déchus ou non. Dans l'œuvre de Milton, la couleur et la tragédie de Bernini se conjuguent à la profondeur et aux harmonies complexes de Bach; c'est une synthèse artistique conforme à l'idéal baroque. Voici un extrait du début de son poème *Paradise Lost*, un tableau baroque illustrant, en vers, la chute de Satan:

> (...) *Le Tout-Puissant*
> *Le jeta, flamboyant, la tête en bas, du firmament éthéré,*
> *Ruine hideuse et brûlante, jusque*
> *Dans la perdition sans fond, pour y rester*
> *Chargé de chaînes de diamant, dans le feu qui punit;*
> *Lui qui avait osé défier aux armes l'Omnipotent.*[8]

Jacques II, le frère plutôt niais et excessivement consciencieux de Charles II, ne put vivre dans le cadre du gouvernement établi en 1660, et il réussit à liguer contre lui les anglicans et les puritains, en tentant de rétablir le catholicisme, en conservant une armée régulière et en acceptant des octrois de la France, plutôt que les taxes votées par le Parlement. En 1688, les aristocrates les plus en vue invitèrent le stadhouder néerlandais, Guillaume d'Orange, qui avait épousé Marie, la fille protestante de Jacques, à envahir l'Angleterre afin qu'il occupe le trône conjointement avec sa femme. Durant la deuxième Révolution d'Angleterre (aussi appelée la Révolution glorieuse), Jacques fut exilé — on lui permit en fait de s'enfuir après sa capture, afin d'éviter un bain de sang — et le Parlement rétablit la situation constitutionnelle de 1641. Mais cette fois les circonstances étaient différentes. Le Parlement s'accordait le droit de choisir le roi d'Angleterre, neutralisant ainsi les prétentions que les futurs rois pourraient avoir de gouverner selon la loi divine.

8 John Milton, *Le Paradis perdu*, tome 1 (traduction de Pierre Hessiæn), Paris, Éditions Montaigne, 1951, p. 61-63.

16

LE PARIS DES PHILOSOPHES

Si Julien [l'empereur romain né à Paris en 331] pouvait maintenant visiter la capitale française, il pourrait converser avec des hommes de science et de génie capables de comprendre et d'instruire un disciple des Grecs; il excuserait les folies gracieuses d'une nation dont l'esprit militaire n'a jamais été débilité par son penchant pour le luxe et il applaudirait la perfection de cet art inestimable qui adoucit, raffine et embellit les rapports de la vie sociale. — Edward Gibbon, Mémoires.

Paris fut le centre culturel de l'Europe du XVIIIe siècle. Elle exerçait alors une influence unificatrice sur la société et les esprits du continent qui était perceptible de Lisbonne à Saint-Pétersbourg et d'Édimbourg à Palerme. Son goût et ses idées étaient répandus par un million d'admirateurs qui en vinrent à aimer Paris autant, sinon plus, que leur pays natal. Rappelé à Naples, Abbot Galiani se lamentait: «Maintenant, Paris est ma patrie... Ils m'exilent en vain, car j'y serai de retour... Ô Paris adoré, ce que tu peux me manquer!». Les visiteurs anglais étaient également impressionnés. «Londres convient aux Anglais», commentait l'acteur David Garrick, «mais Paris convient à tous.» Et, l'aristocrate russe Karamsin, visitant Paris à la veille de la Révolution, exprimait l'enthousiasme délirant de l'admirateur lettré:

La voilà donc, la voilà cette ville qui durant le cours de tant de siècles a été le modèle de l'Europe entière, la source du goût,

(À gauche) La balançoire, par Jean-Honoré Fragonard (1732-1806) *(Curateurs de la collection Wallace, Londres)*; en médaillon: Denis Diderot, par L.M. Van Loo *(Photo des Musées nationaux — Paris)*

des modes, dont le nom est prononcé avec respect par les savants et par les ignorants, par les philosophes et les petits-maîtres, par les artistes et les rustres, en Europe et en Asie, en Amérique et en Afrique, dont le nom m'a été connu presque en même temps que le mien même, sur laquelle j'ai lu tant de choses dans les romans, j'ai appris tant de choses des voyageurs, j'ai rêvé et pensé tant de choses!... La voici! Je vais la voir! Je vais y vivre! Ah! mes amis, cet instant a été l'un des plus charmants de mon voyage! Je ne me suis approché d'aucune ville avec des sentiments aussi vifs, avec une pareille curiosité, avec une pareille impatience![1]

Mais Paris était aussi la capitale de la France, au sens pratique du terme; car elle commençait, comme le soulignait Montesquieu, «à englober les provinces». Toute la vie française — intellectuelle, artistique, économique, bureaucratique, judiciaire et sociale — était centralisée à Paris. Cette ville qui, à l'époque de saint Louis avait joué un rôle bénéfique dans l'unification de provinces disparates en assurant la loi et l'ordre, et en contribuant à l'essor du génie artistique français, commençait maintenant à mimer la vitalité du reste du pays. La rivalité entre Paris et les provinces françaises,

1 Pierre Gaxotte, *Paris au XVIIIᵉ siècle.* Paris, Arthaud, 1982, p. 9.

◆ *Le Paris des philosophes* ◆

Période étudiée	De la mort de Louis XIV (1715) au début de la Révolution française (1789).
Population	560 000 (1730); 650 000 (1789)
Superficie	7,2 kilomètres carrés (1715); 24,9 kilomètres carrés (1789)
Type de gouvernement	Monarchie absolue; renaissance du pouvoir des *parlements* (tribunaux traditionnels à Paris et en province); administration par le biais d'intendants
Chefs politiques	Le roi Louis XV (qui a régné de 1715 à 1774); le duc d'Orléans (régent de 1715 à 1723); le cardinal de Fleury (premier ministre de 1726 à 1743); le roi Louis XVI (qui a régné de 1774 à 1792); Turgot; Necker; Calonne
Fondement économique	Bureaucratie royale; revenus provinciaux pour la noblesse, le clergé et la bourgeoisie; profits de l'affermage et du commerce outre-mer; fabrication de biens de luxe; textiles; métiers artisanaux; industrie de la construction
Vie intellectuelle	Philosophie et théorie politique (Montesquieu, Voltaire, Diderot, d'Alembert, Rousseau); roman (Voltaire, Rousseau, abbé Prévost); économie (Quesnay); science (Fontenelle, Buffon, Lavoisier); peinture (Watteau, Boucher, Fragonard, Chardin); arts décoratifs (Boulle, Huet, Meissonnier); théâtre (Marivaux, Beaumarchais); architecture (Gabriel, Soufflot)
Édifices importants	Place Louis XV (Place de la Concorde); Palais de l'Élysée; Saint-Sulpice; Sainte-Geneviève; Mur des Fermiers généraux; plusieurs théâtres,
Religion	Catholique (l'Église était critiquée par les philosophes); déisme

qui caractérisera la suite de l'histoire de France, était déjà visible. Le lendemain de la prise de la Bastille — la prison d'État à Paris —, les paysans de Nancy racontèrent à Arthur Young, le célèbre agronome anglais: «Nous vivons dans une ville de province et devons attendre pour voir ce qui arrivera à Paris; mais tout est à craindre des Parisiens parce que le pain est cher, ils sont affamés et sont prêts pour l'insurrection».[2] Ainsi la centralisation excessive faisait en sorte que tout changement violent à Paris pouvait susciter des répercussions considérables à travers tout le pays, d'une ampleur bien plus grande qu'ailleurs en Europe. En esquissant le rôle de Paris au XVIIIe siècle, nous devons considérer trois de ses fonctions: son rôle dans la société centralisée de la France, son caractère de foyer révolutionnaire et celui d'arbitre culturel de l'Europe.

2 Arthur Young, *Travels in France During the Years 1787, 1788, and 1789*, Garden City, N.Y., Doubleday Anchor, 1969, p. 148 (traduction).

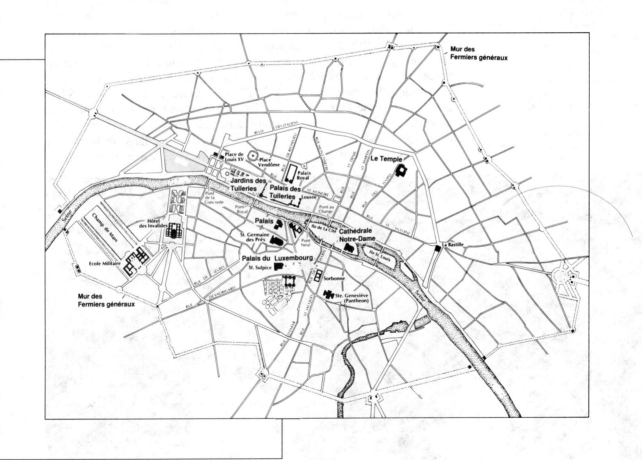

De Versailles à Paris

Pendant le règne de Louis XIV, Versailles, bien plus que Paris, avait été le centre de la culture française et, dans une large mesure, de la culture européenne. Mais avec la mort du Roi-Soleil en 1715, il y eut une modification de l'importance relative de la Cour et de la Ville (la «Cité»), appellations qui désignaient Versailles et Paris.

L'importance de Paris avait été réaffirmée par le régent, Philippe d'Orléans, lorsqu'il plaça le jeune roi Louis XV, âgé de cinq ans, dans le palais des Tuileries, tandis qu'il emménageait dans les vieux appartements de Richelieu au Palais royal, de l'autre côté de la rue. La cour ne se remit jamais de l'attaque menée contre le cérémonial par le régent débauché, mais compétent. Lorsqu'en 1722, Louis retourna à Versailles, il ne fut pas accompagné par toute la haute noblesse ni par tous les hauts fonctionnaires. Même les ambassadeurs étrangers qui résidaient encore à Paris ne se rendaient à Versailles qu'à l'occasion. Le vieux palais capétien, sur l'île de la Cité, demeurait le siège des plus importants tribunaux judiciaires. Des ministères du gouvernement, seuls ceux des Affaires étrangères, de la Guerre et de la Marine étaient à Versailles; les autres étaient éparpillés à travers Paris, principalement près de la Banque royale. Toutes les grandes institutions culturelles et scientifiques étaient à Paris. Pour Louis XV, cet abandon de Versailles était sans importance, puisqu'il recherchait une vie rangée qui aurait déplu à son arrière-grand-père. Pour Marie-Antoinette, l'épouse autrichienne de Louis XVI, Paris était fascinante dans sa frivolité. Lorsque la chose était possible, elle aimait se rendre aux bals masqués parisiens et à l'Opéra. Louis XVI lui-même préférait son passe-temps favori de serrurier amateur à l'ennui de la vie de la cour. Sans un Roi-Soleil, Versailles ne pouvait espérer rivaliser avec le pouvoir d'attraction de Paris.

La signature de Gersaint, par Antoine Watteau (1684-1721)
Cinq ans après la mort de Louis XIV, le marchand d'art Gersaint n'avait pas trouvé d'acheteur pour le portrait du roi, lequel fut alors entreposé. Les tissus lustrés des femmes fouinant dans une galerie d'art furent utilisés par Watteau pour créer une atmosphère d'élégance solennelle. (Berlin Staatliche Schlösser und Garten.)

Ce qui distinguait surtout Paris c'était l'existence d'une société au sein de laquelle les gens aisés, fussent-ils nobles ou bourgeois, pouvaient se rencontrer sur un pied d'égalité et se mêler à l'élite intellectuelle et artistique. La centralisation de la vie française à Paris avait entraîné la concentration du talent du pays, et dans une large mesure, de tout le continent. Parmi les grands écrivains du siècle, à peine un seul était originaire de Paris. Montesquieu venait de Bordeaux, Diderot de Champagne et Rousseau de Genève. Le nom même des artistes trahissait leur origine non parisienne. Le peintre Watteau était flamand; l'ornemaniste Oppenord descendait d'une famille hollandaise; le maître du style rococo, Meissonnier, était provençal, quoique né en Italie. La portraitiste au pastel Rosalba Carriera, la première femme en près de quarante ans à être admise à l'Académie royale de peinture, était italienne. La peintre florale Margaret Haverman, admise à l'Académie en 1722 était Hollandaise. (Elle en fut expulsée l'année suivante, lorsqu'on l'accusa injustement d'avoir présenté les travaux de son maître comme étant les siens.)

Paris les attirait tous parce qu'elle offrait un mécénat qui faisait défaut à Versailles et dans les provinces. Toutefois, Louis XV et Louis XVI étaient loin d'être des protecteurs de l'architecture et des arts aussi extravagants que le Roi-Soleil. Louis XV ne commanda que la construction du Petit Trianon. Quant à Marie-Antoinette, sa principale contribution à l'architecture fut la construction du petit Hameau, une ferme avec des petites chaumières et des stalles laitières, où elle pouvait se retirer avec ses courtisans, dans un environnement sain et non défiguré. Reconnaissons qu'il n'y avait là guère de quoi employer les artistes français qui trouvaient plutôt leurs mécènes parmi les financiers, les fermiers des impôts, les industriels et quelques membres de la noblesse de la capitale.

Paris devint le principal marché d'art de l'Europe du XVIIIᵉ siècle, grâce à des méthodes de vente hautement institutionnalisées.[3] Ceci explique peut-être pourquoi les femmes artistes étaient délibérément exclues, le nombre d'académiciennes ayant été limité à quatre pendant presque tout le siècle. Quoi qu'il en soit, les femmes pouvaient se joindre aux artistes masculins lors d'expositions en plein air à la Place Dauphine et elles étaient admises à l'Académie Saint-Luc, qui comptait plusieurs centaines d'artistes, depuis les peintres à l'huile jusqu'aux fabricants d'éventails. Les deux plus célèbres

3 Les membres de l'Académie étaient presque assurés de vendre leurs tableaux qu'ils exposaient au Louvre à tous les deux ans.

Le petit Hameau à Versailles

Dans cette ferme laitière, la reine Marie-Antoinette et ses courtisans ont créé un monde de rêve dans lequel ils s'amusaient à jouer les paysans. (Gracieuseté du service de la presse et de l'information de l'ambassade de France.)

Une femme à sa coiffeuse, par Rosalba Carriera (1675-1757)
Même si ce délicat portrait n'a que dix centimètres de longueur, la technique sans défaut de Carriera lui permettait de peindre avec un souci du détail les plis de la soie et de la dentelle de la robe, ainsi que les parfums et les fleurs qui entouraient son modèle. (Le Musée des Arts de Cleveland, don d'Edward B. Greene)

peintres féminins du XVIIIᵉ siècle, Élisabeth Vigée-Lebrun (1755-1842) et Adélaïde Labille-Guiard (1749-1803) furent d'abord membres de l'Académie Saint-Luc, avant d'être admises à l'Académie royale. Des catalogues abondamment illustrés étaient envoyés à travers l'Europe, afin que les mécènes étrangers puissent transmettre leurs commandes ou leurs enchères à leurs représentants à Paris. De la sorte, Paris n'a pas seulement rempli les palais et les manoirs d'Europe de ses peintures. Il les a aussi approvisionnés grâce à une abondante moisson d'œuvres de moindre importance, telles que les créations les plus délicates du style rococo : le mobilier chantourné de Boulle, les tapisseries murales de Huet, les horloges de Meissonnier, la porcelaine peinte à la main de Sèvres, des tabatières, des cuillères d'argent, des lustres et des chandeliers par milliers. Le marché de Paris était si important, au cours de la dernière partie du siècle, que des artistes étrangers affluaient pour en profiter, contribuant ainsi à sa renommée. Même des auteurs dramatiques — comme en témoigne dans ses mémoires l'auteur italien de comédies Goldoni — estimaient qu'ils gagnaient à venir présenter leurs pièces à Paris. Goldoni a amassé une fortune modeste et a trouvé à Paris une ville fascinante et irrésistible.

Paris est un monde en lui-même : tout s'y trouve à grande échelle, le bon et le mauvais y abondent. Que vous alliez au théâtre, à la promenade ou aux lieux de plaisirs, vous trouverez le moindre recoin plein à craquer. Même les églises sont bondées. Dans une ville de huit cent mille âmes, il doit se trouver plus de bonnes et de mauvaises personnes que dans toute autre ville; il ne nous reste plus alors qu'à faire notre choix. ... Chaque jour, j'étais davantage étonné par les rangs, les classes, les styles de vie et les différents modes de pensée. Je ne savais plus ce que j'étais, ce que je souhaitais, ni ce que je devenais. J'étais entièrement absorbé par le tourbillon.[4]

4 Carlo Goldoni, *Memoirs*, traduction de John Black, Boston, Osgood, 1877, p. 352-353.

Ce que Goldoni avait trouvé, c'était une expérience que partageaient les gens sensibles qui s'abandonnaient au défi parisien. La Cité jouait le rôle d'une serre pour l'intellect en stimulant les capacités et en récompensant les réussites. Même les personnes les plus cyniques devaient le reconnaître. Jean-Jacques Rousseau, qui avait consacré une partie de sa vie à dénoncer les effets pernicieux des contraintes artificielles de la société sur l'homme naturel, déclarait que «l'esprit qui se répandait dans la société parisienne contribuait au développement d'une pensée organisée et élargissait l'esprit autant que possible. Si vous avez un éclair de génie, allez passer une année à Paris. Vous serez rapidement tout ce que vous pouvez être ou vous ne serez jamais rien.»

De plus, au cours du XVIIe siècle, Paris avait réussi à développer une institution, le salon, qui animait toute la vie intellectuelle de la Cité. Les grandes hôtesses de l'époque de Louis XIV comme Mlle de Scudéry, avaient survécu à l'attaque lancée par Molière et par d'autres contre leur préciosité. Une centaine d'hôtesses environ tenaient salon de façon régulière pendant la semaine. Durant ces rencontres, on servait généralement à dîner, on jouait parfois aux cartes, mais c'était surtout la conversation qui prenait une place prédominante. Le choix des invités et la conversation étaient déterminés par l'hôtesse; la fréquentation de certains salons conférait à leurs habitués le statut de membres de l'élite intellectuelle et sociale de la capitale. Dans ces salons, on retrouvait un heureux mélange d'éminents intellectuels, de nobles à l'esprit ouvert et de femmes astucieuses et élégantes.

Pendant la Régence, la très sérieuse marquise de Lambert regroupait dans la salle à dessin de l'ancien palais de Mazarin des auteurs tels que Montesquieu, Marivaux et Fontenelle. On lisait à haute voix et on critiquait des textes prêts pour la publication. Pendant un certain temps, le fait d'être accepté à son salon était une condition préalable d'admission à l'Académie française. Elle fit même de son salon un centre du féminisme, en insistant pour qu'on mette fin à la domination mâle dans la vie intellectuelle. Elle publia aussi ses *Nouvelles réflexions sur les femmes* (1739) qui réclamaient une éducation égale pour les femmes. Elle soutenait qu'«on gâchait ces dispositions que les femmes tiennent de la nature». «On commence par négliger leur éducation; on occupe leur esprit avec des futilités et leur cœur en tire profit. On les destine à plaire et elles nous satisfont avec leurs grâces ou leurs vices.»[5] À sa mort, ce fut une femme pleine d'entrain et plus divertissante qui lui succéda: Alexandrine de Tencin. C'était une religieuse défroquée, la mère célibataire du grand philosophe d'Alembert, une spéculatrice financière et une espionne bien rémunérée. C'est dans son salon à Paris que de réputés visiteurs étrangers, tels que lord Bolingbroke d'Angleterre, étaient présentés à des écrivains français. Ce fut le cas de Montesquieu qui était le favori de Tencin. Elle tira de l'oubli son meilleur ouvrage — *De l'esprit des lois* — en distribuant à ses frais une bonne partie de la première édition. Mme de Tencin était elle-même une nouvelliste dans la

5 Cité par Shirley Jones, «Mme de Tencin: an Eighteenth Century Woman Novelist», in Eva Jacobs et al. (Ed.) *Woman and Society in Eighteenth Century France*, London, The Athlone Press, 1979, p. 214.

tradition de la *Princesse de Clèves*. En 1735, elle publia *Les mémoires du comte de Comminge*. C'était une histoire d'amour tragique évoquée dans un cadre pseudo-historique (comme l'avait fait Mme de La Fayette précédemment). On y analysait la motivation et les souffrances d'une femme fervente mais vertueuse, qui terminait ses jours dans un couvent, plutôt que dans une liaison amoureuse illicite. Par contre, et aussi étonnant que cela puisse paraître pour une femme qui avait affiché ses liaisons amoureuses avec les plus grands hommes d'État de France et d'Angleterre, Mme de Tencin ne songea pas à utiliser la nouvelle, sauf de façon indirecte, pour mettre un terme à la répression des émotions par la morale conventionnelle.

Après la mort de Mme de Tencin en 1749, les habitués de son salon se déplacèrent dans celui de sa voisine, Mme Geoffrin. Ce nouvel arbitre des normes intellectuelles regroupait autour d'elle (les lundis) les meilleurs peintres, dont Boucher et Chardin, et également (les mercredis) les chefs de file du Siècle des lumières français : Diderot, d'Alembert et Martonnel, au moment où ils préparaient le plus important énoncé de leurs opinions, l'*Encyclopédie*. Elle défraya d'ailleurs près de la moitié des coûts de publication de cet ouvrage en vingt-huit volumes. Le salon de Julie de Lespinasse, une adoratrice du philosophe d'Alembert, prit bien plus de risques que celui de Mme Geoffrin lors de ses discussions relatives aux affaires politiques. Un des invités préférés de Julie était l'économiste Robert Turgot qui tenta vainement, alors qu'il était ministre des Finances, de mettre fin aux privilèges de la noblesse et du clergé.

Les salons parisiens étaient facilement accessibles aux étrangers. «Je me souviens avoir vu toute l'Europe entourer son fauteuil», écrivait un des admirateurs de Mme Geoffrin. De retour dans leur pays, ils recherchaient constamment des nouvelles à propos de l'agitation intellectuelle à Paris. Ils échangeaient de longues lettres avec leurs hôtesses, achetaient les livres que les presses parisiennes imprimaient avec abondance, et priaient les intellectuels et les artistes de les rejoindre dans leur exil loin de Paris. Frédéric le Grand, le roi de Prusse, qui méprisait la langue allemande et parlait presque exclusivement en français, admirait Voltaire avec démesure, correspondant avec lui pendant quarante-deux ans et l'emmenant même à Potsdam pour un séjour tourmenté de trois ans. Catherine la Grande, l'impératrice de Russie, offrit de publier l'*Encyclopédie* en Russie pour éviter la censure française. Elle acheta la bibliothèque de Diderot, tout en lui versant un salaire pour son entretien. Elle l'emmena à Saint-Pétersbourg pour un séjour de vingt-cinq mois, au cours duquel elle fut pratiquement convaincue de l'inapplication de ses idées. Les plus grands intellectuels français étaient tout aussi demandés à Stockholm, Varsovie, Leipzig et Florence, et même en Angleterre. Ce pays qui contestait la prédominance de la langue française dans les échanges intellectuels, célébra avec emphase la présence de Voltaire et de Rousseau sur son territoire.

Ainsi, sauf exception, l'Europe entière reconnaissait l'hégémonie culturelle de Paris et admirait l'extraordinaire outil de développement de l'esprit humain qui avait été créé par la société de cette ville. Mais quel était exactement le contenu de cette culture qui avait été élevée à un tel sommet? Et, ce qui est peut-être plus important, quels furent les effets de l'engouement pour cette culture à l'intérieur et à l'extérieur de la France?

L'ÉPOQUE ROCOCO

Pour la première fois, depuis que Paris était devenue au XIIIᵉ siècle le principal foyer de développement de la civilisation européenne, son impact intellectuel n'était pas uniquement visuel. Certes, cette ville demeurait un centre et un témoignage pour les arts visuels. Mais comparativement aux réalisations des époques gothique et baroque, sa contribution artistique était séduisante, mais négligeable. La ville s'était agrandie vers l'ouest avec la construction de nouveaux quartiers pour l'aristocratie et la classe moyenne aisée. Les architectes français y avaient créé de remarquables variantes du modèle classique de la maison de ville aristocratique. Ils reconnurent notamment le caractère intimiste de la vie sociale et le rôle particulier de la salle de séjour (*le salon*) en développant un style de décoration intérieure aux lignes éclatantes et gracieuses, le style rococo.

Le style rococo était un dépassement du style baroque dont il conservait les fantaisies émotives. Par contre, il rejetait la fascination pour les motifs géométriques et la recherche de la magnificence. Ses principales caractéristiques étaient les décorations en forme de rocaille et de coquille. Elles étaient reproduites en une infinité de variations pour presque tous les types d'objets, qu'il s'agisse d'un canon de fusil, d'un panneau mural, d'une poignée de porte ou d'une salière. On retrouvait donc dans une pièce du XVIIIᵉ siècle, un élément d'unité qui faisait défaut aux époques précédentes. Les artistes reconnaissaient le rôle qu'ils avaient tenu dans la réalisation de cette unité, puisqu'ils maîtrisaient tous les aspects de l'art de la décoration. Meissonnier, par exemple, concevait avec une égale habileté des maisons, des tapisseries, de la coutellerie, de l'argenterie, des coffrets et des chaises.

Le peintre français qui représentait le mieux cette réussite était Antoine Watteau (1684-1721), un génie souffrant de tuberculose et qui, au cours de sa brève carrière, posa les bases de la peinture française pour le siècle suivant. Watteau se spécialisait dans le mouvement, la rencontre de courbes délicates, rompant ainsi avec le style baroque de peintres comme Rubens, en répandant sur ses tableaux une douce langueur et une atmosphère de vague sensualité. Son œuvre était parfaitement délicate, avec sa maîtrise du jeu de la lumière sur la soie ou le taffetas, les cheveux bouffants ou les éventails tournoyants. Il a réalisé *La fête galante*, qui représente un groupe de courtisans paressant l'après-midi dans la clairière ombragée d'une forêt indéterminée, image de souvenirs émouvants et doux, de moments de perfection fugaces et de satisfaction médiocre. Son tableau le plus célèbre, *L'embarquement pour Cythère* (1717), montre un groupe de nobles se préparant à quitter l'île mythique de l'amour où Vénus émerge des flots. Ce peintre de l'éphémère resta le modèle préféré des peintres, jusqu'à la Révolution. Sous

Salon de l'hôtel Saint-Jacques à Paris (1776)
L'unité de style de ce salon de l'époque Louis XVI est atteinte grâce à un retour du style rococo vers une utilisation plus classique des lignes droites, des rectangles et des motifs floraux romains. (Musées des Beaux-Arts de San Francisco, don de M. et Mme Richard S. Rheem)

Mme de Pompadour, par François Boucher (1703-1770)
Mme de Pompadour, la maîtresse et conseillère de Louis XV, avait une grande influence sur le choix des ministres du gouvernement et sur les décisions intéressant les affaires étrangères. Parmi les nombreux artistes employés pour décorer ses palais, Boucher était son préféré. (Photo des Musées nationaux — Paris)

l'influence de Watteau furent réalisés des tableaux comme *La balançoire* de Jean-Honoré Fragonard (1732-1806) et les nombreux portraits de la maîtresse de Louis XV, Mme de Pompadour, par François Boucher (1703-1770).

Pour les artistes féminins, l'époque rococo fut la première période au cours de laquelle leurs travaux furent généralement acceptés. Ceci permit à un grand nombre d'entre elles de vivre de la vente de leurs tableaux. Dans la petite ville de Toulouse, plus d'une centaine de femmes furent admises au sein de l'académie provinciale dans la seconde moitié du siècle. À Paris, les récompenses et la reconnaissance pouvaient être considérables et plus particulièrement lorsqu'on était lié aux mécènes appropriés. Bien que Marguerite Gérard (1761-1837) fût la belle-sœur de Fragonard, elle créa son propre style de peintures de genre (scènes de la vie quotidienne), en adoptant les modèles hollandais à la société aristocratique du XVIIIe siècle. Anne Vallayer-Coster (1744-1818) reçut le double honneur d'être estimée par le philosophe Diderot, qui était aussi un critique artistique fort influent, et de bénéficier du mécénat de la reine Marie-Antoinette qui lui accorda le privilège convoité de séjourner au Palais du Louvre. Elle réalisa plus de 450 toiles, dont la plupart étaient des natures mortes combinant des fleurs, des

Un architecte et sa famille, par Marguerite Gérard (1761-1837)
Bien que Gérard ait été connue pour ses scènes de la vie quotidienne d'Amsterdam au XVIIe siècle, elle était aussi une portraitiste réputée. Même s'il était faux de prétendre qu'elle avait reçu l'aide de son beau-frère Fragonard, cette rumeur a peut-être aidé au lancement de sa carrière.   (Le Musée des Beaux-Arts de Baltimore, collection Mary Frick Jacobs)

sculptures, des fruits et, à l'occasion, des trophées militaires. Marie-Antoinette a également gratifié Élisabeth Vigée-Lebrun dont le charme vif, que l'on retrouve dans plusieurs de ses autoportraits, incarnait ce que les mécènes de l'aristocratie recherchaient chez les artistes féminins. Elle travaillait avec acharnement, peignant même le jour de la naissance de sa fille. Elle nous a laissé plus de 600 tableaux. Les portraits flatteurs et délicats de Vigée-Lebrun étaient hautement prisés par l'aristocratie de Versailles et par les nobles étrangers en visite, dont certains venus d'aussi loin que Saint-Pétersbourg. Lorsqu'elle quitta la France au moment de la Révolution, elle n'eut aucune difficulté à se trouver de nouveaux protecteurs en Autriche et en Russie. Adélaïde Labille-Guiard, bénéficiant d'un léger soutien royal, réussit à devenir une portraitiste renommée pour ses huiles et ses pastels. Elle fut admise à l'Académie après avoir réalisé les portraits des membres du jury, peut-être pour démontrer qu'une femme pouvait faire un travail avec professionnalisme. Après avoir peint les plus éminents aristocrates avant la Révolution, elle devint un peintre de chefs révolutionnaires et endossa leurs théories. Elle profita d'ailleurs de leur attitude en faveur du divorce pour en obtenir un. Plusieurs ont comparé son œuvre à celle de Vigée-Lebrun, mais

Autoportrait d'Élisabeth Vigée-Lebrun avec sa fille (1755-1842)
Exécuté dans le style particulier de Vigée-Lebrun, ce tableau montre la tenue vestimentaire classique qui était préférée dans les portraits par plusieurs de sesprotecteurs aristocrates.
(Art Resource)

ses partisans considéraient que, contrairement à Vigée-Lebrun qui ne recherchait que le charme superficiel, Labille-Guiard cherchait à percer le caractère profond de ses sujets.

À l'extérieur de Paris, par contre, le style rococo fut adopté avec beaucoup d'enthousiasme et de talent. En Espagne et au Portugal, on retrouvait une longue tradition en faveur de l'embellissement de l'extérieur et de l'intérieur des édifices avec des motifs compliqués en pierre, en bois doré, en stuc et en argile, héritage des édifices musulmans, comme l'Alhambra. Dans les églises de la fin du Moyen Âge, dans les villes espagnoles de Valladolid et Salamanque, par exemple, des façades entières étaient couvertes d'un entrelacement de dentelle de pierre, faisant apparaître des figures de saints et des emblèmes royaux et héraldiques dans un étalage hautement créatif. Le style s'est transformé sans difficulté dans les motifs tourbillonnants du célèbre Trasparente (1732) dans la cathédrale de Tolède, où l'architecte avait détruit une voûte gothique pour la remplacer par des anges baignés dans une lumière dorée flottant sur des nuages duveteux afin d'atteindre la céleste célébration de l'eucharistie. Le rococo s'est transmis aux colonies espagnoles en Amérique centrale et du Sud. On le retrouve ensuite en Californie dans les maîtres-autels dorés des missions établies au cours du XVIIIᵉ siècle par des frères franciscains.

En Autriche et dans le sud de l'Allemagne, le style rococo a atteint sa plus grande gloire architecturale dans des édifices dont l'harmonie spatiale était aussi subtile que les fugues que Johann Sebastian Bach composait à la même époque. Les mécènes qui firent construire les nouvelles et vastes églises, les monastères et les palais étaient les souverains des États indépendants allemands, comme l'électeur de Saxe et l'évêque de Wurtzbourg, les abbés des plus riches monastères et les membres de la famille royale et de la noblesse autrichienne. Leurs architectes étaient allemands et autrichiens de naissance. Ils avaient maîtrisé le meilleur du style baroque italien et du style rococo et étaient en mesure de développer leur propre style. Ils étaient partisans d'une planification complexe de l'espace. L'utilisation de l'ovale dans les plans du terrain, l'effet réciproque des courbes concaves et convexes dans les façades extérieures et les galeries intérieures les séduisaient ainsi que l'édification de baldaquins colossaux, comme celui de Saint-Pierre de Rome. Mais ils maîtrisèrent l'émotion se dégageant de la théâtralité du style, mêlant les tons pastels de rose et de bleu, mélangeant les blancs et l'or parmi la complexité de la décoration de rocaille.

En montant l'escalier du palais épiscopal de Wurtzbourg, en jetant un coup d'œil à la façade onduleuse et aux tours imposantes du monastère de Melk surplombant le Danube et, surtout, en passant par l'intérieur étincelant de l'église pèlerine de Vierzehnheiligen, près de Bamberg, on constate que la réussite des architectes allemands du style rococo, comme Balthazar Neumann (1687-1753), fut de réussir à étendre aux formes architecturales ce que les artistes français avaient réalisé en décoration. L'esprit rococo devint ainsi un grand style architectural. Il est impossible d'énumérer ici les

Le rococo en Espagne, en Autriche et en Allemagne méridionale

**L'église pèlerine de Vierzehnheiligen,
près de Bamberg**
*La complexité spatiale de l'église des Quatorze
Saints de Balthazar Neumann est atteinte grâce
à un plan aux ovales et aux cercles liés qui
remplace la nef et les allées rectangulaires de la
basilique traditionnelle.* (Gracieuseté du Service
allemand de l'information)

principales réalisations de ce style sans lequel l'Europe centrale aurait été infiniment plus stérile. Parmi la multitude d'édifices qui engloutirent la richesse de la campagne allemande et autrichienne, il faut mentionner le château de Sans-Souci à Potsdam, où Frédéric divertit Voltaire; les pavillons exubérants du palais de Zwinger à Dresde, dont la succession de façades courbées avait servi de galerie d'art et d'orangeraie; les splendides monastères longeant le Danube depuis Melk jusqu'à Klosterneuburg aux abords de Vienne et les vastes palais que les empereurs habsbourgeois édifièrent dans les capitales de leurs royaumes, tels que le château de Schönbrunn situé non loin de Vienne. On y trouvait les chefs-d'œuvre d'un style originaire de France. Mais dans ce pays le poids de la tradition avait été si considérable qu'il avait empêché la transformation d'un art de la décoration en un style architectural.

LE SIÈCLE DES LUMIÈRES

C'est dans le domaine de la «philosophie» que le Paris du XVIIIᵉ siècle avait dominé l'Europe, philosophie entendue au sens large d'une activité intellectuelle, en matière de théorie politique, d'économie,

Le palais Zwinger de Dresde, en Allemagne, par Mathäus Daniel Pöppelmann (1662-1736) *Conçu comme une galerie d'art et une orangeraie où pourraient croître, derrière des vitres, des arbres dans le climat frais de l'Allemagne, le palais Zwinger était utilisé par l'électeur de Saxe pour les tournois et les spectacles de la cour. Ce chef-d'œuvre du style rococo a été restauré depuis les bombardements aériens de Dresde en 1945. (Gracieuseté du service allemand de l'information)*

de sciences naturelles, de philosophie, de philosophie du droit, voire même en technologie. Les penseurs français, les philosophes, croyaient avoir fait de leur époque le Siècle des lumières ou le siècle de la philosophie de la raison et de l'individualisme. Jusqu'au bouleversement de la Révolution, ils ne trouvèrent que peu de personnes en désaccord avec eux.

Les réalisations intellectuelles du Siècle des lumières ont été nombreuses dans les soixante années séparant la mort de Louis XIV et le début de la Révolution américaine. Au début, les intellectuels français avaient assimilé la substance et le sens des progrès scientifiques que représentaient les travaux d'Isaac Newton et les théories psychologique et politique de John Locke. Ils avaient accepté l'idée commune à ces deux penseurs que l'univers était gouverné par des lois naturelles qui pouvaient être vérifiées par la raison humaine, plus spécialement si on appliquait cette idée à l'acquisition de la connaissance des faits par l'expérimentation. Les philosophes reconnaissaient qu'un esprit scientifique et rationnel constituait la base de tout progrès futur. Il en fut ainsi grâce aux progrès scientifiques qui avaient suivi la Renaissance : ce fut la révolution scientifique.

La révolution scientifique et les Lumières

Le Moyen Âge n'avait pas complètement ignoré la science, bien que la découverte de phénomènes scientifiques restât limitée. Les principaux ouvrages de la science grecque avaient été étudiés, normalement par l'intermédiaire des Arabes. La scolastique avait encouragé l'utilisation du raisonnement logique et avait insisté sur l'idée que l'univers fonctionnait conformément à des lois spécifiques, même si elles pouvaient être écartées par une intervention divine. Après l'établissement d'une vision unifiée du monde par Thomas d'Aquin, qui avait intégré les pensées chrétienne et préchrétienne, il devenait périlleux de remettre en question les explications scientifiques qui avaient été acceptées par l'Église. De plus, la simple observation tendait à démontrer l'exactitude de la plupart de ces théories. En astronomie, par exemple, il semblait évident, comme Aristote l'avait énoncé, que les corps chutent vers le centre de la terre, que les étoiles se déplacent dans des sphères célestes, comme Ptolémée l'avait expliqué, et que le paradis, comme l'Église l'enseignait, se trouvait dans la sphère extérieure, le *primum mobile*, qui permettait le fonctionnement du système tout entier. Même l'explication des chimistes, selon laquelle toute la matière est composée de terre, d'air, de feu et d'eau, était aussi plausible que toute autre explication, avant que ne soient inventés les outils de la chimie expérimentale.

Toutefois, des progrès simultanés dans plusieurs domaines permirent aux scientistes des XVIe et XVIIe siècles de défier et de renverser la plupart des autorités établies. En premier lieu, les scientistes et les techniciens s'associèrent pour concevoir plusieurs instruments importants avec lesquels il était possible de se livrer à l'observation et à l'expérimentation. Le plus important d'entre eux fut le télescope, inventé en Hollande au XVIIe siècle, et qui fut utilisé avec beaucoup d'efficacité par l'astronome italien Galilée (1564-1642). Cette même compétence dans la confection de lentilles permit de créer le microscope, dont eurent tôt fait de s'emparer les biologistes. Le baromètre, la jauge à pression pour mesurer la pression de l'air et des gaz, le thermomètre, la pompe à air furent inventés lorsque se fit sentir le besoin d'expérimenter.

En second lieu, les scientistes s'aperçurent que toute nouvelle explication du monde naturel était tributaire des progrès des mathématiques. Le langage de l'univers, écrivait Galilée, «est écrit en langage mathématique, et ses caractères sont le triangle, le cercle et d'autres formes géométriques, sans lesquels il est impossible d'en comprendre un seul mot, sans quoi on erre vainement dans un sombre labyrinthe.»[6] Les chiffres arabes avaient remplacé les chiffres romains depuis la fin du Moyen Âge. Au début du XVIIe siècle, John Napier, un mathématicien écossais qui avait mis au point le système décimal pour régler le problème des fractions, avait développé des tables de logarithmes qui permirent de réduire de moitié le temps que les scientistes consacraient aux calculs. En 1637, Descartes publia sa géométrie analytique, une nouvelle branche des mathématiques grâce à laquelle des rapports géométriques pouvaient être exprimés en équations algébriques, et vice versa. À la fin du XVIIe siècle, le philosophe allemand Leibniz et le scientiste anglais Isaac Newton inventèrent en même temps le calcul différentiel. Sans ces outils mathématiques, il aurait été impossible de réaliser la révolution scientifique.

Troisièmement, ces nouveaux outils furent utilisés efficacement, parce que les scientistes avaient développé la méthode expérimentale, dont les plus ardents défenseurs furent l'Anglais Francis Bacon et le Français Descartes. «Ni

6 Cité dans F. Sherwood Taylor, *A Short History of Science and Scientific Thought*, New York, Norton, 1963, p. 138.

la main sans outil, ni la compréhension abstraite, ne peuvent grand chose», écrivait Bacon. «Nous avons une base solide d'espoir, laquelle réside dans l'union des facultés expérimentales et rationnelles, lesquelles n'ont pas encore été unies.»[7]

La médecine fut le premier domaine à révéler les résultats qui pouvaient être obtenus grâce à l'observation attentive et à l'expérimentation. Vers le milieu du XVIIe siècle, plusieurs travaux du médecin grec Galien avaient été rejetés, principalement à la suite du traité d'anatomie de Vésale et aux expériences de William Harvey (1578-1657) qui avait établi, en 1628, l'existence de la circulation sanguine. Mais les progrès les plus remarquables furent réalisés en astronomie, parce que tout progrès dans l'explication des mouvements planétaires nécessitait une compréhension de la nature du mouvement et de la relation de la matière. C'est dans ce domaine que l'autorité d'Aristote et de Ptolémée avait été le plus fortement soutenue par les institutions répressives de l'Église catholique.

Le changement fut très lent. En 1542, un membre du clergé polonais, Nicolas Copernic (1473-1543), dans sa recherche d'une explication parfaite de l'univers qui serait en accord avec sa conception d'un Dieu idéal, avait avancé l'idée que la Terre tournait autour du Soleil. Pour ses contemporains, Copernic semblait avoir simplifié l'astronomie, sans avoir offert une preuve quelconque à l'appui de son abandon de la conception géocentrique selon laquelle la Terre était le centre de l'univers. L'astronome danois Tycho Brahé (1546-1601), dont les observations précises du mouvement des planètes contribuèrent à faire progresser l'explication mathématique des mouvements célestes, n'était pas convaincu de l'exactitude des idées de Copernic. Ce n'est qu'au début du XVIIe siècle que Johannes Kepler (1571-1630), un génie capricieux à la recherche d'une description précise dans l'harmonie de la musique des sphères, rendit cohérentes les observations de Tycho Brahé. Dans ses trois lois relatives au mouvement des planètes, Kepler prouva non seulement que la théorie de Copernic était exacte, mais il conçut des lois qui sont encore valables aujourd'hui. Il démontra, en premier lieu, que les planètes se déplacent autour du Soleil selon une orbite elliptique, et non circulaire, dont le Soleil est l'un des foyers. Sa deuxième loi énonçait que les planètes ne se déplacent pas suivant une vitesse constante mais que le mouvement peut être décrit mathématiquement. Les aires balayées par les rayons vecteurs allant du centre du Soleil au centre de la planète sont proportionnelles au temps employé à les décrire. Enfin, selon la troisième loi, le temps que prend une planète à compléter son orbite peut être exprimé par une formule mathématique : le carré de la durée de révolution d'une planète autour du Soleil est inversement proportionnel au cube des grands axes de l'orbite elliptique.

Le physicien et astronome italien Galilée poussa plus loin sa critique à l'endroit d'Aristote concernant le concept aristotélicien du mouvement, c'est-à-dire que tous les corps demeurent au repos tant qu'ils ne sont pas

7 *Ibid.*, p. 104.

déplacés par une force extérieure. Galilée démontra que, grâce à l'inertie, les corps pouvaient se déplacer indéfiniment à la même vitesse que les planètes, à moins qu'ils ne soient arrêtés par une force étrangère. Galilée était déterminé à démontrer que tous les éléments du système d'Aristote étaient erronés; que l'univers était héliocentrique; qu'il n'existait pas de sphères cylindriques; que l'observation ne confirmait pas l'ancienne dynamique. Toutefois, Galilée écrivait à une époque où l'Église catholique luttait contre le protestantisme qui menaçait d'ébranler son autorité et alors que plusieurs puissances européennes étaient engagées dans la guerre de Trente Ans. L'Église estimait qu'elle ne pouvait tolérer une attaque envers sa conception du monde, et surtout parce que Galilée exprimait sa critique d'une manière franche et très compréhensible dans son *Dialogue sur les deux principaux systèmes du Monde, ptolémaïque et copernicien.* À l'âge de soixante-dix ans, il fut appelé à Rome pour y être jugé par le tribunal de l'Inquisition, menacé de torture et contraint à renier ses idées.

Après son décès en 1642, plusieurs crurent que l'esprit de Galilée s'était incarné dans le corps d'Isaac Newton, né en Angleterre au cours de la même année. Newton était ce génie qui avait exprimé en langage mathématique les découvertes des deux siècles précédents, dans les domaines de la physique et de l'astronomie. À l'âge de vingt-trois ans, il était devenu le maître de la connaissance scientifique de son époque et avait déjà apporté ses principales contributions au progrès de la science. En 1687, dans le livre le plus important des XVIIe et XVIIIe siècles, *Les principes mathématiques de la philosophie naturelle*, il expliquait en trois lois du mouvement, non seulement le mouvement des planètes, mais aussi les liens de la matière. Il démontrait que les corps s'attiraient entre eux et que la force d'attraction était directement proportionnelle au produit de leur masse et inversement proportionnelle au carré de leur distance. Voilà donc qu'on avait un univers entièrement mécanique que l'on pouvait expliquer en quelques formules mathématiques simples et élégantes. Le livre de Newton eut un effet sensationnel. Pour reprendre les mots célèbres d'Alexander Pope,

> La nature et ses lois, étaient tapies dans la nuit,
> Dieu s'écria, que Newton soit! et tout s'éclaira.[8]

C'était là le sentiment que les Français du Siècle des lumières éprouvaient lorsqu'ils voyaient, dans la révolution scientifique, la raison de leur optimisme dans les réalisations futures du génie humain, quand celui-ci se consacre à l'étude de la physique et de l'univers humain.

Jusqu'à ce moment, un seul Français, Descartes, faisait partie des génies de la révolution scientifique. Mais dans les dernières années du règne de Louis XIV, la science connut une grande popularité en France. Colbert avait fondé une Académie des sciences en 1666, un lieu de rencontre pour les scientistes et les amateurs doués pour les sciences. Plusieurs scientistes de la classe moyenne connurent une certaine notoriété à la suite de leurs conférences publiques portant sur la médecine et l'astronomie. Les étrangers affluaient pour assister aux cours des plus éminents chimistes.

8 Alexander Pope, «Intented for Sir Isaac Newton», *Épigrams.*

Même les courtisanes assistaient aux exposés les plus populaires. En France, il y avait un public très réceptif pour la vulgarisation des grandes découvertes scientifiques qui connurent leur apogée avec les travaux de Newton. Parmi les plus influents vulgarisateurs scientifiques, on retrouve Bernard de Fontenelle (1657-1757), secrétaire de l'Académie des sciences pendant quarante-deux ans, un habitué des plus grands salons, auteur des célèbres *Entretiens sur la pluralité des mondes*, qui avait réussi à rendre accessibles à toute personne intelligente le contenu et la signification des nouvelles sciences. Pour l'intelligentsia parisienne, la révolution scientifique, et tout spécialement les travaux de Newton, rendaient possible une compréhension poussée du fonctionnement de l'univers, ainsi que de la psychologie et des rapports humains. Et la principale contribution de la France au XVIIIe siècle fut d'appliquer les enseignements de la révolution scientifique à d'autres domaines, bien que la France ait aussi contribué directement à la science. Par exemple, Buffon, le directeur du célèbre Jardin des Plantes, a tenté de faire une grande synthèse de l'ensemble des connaissances en matière de biologie. Lavoisier a fondé la chimie moderne en identifiant des éléments chimiques de base, comme l'oxygène et l'hydrogène. Mais c'est la foi en la science, et non l'implication scientifique elle-même, qui a rendu possibles ces grands résultats.

Une bonne partie des travaux des philosophes, comme ceux des scientistes précédents, eurent un effet dévastateur. Ils durent commencer par se défaire des fausses connaissances et des opinions erronées qui s'étaient accumulées, selon eux, depuis des siècles. Un premier pas en ce sens avait été fait à la fin du règne de Louis XIV lorsque Charles Perrault, le poète et le vadrouilleur littéraire, avait divisé le monde intellectuel de Paris dans une querelle des Anciens contre les Modernes, en soutenant dans un poème intitulé «Le Siècle de Louis le Grand», que les auteurs contemporains étaient meilleurs que ceux de la Rome et de la Grèce, et que ces derniers ne devaient plus être considérés comme des autorités. Le conflit s'élargit tout particulièrement à cause de l'intervention du philosophe rationaliste Pierre Bayle et son *Dictionnaire historique et critique* (1697). Les attaques contre l'autorité étaient nombreuses dont celle soutenant que le mariage de femmes intelligentes et bien éduquées était un gaspillage des ressources nationales.

Au début du XVIIIe siècle, la critique se tourna vers l'Église catholique, que l'on soupçonnait être réfractaire au progrès de la raison. Le dictionnaire de Bayle, qui était devenu rapidement le livre le plus influent du XVIIIe siècle, s'en prenait à la persécution religieuse et plaidait en faveur de la tolérance universelle. Mais l'attaque fut reprise dans sa forme la plus dramatique par Voltaire (1694-1778), qui utilisa la raison, la raillerie et le pathétique pour que soit écrasée l'infâme chose : «Écrasez l'infâme!» Il s'agissait d'un slogan vague, mais percutant, qui fut utilisé maintes fois dans les attaques menées contre l'oppression institutionnelle qui enrageait les penseurs du Siècle des lumières. Lorsqu'un marchand huguenot, Jean Calas, fut tué sur la place publique après d'abominables tortures, pour le motif ridicule d'avoir étranglé son fils aîné afin d'empêcher sa conversion au catholicisme, Voltaire monta

La réforme au programme des Lumières

toute l'Europe contre une organisation à qui on permettait de commettre un acte aussi barbare à l'époque des Lumières.

Même lorsque les philosophes prétendaient soutenir l'existence de Dieu (la plupart des philosophes considéraient que seul un Créateur avait pu concevoir le monde d'une manière aussi parfaite), ils affaiblissaient la position des Églises établies en arguant en faveur du déisme. Dieu, supposaient-ils, avait quitté l'univers après sa création, laissant à l'humanité le pouvoir de le connaître en recourant à la raison pour comprendre les lois sous-jacentes de l'univers. De plus, au lieu de concevoir la moralité comme une loi énoncée et interprétée par les Églises, les philosophes supposaient que l'homme, dans sa nature, était capable de poser un jugement moral. La poursuite de son jugement moral, fondée sur une compréhension des lois de la nature, était un devoir religieux pour les déistes.

La recherche d'une nouvelle moralité trouva une autre cible dans l'appareil judiciaire. Dans ce domaine, les philosophes apportèrent une contribution durable à l'avancement de l'humanité. Ils enlevèrent l'usage de la torture qui était alors un élément régulier du processus juridique, à cause de sa cruauté et de son inefficacité comme moyen de recherche de la vérité. «Un auteur ancien avait affirmé très sentencieusement», pour reprendre la conclusion de l'article de l'*Encyclopédie* portant sur la torture, «que ceux qui pouvaient résister à la question [torture], et ceux qui étaient trop faibles pour y résister, étaient sur un pied d'égalité». Le châtiment, répétèrent-ils plusieurs fois, devrait correspondre à la gravité du crime, une idée innovatrice à une époque où le vol simple était sanctionné par la peine capitale et où l'on considérait que l'emprisonnement coûtait trop cher à l'État.

Cette nouvelle conception du châtiment n'était qu'un aspect d'une nouvelle approche de la psychologie humaine, dont les origines remontaient à l'ouvrage de John Locke, *Essai sur l'entendement humain* (1690), lequel avait connu une grande diffusion en France. Locke avançait que toute connaissance humaine était le résultat des impressions sensorielles reçues par le cerveau et organisées par la raison en une perception du monde extérieur. À la base d'une grande partie de la pensée française, on retrouve son paragraphe célèbre décrivant l'esprit comme étant une *tabula rasa*. Des auteurs français en psychologie, et plus particulièrement Condillac et Helvétius, dont l'ouvrage *De l'esprit* était paru en 1758, estimaient que le caractère d'un être humain dépendait du milieu dans lequel une personne avait connu ses premières expériences sensorielles. Helvétius alla même jusqu'à proposer une doctrine qui devint plus tard le fondement de la théorie de l'utilitarisme, selon laquelle la moralité consistait en une augmentation du plaisir humain et en une diminution de la souffrance humaine. Une société qui poursuivait un tel objectif serait en parfaite harmonie, soutenait-il, parce qu'elle serait conforme au droit naturel qui sous-tend les rapports humains et qui fut ignoré par les sociétés antérieures.

Pour la plupart des philosophes, il était évident que le rapport entre les sexes en était un dans lequel la subordination de la femme était le résultat de la coutume et du droit humain, et non du droit naturel.[9] Le chevalier

Voltaire, par Jean-Antoine Houdon (1741-1828)
Houdon, le chef de file de la sculpture en France de la fin du XVIIIᵉ siècle, a représenté Voltaire à partir d'une esquisse réalisée deux jours avant sa mort. (Gracieuseté du Musée De Young, de San Francisco)

9 Voir, Abby R. Kleinbaum, «Women in the Age of Light», in Renate Bridenthal and Claudia Koonz, *Becoming Visible: Women in European History*, Boston, Houghton Mifflin, 1977, p. 219-235.

de Jaucourt, dans un article de l'*Encyclopédie* intitulé «Femme (droit naturel)», soutenait que la raison, qui enseignait l'égalité naturelle de l'humanité, révélait également qu'un mari n'était pas nécessairement plus fort ou plus astucieux que son épouse. Il considérait que le mariage était un contrat civil qui devait être conclu pour le bénéfice réciproque des deux partenaires. Antoine Thomas, dans *An Account on the Character, the Manners, and the Understanding of Women* (1772), critiqua sévèrement l'Athènes de Périclès pour son exclusion des femmes et chercha à démontrer que les attitudes et les aptitudes des femmes, à différentes époques de l'histoire, étaient le résultat de leur traitement par la société. Puisqu'elles avaient été considérées comme des êtres au potentiel immense durant la Renaissance italienne, elles étaient devenues des érudites et des philosophes. Toutefois, Diderot considérait que Thomas avait fait preuve d'un manque de sympathie à l'endroit de l'oppression des femmes par la société; il demandait donc qu'on mette un terme à la tyrannie du droit à leur endroit. Il proposa même une société utopique où il entrevoyait que le sort des femmes serait amélioré par leur appartenance à une communauté d'épouses et de leurs filles.

Même si Diderot adorait sa fille unique Angélique et consacrait beaucoup de réflexion à l'éducation idéale qu'elle aurait dû recevoir, il ne mena jamais les philosophes dans une campagne en faveur de l'égalité des sexes. Dans son *Essai sur les femmes* (1772), il avança même que c'était de sa physiologie que la femme tirait «ses idées extraordinaires» qui l'avaient conduite vers une révolte psychologique contre les hommes. «Impénétrables dans leur dissimulation, constantes dans leurs desseins, scrupuleuses dans leurs méthodes de réussite, douées d'une haine profonde et secrète envers le despotisme masculin, il semblait qu'elles partageaient entre elles un dessein de domination, une espèce de confrérie comme il en existe entre les prêtres de toutes les nations; elles connaissaient les dispositions de cette convention sans en avoir discuté entre elles.»[10] Après avoir reconnu les différences biologiques et physiologiques entre les femmes et les hommes, Diderot ne pouvait accepter les arguments avancés par des philosophes comme Helvétius qui, dans son traité *Sur l'homme* (1773), proposait que les femmes reçoivent une éducation identique à celle des hommes. Plusieurs philosophes allèrent plus loin et affirmèrent que, s'agissant d'une conséquence de la nature, une femme était heureuse au foyer; et Jean-Jacques Rousseau (1712-1778), dans son essai fabuleux *l'Émile* (1762), qui traitait de l'éducation idéale d'un être humain vivant dans une liberté politique et morale, reprenait l'idéal athénien de l'exclusion des femmes dans un gynécée.

Au moment de la publication de *l'Émile*, les philosophes avaient conclu, en reprenant les mots d'Helvétius, que «l'éducation pouvait tout changer», à la condition qu'elle soit retirée des mains de l'Église. Pour eux, l'expulsion des Jésuites hors de la France en 1762 constituait un bon début. Une bonne éducation pouvait permettre à un enfant d'atteindre la bonté naturelle et la puissance de la raison avec laquelle il était né. Au milieu du siècle,

10 Cité dans Robert Niklaus, «Diderot and Women», in Eva Jacobs et al. (Ed.), *Women and Society*, p. 76.

une foule de livres expliquaient comment y parvenir, avec des titres aussi évocateurs que *Nouvelles maximes pour l'éducation des enfants, Traité sur l'éducation des enfants, Principes généraux pour l'éducation des enfants*. Mais de tous, *l'Émile* de Rousseau fut le plus influent. Le garçon, pensait Rousseau, devait être confié à un tuteur pendant une vingtaine d'années, envoyé dans le cadre pur de la campagne pour y grandir sereinement dans son apprentissage de lui-même et de ses rapports avec la nature, en plus d'être amené à nourrir les instincts qu'il avait depuis sa naissance. La fille devait être à la maison avec sa mère, et non au couvent. Comme un garçon, on devait lui permettre d'exprimer sa joie par le jeu et la nature. Cependant, il fallait lui enseigner des choses pratiques qui lui seraient utiles lors de son mariage. Pour Rousseau, un fier admirateur de sa Genève natale, le rôle ultime d'une femme telle que son héroïne Sophie dans *l'Émile*, était le mariage et la maternité. Néanmoins, pour l'éducation des garçons et des filles, Rousseau avait laissé un important message que les lecteurs du XVIIIe siècle de *l'Émile* eurent à cœur. Ils acceptaient que l'éducation des émotions de l'enfant doive précéder celle de l'esprit; que la bonté était meilleure tutrice que la discipline; que la vie campagnarde était un meilleur entraînement à la bonté que la vie urbaine; et que l'objectif de l'éducation devait être le développement du potentiel de l'enfant plutôt que la recherche de l'homogénéité. Rousseau affirmait que le développement de l'individu commençait dès son enfance. Ce n'est que dans ces conditions qu'une personne pouvait atteindre le but que Rousseau énonçait si fièrement au début de ses *Confessions*: «À part moi-même... je ne suis pas comme les autres personnes. Si je ne suis pas le meilleur, au moins je suis différent».

Les théories économiques des physiocrates

En économie également, les philosophes affirmèrent qu'on devait laisser les êtres humains poursuivre leurs penchants naturels, afin de permettre au système économique de fonctionner de la façon la plus productive. Les physiocrates (ceux qui croyaient en un gouvernement fondé sur le droit naturel), comme furent rapidement désignés ces économistes, soutenaient que l'État devait laisser les choses à elles-mêmes (*laissez faire; laissez passer*), de façon à éviter la détérioration des échanges commerciaux qui résultent des tarifs douaniers, des péages, des interdits relatifs aux exportations et de la taxation injuste. Il devrait être possible, pour le commerce, de suivre ses tendances naturelles, c'est-à-dire les tendances créées par les tentatives individuelles de maximisation des profits par la fabrication et la vente de biens. Mais les physiocrates, et plus particulièrement leur chef incontesté Quesnay, étaient incapables d'apprécier l'importance de l'industrie et du commerce dans la création de la richesse comme l'avait expliqué Adam Smith en Angleterre (voir le chapitre 19), le véritable fondateur de l'économie capitaliste. Ils étaient aveuglés par leur croyance émotive en la sainteté de la terre. Pour Quesnay, l'agriculture était la seule source de richesse et les seuls véritables producteurs étaient les agriculteurs. À la base de leurs théories, il y avait une préférence idéologique dérivée d'un «retour à la terre» plutôt que d'une logique économique; mais, au moins, ils rendirent publique la dure réalité que le système économique français était vicié par un fardeau fiscal qui pesait sur la paysannerie et par l'inefficacité des modes de tenure et de gestion des fermes. De plus, à une époque d'inefficacité gouvernementale, ils réclamèrent une administration scientifique et exprimèrent un argument qui devait conduire les classes moyennes à accepter le besoin d'une révolution.

En matière de théorie politique, les philosophes adoptèrent, comme point de référence, les axiomes formulés par Locke dans son *Traité sur le gouvernement civil*, et qui devaient être définis plus simplement par Jefferson dans la Déclaration d'indépendance. Tous les êtres humains naissent avec des droits inaliénables à la vie, à la liberté et à la propriété. Ils font un contrat avec leur gouvernement pour que soient préservés ces droits au sein d'une société organisée. Les Anglais aussi semblent avoir réussi à mettre un tel système en place, comme le confirmèrent les philosophes qui visitèrent l'Angleterre au cours de la première partie du XVIIIe siècle. Dans ses *Lettres philosophiques* de 1733, écrites pendant son séjour en Angleterre, Voltaire décrivait une Angleterre qui n'a jamais existé, dans laquelle tous jouissaient de leurs droits naturels, où régnait la tolérance religieuse et où on avait réussi à établir une harmonie entre les différentes classes sociales. Mais Voltaire présentait un idéal à la France, sans égard à son applicabilité à l'Angleterre.

Le baron de Montesquieu fit de même dans son ouvrage *De l'esprit des lois* (1748), bien qu'il ignorait les compromis et la corruption qui permettaient au gouvernement anglais de fonctionner. En se basant sur une échelle sociologique très étendue, Montesquieu tenta d'étudier toutes les lois qui contribuaient au fonctionnement de toutes les formes de gouvernement. Il était particulièrement impressionné par les effets du climat. Selon lui, il y avait dans les pays nordiques une population dont la moralité la rendait apte à la démocratie tandis que les pays méditerranéens avaient une population passionnée et parfois indigne, avec un penchant naturel pour le despotisme. Sa proposition la plus importante consistait à dire qu'un gouvernement restreint devait être organisé en respectant la séparation des pouvoirs, c'est-à-dire selon un juste équilibre entre les pouvoirs législatif, exécutif et judiciaire, ce qui était le cas en Angleterre.

Par contre, en 1762, dans le *Contrat social*, Rousseau, dont l'excessive modestie l'avait poussé à considérer la majorité de ses amis comme des ennemis, analysa le thème de la liberté. À ceux qui lurent le livre sans y porter une grande attention, il paraissait faire passer les doctrines des philosophes, de la réforme à la révolution. Son livre commençait ainsi: «L'homme est né libre, et partout il est dans les fers». Les êtres humains avaient des droits naturels qui leur ont été enlevés par la société organisée; l'institution de la propriété privée est à l'origine de l'oppression sociale. Ensuite, avec un réalisme qui échappait à certains et qui mettait en furie plusieurs autres, Rousseau se demandait comment les êtres humains pouvaient être libres, lorsqu'on considère les contraintes de la vie en société. Il était en complet désaccord avec les lumières. Toute personne, disait-il, a un double sens de ce qui est juste, une volonté individuelle, qui est un sentiment d'intérêt

Les théories politiques des Lumières

Jean-Jacques Rousseau (détail), par Allan Ramsay (1713-1784)
Le plaidoyer de Rousseau en faveur d'un retour à la terre se traduit même dans le choix de ses vêtements. (Galeries nationales d'Écosse)

personnel, sans égard aux intérêts des autres, et une conscience de la volonté générale, un sens commun à toutes les personnes vivant en communauté de ce qui est bon pour le groupe. Vous n'êtes libre que lorsque vous harmonisez votre volonté personnelle à la volonté générale, parce qu'autrement vous ne réalisez qu'une partie de votre bien-être. Le but d'un gouvernement est d'interpréter la volonté générale. Dans un tel cas, chaque individu est représenté par ce gouvernement et la véritable démocratie est en œuvre. Quand une personne ne réalise pas que la volonté générale est en train de s'imposer, le gouvernement a le droit d'appliquer la volonté générale à l'encontre de cet individu. Bref, dans le célèbre paradoxe de Rousseau, le gouvernement a le droit de contraindre l'individu à la liberté. Ainsi, deux leçons peuvent être dégagées du *Contrat social* : un appel à la révolution et une justification du droit d'un groupe de personnes à recourir au pouvoir totalitaire, de manière à accomplir ce qui est préférable pour la société. La question soulevée par Rousseau était plus importante que sa réponse. Il reconnaissait le problème inhérent à la démocratie, c'est-à-dire que l'autorité

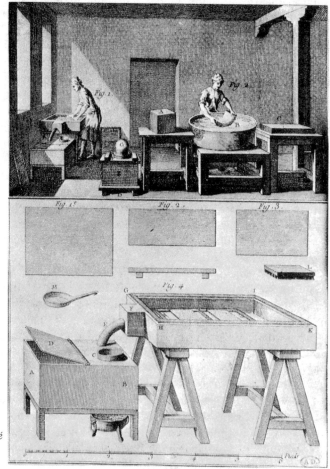

L'imprimerie (tiré de l'*Encyclopédie*)
Les articles techniques de l'Encyclopédie étaient illustrés de gravures très détaillées et précises, telle cette description de la préparation des plaques pour impression. (Gracieuseté du service de presse et d'information de l'ambassade de France)

de la majorité peut entraîner la disparition de la minorité. Il demandait: Comment une minorité peut-elle être aussi libre que la majorité dans un État représentatif? Mais sa réponse justifiait la dictature de quelques-uns.

L'outil le plus efficace pour la diffusion des idées des philosophes fut l'*Encyclopédie*, dont les vingt-huit volumes furent publiés entre 1751 et 1772. L'*Encyclopédie* était l'ouvrage le plus ambitieux d'une série consacrée à l'illustration de toute la connaissance humaine qui était apparue depuis le milieu du siècle. L'*Encyclopédie* était largement tributaire du travail de Denis Diderot (1713-1784) et Jean d'Alembert (1717-1783). Elle faisait appel à l'esprit technique de cette époque pour discuter dans le détail les progrès de la science et de la technologie industrielle, illustrations à l'appui. On y trouvait par exemple des gravures présentant la fabrication du fromage auvergnat, la fonte de l'or, la confection de perruques et la fabrication du verre. On expliquait même la fabrication de la poudre à canon. Mais il s'agissait surtout d'un moyen pour diffuser les idées des philosophes dans tous les domaines où ils voyaient un besoin de réforme. Tous les collaborateurs participèrent à sa rédaction avec une telle passion didactique qu'elle se distingue des autres encyclopédies. L'article sur le gouvernement, par exemple, affirmait que «le plus grand bien du peuple est dans la liberté. La liberté est au corps de l'État ce que la santé est à l'individu.» Sous la rubrique «Presse», on notait que «les désavantages de cette liberté [de presse] sont tellement minimes lorsqu'on les compare à ses avantages, que cette liberté est forcément le droit le plus strict dans l'univers et qu'il est hautement recommandé d'en autoriser la pratique dans tous les gouvernements.» Sous le titre «Autorité politique», Diderot soutenait que «le prince était redevable de son autorité à ses sujets; et que cette autorité se limitait au droit naturel et aux lois de l'État.» Attaquée en France par l'Église et censurée par l'État, l'*Encyclopédie* trouva des appuis inespérés dans les cours de Catherine la Grande de Russie et de Frédéric le Grand de Prusse; et c'est là, chez les «despotes éclairés», que les philosophes espérèrent la mise en pratique de plusieurs de leurs idées.

L'Encyclopédie

L'intérêt de plusieurs dirigeants politiques pour les philosophes de la fin du XVIIIe siècle résidait dans la demande des philosophes d'un gouvernement scientifique, ainsi que dans le fait qu'ils croyaient avoir découvert les principes scientifiques applicables à un gouvernement efficace. Partout en Europe, les monarques étaient absorbés par la lecture des écrits des philosophes. Ils recherchaient leurs conseils par lettres et, les suppliaient, leur offraient même de l'argent afin qu'ils se présentent à leur cour.

Les disciples despotes du Paris des Lumières

Les réformes les plus simples qui furent proposées par les philosophes, telles les réformes légales et judiciaires, furent appliquées sans trop de difficultés. Presque tous les despotes éclairés, par exemple, abandonnèrent ou limitèrent le recours à la torture et entamèrent une réforme de leur droit national. Plusieurs d'entre eux s'efforcèrent de suivre les enseignements des physiocrates. Ils abolirent les péages intérieurs qui entravaient la libre

**L'impératrice Catherine II
(qui a régné de 1762 à 1796)**
*Même si Catherine se vantait de l'implan-
tation en Russie des réformes proposées par
les philosophes, les changements demeurèrent
superficiels. Les effets durables de son règne
furent l'accroissement des pouvoirs des
nobles et la détérioration des conditions
d'existence des serfs.*

circulation des marchandises, réduisirent les tarifs douaniers extérieurs, et
mirent à l'essai une politique de libre-échange. Quelques-uns, dont le plus
important, l'empereur Joseph II d'Autriche (qui a régné de 1780 à 1790),
essayèrent de mettre un terme au servage et de rétablir la productivité de
l'agriculture. Tout ceci contribua à limiter le pouvoir des Églises, et tout
spécialement l'influence des Jésuites, au sein de l'État. Mais personne n'alla
plus loin que l'empereur qui proclama la liberté et l'égalité religieuses
complètes, établit un système séculier d'éducation et confisqua les richesses
de plusieurs monastères.

Catherine la Grande était particulièrement intéressée à améliorer
l'éducation russe et à accroître la production littéraire. Ses premiers projets
furent consacrés à l'éducation des filles. En 1764, elle fonda l'Institut de
Smolny pour l'éducation des filles de la noblesse, en la calquant sur l'école de
Mme de Maintenon à Saint-Cyr; et l'année suivante, elle rattacha à Smolny un
deuxième institut pour les filles de la bourgeoisie. Elle tenta plus tard
d'encourager davantage l'éducation en Russie, créant vingt-cinq écoles pour
les garçons et les filles dans les provinces pour égaler les écoles de Joseph II
en Autriche. Catherine servit également un exemple aux lettrés conservateurs

Marie-Thérèse d'Autriche et sa famille
Marie-Thérèse et son époux, le Saint Empereur romain François Ier, eurent seize enfants, dont onze apparaissent sur ce tableau. À sa droite, on retrouve le futur empereur Joseph II. Puisque les territoires des Habsbourg étaient traditionnellement transmis à un héritier de sexe masculin, le père de Marie-Thérèse, Charles VI, qui n'avait pas de fils, fut contraint de modifier le droit de succession, afin de permettre à sa fille d'hériter du trône. (Musée Kunsthistorisches de Vienne)

Frédéric II de Prusse (qui a régné de 1740 à 1786)
Dans son palais favori, le Sans Souci à Potsdam, Frédéric s'entoura des grands écrivains et musiciens du Siècle des lumières, en plus d'écrire lui-même des poèmes et de composer de la musique. Vers la fin de sa vie, ses cheveux poudrés, ses vêtements tachés et ses traits desséchés lui valurent le surnom de «Vieux Fritz». (Gracieuseté du service allemand de l'information)

de Saint-Pétersbourg en nommant, comme directrice de l'Académie des sciences, la brillante et querelleuse princesse Dashkova, qui insuffla un dynamisme nouveau dans les programmes de recherche agonisants de l'Académie. Dashkova persuada Catherine de fonder une Académie de Russie consacrée à l'étude de la langue russe, et elle fut la première personne à en assumer la présidence. Ainsi, et d'une certaine façon, Catherine contribua à l'avancement de la cause des femmes dans la société la plus phallocrate de l'Europe; et lorsque Diderot arriva à Saint-Pétersbourg, elle fut fière de lui montrer la réception ravissante qu'elle reçut de ses protégées à l'Institut de Smolny.

Ainsi la vie quotidienne devint plus supportable pour les sujets des despotes éclairés, dans leurs rapports avec le droit, la bureaucratie, l'Église et les propriétaires terriens. Mais il était aussi évident que la majorité des despotes éclairés ne recherchait pas de changements profonds et que ceux qui s'y attelèrent ne connurent que l'échec. Frédéric le Grand, par exemple, qui régna de 1740 à 1786, conserva entre ses mains la plupart des mécanismes mercantiles de contrôle de l'économie prussienne. Il recourut à tous les procédés possibles, tels que les tarifs douaniers, les subsides, une imposition élevée, dans le but de gérer l'économie à partir d'en haut. Catherine ne porta que peu d'attention aux assemblées élues qu'elle avait convoquées. Elle ignora les propositions de réformes légales, renforça la mainmise de la noblesse sur les serfs et raconta à Diderot que les philosophes n'avaient aucune compréhension des aspects pratiques du gouvernement: «Vous ne faites que travailler sur du papier qui autorise toutes les choses… tandis que moi, pauvre impératrice que je suis, je travaille sur le tissu humain qui est bien autrement irritable et chatouilleux». De la même manière, Joseph, le plus intentionné et impatient de tous les monarques réformateurs, fut contraint d'abandonner ses idées en faveur de l'affranchissement des serfs face à l'opposition de la noblesse, d'abandonner ses réformes fiscales et d'atténuer ses projets d'intégration des peuples de son empire. Il composa son épitaphe: «Ci-gît Joseph, lequel eut l'infortune de voir tous ses projets soldés par l'échec».

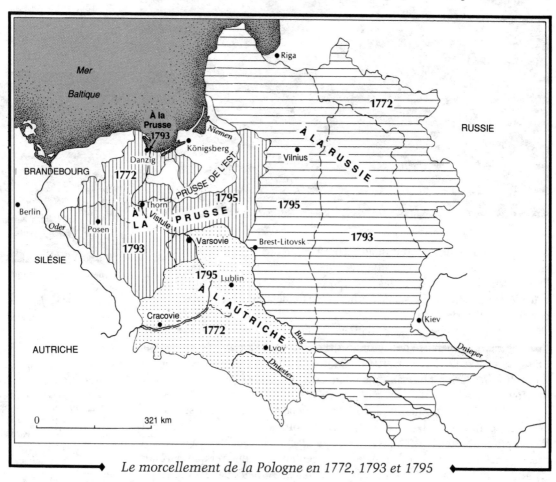

Le morcellement de la Pologne en 1772, 1793 et 1795

En politique étrangère, même Joseph II ne put s'affranchir des contraintes imposées par l'intérêt national, trahissant ainsi sa foi dans les Lumières. Il ne put éviter les effets économiques désastreux résultant du désir de s'impliquer dans une guerre constante en vue d'une expansion territoriale. Quant à Frédéric le Grand, il s'empara de la Silésie aux dépens de l'Autriche (en 1740) dès qu'il fut possible de contester le droit d'une femme (Marie-Thérèse) à hériter du trône autrichien. Il plongea ainsi la Prusse dans deux guerres dévastatrices (la guerre de la Succession d'Autriche, de 1740 à 1748, et la guerre de Sept Ans, de 1756 à 1763), pendant lesquelles les armées russes occupèrent sa capitale Berlin. Il s'en fallut de peu qu'il perde son trône. Par contre, les actions les plus cyniques des despotes éclairés furent les trois morcellements de 1772, 1793 et 1795, qui rayèrent de la carte la Pologne comme État indépendant. Il est vrai que la Pologne était un des États les plus mal gouvernés de l'Europe du XVIIIe siècle, dominé par une noblesse héréditaire qui choisissait son souverain lors d'élections qui nécessitaient régulièrement l'intervention des principaux États européens. Le pays connaissait une stagnation économique et un chaos politique. Lorsque Frédéric et Catherine convinrent, en 1772, de se saisir d'une grande partie de la Pologne, ils contraignirent les Autrichiens à participer au partage, par crainte de rompre l'équilibre politique de l'Europe de l'Est. Les Polonais ne trouvèrent aucun soutien chez les autres nations européennes ou parmi les philosophes. En 1793, la Russie et la Prusse seules, et en 1795, les trois partenaires du premier morcellement, se partagèrent les restes de la Pologne.

Les despotes éclairés ne retinrent de Paris que ce qui répondait le mieux à leurs besoins, créant ainsi un nouveau genre de monarchie, mais ignorèrent le message de liberté et d'égalité qui était au cœur du Siècle des lumières. On pense souvent qu'en améliorant les conditions de leurs sujets, ils s'immunisaient contre la contagion du message politique des philosophes. Mais qu'en fut-il de la France elle-même? Dans quelle mesure le message des philosophes fut-il entendu dans leur propre pays?

LA BROUILLE ENTRE PARIS ET LA FRANCE

Si le rôle de Paris, dans l'Europe du XVIIIe siècle, en fut un de donateur bienfaisant de largesses culturelles, son rôle en France fut largement celui d'un exploiteur. Nous devons maintenant examiner les manifestations de cette exploitation; les réactions qu'elle a suscitées; et, puisque seulement une petite partie de la population parisienne appartenait à la classe dominante, voir quelles furent les tensions sociales qui avaient cours à l'intérieur même de la capitale.

Quelques données statistiques permettent de saisir la double nature du problème. Tout d'abord, on constate que la population française était d'environ 16 millions d'habitants au début du XVIIIe siècle. Elle augmenta à environ 22 millions vers le milieu du siècle pour enfin se situer à 26 millions en 1789. La paysannerie, c'est-à-dire la population agricole, s'élevait alors à

La condition de la paysannerie française

Le vieux paysan et La paysanne, par Georges de la Tour (1593-1652)

De la Tour s'efforça d'illustrer la dignité toute simple de la vie paysanne qu'il utilisa d'ailleurs à plusieurs reprises comme arrière-plan pour des scènes bibliques.

22 millions tandis que la population urbaine atteignait probablement deux millions et demi. Paris était la plus grande ville du royaume, avec environ 650 000 habitants. La population rurale non agricole composée de la basse noblesse, du clergé et des artisans, s'élevait à un million et demi. Le rapport existant entre paysans et citadins était d'au moins neuf pour un.

Un deuxième rapport, plus important celui-là, était celui qui existait entre le paysan et les propriétaires terriens. L'aristocratie se composait de deux groupes. La «noblesse d'épée» qui avait été anoblie après avoir servi militairement le roi. La «noblesse de robe», composée des bourgeois ayant conquis leur titre de noblesse par l'entremise du service royal ou par l'achat de leur fonction; cette aristocratie possédait en tout environ vingt-deux pour cent des terres cultivées. Le clergé possédait environ quinze pour cent du territoire, tandis que les classes moyennes en possédaient deux fois plus, surtout des propriétés achetées près des grandes villes. La paysannerie, dont environ la moitié était des propriétaires fonciers, ne disposait que des trente-cinq pour cent restants. (Ceux qui n'étaient pas propriétaires travaillaient sur les terres des autres classes à titre de locataires, de métayers ou d'ouvriers.)

C'est donc pour une excellente raison que commença à apparaître dans l'esprit du paysan une indignation contre les rapports inéquitables entre la campagne et la ville, entre le paysan et le propriétaire. Paris et Versailles représentaient, en premier lieu, les insatiables dévoreurs d'impôts de l'État, qui pesaient dans une mesure disproportionnée sur la paysannerie. La partie la plus importante des impôts était la «taille». Cette taxe était levée presque exclusivement sur la paysannerie, puisque la plupart des villes, dont Paris, en étaient exemptées tandis que la majorité des membres de la noblesse et du clergé n'étaient taxés que pour les terres qu'ils louaient aux paysans. On attribuait à chaque paroisse un montant forfaitaire qu'elle devait percevoir. Les percepteurs étaient des villageois qui étaient élus à cette fonction impopulaire et étaient tenus responsables pour leur incapacité à percevoir les sommes requises. Tout comme la taille, les taxes indirectes, qui étaient perçues avec une redoutable efficacité, constituaient un véritable cauchemar. La *gabelle*, ou taxe sur le sel, était perçue par des milliers de gabelous et détournée par des milliers de *faux-sauniers*, ou contrebandiers du sel. Afin de satisfaire les besoins de leur famille, plusieurs d'entre eux risquèrent la prison et les galères. Les droits d'accise étaient perçus sur des biens individuels, comme le vin, le tabac et le cuir, de telle sorte qu'un système d'espionnage universel fut mis au point par les percepteurs d'impôts pour surveiller la consommation des paysans. Rousseau raconta qu'un jour un paysan lui offrit en secret un repas exquis et lui dit «qu'il devait cacher son vin à cause des droits d'accise et son pain à cause de la taille, et qu'il était un homme perdu si quelqu'un pouvait soupçonner qu'il n'était pas en train de mourir de faim». Finalement, l'État imposait d'autres fardeaux, comme l'obligation de travailler aux routes sans salaire et l'obligation du service militaire lorsqu'on était désigné par le sort.

La majorité des paysans n'avait pas ou peu de connaissance des guerres qui étaient à l'origine de ces taxes, mais ils entrevoyaient les responsables en constatant les dépenses somptueuses de la noblesse, du clergé et de la bourgeoisie. Dans ce cas, le ressentiment des paysans pour les impôts royaux se mêlait à leur haine envers les obligations exigées par leurs *seigneurs* locaux. Même lorsqu'un paysan possédait une terre, il avait des obligations envers son seigneur, obligations qui remontaient au système de tenure médiéval des terres. Elles comprenaient le droit de chasse du seigneur sur les terres du paysan, celui d'y faire paître ses animaux; l'obligation d'utiliser la meunerie, le four, le pressoir et le marché du seigneur; le paiement de divers frais financiers comme les *lods et ventes*, lorsqu'il vendait des terres, et le *cens*, une sorte de loyer. Les droits seigneuriaux étaient l'apanage de bourgeois qui avaient acheté des terres, ainsi que des nobles, et le paysan ne faisait aucune distinction dans son antipathie. On peut ainsi affirmer que le paysan éprouvait une antipathie vague et imprécise à l'égard de l'appareil étatique qui levait des impôts directs et indirects, mais une haine très précise à l'endroit de son seigneur et de sa ville.

Lorsque le seigneur était absent et résidait à Versailles ou à Paris, le paysan convoitait ses terres négligées. Lorsqu'il était présent dans son château, il était de plus en plus la cible de l'antipathie des paysans, tout spécialement à cause de l'augmentation de la population rurale qui se manifesta dans la seconde moitié du XVIIIe siècle. Mais les paysans détestaient aussi les villes. Dans un des griefs présentés aux États généraux de 1789, les paysans furent décrits comme «étant pliés au-dessus de la terre qu'ils arrosaient de leur sueur, du lever au coucher du soleil, et de laquelle ils tiraient par leur travail cette abondance qui était appréciée par les habitants des villes».[11]

De récentes recherches historiques, sur les conditions des pauvres en France au XVIIIe siècle, ont amélioré notre connaissance du problème de la pauvreté et de ses répercussions. «Le problème social fondamental de l'Ancien Régime français», concluait Cissie Fairchilds après une étude sur les difficultés des organismes de bienfaisance catholique à soulager le dénuement d'une petite ville du Sud, «était la pauvreté chronique et endémique de la plus grande partie de sa population. Le trait le plus distinctif de la société française n'était pas celui qui séparait les privilégiés des non privilégiés… C'était ce qui séparait les pauvres du reste de la population.»[12] Selon elle, la moitié de la population française vivait dans la pauvreté, une pauvreté qui avait de graves conséquences humaines. Les enfants furent ceux qui connurent sans doute les plus grandes souffrances. Les enfants indésirables, abandonnés par des mères célibataires ou des familles indigentes, étaient laissés dans la rue ou dans les orphelinats après leur naissance dans des hôpitaux pour les pauvres. Les autorités provinciales tentaient d'envoyer leurs enfants indésirables à Paris, et des nouveaux-nés étaient transportés dans des boîtes par des porteurs professionnels qui marchaient des centaines de kilomètres pour se rendre à la capitale. En dépit d'un taux élevé de mortalité parmi les enfants trouvés, leur nombre, dans les hôpitaux de Paris, augmenta de 2 500 pour cent entre 1670 et 1770.

Pour la paysanne, la vie quotidienne était difficile, puisqu'elle devait combiner le soin des enfants, la gestion de son ménage et le travail de la terre. Lorsque les récoltes étaient mauvaises, que la maladie frappait ou que la dépression économique causait la fermeture des marchés locaux, les femmes devaient se tourner désespérément vers d'autres moyens de subsistance. Des témoignages révèlent que plusieurs d'entre elles entraînaient leurs enfants à la mendicité et que peut-être les deux tiers des mendiants de la France étaient des femmes. Les femmes plus jeunes se joignaient parfois à des bandes de voleurs qui terrorisaient les fermes isolées ou travaillaient depuis les quartiers insalubres des villes. La menace de la famine en conduisit plusieurs à la prostitution. Les plus chanceuses étaient admises dans des institutions de charité, ou maisons de pauvres, où elles ne recevaient qu'un minimum de nourriture, et aussi du travail et de l'éducation morale. Les hommes les plus désespérés se tournaient vers la mendicité, les petits larcins, la

---

11 Cité dans E.N. Williams, *The Ancien Régime in Europe: Government and Society in the Major States, 1648-1789*, New York, Harper & Row, 1970, p. 199.

12 Cissie C. Fairchilds, *Poverty and Charity in Aix-en-Provence, 1640-1789*, Baltimore, Johns Hopkins Press, 1976, p. ix.

contrebande ou encore joignaient les rangs d'organisations criminelles. Leurs activités, y compris la contrebande de sel, pouvaient entraîner leur condamnation aux galères ou, après 1749, à l'emprisonnement outre-mer dans des navires réaménagés, ce qu'on appelait le bagne. Qu'ils soient ou non contraints au crime, le nombre croissant de Français pauvres était partout reconnu comme étant un problème d'une grande ampleur. Un fonctionnaire du roi rapportait, un an avant que n'éclate la révolution :

La colère de la population est présentement si intense que ses besoins criants pourraient la pousser à soulager sa misère dès le début des récoltes. Elle pourrait exiger davantage que la glanure habituelle, sa part normale — poussée à l'extrême limite par les prix élevés et la pénurie, elle pourrait dire : changeons notre misère; prenons notre part et faisons de même en cas de disette; emplissons nos ventres... Un soulèvement de la population pourrait être aussi mauvais que la grêle. L'extrême nécessité ne permet plus de distinguer le bien du mal.[13]

Quoi qu'il en soit, la paysannerie n'était pas le seul groupe qui, dans les provinces françaises, était désenchanté par la classe dirigeante de la France. La noblesse et le clergé étaient divisés entre ceux qui bénéficiaient de la structure sociale de la France et ceux qui se sentaient exploités par cette structure; dans une large mesure, la division reposait sur le fait que l'on profitait des agréments de Paris et de Versailles ou qu'on les réprouvait.

Danger de l'isolement de la haute aristocratie

Des 400 000 membres de la noblesse, quelques centaines constituaient *Les Grands*, les véritables aristocrates pour lesquels avaient été créées la vie de cour à Versailles et la vie mondaine de Paris. Leur style de vie était extrêmement dispendieux et plusieurs dépensèrent des fortunes pour rencontrer les exigences de cette société. Vêtements et bijoux, repas extravagants pour des centaines de convives, carrosses et serviteurs, jeu et chasse entraînèrent des coûts élevés avec l'augmentation des prix pendant la seconde moitié du siècle. Mais une présence dans la sphère sociale était nécessaire, afin de recevoir des pensions et des salaires payés par le Trésor, de se faire octroyer le gouvernement d'une province riche ou des bénéfices de l'Église. Les riches demeuraient solidaires par nécessité et par inclination.

Toutefois, à partir de 1750, un changement important se produisit au sein des Grands. La noblesse d'épée et la noblesse de robe, qui s'étaient repoussées pendant des générations à cause de l'origine différente de leur richesse et de leur prestige social, étaient prêtes à s'associer pour défendre leurs acquis. La haute noblesse, qui avait toujours été ouverte à un apport de sang neuf «par le bas» à la suite de l'enrichissement ou au service royal, tentait maintenant d'exclure les nouveaux candidats, afin de conserver, pour ceux qui étaient déjà admis dans le cercle privilégié des Grands, un monopole sur les postes importants du gouvernement, de l'armée, de l'Église et du droit. La haute noblesse réussit à empêcher l'avancement de la petite noblesse et de la classe moyenne (pour qui il était possible d'acheter son entrée dans la société aristocratique) vers le sommet de la société. Son succès incita ses membres

13 Cité par John R. Gillis, *The Development of European Society 1770-1870*, Boston, Houghton Mifflin, 1977, p. 52.

non seulement à maintenir la situation, mais à revenir en arrière en remplaçant la monarchie absolue, telle qu'elle était au XVIIe siècle par une administration décentralisée qu'ils espéraient pouvoir contrôler.

L'exclusivité des Grands creusa un gouffre entre eux et la majorité composée de la petite noblesse provinciale et des bourgeois. Ces derniers, en dépit de la richesse ou du talent qui leur avait permis d'acquérir des titres de noblesse de moindre importance, n'avaient pas réussi avant le milieu du siècle, à rejoindre les rangs élevés de l'aristocratie. Cette limite était souvent acceptée avec une résignation polie. «J'aimerais te rendre visite», écrivait un noble de province à sa sœur vivant à la cour, «mais la vie à Paris m'obligerait à être ton valet. Nous avons des revenus de 10 000 à 12 000 livres. Avec de tels revenus, on fait piètre figure si l'on est comte ou baron. Par contre, si tu me rends visite, nous serons de grands et puissants seigneurs.»[14] Mais très souvent, le tout causait un amer ressentiment. Le noble de la campagne ne parvenait qu'avec peine à vivre décemment. À cause de la mauvaise volonté de la paysannerie et d'une agriculture inefficace, il vivait souvent de façon frugale dans un château en ruines, incapable de s'offrir un carrosse et évitant même les visites aux villes voisines. Son seul espoir de survie résidait dans le respect du versement de ses droits seigneuriaux et la limitation des dépenses inutiles. Beaumarchais (1732-1799) exprimait sa colère en sa qualité de bourgeois récemment anobli — c'était un horloger et un fabricant de harpes devenu financier et un espion à la solde du gouvernement — dans les deux chefs-d'œuvre de la satire que sont *Le barbier de Séville* et *Le mariage de Figaro*. «Mais quoi! suivre une femme à Séville, quand Madrid et la cour offrent de toutes parts des plaisirs si faciles?» (les remarques du comte Almaviva au début du *Barbier de Séville*) «Et c'est cela que je fuis. Je suis las des conquêtes que l'intérêt, la convenance ou la vanité nous présentent sans cesse.» Mais, après son mariage, Almaviva suscita la colère de son valet Figaro, cet abrégé de la conscience humaine, en poursuivant sa fiancée. Dans le monologue qui fit que Louis XVI interdit la présentation de la pièce, Figaro critique les abus de la société aristocratique:

Non, Monsieur le Comte, vous ne l'aurez pas... vous ne l'aurez pas. Parce que vous êtes un grand seigneur, vous vous croyez un grand génie!... noblesse, fortune, un rang, des places; tout cela rend si fier! Qu'avez-vous fait pour tant de biens! Vous vous êtes donné la peine de naître, et rien de plus. Du reste homme assez ordinaire! Tandis que moi, morbleu! perdu dans la foule obscure, il m'a fallu déployer plus de science et de calculs pour subsister seulement, qu'on n'en a mis depuis cent ans à gouverner toutes les Espagnes; et vous voulez jouter...

D'ailleurs, Beaumarchais s'opposait à toutes les formes d'exploitation et il utilisa *Le mariage de Figaro* pour se déchaîner non seulement contre les abus de la classe aristocratique, mais aussi contre le traitement réservé aux femmes dans toutes les classes. Dans son célèbre monologue, Marcelline dénonce sans détours la condition de la femme, pauvre ou noble:

14 Williams, *Ancien Régime*, p. 177.

Hommes plus qu'ingrats, qui flétrissez par le mépris les jouets de vos passions, vos victimes! C'est vous qu'il faut punir des erreurs de notre jeunesse; vous et vos magistrats, si vains du droit de nous juger, et qui nous laissent enlever, par leur coupable négligence, tout honnête moyen de subsister... Dans les rangs même les plus élevés, les femmes n'obtiennent de vous qu'une considération dérisoire; leurrées de respects apparents, dans une servitude réelle; traitées en mineures pour nos biens, punies en majeures pour nos fautes: ah, sous tous les aspects, votre conduite avec nous fait horreur, ou pitié![15]

Et Figaro jette un coup d'œil sur les ironies de sa vie:

J'apprends la chimie, la pharmacie, la chirurgie, et tout le crédit d'un grand seigneur peut à peine me mettre à la main une lancette vétérinaire! — Las d'attrister des bêtes malades, et pour faire un métier contraire, je me jette à corps perdu dans le théâtre; me fussé-je mis une pierre au cou! Je broche une comédie dans les mœurs du sérail; auteur espagnol, je crois pouvoir y fronder Mahomet sans scrupule; à l'instant un envoyé... de je ne sais où se plaint que j'offense dans mes vers la Sublime Porte, la Perse, une partie de la presqu'île de l'Inde, toute l'Égypte, les royaumes de Barca, de Tripoli, de Tunis, d'Alger et de Maroc... Le désespoir m'allait saisir; on pense à moi pour une place, mais par malheur j'y étais propre: il fallait un calculateur, ce fut un danseur qui l'obtint. Il ne me restait plus qu'à voler; je me fais banquier de pharaon: alors, bonnes gens! je soupe en ville, et les personnes dites comme il faut m'ouvrent poliment leur maison, en retenant pour elles les trois quarts du profit... Mais comme chacun pillait autour de moi, en exigeant que je fusse honnête, il fallut bien périr encore.[16]

Le clergé de l'Église catholique était également divisé, car la haute noblesse exerçait un monopole sur les hautes fonctions de l'Église. En 1789, un seul évêque français n'était pas un noble! La majorité des évêques, des archevêques et des abbés des monastères étaient absents de leur lieu d'affectation. Ils utilisaient la moitié du revenu de leurs charges pour vivre dans leur résidence en province ou, dans le cas des fils de la haute noblesse, à Versailles et à Paris. Fréquemment, un noble pouvait accroître ses revenus en devenant simultanément l'abbé de trois ou quatre monastères. Dépourvus de toute vocation religieuse, quelques-uns d'entre eux menaient une vie sociale confortable à Paris. Le renvoi à son diocèse par le roi était assimilé à un exil. Le cardinal de Polignac fut évêque de Auch pendant quinze ans sans jamais y mettre les pieds. Le véritable travail de pastorale auprès des populations rurales était laissé aux prêtres des villages, ou curés, qui avaient la tâche ingrate de percevoir la dîme de l'Église. Cette somme correspondait généralement à un douzième ou un vingtième de la production d'un paysan, dont plus de la moitié était envoyé au supérieur absent. Le mécontentement des prêtres locaux était sans doute moins grand que le ressentiment éprouvé par ces aspirants qui étaient très souvent des jeunes gens brillants issus des rangs de la paysannerie ou de la bourgeoisie. Placés dans des monastères, des cathédrales ou bien enseignant dans des séminaires, ils n'appréciaient pas d'être exclus de la haute hiérarchie ecclésiastique. Ce changement d'attitude au sein de l'Église, qui avait offert

La crise au sein du clergé

15 *Théâtre complet de Beaumarchais*, texte établi et annoté par René d'Hermies, Paris, Éditions Magnard, p. 225.

16 *Ibid.*, p. 238-239.

pendant des siècles aux fils de pauvres la principale voie d'ascension sociale, empoisonna une des parties relativement saines de l'Ancien Régime.

Le rôle de Paris et de Versailles comme centre du gouvernement et de la société privilégiée — et ainsi comme la source de taxes, de redevances seigneuriales et de la dîme — était par conséquent perçu avec ressentiment par la majorité des paysans, par les membres de la basse noblesse ainsi que par le bas et le moyen clergé. Ce fut cependant la bourgeoisie qui transforma ce ressentiment en un soutien pour la Révolution. Puisqu'elle avait été amenée à partager involontairement l'opposition de la population rurale envers le gouvernement royal et la haute aristocratie, ce fut à elle qu'appartint la responsabilité de gagner la sympathie des groupes mécontents de la campagne.

LE MÉCONTENTEMENT DE LA BOURGEOISIE

La bourgeoisie française était une classe formée d'éléments disparates impliquée dans la finance, le commerce et les professions se situant entre la noblesse, d'une part, et les travailleurs manuels, d'autre part. Elle était de loin la classe la plus progressiste de toute la société française au plan économique. Jusqu'à la fin du XVIIIe siècle, elle fut aussi conservatrice au plan social. Mais à partir de 1770, la bourgeoisie devint mécontente de l'effet combiné d'un gouvernement royal inefficace et des nouveaux obstacles empêchant la mobilité sociale vers le haut. À contrecœur, les membres de la bourgeoisie en vinrent à conclure que les enseignements des philosophes, en matière d'administration efficace, ne pourraient être mis en application qu'à la suite d'une révolution politique.

Caractéristiques de la bourgeoisie française

La bourgeoisie n'était pas très nombreuse. À Paris, au milieu du siècle, on évaluait son nombre à 40 000 sur une population totale de plus d'un demi-million de personnes. (À cette époque, on trouvait à Paris environ dix mille membres du clergé et cinq mille nobles, le reste étant composé de commerçants, d'artisans, de travailleurs et de chômeurs.) Il y avait également des différences marquées de richesse et d'occupation au sein de la bourgeoisie, qui avait une grande influence sur les attitudes politiques de ses membres. La principale différence était entre ceux qui exerçaient une profession libérale, comme le droit, et ceux qui s'adonnaient au commerce. Toutefois, il y avait un mouvement constant entre les membres de ces deux groupes de la bourgeoisie, conséquence du peu de prestige social qui était attaché aux affaires. Pendant tout le siècle, le développement économique de la France fut gêné par le dédain que plusieurs membres des classes moyennes éprouvaient à l'égard de la réalisation de profits dans les affaires commerciales ou industrielles. Parmi les personnes qui avaient connu la prospérité, plusieurs orientaient leurs fils vers le droit, l'Église ou l'armée, plutôt que vers les affaires familiales. Au lieu de réinvestir les profits dans leurs entreprises, ils préféraient l'investir dans des achats socialement rentables, comme des châteaux, des terres, des titres gouvernementaux ou bien dans des mariages avec des nobles pour leurs enfants. En d'autres termes, les classes moyennes étaient intéressées par la mobilité sociale que l'on acquérait par l'argent. Dans sa pièce intitulée *Le droit du seigneur*, Voltaire résume les desseins sociaux d'un riche bourgeois :

Je suis têtu ; je veux que tout se passe selon mon plaisir, suivant mes volontés ; car je suis riche… Or, beau-père, écoutez : Pour honorer en moi mon mariage, je me décrasse, et j'achète au bailliage l'emploi brillant de recevoir royal dans le grenier à sel ; ça n'est pas mal. Mon fils sera conseiller et ma fille relèvera quelque noble famille. Mes petits-fils deviendront présidents. De monseigneur un jour les descendants feront leur cour aux miens…[17]

Pendant presque tout le XVIIIe siècle, et plus spécialement pendant les années 1730 à 1770, les classes moyennes devinrent progressivement prospères. Plusieurs s'enrichirent grâce à l'inefficacité gouvernementale. L'incapacité du gouvernement à percevoir ses propres taxes, et particulièrement son besoin pour un mode de versement anticipé des impôts, contribuèrent à l'enrichissement des fermiers généraux et des milliers de percepteurs qui étaient à leur emploi. D'autres financiers fournissaient les provisions pour l'armée, vendaient au gouvernement les lingots dont il avait besoin pour la monnaie et fournissaient les navires et le capital nécessaires à la colonisation outre-mer. Ces hommes extrêmement riches, avec des fortunes aussi considérables que celles de la noblesse, avec des maisons et des châteaux correspondant à leur fortune, étaient en mesure de conserver leur place au sein des Grands, même dans la période d'exclusivité nobiliaire de la fin du siècle.

Origine de la puissance de la bourgeoisie

Mais la prospérité générale de la bourgeoisie résultait d'un accroissement de la productivité de l'économie française. Dans une certaine mesure, les mesures gouvernementales ont été d'une grande utilité. Le cours de la monnaie fut stabilisé en 1726 ; les routes et les canaux furent améliorés ; des subventions et des prêts de l'État furent consentis à des compagnies privées qui étaient considérées d'importance nationale, ce qui incluait non seulement les manufactures qui fabriquaient des produits luxueux comme de la soie et du velours mais aussi les fonderies d'acier et les mines de charbon. Peut-être plus important encore, l'empire d'outre-mer que la France avait acquis petit à petit au cours du XVIIe siècle, était devenu extrêmement lucratif. Quelques navires commerçaient avec le Canada et la Louisiane ; mais les véritables profits étaient générés par la vente d'esclaves des colonies françaises du Sénégal et de l'île de Gorée en Afrique occidentale, par le sucre et les produits tropicaux des îles antillaises de la Martinique et de la Guadeloupe, et par les pêcheries au large de Terre-Neuve et de l'île du Cap-Breton. Les marchands français inaugurèrent aussi un commerce avec l'Empire ottoman dans la Méditerranée orientale et avec l'Empire mongol de l'Inde. Durant le XVIIIe siècle, le commerce extérieur de la France avait quadruplé et tous ses ports témoignaient de la richesse qui avait été accumulée par leurs marchands. Les villes des provinces de la France connurent un essor dans le domaine de la construction qui n'allait pas être

17 *Les œuvres complètes de Voltaire*, Oxford, The Voltaire Foundation, Taylor Institute, 1986, p. 79.

surpassé avant le XXe siècle. Nantes, qui envoyait cent cinquante navires et près de trente mille esclaves vers les Caraïbes chaque année, fut presque entièrement reconstruite selon le style classique. Bordeaux, le centre du commerce avec l'Inde et un partenaire du commerce avec l'Afrique, conserva son vieux commerce du vin avec le nord de l'Europe. Ses échanges commerciaux furent multipliés par six et ses marchands ne se contentèrent pas seulement de se faire construire de magnifiques maisons, mais firent appel à Gabriel pour ériger une place monumentale donnant sur la Garonne.

La bourgeoisie devient révolutionnaire

Jusqu'en 1770, les classes moyennes françaises étaient satisfaites de leur situation économique et de l'avancement social que pouvait offrir leurs richesses. Toutefois, à partir de ce moment, elles devinrent progressivement mécontentes des conséquences de l'inefficacité gouvernementale sur leur statut économique et des obstacles que posait la noblesse à leur ascension sociale.

L'effet immédiat de l'inefficacité gouvernementale fut la perte d'une grande partie de l'empire colonial, lors de guerres avec l'Angleterre. Les administrateurs coloniaux, comme Dupleix en Inde et Duquesne au Canada, avaient conçu des plans ambitieux pour contrer l'expansion coloniale anglaise et pour s'emparer d'une bonne partie des possessions coloniales de l'Angleterre outre-mer. Pendant la guerre de Succession d'Autriche (1740-1748) et la guerre de Sept Ans (1756-1763), le gouvernement français tenta de lancer simultanément une guerre à grande échelle en Europe, ainsi qu'une guerre navale et coloniale en Amérique du Nord, aux Indes occidentales, en Afrique et en Inde. Ces engagements se révélèrent rapidement au-dessus de la capacité et des moyens de la France. Lors des dernières campagnes de 1759-1763, les Britanniques s'emparèrent de la plupart des établissements coloniaux du Canada, de l'Afrique occidentale et des Caraïbes, de même que des comptoirs commerciaux en Inde. Bien que l'Angleterre rétrocéda quelques-unes des possessions des Indes occidentales, de l'Afrique et de l'Inde, l'activité française fut considérablement réduite. C'est ainsi que plusieurs marchands, qui étaient impliqués dans la navigation et le commerce outre-mer, furent acculés à la faillite. À long terme, les effets des guerres sur les finances publiques de la France furent désastreux. Dès 1761, le gouvernement français avait informé ses alliés continentaux qu'il était au bord de la faillite.

La cause profonde était le système inefficace et inéquitable de taxation, qui laissait intactes les richesses de la noblesse et du clergé. Maintes et maintes fois, pendant la crise financière qui résulta des défaites subies depuis la guerre de Sept Ans jusqu'à la Révolution, les ministres des Finances tentèrent de trouver un nouveau système de taxation qui aurait permis à tous les Français de payer des impôts en fonction de leur richesse. À chaque fois, les classes privilégiées offrirent une résistance telle que le roi fut contraint de congédier le ministre réformateur. L'aide française aux colons américains dans leur révolte contre l'Angleterre fut financée exclusivement par des emprunts à des taux d'intérêt de huit à dix pour cent. Elle eut comme conséquence désastreuse d'augmenter les intérêts payés sur la dette nationale jusqu'à la moitié des

revenus de l'État. La banqueroute menaçait encore une fois. Les classes moyennes, qui avaient fourni une grande partie des prêts au gouvernement en achetant ses obligations, se sentirent menacées par la catastrophe financière de l'État. Si on retenait une solution simple — le désaveu de la dette nationale —, les classes moyennes en seraient les principales victimes. Si rien n'était fait, l'État serait obligé de déclarer faillite et la conséquence en serait plus mauvaise: non seulement les obligations du gouvernement seraient sans valeur, mais toute la structure économique de la France serait en danger.

Cette menace contre la richesse de la bourgeoisie coïncidait avec l'impossibilité d'acheter son ascension sociale. Les hauts rangs de la noblesse et de l'Église étaient fermés à tous, sauf pour quelques-unes des plus riches familles bourgeoises. Cette exclusion avait été appliquée avec succès parmi toutes les couches de la société. C'est ainsi qu'il était devenu impossible pour les avocats de percer dans les rangs de la noblesse de robe en obtenant des nominations au Parlement de Paris. Les hautes fonctions de la bureaucratie étaient fermées, tout comme les principaux postes de commandement de l'armée et de la marine. La plupart des bourgeois étaient devenus des disciples des philosophes et étaient particulièrement sensibles à l'obtention d'une société plus égalitaire. En premier lieu, les salons de la bourgeoisie parisienne devinrent favorables aux demandes des physiocrates pour une meilleure gestion de l'économie du pays. Puis, progressivement, spécialement sous l'influence de la Révolution américaine, les bourgeois commencèrent à exiger des changements institutionnels. En réalité, ils étaient prêts pour la Révolution qui allait transformer la France — pour une courte période — en une monarchie constitutionnelle.

LE PROLÉTARIAT PARISIEN À LA VEILLE DE LA RÉVOLUTION

Neuf ans avant que les émeutiers parisiens ne s'emparent de la prison d'État, la Bastille, Louis-Sébastien Mercier affirmait avec assurance :

Les émeutes dangereuses à Paris sont devenues une impossibilité morale. La police toujours vigilante, deux régiments de gardes suisses et français, stationnés à portée de la main, le garde du corps du Roi, les forteresses qui encerclent la capitale et les nombreuses personnes dont les intérêts les lient à Versailles; tous ces facteurs rendent peu probable un soulèvement... Nous, les Parisiens, ne sommes pas des émeutiers éprouvés et, peut-être pour cette raison, le début d'un soulèvement (si jamais une telle chose devait se produire) prendrait des proportions alarmantes. Mais si une telle chose devait se produire et que nous faisons face à son début avec prudence et modération, si surtout un bain de sang pouvait être évité, je maintiens que la mauvaise humeur du peuple disparaîtrait d'elle-même.[18]

La dissidence des travailleurs parisiens

Toutefois, Mercier fermait les yeux sur l'évidence d'un mécontentement populaire qui était constamment prêt à dégénérer en violence. En 1725, il y avait eu des soulèvements sérieux qui avaient causé le renvoi du ministre responsable de l'approvisionnement en nourriture de Paris. En 1740, le ministre principal avait été attaqué par la populace. En 1752, la populace manifesta contre l'archevêque de Paris et en faveur d'une réduction du prix du pain. En 1775, les marchés centraux et les greniers à blé furent mis à sac par des foules affamées, ce qui nécessita l'envoi des troupes. Cependant, après 1775, il n'y eut aucun soulèvement dans la capitale, et il semblait pour plusieurs observateurs, comme Mercier, que les 1 500 hommes de la garde de Paris et les 5 à 6 000 hommes de renfort stationnés dans les casernes de la ville suffiraient en cas de nouvelle urgence.

Cependant on reconnaissait le caractère dangereux du mécontentement de larges secteurs de la population parisienne. Pour plusieurs observateurs d'alors, les conditions de vie de la basse classe de Paris suffisaient à expliquer le sens de ses doléances :

La même pièce, souvent dépourvue de fenêtres, sert d'abri pour une vingtaine de cireurs de chaussures ou de porteurs. C'est dans ces lieux sales, parmi les basses classes, que les inconvénients de l'humidité et de la corruption de l'air sont les plus grands. Si la prédisposition au scorbut est générale dans cette ville, c'est ici qu'il est la source de plusieurs infections chroniques : il se manifeste par une infection aiguë et devient le principe de cette fièvre maligne et dégénérescente que l'on observe presque uniquement chez ce type de personnes qui vivent empilées en grand nombre dans de petits taudis. ... Le soleil et l'air frais n'y pénètrent que rarement. ... Le pavé des rues est toujours humide et boueux. Les maisons sont humides et sombres, les inconvénients résultant d'une surpopulation sont provoqués et accentués par leur

18 Mercier, *The Waiting City*, p. 108-109.

disposition, leur hauteur, la petitesse des pièces, la multiplicité des ménages, le grand nombre de personnes, la création de marchés et d'ateliers.[19]

Pour d'autres observateurs et historiens du XXe siècle, il semble que le mécontentement ait atteint son apogée parmi les journaliers à qui il était défendu de se regrouper et qui exprimaient leur amertume contre les bas salaires par des grèves sporadiques et mal dirigées. Les plus remarquables de ces grèves furent celles de l'industrie textile, qui était le seul type de manufacture à Paris qui pouvait ressembler aux établissements manufacturiers modernes. Elles étaient installées au nord de la ville, et elles employaient plusieurs centaines d'ouvriers, alors que normalement une compagnie n'en employait que quelques-uns. La plupart des grèves se produisirent dans les emplois où les écarts entre les salaires et les prix étaient importants; là où il était difficile pour un journalier d'obtenir de l'avancement. Des grèves éclatèrent, non seulement parmi les tisserands et les journaliers de l'industrie chapelière, mais aussi parmi les relieurs, les menuisiers, les teinturiers, et tout spécialement parmi les nombreux ouvriers du bâtiment. Toutefois, ces grèves furent de courte durée et furent facilement réprimées. Elles reflétaient plus le sentiment d'inquiétude général que l'existence d'une lutte de classes entre le travailleur salarié et son employeur capitaliste.

Avant la période 1830-1848, les emplois salariés dans les manufactures parisiennes n'étaient pas si nombreux. On rencontrait plutôt des ouvriers manuels et semi-spécialisés dont le salaire était proche du seuil de la pauvreté. Les artisans indépendants et les propriétaires de petits ateliers gagnaient plus. Quant aux détenteurs d'emplois serviles, ils étaient pauvres comme les itinérants. Tous ces gens constituaient les «sans-culottes», les classes laborieuses qui, selon la définition répandue pendant la Révolution, ne portaient pas de hauts-de-chausses et, de ce fait, n'appartenaient pas aux classes aisées. Plusieurs d'entre eux vivaient dans des localités où l'on exerçait des métiers spécialisés. Les fameuses marchandes de poissons, ou poissardes, demeuraient autour des marchés centraux situés sur la Rive Droite ou autour de la malodorante Place Maubert, où commencèrent de nombreuses émeutes. Plusieurs artisans, qui se consacraient à la fabrication de meubles ou à d'autres métiers, demeuraient à la limite est de la ville, au-delà de la Bastille, la prison d'État, dans le faubourg Saint-Antoine reconnu pour son indiscipline. Les immeubles de l'île de la Cité et les quais avoisinants hébergeaient les travailleurs des docks, les porteurs et plusieurs maçons employés par la cathédrale. Mais en général, les classes ouvrières étaient éparpillées partout en ville, bien qu'elles soient concentrées dans les districts nord et est de la ville, plutôt que dans les faubourgs récents où la noblesse et la bourgeoisie avaient construit leurs nouvelles maisons. Les maîtres, les artisans et les journaliers demeuraient non seulement dans la même rue,

La condition des sans-culottes

19 Cité dans Jeffry Kaplow, *The Names of Kings: The Parisian Laboring Poor in the Eighteenth Century*, New York, Basic Books, 172, p. 17-18.

Une femme faisant son marché, par Jean Siméon Chardin (1699-1779)
Bien que Chardin se spécialisât dans la description des scènes de la vie quotidienne des quartiers modestes, ses œuvres étaient populaires auprès de l'aristocratie, et il fut admis à la très conservatrice Académie des arts. Ses peintures les plus connues montraient des domestiques employés aux cuisines, entourés de pains, de fruits, de bouteilles, de coupes et de verrerie. (Photo des Musées nationaux — Paris)

mais fréquemment dans le même édifice. Ils fréquentaient les mêmes marchands de vin et les marchés où était diffusée la propagande politique et d'où partaient les manifestations. Malgré les grèves, il existe peu de preuves quant à l'existence d'un antagonisme entre les petits maîtres et leurs ouvriers, ou quant à une opposition prolongée ou organisée contre les grands employeurs. La seule chose qui unissait les travailleurs de Paris, c'était la crainte de la famine qui pouvait survenir à cause de l'incapacité à pouvoir se procurer du pain.

Toute l'agitation des classes ouvrières, au cours du XVIIIᵉ siècle, était directement reliée à la hausse du prix du pain. En temps normal, le travailleur parisien consacrait la moitié de son salaire à l'achat du pain. Les émeutes de 1775, qui s'étendirent à travers toute la France, furent connues sous le nom de «guerre de la farine», parce que les émeutiers prirent le contrôle de la vente du pain, dont le prix était passé de treize sous et demi à huit sous le pain. Les gouvernements de Louis XV et Louis XVI furent accusés d'avoir conclu des «pactes de famine», d'acheter le grain pour le revendre avec des profits exorbitants lorsqu'une famine s'était déclarée. Pour éviter les émeutes, ils prirent pourtant les mesures nécessaires afin d'assurer l'approvisionnement en pain grâce à des réquisitions, à des convois alimentaires et à l'entreposage de grains. Cependant, au moment des mauvaises récoltes, comme ce fut le cas en 1787 et 1788, ces mesures ne tinrent pas. À Paris, le prix du pain doubla au même moment où une dépression économique généralisée réduisait au chômage près de la moitié des travailleurs salariés et diminuait les revenus des autres.

Les revendications des classes laborieuses

Ainsi, les classes laborieuses de Paris avaient une plateforme qui leur était dictée par leur situation économique: elles réclamaient un approvisionnement sûr en pain et du travail régulier pour un salaire raisonnable. Ces objectifs restèrent primordiaux lorsque ces classes devinrent actives politiquement, et parfois mêmes violentes, pendant la Révolution. Ce ne furent pourtant pas les plus pauvres et les plus opprimés qui furent les plus enclins à manifester pour une amélioration de leurs conditions, mais plutôt les plus talentueux et les plus instruits des masses ouvrières, comme les commerçants, les artisans et les maîtres. Il n'est pas certain que ces gens furent influencés par les philosophes ou par les écrits qui agitaient le Paris bourgeois de l'époque, à l'exception de quelques slogans qui firent leur chemin. Mais il est évident qu'ils éprouvaient un profond mécontentement et une méfiance pour les gens aisés, qu'ils qualifièrent «d'aristocrates» pendant la Révolution. Ils revendiquaient le droit à l'égalité avec tous les autres Français, plus particulièrement avec les autres Parisiens. Pour une minorité importante, l'éveil d'une conscience politique déboucha sur une implication dans les affaires du quartier. Lorsque Paris fut divisée en quarante arrondissements en 1790, avec des assemblées et des comités pour chaque quartier, ces chefs de file des classes ouvrières trouvèrent l'instrument politique qui correspondait à leur croyance presque instinctive en la démocratie directe plutôt qu'en la démocratie représentative.

Il y avait donc peu de Parisiens qui auraient été d'accord avec Talleyrand, selon qui il fallait avoir vécu avant 1789 pour savoir apprécier la douceur de vivre. Dès 1753, lord Chesterfield avait prédit à son fils :

Les affaires de la France... deviennent sérieuses et, à mon avis, le deviendront davantage de jour en jour. Le Roi est méprisé et je n'en suis pas étonné; mais il a amené le tout à le haïr, ce qui arrive rarement à un même homme. Ses ministres sont reconnus comme étant désunis et incapables. ... Le peuple est pauvre et, conséquemment, mécontent; ceux qui ont la foi sont divisés à cause de cela; ce qui revient à dire qu'ils se détestent les uns et les autres. ... La nation française raisonne librement, ce qu'elle n'avait jamais fait auparavant, sur des sujets intéressant la religion et le gouvernement et commence à être libre de préjugés; les fonctionnaires font de même; en bref, tous les symptômes, que je n'ai jamais rencontrés dans l'histoire, précurseurs de grands changements et de révolutions politiques, sont maintenant présents et s'accroissent quotidiennement en France. J'en suis heureux; le reste de l'Europe n'en sera que plus tranquille et aura le temps de se reposer.[20]

---

20 Lord Chesterfield, *Letters to His Son*, London, Dent, 1929, p. 274-275.

17

DES VILLES EN RÉVOLUTION

À la charnière du XVIIIᵉ et du XIXᵉ siècle, la société occidentale fut d'abord secouée, puis transformée, par des forces tellement bouleversantes, qu'il convient de les qualifier de révolutionnaires. Ces forces — libéralisme, nationalisme et industrialisme — heurtèrent de front la société rurale et hiérarchisée de l'Ancien Régime. Les rapports traditionnels qui existaient entre la ville et la campagne, le citoyen et le gouvernement, et entre les individus furent complètement modifiés. Une grande partie de l'histoire de la civilisation occidentale, à partir de la fin du XVIIIᵉ siècle, peut être interprétée comme la somme des effets de ces trois forces. Comme d'autres changements qui apparurent en Occident, ces mouvements révolutionnaires étaient en relation directe avec l'évolution urbaine, et ce furent les villes qui leur fournirent une grande partie de leur force et qui souffrirent (ou bénéficièrent) de leurs conséquences les plus terribles. La révolution libérale se concrétisa dans son expression la plus simple et la plus élégante, à Philadelphie, le 4 juillet 1776, lorsque le Congrès américain affirma que «ces vérités sont d'une telle évidence: les hommes naissent égaux, ils sont dotés par leur créateur de certains droits inaliénables, parmi lesquels on retrouve les droits à la vie, à la liberté et à la recherche du bonheur». La Révolution américaine constitue la preuve directe que le concept d'égalité politique, hérité du Siècle des lumières, pouvait être mis en application. Par contre, le libéralisme prit une toute autre signification, ou plus précisément, une série de nouveaux sens, lorsque le Paris révolutionnaire expérimenta les divers systèmes politiques, qui pouvaient naître dans une société fondée sur la liberté,

La foule parisienne s'emparant d'armes dans une armurerie de la Place Louis XV (maintenant la Place de la Concorde), 1792. *(Arch. Phot. Paris S.P.A.D.E.M.)*

l'égalité et la fraternité. La diffusion des idéaux révolutionnaires de Paris à d'autres États européens par les armes, bien qu'accueillie favorablement par plusieurs soi-disant libéraux, provoqua de la déception. Les conquêtes de la Révolution et leur propagation dans la plupart des autres États européens, par Napoléon, stimulèrent les forces nationalistes dans tous les États qui subissaient le joug français. Dans ce chapitre, nous examinerons les origines et l'évolution du libéralisme et du nationalisme dans des villes où leurs caractéristiques furent les plus évidentes. À Philadelphie, pour la réussite de la première révolution concernant l'égalité politique; à Paris, pour l'impact d'une révolution libérale sur une société hiérarchisée; à Berlin et à Naples, pour les origines des mouvements nationalistes allemands et italiens. Dans le chapitre 19, nous examinerons la naissance de la révolution industrielle à Manchester, l'expansion de l'industrialisation sur le continent et le développement de la théorie du socialisme, en réaction aux méfaits issus de la nouvelle ville industrielle.

PHILADELPHIE ET LA RÉVOLUTION ATLANTIQUE

Causes de la Révolution américaine

À long terme, la Révolution américaine fut rendue possible grâce aux caractéristiques favorables dont les Américains estimaient bénéficier sur le nouveau continent. En dépit des différences de fortune, personne ne vivait dans la pauvreté, sauf les esclaves sévèrement contrôlés et quelques pauvres vivant dans les villes. La tradition féodale avait été laissée en Europe, sauf pour les plantations. La terre était disponible pour la plupart des gens qui désiraient la travailler. Aucune société au XVIIIe siècle ne pouvait profiter d'une telle indépendance économique. De plus, aucune société n'avait pu jouir d'une aussi grande participation à la vie politique. Les colons avaient réussi à amenuiser les pouvoirs d'intervention du roi grâce aux gouverneurs, aux élites coloniales et aux conseils, qui étaient généralement des chambres hautes composées de douze personnes nommées par le gouverneur. Le pouvoir était largement exercé par des chambres d'assemblée très représentatives, qui permettaient aux hommes ambitieux de s'élever, sans égard à leur origine sociale, leurs antécédents nationaux et religieux. L'acquisition de la richesse et l'accession au pouvoir politique étaient ainsi des moyens d'ascension sociale qui étaient inexistants dans la France du XVIIIe siècle. En outre, jusqu'en 1760, le gouvernement britannique avait adopté, presque sans le savoir, une politique de «négligence salutaire» à l'endroit de ses colonies américaines en tentant, de façon sporadique, de réduire la croissance des pouvoirs des gouvernements coloniaux et en permettant aux colonies d'échapper aux effets restrictifs des lois mercantiles qui gouvernaient officiellement les relations économiques entre les colonies et la métropole. Les colons américains étaient amplement satisfaits de la structure de la vie coloniale. En cas de mécontentement, ils considéraient qu'il existait un mécanisme pour remédier à la situation, sans qu'il soit nécessaire de recourir à une révolution interne ou à un soulèvement extérieur.

Quelques historiens ont soutenu que, dans les treize colonies, les femmes jouissaient d'un statut plus élevé qu'en Angleterre, et on en déduisit qu'elles défendraient le statu quo colonial avec autant de force que les hommes. On supposait aussi que les femmes étaient mieux respectées au sein de la famille, que leurs droits à la propriété étaient plus étendus et qu'elles étaient plus libres de participer aux affaires. Les raisons invoquées à l'appui de cette position enviable étaient multiples. Les hommes étaient plus nombreux que les femmes dans la société coloniale, les idées égalitaires étaient déjà répandues parmi les femmes avant leur immigration en Amérique, il existait un plus grand intérêt pour l'éducation des femmes dans les colonies, et les puritains insistaient sur la camaraderie et l'amour au sein du mariage. Cette notion plaisante d'un âge d'or pour les femmes de la société coloniale américaine était cependant fortement contestée.[1] L'argument contraire consiste à dire que les femmes vivant dans les colonies étaient soumises aux mêmes stéréotypes que les Européennes, stéréotypes qui les reléguaient à un rôle limité et inférieur dans la famille, que les perspectives économiques étaient très limitées et qu'elles partageaient avec les hommes une mauvaise opinion de leur état. L'évidence semble favoriser cette seconde conception, tout spécialement parce qu'il n'existe aucune preuve que les femmes des colonies associaient la révolution à la défense de la condition féminine.

La Révolution s'est produite parce qu'un nombre suffisant de colons commencèrent à penser, au cours des treize années qui suivirent la défaite de leurs rivaux français en Amérique du Nord en 1763, que le gouvernement britannique tentait de modifier la situation satisfaisante dont ils bénéficiaient au sein de l'empire. Les modifications introduites par le gouvernement britannique, entre 1763 et 1776, affectèrent tous les éléments de la société coloniale américaine. C'est pour cette raison que la Révolution ne peut être attribuée exclusivement à une seule cause, qu'il s'agisse des villes ou des campagnes, des radicaux ou des planteurs, des marchands ou des pionniers. Lorsque les Britanniques tentèrent de résoudre le problème des autochtones en interdisant les terres à l'ouest des Appalaches à la colonisation blanche, ils contrarièrent non seulement les pionniers, mais aussi ceux qui avaient espéré se déplacer vers l'Ouest à la recherche de nouvelles terres. La Loi du timbre (*Stamp Act*) avait été créée dans le but de tirer des revenus pour le maintien des troupes britanniques, cantonnées dans les colonies. L'obligation d'apposer des timbres sur tout document légal, sur les journaux et même les cartes à jouer, était un impôt direct qui affectait lourdement toutes les personnes. Cette loi déclencha des actes de violence contre les vendeurs de timbres et, surtout, une plainte qui refusait toute taxation sans représentation. L'imposition de droits d'importation, perçus à l'entrée de la colonie sur des produits comme le thé,

1 L'ouvrage le plus favorable à cette idée d'un statut social plus élevé pour la femme vivant dans une colonie est celui de Roger Thompson, *Women in Stuart England and America* (1974). Ses conclusions sont rejetées par Mary Beth Norton, *Liberty's Daughters : The Revolutionary Experience of American Women, 1750-1800,* (1980).

contrarièrent tous les commerçants, ainsi que leurs clients. Finalement, lorsque la résistance à Boston suscita la rédaction de lois cœrcitives qui incluaient la fermeture du port, tous les colons supposèrent qu'il s'agissait du dernier acte faisant partie d'une grande conspiration ourdie par le gouvernement anglais pour les priver de leur liberté.

Benjamin Franklin résumait ainsi sa répugnance envers les contrôles politiques exercés par la Grande-Bretagne corrompue et oppressive :

> *Lorsque je compare la corruption extrême qui règne parmi tous les hommes de ce vieil État pourri à la glorieuse vertu publique au sein de notre jeune nation, je ne peux qu'envisager plus de méfaits que de bienfaits résultant d'une relation plus étroite. Je crains qu'ils ne nous entraînent avec eux dans les guerres de pillage vers lesquelles peuvent les conduire leur situation désespérée, l'injustice et la rapacité; et leur prodigalité dépensière à outrance est un gouffre qui engloutira toute l'aide que nous pourrons leur apporter. Ici, des places nombreuses et inutiles, des salaires et des pensions énormes, des gratifications, des pots-de-vin, des querelles sans fondement, des expédients insensés, une mauvaise comptabilité ou l'absence de comptabilité, des contrats, des emplois dévorent tous les revenus et produisent un besoin constant pendant une abondance naturelle. Par conséquent, il est à redouter que toute union intime ne fasse que nous corrompre et nous empoisonner aussi.[2]*

Les villes et la Révolution

Le rôle des villes fut de transformer ce mécontentement exprimé par Franklin en un mouvement en faveur de l'indépendance. Les doléances à l'endroit du système mercantile de l'empire étaient vécues durement dans les villes coloniales. Dans les années 1740, plusieurs marchands de Philadelphie se tournèrent vers la contrebande, plutôt que d'accepter les limites géographiques qu'ils étaient obligés de respecter pour se livrer au commerce. Selon le gouverneur, le port fut bientôt grouillant «d'embarcations qui déchargeaient ces cargaisons illégales, achetées au retour, et privant le roi de ses droits, en plus de transporter des marchandises et de mettre de l'argent à la disposition de l'ennemi». L'ouverture de terres à l'intérieur du pays fournissait un marché pour les produits manufacturés que les villes préféraient utiliser, plutôt que d'agir à titre de représentantes pour les produits britanniques. Les surplus de capitaux se déplacèrent des villes vers l'ouest, pour alimenter la spéculation foncière, jusqu'à ce qu'on interdise l'établissement de colons au-delà des Appalaches.

Quoique réticentes, les villes avaient préparé un plan pour rompre les liens avec la Grande-Bretagne. Les idées du Siècle des lumières pénétrèrent dans les villes américaines. Le club privé était un substitut du «salon». Avant la Révolution, Philadelphie en avait plus de cinquante qui servirent de base pour l'organisation des unités de milice qui se formèrent au début du conflit. Les marchands se rencontraient régulièrement dans les *coffeehouses* et les tavernes. On y réglait souvent les affaires de politique et c'est là que les premiers comités révolutionnaires virent le jour. Des habitudes de coordination furent mises en place et les idées commencèrent à circuler facilement. C'est

2 Benjamin Franklin, cité dans Bernard Bailyn, *The Ideological Origins of the American Revolution*, Cambridge, Mass., Harvard University Press, p. 136.

par le biais de livres publiés par les quarante-deux imprimeurs de Philadelphie, de ses sept journaux et par l'importation de livres d'Europe, que les œuvres importantes des Lumières aboutirent dans la colonie. Les réunions de la Chambre d'assemblée de l'État (qui allait devenir l'*Independance Hall*) furent agrémentées de références à Locke, Montesquieu et Voltaire.

Les villes ne fournirent pas seulement les idées sur l'égalité politique, mais aussi l'organisation et les personnes pour l'atteindre. Grâce à un cabotage côtier discret, on transmettait des messages aux comités de correspondance qui renseignaient les colonies sur les agissements du gouvernement britannique et proposaient des moyens pour les combattre. Les Fils de la Liberté étaient des groupes de citoyens de la classe moyenne qui utilisaient des techniques d'agitation afin de contrer les mesures anglaises, comme la Loi du timbre, et d'établir un esprit de révolte dans la société. Ils étaient principalement originaires des villes côtières, tout comme les Filles de la Liberté. Celles-ci se rencontraient pour filer et pour boire de la tisane, afin de démontrer leur soutien au boycott des importations britanniques. Mais ce fut dans les villes que furent accomplis les changements constitutionnels les plus radicaux. Le premier Congrès continental, tenu à Philadelphie en 1774, était une assemblée révolutionnaire — constituée illégalement par des conventions révolutionaires ou des comités de l'Assemblée législative — et qui se transforma en un gouvernement fédéral, au cours des deux années suivantes.

(À gauche) L'Assemblée législative de Philadelphie, en 1778, par Charles Wilson Peale (1741-1827) *(Collection Philadelphie de la «Free Library» de Philadelphie)*

(À droite) «Independance Hall» à Philadelphie, de nos jours. *Dans l'Assemblée législative — le lieu de rencontre habituel de l'Assemblée de Pennsylvanie —, le Deuxième Congrès continental adopta la Déclaration d'Indépendance le 4 juillet 1776, et une Convention constitutionnelle rédigea la Constitution des États-Unis en 1787. (Gracieuseté du Bureau des conventions et du tourisme de Philadelphie.)*

Plusieurs colonies allèrent encore plus loin dans le remodelage de leur propre constitution. Une assemblée publique tenue à Philadelphie en mai 1776, et à laquelle participaient quatre mille personnes, avait exigé une convention constitutionnelle. Elle fut convoquée d'une manière irrégulière. Dominée par des démocrates de l'Ouest et les radicaux des villes, elle établit une constitution qui accordait aux contribuables masculins de plus de vingt et un ans le droit de vote, le droit d'être élu, en plus d'imposer des mesures de contrôle strictes du gouvernement par l'Assemblée. Les radicaux s'assurèrent aussi que Philadelphie demeure fidèle à la Révolution en s'emparant du contrôle de la ville. Dans toutes les colonies, de nouvelles constitutions furent rédigées, bien que la plupart n'aient pas été aussi radicales que celles de Pennsylvanie et du Massachusetts. Quoiqu'il en soit, cette révolution interne formait une partie importante du message d'égalité politique que les Européens apprenaient de la guerre américaine d'Indépendance. De plus, le principe selon lequel le pouvoir émane du peuple (et non des colonies qui étaient devenues des États) fut réaffirmé par la Convention constitutionnelle qui se réunit à Philadelphie en 1787. Même si la version finale de la Constitution était un compromis sur les pouvoirs des États, elle donnait une nouvelle impulsion à l'impatience grandissante en Europe en faveur d'une plus grande égalité politique à la place de l'Ancien Régime.

Le rayonnement de la Révolution américaine en Europe était dû à la dramatisation de la guerre, mise en valeur par les changements constitutionnels des années de l'après-guerre. Mais les colons américains voyaient juste en pensant qu'ils luttaient pour la sauvegarde d'un héritage politique américain. Celui-ci existait déjà en 1763 et résultait de la transformation d'institutions britanniques par un peuple neuf composé de gens de nationalité différente. Pour reprendre la phrase célèbre de John Adams: «Dans l'esprit du peuple, la Révolution et l'Union des colonies furent accomplies avant que ne commencent les escarmouches de Concord et Lexington le 19 avril 1775». Mais pour les Européens, la Révolution avait un langage universel.

PARIS ET LA RÉVOLUTION ÉGALITAIRE

Influence de la Révolution américaine en France

C'est à Paris que l'on ressentit le plus les effets de la Révolution américaine. Pour les philosophes des salons de Paris, il s'agissait d'une occasion de mettre en pratique leurs propres théories dans un milieu qui était maintenant favorable. C'est ainsi qu'un Français, comme Hector Saint-Jean de Crèvecœur, expliquait dans son ouvrage fort admiré, *Lettres d'un fermier américain*, qu'un Américain éprouvait «une espèce de résurrection. (...) Il sent maintenant qu'il est un homme, parce qu'on le traite comme tel». Cette impression fut largement diffusée lors de la guerre d'Indépendance par nul autre que Benjamin Franklin, qui fut nommé représentant du Congrès continental à Paris. Idolâtré dans les salons comme l'idéal des Lumières, alliant la sophistication intellectuelle à la simplicité naturelle, Franklin transmettait avec brio une version déformée des événements d'Amérique à Voltaire, Condorcet, Turgot, Helvétius et plusieurs autres de ses connaissances de salon. Il devint même très à la mode, au sein de la haute société, de montrer son intérêt pour la cause de Franklin en affichant certains traits américains sur les chapeaux, les montres, les tabatières, et mêmes les mouchoirs. Turgot écrivit : «Il vole le tonnerre aux cieux et le sceptre aux tyrans».

Le rêve de la liberté américaine pénétrait toutes les couches de la société française. Un futur révolutionnaire, Brissot, fondait une société franco-américaine en 1787 avec Crèvecœur. Des officiers, tels que le marquis de La Fayette qui était revenu d'Amérique avec le corps expéditionnaire, ne cessaient de louanger la Révolution. Même les artistes s'en mêlèrent. Le célèbre sculpteur Houdon avait taillé dans la pierre le portrait de Franklin, et il l'accompagna ensuite au mont Vernon pour réaliser le buste de Washington. Jacques Louis David (1748-1825), le protagoniste du renouveau classique, exposait son *Serment des Horaces* en 1785, que plusieurs interprétèrent comme une étude du sacrifice de soi à l'américaine.

Benjamin Franklin découvrant l'électricité, par Benjamin West (1738-1820)
Dans son expérience célèbre qui consistait à faire voler un cerf-volant pendant un orage, Franklin avait réussi à démontrer que la foudre et l'électricité étaient identiques. (Collection de M. et Mme Wharton Sinkler, Musée des Arts de Philadelphie.)

Toutefois, ce fut par des moyens moins éthérés que la Révolution américaine entraîna la France vers sa propre révolution. L'aide apportée aux Américains pour qu'ils gagnent leur indépendance conduisit le Trésor français au bord de la banqueroute. Ce fut une initiative qui avait coûté deux fois et demi les revenus annuels normaux. Ce qui est certain, c'est que les emprunts grâce auxquels était financée la guerre, avaient fait passer la dette nationale de 93 à 300 millions de livres entre 1774 et 1789 et que ces sommes étaient remboursables, en grande partie, aux membres fortunés de la bourgeoisie et de la noblesse de robe. Les contrôleurs généraux se succédèrent. Toute tentative de réforme du système de taxation était bloquée, soit par la noblesse ou les parlements, soit par les douze grandes cours de justice de Paris et par les provinces qui pouvaient appliquer ou rejeter les édits royaux, ou encore par les percepteurs d'impôts eux-mêmes. Finalement, en 1786, Calonne, un fonctionnaire sûr de lui-même, proposa au roi de convoquer une assemblée de notables, composée de nobles, de membres du clergé et d'administrateurs qui, croyait-il, pourraient être convaincus d'autoriser le roi à les taxer. Les notables se rencontrèrent en février 1787, demandèrent une décentralisation des pouvoirs gouvernementaux en faveur des assemblées provinciales qu'ils contrôlaient et refusèrent les réformes fiscales. Cette rencontre est souvent considérée comme une révolution d'aristocrates nostalgiques désirant une restauration des pouvoirs dont ils jouissaient avant Richelieu et Louis XIV. Ils obligèrent le roi à recourir à un deuxième expédient en décrétant la levée d'une nouvelle taxe foncière applicable à toutes les classes. Ils obligèrent le Parlement de Paris à accepter cet édit royal à condition que le roi convoque un «lit de justice» et se présente en personne à cette session. Le Parlement, principal porte-parole de la noblesse de robe s'était acquis une brève renommée en refusant d'accepter l'édit. Les parlementaires demandèrent que le roi respecte plutôt le principe selon lequel il n'y aurait pas de taxation sans représentation, et qu'il convoque les États généraux, le seul corps de la nation qui avait le pouvoir traditionnel de lever des impôts, et qui n'avaient pas été convoqués depuis 1614. Ainsi, aussi bien à l'Assemblée des notables qu'au Parlement, la noblesse réclamait une assemblée plus représentative, en partie pour retarder le jour où elle serait taxée, mais surtout pour former un corps constitutionnel qui serait dominé par elle et qui serait un substitut à l'absolutisme royal. Elle ouvrit ainsi la voie aux classes moyennes, afin qu'elles fassent elles-mêmes leurs propres réformes constitutionnelles.

Les dix années d'activité révolutionnaire comprises entre 1789 et la prise du pouvoir par Napoléon, en 1799, peuvent être divisées en quatre phases, qui se caractérisent par des changements de chefs et de programmes. Ces quatre phases furent: une monarchie constitutionnelle dominée par la bourgeoisie, entre 1789 et 1792; le gouvernement par les provinces sous le régime des Girondins, de 1792 à 1793; le règne de la Terreur par la basse bourgeoisie et les classes ouvrières de Paris en 1793 et 1794; la restauration du gouvernement bourgeois de 1794 à 1799. Nous pouvons également résumer sommairement les objectifs des différentes classes pendant cette période. L'aristocratie cherchait à obtenir le retour à ses privilèges politiques et économiques. La bourgeoisie désirait un gouvernement efficace, la mobilité sociale et un accroissement de son pouvoir politique. La paysannerie voulait qu'on mette un terme aux redevances seigneuriales, une diminution du fardeau fiscal et une plus grande part des terres. Les classes ouvrières des villes désiraient des emplois stables et de la nourriture moins chère.

L'intérêt de classe n'est cependant qu'une des nombreuses causes de la Révolution. Il faut reconnaître qu'aucune classe sociale n'était homogène dans sa composition et dans ses buts. Aucun gouvernement ne fut dominé par une seule classe. L'agitation révolutionnaire fut permanente jusqu'en 1794, après quoi elle devint intermittente, et ce type d'agitation semble avoir produit son propre élan. Il y avait interaction entre les programmes pour le changement. Des marchés étaient conclus, des rivalités personnelles entraient en ligne de compte, des facteurs psychologiques, comme la crainte de la guerre, l'amour ou la haine de la violence, la fierté nationale, s'opposaient à des considérations purement matérielles.

La division politique qui eut la plus grande portée et qui persista pendant toute la Révolution fut celle qui opposait ceux qui désiraient accroître la liberté individuelle en réduisant les pouvoirs de l'État à ceux qui voulaient accroître l'égalité personnelle en augmentant ces pouvoirs. Ces groupes entrèrent en conflit à plusieurs reprises, et plus particulièrement en 1793 lorsque les Jacobins égalitaristes de Paris s'emparèrent du pouvoir au détriment des Girondins libertaires des provinces. De mauvais calculs et une grande chance compliquèrent davantage les luttes d'intérêt. Mais il y eut une tendance qui se manifesta tout au long de cette succession d'événements: le rôle dominant de Paris dans le cours de la Révolution.

En août 1788, le roi ordonna la convocation des États généraux pour le mois de mai 1789. Les procédures pour l'élection des trois ordres ou *états* — le premier état se composant du clergé, le deuxième état de la noblesse et le troisième, du tiers état, c'est-à-dire du reste de la population — furent établies au hasard, selon une idée confuse de ce qui s'était produit en 1614, année de la dernière réunion des États généraux. Mais les pressions combinées de la noblesse libérale et ambitieuse et des réformistes des classes moyennes contraignirent le roi à une concession importante: désormais, le nombre de représentants du tiers état serait le double de celui de chacun des autres états. Forts de cette victoire, les réformistes inondèrent le pays d'exemples de cahiers de doléances que les électeurs pouvaient envoyer avec leurs représentants aux États généraux.

La majorité des cahiers demandait qu'on mette fin au despotisme des ministres du roi et à la centralisation excessive du pouvoir, aux iniquités fiscales et aux charges locales, comme les redevances seigneuriales.

La convocation des États généraux

1787	février	Réunion de l'Assemblée des notables
1788		Le Parlement refuse l'édit créant un impôt national sur le revenu
	août	Convocation des États généraux
1789	5 mai	Réunion des États généraux
	17 juin	Le tiers état se constitue en Assemblée nationale
	20 juin	Serment du Jeu de paume
	14 juillet	Prise de la Bastille
	4 août	Abolition des droits seigneuriaux
	26 août	Vote de la Déclaration des droits de l'homme et du citoyen
	5 octobre	Marche des femmes et des Parisiens sur Versailles. Le roi est ramené à Paris
	2 novembre	Confiscation des biens de l'Église et des nobles émigrés
1790		Paris est divisée en 48 arrondissements
	12 juillet	Vote de la Constitution civile du clergé
1791	20-21 juin	Fuite du roi et son arrestation à Varennes
	27 août	Déclaration de Pillnitz
	octobre	Réunion de l'Assemblée législative
1792	20 avril	Déclaration de guerre à l'Autriche et à la Prusse
	25 juillet	Manifeste de Brunswick
	10 août	Prise des Tuileries par les Parisiens
	2 septembre	Proclamation de la République par la Convention nationale
	2-6 septembre	Massacre des prisons
	20 septembre	Réunion de la Convention. Victoire de Valmy
	21 septembre	Abolition de la royauté
	22 septembre	Les actes publics seront désormais datés de «l'an I de la République»
	19 novembre	Décret organisant la guerre de propagande: la République française offrira son aide aux peuples qui désirent recouvrer leur liberté
1793	21 janvier	Exécution du roi
	1er février	Déclaration de guerre à l'Angleterre et à la Hollande
	7 mars	Déclaration de guerre à l'Espagne
	31 mai-2 juin	Arrestation de vingt-sept députés girondins de la Convention
	septembre	Gouvernement par le Comité de salut public
	16 octobre	Exécution de la reine Marie-Antoinette
1794	27 juillet	Soulèvement du 9 Thermidor. Chute de Robespierre. Fin du règne de la Terreur
1795	juin	Mort de Louis XVII dans la prison du Temple
	22 août	Vote de la Constitution de l'an III
	5 octobre	Napoléon Bonaparte réprime une tentative d'insurrection royaliste à Paris
1796	10 mai	Échec de la conspiration des Égaux. Arrestation de Babeuf et de Buonarroti
		Succès de Napoléon dans la campagne d'Italie
1797	18 octobre	Traité de Campoformio. L'Autriche cède la Belgique et le Rhin à la France
1798		Échec de la campagne d'Égypte sous le commandement de Napoléon
1799	10 novembre	Coup d'État du 18 Brumaire de Bonaparte, nommé consul provisoire
	décembre	Création du Consulat. Napoléon devient premier consul
1801	2 août	Un sénatus-consulte nomme Napoléon consul à vie
1804	2 décembre	Napoléon est sacré Empereur

Toutefois, quelques-unes de ces doléances, rédigées par des femmes des classes moyennes, offrirent au roi et aux États généraux un premier énoncé logique sur la nécessité de remédier aux injustices que vivaient les femmes en raison de leur sexe. Pour les femmes qui occupaient un emploi, ces demandes comprenaient l'exclusion des hommes des emplois féminins, tels ceux de sages-femmes, de couturières et de brodeuses. Elles demandèrent aussi à bénéficier de l'éducation, afin qu'elles ne soient pas obligées de se vendre au plus offrant en cas de chômage. La création d'emplois publics réservés aux femmes fit également partie de leurs doléances. Pour les femmes des classes moyennes, le point principal était l'amélioration du droit matrimonial, afin de prévenir la dilapidation des douaires par les maris et leur accorder une plus grande autorité légale sur leurs enfants. Ces demandes ne reçurent cependant que peu de soutien de la part des chefs révolutionnaires.

Lorsque les représentants arrivèrent à Versailles en mai 1789, il devint évident que les réformistes jouissaient d'avantages inattendus. Le premier état, loin d'appuyer solidement la haute hiérarchie de l'Église, était composé d'une majorité de prêtres venus des différentes paroisses. Le deuxième état ne représentait pas la cour, mais plutôt les plus pauvres des nobles de la campagne et de la noblesse de robe. Aux élections du tiers état, ce furent des nobles et des ecclésiastiques qui se présentèrent y compris le célèbre propagandiste, l'abbé Sieyès, dont la brochure, intitulée *Qu'est-ce que le tiers état?*, connut une large diffusion. Pour Sieyès, le problème était simple :

1. *Qu'est-ce que le tiers état? Tout.*
2. *Qu'a-t-il été jusqu'à présent dans l'ordre politique? Rien.*
3. *Que demande-t-il? À devenir quelque chose.*

Le tiers état n'était pas composé de paysans ou d'ouvriers des villes, mais d'avocats, de bureaucrates et d'intellectuels. Les quelques femmes qu'on y trouvait étaient des membres d'ordres religieux, quelques nobles et veuves. Elles avaient reçu une bonne éducation et connaissaient le droit et les enseignements du Siècle des lumières. Des erreurs commises par les autorités royales, lors des premières rencontres des États généraux, les avaient unies au sein d'une opposition commune face à leur traitement dégradant. On leur avait ordonné de porter les mêmes vêtements qu'aux États généraux de 1614 : des chapeaux sans ornements, des manteaux simples, des chemises de mousseline, des bas blancs et des haut-de-chausses. Par contre, la noblesse devait être resplendissante de dentelle, plumes, broderies d'or et le clergé devait revêtir ses plus beaux atours. On faisait régulièrement attendre les représentants du tiers état pendant des heures, les soldats les regroupaient, et ils étaient ignorés par le roi. Dans son discours inaugural, le roi mit en garde contre «un désir exagéré de changement» et il refusa de réunir les trois états en une seule assemblée où il n'y aurait qu'un vote. Le tiers état répliqua en refusant de faire tout travail officiel, même s'il se réunissait à chaque jour. Le 17 juin, le tiers état se constituait en Assemblée nationale et invitait les autres états à joindre cette assemblée. Une majorité de représentants du clergé avait voté en faveur d'une participation à l'Assemblée nationale. Le 20 juin, la nouvelle Assemblée nationale trouva sa chambre d'assemblée verrouillée — pour fins de décoration, selon le roi; par intimidation, selon les députés. Ses membres se dirigèrent alors vers l'édifice du Jeu de paume où ils firent le serment «de ne jamais se séparer et de se rassembler partout où les circonstances l'exigeront jusqu'à ce que la Constitution du royaume soit établie et affermie sur des fondements solides».

Quelques jours plus tard, le roi cédait et ordonnait à la noblesse de prendre part à l'Assemblée nationale. L'Assemblée modifia son nom pour celui d'Assemblée (nationale) constituante, une preuve de son intention de rédiger une constitution. Toutefois, il est évident que le changement d'idée du roi n'était pas le résultat de son adhésion à la création d'une monarchie aux pouvoirs limités. Il fut sans doute influencé par la rumeur que quarante mille brigands armés se préparaient à marcher sur Versailles et, peut-être, par le nombre croissant de soulèvements de paysans contre leurs seigneurs et l'Église.

Ce qu'on peut entrevoir des événements de Versailles, même s'ils sont très flous, c'est que le processus révolutionnaire devenait perpétuel. La révolution aristocratique de 1777-1778 avait rendu possible la révolution des classes moyennes en faveur d'une monarchie constitutionnelle, révolution qui était maintenant accomplie par le tiers état. Mais les succès du tiers état avaient provoqué ou encouragé deux autres mouvements révolutionnaires, ceux de Paris et des provinces. Il devenait de plus en plus évident que le maître de Paris deviendrait finalement le maître de tous les mouvements révolutionnaires.

Prise de la Bastille (14 juillet 1789)

Le 26 juin, après avoir consacré une journée à l'observation de l'humeur des foules dans Paris, Arthur Young notait dans son journal, que le changement constitutionnel modéré, qui était à l'étude à Versailles, ne parviendrait pas à satisfaire les Parisiens. Il écrivait que «chaque heure qui passe semble donner un nouvel esprit aux gens. Les réunions au Palais-Royal sont plus fréquentes, plus violentes et plus assurées, et à Paris, dans l'assemblée des électeurs qui désiraient envoyer une députation à l'Assemblée nationale, le langage tenu par l'ensemble des participants était en faveur d'une révolution au sein du gouvernement et l'établissement d'une constitution libre, et l'on comprend facilement ce qu'ils entendaient par une constitution libre: une république.»[3] C'est alors que se produisit une mobilisation générale de l'opinion publique. Un nombre considérable de livres, brochures et journaux plaidaient en faveur de changements politiques profonds, et leurs arguments étaient répétés dans les rues et dans les parcs par d'innombrables orateurs. Les femmes, qui avaient été actives

3 Arthur Young, *Travels in France During the Years 1787, 1788, and 1789*, Garden City, N.Y., Doubleday Anchor, 1969, p. 130.

auparavant sur le plan économique (qu'on songe au manque de blé et à la hausse des prix), se joignaient aux hommes dans le débat politique. Les brochures étaient lues à haute voix pour le bénéfice des analphabètes, composés à un tiers de Parisiens et à deux tiers de Parisiennes. Dans les assemblées locales, les galeries réservées au public étaient bondées d'hommes et de femmes désireux d'influencer directement leurs représentants. Des femmes des classes moyennes donnèrent même leurs bijoux à l'Assemblée nationale, afin de soutenir les finances publiques.

En fait, Paris était en train de se doter d'une organisation insurrectionnelle. Le cousin du roi, le duc d'Orléans, avait publiquement pris place auprès du tiers état. Il avait ouvert aux gens les portes de ses jardins au Palais-Royal où était permise une liberté d'expression presque complète. On y distribuait par centaines des brochures séditieuses et une foule importante était toujours prête à lapider un espion du roi ou à encourager un orateur rebelle. Les électeurs de Paris, qui avaient choisi les représentants de la capitale au tiers état, s'étaient constitués en un nouveau gouvernement municipal de Paris, se dotant d'une force armée, composée de volontaires des classes moyennes, qui allait devenir plus tard la Garde nationale. À l'instar d'autres villes du pays, Paris avait spontanément renversé son propre gouvernement. De plus, chaque arrondissement électoral de la capitale continuait de gérer ses affaires grâce à une assemblée d'arrondissement. Ces arrondissements firent l'objet d'une réorganisation en 1790: leur nombre fut porté à quarante-huit, dont chacun comprenait une assemblée et un comité administratif. Ces arrondissements devinrent les instruments des partisans de la démocratie directe. Au début de juillet 1789, les Parisiens commencèrent à s'armer, s'emparant des couteaux des quincailliers, des fusils des armuriers et de toutes les armes qui se trouvaient à l'Hôtel de Ville ou à l'hôpital militaire des Invalides.

À ce moment crucial, le roi commença à masser des troupes — la plupart étrangères — près de Paris et congédia son populaire ministre des Finances, Necker. À Paris, Desmoulins annonça à la foule la nouvelle du congédiement de Necker. «Aux armes», cria-t-il. «Ce soir, les bataillons suisses et allemands viendront massacrer la population de Paris.» Une partie de la foule qui s'était essaimée à travers Paris au cours des trois derniers jours à la recherche d'armes, étendit ses recherches à la Bastille. Après des échanges de coups de feu avec les quelques gardiens qui composaient sa garnison, elle pénétra à l'intérieur de la Bastille, libéra les sept prisonniers présents et tua la plupart des gardes. Rapidement, Paris se transforma en une forteresse. Des barricades furent dressées dans les rues et on creusa des tranchées. Après deux jours d'hésitation, pendant lesquels ses proches avaient fui en exil, le roi accepta le conseil de l'Assemblée nationale et s'attira la sympathie de Paris en faisant preuve de bonne foi. Le 17 juillet, il se rendit à l'Hôtel de Ville où il fut accueilli par Bailly, le maire par intérim: «Sire, je remets à Votre Majesté les clés de sa bonne ville de Paris. Ce sont les clés qui furent présentées à Henri IV. Il avait conquis son peuple, et aujourd'hui, le peuple a reconquis son Roi.»

Les réformes d'août 1789

La prise de la Bastille, le 14 juillet 1789.
La prison d'État de la Bastille était le symbole de l'oppression du roi sur les pauvres, qui vivaient dans des taudis au pied des murs de la prison. Lorsqu'ils prirent le contrôle de la Bastille, les émeutiers n'y trouvèrent que sept prisonniers. (Arc. Phot. Paris/S.P.A.D.E.M.)

Jusqu'alors, Paris avait gagné peu d'avantages de ses escarmouches. Les bureaux des douanes avaient été détruits et quelques prix avaient baissé. Mais on n'avait pas su pallier au manque de pain. Les fonctionnaires responsables de l'approvisionnement en pain avaient été massacrés par la populace à la fin du mois de juillet. Ce fut toutefois le désordre dans les provinces qui provoqua le premier changement majeur au sein de la société française. Depuis plusieurs semaines, les paysans qui étaient aussi affamés que les foules de Paris, avaient brûlé les châteaux, détruit les archives seigneuriales et saisi les stocks de grain. Pendant la Grande Peur, des rumeurs, à l'effet que les aristocrates employaient des brigands pour attaquer les paysans, dégénérèrent en insurrection paysanne. Ces événements furent portés à la connaissance de l'Assemblée nationale par un de ses comités. Le 4 août, au cours d'une session dramatique qui avait duré toute la nuit, l'Assemblée posa un geste chargé d'émotion, en guise d'apaisement. Menée par quelques nobles à l'esprit libéral, l'Assemblée vota la fin du servage, sans compensation financière, et l'abolition des autres droits seigneuriaux en retour du paiement d'un montant forfaitaire. Désormais, le clergé ne

pourrait plus percevoir la dîme. Tous les citoyens devraient payer des impôts. Les offices légaux ne pourraient plus être vendus. Et les promotions à un grade d'officier dans l'armée et la marine seraient accessibles à tous. On avait donc réglé le grief majeur de la paysannerie en abolissant les droits féodaux, mais les paysans ne possédaient pas davantage de terres qu'auparavant. Toutefois, au cours des quatre années qui suivirent, certains augmentèrent leur avoir en achetant les biens confisqués à l'Église et aux nobles émigrés. Il est probable que ces paysans, vers 1793-1794, ne cherchaient à conserver que leurs acquis et qu'ils s'opposaient à tout autre changement révolutionnaire. Il est même possible que les paysans les plus pauvres aient souffert davantage entre 1790 et 1795, parce que les changements révolutionnaires avaient mis un terme à la charité et aux emplois de l'Église et parce que plusieurs terres publiques avaient été vendues.

L'Assemblée nationale se concentra à nouveau sur la tâche qui consistait à transformer la France en une monarchie constitutionnelle. Le 26 août, elle votait la Déclaration des droits de l'homme et du citoyen, qui marquait l'apogée de la tendance libérale, plutôt qu'égalitaire, de la Révolution. Elle soulignait la liberté de l'individu et la protection contre l'arrestation arbitraire, la liberté d'expression et de réunion, et le droit de propriété, un «droit naturel et imprescriptible».

Pendant deux ans, Paris se laissa gouverner par l'Assemblée nationale qui avait changé, non sans appréhension, son lieu de réunion pour un salon du Palais des Tuileries à la fin du mois d'octobre. Il y eut une amélioration dans l'approvisionnement en nourriture et une augmentation de l'emploi avec la reprise économique, et ceux qui avaient favorisé les travaux de

L'autorité de l'Assemblée nationale, 1789-1791

l'Assemblée donnèrent le ton à la ville. Le travail des constitutionnalistes de l'Assemblée était lent mais, en septembre 1791, ils avaient terminé la rédaction d'une constitution fondée sur le principe de la séparation des pouvoirs. Le contrôle politique des classes moyennes était assuré par de hautes exigences dans la qualification des électeurs et des députés, lesquels furent ingénieusement appelés les «citoyens actifs», par opposition aux «citoyens passifs», qui étaient composés des femmes et des membres moins fortunés de la population masculine. Une série d'autres réformes importantes allait suivre. Le système administratif archaïque de la France fit l'objet d'une révision. Le pays fut divisé en quatre-vingt-trois départements d'importance relativement égale, avec des fonctionnaires élus à tous les niveaux de gouvernement. Une égalité des droits fut accordée aux protestants, et ensuite aux juifs. La torture fut interdite et on prépara une nouvelle procédure judiciaire. On abolit les barrières à la libre circulation des biens à l'intérieur du pays. Bien que les femmes restassent exclues de la participation à la vie politique, leurs droits juridiques furent améliorés petit à petit par une série de lois adoptées entre 1790 et 1794. On leur garantit une part égale à celle des héritiers mâles dans une succession. On déclara qu'elles étaient majeures à vingt et un an, comme les hommes, et on leur permit de participer à la gestion de leurs biens et à être plus responsables de l'éducation de leurs enfants. Des tribunaux de la famille furent créés pour régler les disputes familiales, après que l'on eut aboli les *lettres de cachet*, système grâce auquel une lettre du roi suffisait pour faire emprisonner des gens, tels que des ennemis politiques, des enfants indisciplinés ou des femmes adultères. Les femmes ne pouvaient toutefois pas siéger au sein de tribunaux ou encore être membres d'un jury.

Afin de régler les problèmes financiers les plus urgents, les terres de l'Église furent confisquées en novembre 1789 et les produits de leur vente servirent de garantie à une nouvelle monnaie de papier. Par la Constitution civile du clergé de juillet 1790, la hiérarchie catholique devait être élue par l'ensemble des citoyens actifs, et non seulement par les catholiques. Le clergé devait recevoir un salaire de l'État, et tous les membres du clergé devaient jurer de respecter la Constitution civile. Le pape dénonça la constitution civile et suspendit les ecclésiastiques qui avaient accepté cette constitution. L'attaque contre l'Église, conforme aux enseignements du Siècle des lumières, fut l'une des plus graves erreurs de l'Assemblée. Elle contribua à affaiblir les finances nationales lorsque le cours de la monnaie de papier fut radicalement gonflé. Elle transforma les catholiques sincères en ennemis de la Révolution. En se ralliant aux demandes de la bourgeoisie et des paysans aisés pour des terres, elle en fit des conservateurs qui ne virent plus la nécessité de poursuivre la Révolution. Cette grande vague de réformes fut pourtant ressentie comme un remède enivrant par un grand nombre de Français.

La montée des Jacobins

Pendant ce temps, des révolutionnaires plus pratiques se préparaient à tirer profit de l'anarchie que favorisait le manque de réalisme du nouveau gouvernement. La liberté de presse et de réunion, qui avait été accordée par l'Assemblée nationale, rendit possible la fondation de plusieurs journaux et clubs politiques. Les monarchistes constitutionnels rejoignirent les rangs du club des Feuillants, tandis que les membres radicaux de l'Assemblée s'activaient au sein du club très influent des Jacobins. Les femmes profitèrent de cette occasion pour s'impliquer dans l'action politique. Des admirateurs plus modérés de Condorcet, un auteur du Siècle des lumières qui plaidait, dans son ouvrage *De l'accession des femmes aux droits civiques* (1790) en faveur de l'égalité des droits politiques, se joignirent aux Amis de la Vérité; et des centaines de clubs semblables virent le jour en province. Plusieurs dirigeantes féministes devinrent familières aux foules de Paris, même si elles n'étaient pas souvent prises au sérieux. Théroigne de Méricourt militait en faveur de la création d'une unité de milice composée de femmes, tenait un salon, avait tenté de fonder un club féminin et avait choqué les hommes en se promenant dans les rues en tenue d'équitation. Etta Palm, une militante hollandaise des droits de la femme, s'adressa à l'Assemblée pour obtenir l'amélioration des droits des femmes et tenta même de fonder une fédération des clubs féminins. Olympe de Gouges croyait, à tort, intéresser la reine Marie-Antoinette au soutien de la cause des femmes qu'elle exposait en 1791 dans une Déclaration des droits de la femme et des citoyennes. Dressant un parallèle avec la Déclaration des droits de l'homme, Olympe de Gouges demandait l'égalité politique, des droits juridiques améliorés et une part dans les emplois gouvernementaux. Devenue suspecte à cause de ses sympathies royalistes, elle fut guillotinée en 1793.

Le club des Jacobins, en distribuant de la nourriture et de l'argent, et en ouvrant ses débats au grand public, s'attira le soutien populaire de Paris. Par le biais de la correspondance, les Jacobins parisiens créèrent un réseau serré de clubs de Jacobins à travers tout le pays, réseau qui comptait peut-être près de deux mille clubs ressemblant à une organisation de conspirateurs. Composés de membres de la classe moyenne, aux revenus modestes, les Jacobins poursuivaient des objectifs idéologiques et non des intérêts de classe — la création d'une société égalitaire par leur activité politique en tant qu'élite qui, selon Rousseau, pouvait comprendre la volonté générale et à qui l'on aurait finalement confié la responsabilité de sa réalisation. Toutefois, au cours des premières années, les réunions des clubs et de l'Assemblée elle-même s'avérèrent chaotiques. Un auditoire bruyant plaçait ses commentaires, huait les orateurs impopulaires et, à l'occasion, participait au vote.

Le chaos gouvernemental fut aggravé lorsque le roi, qui exerçait encore d'importantes fonctions du pouvoir exécutif et dont la collaboration était essentielle au succès de la constitution en préparation, s'enfuit de Paris en juin 1791. Le roi et les membres de sa famille furent arrêtés à Varennes, près de la frontière du Luxembourg, et ramenés à Paris sous le regard de la foule en colère, afin d'être emprisonnés aux Tuileries. Les soldats qui étaient alignés le long des rues renversèrent leurs armes, comme s'ils assistaient à des funérailles!

Marie-Antoinette, par Élisabeth Vigée-Lebrun (1755-1842)
Les portraits flatteurs de Vigée-Lebrun étaient hautement prisés par les membres éminents de l'aristocratie des cours européennes. (Editorial Photocolor Archives / Alinari)

La chute de la monarchie limitée 1791-1792

La fuite du roi à Varennes avait considérablement affaibli la position de ceux qui souhaitaient la création d'une monarchie constitutionnelle en France, mais la nouvelle structure politique entra néanmoins en vigueur en septembre 1791. La nouvelle Assemblée nationale, élue peu de temps après, était inexpérimentée puisque les membres de l'Assemblée constituante n'avaient pas le droit de présenter leur candidature lors de l'élection de la nouvelle assemblée. Seulement le tiers des membres de l'Assemblée nationale était composé de modérés qui désiraient que réussisse la monarchie limitée. Il s'ensuivit une lutte pour le pouvoir entre les disciples de Jacques Brissot, un propagandiste et un intrigant de la ville de Chartres, et les membres les plus extrémistes du club des Jacobins.

Les Brissotins, ou Girondins — comme ils furent rapidement désignés, car plusieurs de leurs chefs étaient originaires du département de la Gironde, près de Bordeaux — étaient des têtes brûlées idéologiques. Ils exigeaient une guerre pour répandre les idéaux de la Révolution au sein des États tyranniques situés à l'intérieur de la France et au-delà de ses frontières, et ils s'attendaient à ce que des soulèvements populaires dans ces pays accueillent les armées françaises de libération. Ils désiraient une application stricte de la Constitution civile du clergé, ainsi que des mesures de répression à l'endroit des nobles émigrés. Plusieurs Girondins étaient d'anciens membres du club des Jacobins et ils appartenaient, comme les chefs jacobins les plus extrémistes, aux riches classes moyennes. Les Girondins se distinguaient des Jacobins par l'appui qu'ils recevaient des provinces, tout spécialement parmi les professionnels des classes inférieures, les artisans, les marchands et les paysans les plus prospères. Ils désiraient que Paris soit subordonné aux provinces, et demandaient une réduction de l'ingérence du gouvernement dans l'économie, lequel redistribuerait inévitablement la richesse du pays en faveur des classes ouvrières parisiennes, étant donné la pression constante des foules de Paris.

Les Jacobins devinrent le parti des radicaux de Paris qui possédait, au sein des assemblées politiques élues des arrondissements, les moyens d'organiser des insurrections instantanées. Il pouvait ensuite, par l'intermédiaire des clubs de Jacobins des petites villes, propager ses directives à travers toute la France. Les chefs des Jacobins, Robespierre, Danton, Marat, Saint-Just et Couthon, croyaient en un gouvernement effectif pouvant se mêler des affaires des autres, manipulé par une élite impitoyable qui était prête, à tout moment, à sacrifier la liberté à la cause de l'égalité. Encore une fois, dans les luttes entre factions rivales, ce fut la capacité de manipuler la populace de Paris qui allait assurer la victoire.

Pendant l'hiver de 1791-1792, les Girondins réussirent dans leur tentative de fouetter les esprits en faveur d'une guerre contre l'Autriche et la Prusse. En août 1791, les souverains d'Autriche et de Prusse avaient offert leur aide militaire, afin de restaurer le régime absolutiste de Louis XVI à condition que d'autres États se joignent à eux. Plusieurs nobles fuyant la France trouvèrent une oreille attentive dans les cours d'Allemagne et d'Autriche où les Français croyaient pouvoir obtenir une aide militaire pour attaquer la Révolution. Les Girondins ne cessaient d'affirmer que le succès de la Révolution en France ne pouvait être assuré tant que des révolutions semblables ne se seraient pas produites contre les monarques conservateurs de l'Autriche et de l'Allemagne, avec l'aide de la France. Louis XVI, convaincu que son sort pouvait être amélioré par une défaite de la France, accorda son appui en avril 1792 à la déclaration de guerre de l'Assemblée nationale à son beau-frère, l'empereur d'Autriche, lequel fut rapidement aidé par le roi de Prusse.

Les nouvelles armées françaises, manquant d'officiers, d'armes et d'entraînement, furent rapidement défaites et prirent la fuite. Les défaites aux frontières, la crainte d'une invasion étrangère, une inflation galopante, une nouvelle crise alimentaire et l'action d'agitateurs professionnels amenèrent Paris au bord de l'éclatement.

Le 9 août 1792, le gouvernement municipal fut remplacé par un gouvernement révolutionnaire formé par des artisans du quartier agité de Saint-Antoine, et le nouveau gouvernement laissa ouvertes à la foule les portes de l'Hôtel de Ville pendant toute la nuit. Les cloches des églises carillonnèrent et, au matin, les chefs des radicaux conduisirent la foule au palais des Tuileries. Lorsque éclata la lutte entre la garde du roi et la foule, le roi et sa famille trouvèrent refuge dans la Chambre d'assemblée. Six cents gardes et quatre cents émeutiers perdirent la vie. L'Assemblée nationale suspendit le roi et ordonna de nouvelles élections pour une Convention nationale.

Avec le transfert du roi à la prison du Temple, sous contrôle de la Commune de Paris, la populace commença à s'agiter à la nouvelle de l'avance des armées autrichienne et prussienne sur le territoire français. Réagissant spontanément à l'atmosphère de haine et de crainte qui enveloppait la ville en septembre 1792, la foule commença à massacrer sans distinction tous les prisonniers qu'elle pouvait trouver dans la ville. En un peu plus d'une semaine, plus de la moitié des prisonniers avaient été tués, dont un petit nombre d'aristocrates. Les élections, tenues pendant les massacres, n'eurent qu'un faible taux de participation. Moins d'un dixième des électeurs admissibles exercèrent leur droit de vote et les électeurs parisiens votèrent publiquement au club des Jacobins, en présence des hurlements des spectateurs. Paris envoya une forte délégation de Jacobins conduite par Danton, mais les provinces votèrent une fois de plus en faveur des Girondins qui étaient très encouragés par la victoire de l'armée révolutionnaire à Valmy, le 20 septembre.

Le 21 septembre, la nouvelle Assemblée, désignée sous l'appellation de Convention nationale, abolissait la monarchie. Le 22 septembre, la France devenait une république. La monarchie constitutionnelle de la France avait existé pendant exactement une année.

La domination des Girondins, de septembre 1792 à juin 1793

Au sein de la Convention nationale, les Girondins étaient les plus conservateurs des groupes sociaux représentés et étaient connus comme formant la droite, d'après la section de l'école d'équitation où se trouvaient leurs banquettes. Ils comptaient sur l'appui de membres modérés, connus comme étant la Plaine (ou le Marais), parce qu'ils siégeaient au centre de la Chambre, au niveau du sol. Les Jacobins s'entassaient à la gauche, en haut des gradins de la Chambre et étaient connus sous le nom de la Montagne (ou la Gauche).

Les Girondins favorisaient l'extension des réformes politiques des premières années de la Révolution aux provinces, par un renforcement des gouvernements locaux, une sorte de fédération décentralisée de la France. Ils accordaient certains droits civils aux femmes, y compris la reconnaissance du divorce, par consentement mutuel pour cause d'incompatibilité ou d'autres causes telles que la maladie mentale et la cruauté. Au cours des trois années suivantes, il y eut l'équivalent d'un divorce pour trois mariages à Paris; ce taux baissa ensuite à un divorce pour quatre mariages. Dans les villes de province, le taux était de un pour dix et était encore plus bas à la campagne. Toutefois, les réformes des Girondins n'intéressaient que les gens aisés, et les Girondins étaient profondément inquiets de l'activisme de plusieurs femmes des classes sociales inférieures de Paris, qui semblaient être des alliées naturelles de leurs rivaux, les Jacobins, et qui s'agitaient constamment contre les prix élevés et le manque de nourriture.

Ils étaient tout particulièrement inquiets de l'attitude ouvertement antigirondine du plus important des clubs féminins, les Femmes républicaines et révolutionnaires, dirigé par l'actrice Claire Lacombe et la chocolatière Pauline Léon. Les membres du club insistaient principalement pour une amélioration de la situation économique des pauvres, si nécessaire par le recours à la terreur; et ses membres interrompaient les réunions des Girondins avec leurs huées. Il est toutefois surprenant de constater que les Jacobins n'accueillirent pas favorablement l'activisme politique des femmes, plus particulièrement leur chef, Robespierre, qui adhérait aux idées de Rousseau sur la subordination des femmes. Ils se méfiaient de la représentation des femmes au sein des assemblées des différents arrondissements de Paris, qui avait été accordée en 1792. La grande erreur des Girondins fut de chercher à étendre la guerre, puisque les exigences de la guerre forçaient à accepter l'austérité de contrôles centralisés, auxquels ils s'opposaient en principe. Au départ, il semblait que la politique militaire était un succès total. Le général Dumouriez, qui avait vaincu les Prussiens à Valmy en septembre, écrasa l'armée autrichienne à Jemappes, en Belgique, au mois suivant. Le 19 novembre 1792, la Convention, dominée par les Girondins, lançait une croisade à travers l'Europe, en promettant l'aide de la France à ceux qui désiraient «retrouver leur liberté». Leurs troupes occupèrent la Belgique, la région du Rhin et la Savoie, et menacèrent la Hollande.

Entraînée par une ferveur révolutionnaire, la Convention jugea le roi pour trahison en décembre et il fut guillotiné le 21 janvier 1793, sur la place de la Concorde. L'exécution causa un grand émoi à travers toute l'Europe, et plus particulièrement en Angleterre, où l'on avait été froissé par la décision française d'ouvrir à nouveau l'Escaut à la navigation, ce qui permettait à Anvers de concurrencer le commerce de Londres. Devançant les Anglais, la Convention déclarait la guerre à l'Angleterre et à la Hollande en février 1793 et, un mois plus tard, à l'Espagne.

Mais les Français avaient surestimé leur puissance et, au printemps de 1793, leurs troupes furent repoussées hors de la région du Rhin et de la Belgique. De plus, une révolte royaliste avait éclaté en Vendée, une région de l'ouest de la France, ce qui menaçait la Révolution de l'intérieur. Cette situation chaotique permit aux Jacobins de prendre le pouvoir. Le 2 juin 1793, une foule à qui on avait fourni la liste des Girondins suspects et qui était armée d'un canon, encercla l'édifice de la Convention et demanda l'arrestation ou la démission de la plupart des Girondins. La majorité des Girondins s'énervèrent et s'enfuirent chez eux. Quelques-uns d'entre eux furent arrêtés, laissant les Jacobins maîtres, non seulement de Paris, mais aussi de l'autorité constitutionnelle officielle de tout le pays.

La Terreur, de juin 1793 à juillet 1794

La Terreur qui suivit ne fut rien de moins que la dictature des chefs radicaux de Paris, qui œuvraient grâce à un réseau serré de comités, dont le Comité de salut public et le Comité de sûreté générale étaient les plus importants. Ils étaient appuyés par plusieurs groupes radicaux de Paris, y compris le Club des femmes républicaines et révolutionnaires, lequel joua un rôle actif dans la propagation de la terreur. Ses membres patrouillaient les rues en tenues de travail masculines et portaient le bonnet rouge de la liberté, se bagarraient avec les marchandes qui s'opposaient au contrôle des prix. Le Club fut particulièrement choqué qu'une femme, Charlotte Corday, ait tué le chef jacobin Marat en juillet 1793, puisqu'il endossait son programme de terreur. Le membre le plus important du Comité de salut public fut le dur, l'opiniâtre et le dogmatique Maximilien Robespierre, un fanatique dévoué à l'établissement d'un règne de la vertu. La Terreur était un effort désespéré pour sauver le pays du désastre de la guerre et, en même temps, une tentative de remodelage de la société française et des Français eux-mêmes. Ces deux objectifs semblaient nécessiter un appareil de terreur: l'utilisation de la guillotine et d'autres méthodes moins rapides d'anéantissement, comme la noyade collective qui allait entraîner la mort de plus de vingt mille personnes; des représentants «en mission», envoyés dans les provinces pour s'assurer de leur loyauté; et la guerre civile ouverte contre des régions, comme la Vendée, qui demeuraient royalistes. Il fallait que la guerre soit gagnée par l'organisation. La conscription générale (ou «levée en masse»), fut adoptée pour la première fois de l'histoire. Suivirent rapidement des contrôles économiques stricts pour assurer l'approvisionnement en nourriture de la population civile et des armées, l'utilisation d'une partie des ressources pour fournir des armes et des uniformes, le rationnement alimentaire et les lois sur le contrôle des prix.

Il y eut même une attaque contre les groupes radicaux qui avaient aidé les Jacobins à prendre le pouvoir. Le Comité de sûreté générale rapportait à la Convention qu'il avait décidé de ne pas accorder de droits politiques aux femmes, de ne pas leur permettre de participer au gouvernement et de leur interdire d'adhérer à des associations politiques.[4] Tous les clubs politiques des femmes furent déclarés hors-la-loi, mettant ainsi un terme à la kyrielle d'activités des femmes qui avaient été encouragées par la Révolution.

La République de la vertu devait être réalisée par des réformes pratiques et symboliques. À la place du christianisme, on ordonnait le culte

4 Jane Abray, «Feminism in the French Revolution», *American Historical Review*, 80/1, février 1975, p. 56.

**Maximilien Robespierre,
par un artiste anonyme**
(Photo des Musées nationaux, Paris)

de la raison et, plus tard, celui de l'Être suprême. En septembre 1793, on adoptait un nouveau calendrier qui remplaçait les anciens mois et les remplaçait par des noms aussi charmants que Fructidor, le mois des moissons, et Ventôse, le mois des grands vents. On abolit le sabbat chrétien et le gouvernement le remplaça par une semaine de dix jours, avec des congés civils, tels que le jour de la tendresse maternelle, lui-même révélateur de l'univers dans lequel les Jacobins entendaient confiner les femmes, univers où celles-ci pouvaient s'épanouir. Les mesures de guerre connurent un succès éclatant et, en 1794, les armées françaises contrôlaient de nouveau la Belgique, la rive gauche du Rhin et la Savoie. Mais le succès provoqua des dissensions au sein de la direction jacobine. L'autorité de Robespierre fut contestée par les partisans de Danton qui désiraient un relâchement de la Terreur, et par les partisans de Hébert, qui souhaitaient une intensification de la Terreur.

Robespierre et ses quelques partisans avaient perdu l'appui de la population parisienne. La guerre couronnée de succès n'avait pas apporté de pain; le détournement du mécontentement de la population contre les traîtres à travers la saignée de la guillotine avait perdu de son efficacité, surtout parce que les victimes, aux yeux de n'importe quel observateur, n'étaient que des paysans et des ouvriers. Lorsque la Convention vota

La chute de Robespierre, le 26 juillet 1794

l'arrestation de Robespierre le 26 juillet (ou 8 Thermidor), seulement trois mille personnes manifestèrent en sa faveur, tandis que les modérés de la Convention regroupaient une force de six mille personnes provenant des arrondissements les plus fortunés de Paris. Deux jours plus tard, Robespierre et vingt-deux de ses partisans montaient à l'échafaud. Paris redevint attrayante, en réaction à la vertu qui lui avait coûté si cher! Les restaurants, les cafés, les théâtres et les parcs se garnirent rapidement de foules vêtues avec l'extravagance de la dernière mode.

Le Directoire et Napoléon Bonaparte

La Convention et le Directoire de la classe moyenne avaient pris rapidement le contrôle de Paris. Les derniers Jacobins furent traqués. La Garde nationale n'était ouverte qu'aux propriétaires et seule la Garde des arrondissements riches de l'ouest de la ville était utilisée pour disperser les manifestations qui éclatèrent en avril et mai 1795. L'armée fut rappelée en ville et, sous le commandement d'un jeune général dénommé Napoléon Bonaparte, fut utilisée pour faucher une foule menée par des agitateurs royalistes avec une «nuée de plomb», le 13 Vendémiaire (ou 5 octobre). Paris perdait ainsi ses chefs radicaux. Le Comité de sûreté générale fut démantelé. Les arrondissements furent réorganisés pour éviter qu'ils ne deviennent les foyers de futures insurrections et l'on supprima le gouvernement révolutionnaire de la Commune. Avec l'exemple des femmes républicaines et révolutionnaires encore présent à l'esprit, la Convention décréta que «toutes les femmes doivent retourner à leur domicile jusqu'à nouvel ordre. Celles qui seront trouvées dans les rues au sein de groupes de plus de cinq personnes ... seront dispersées par la force et ensuite détenues jusqu'à ce que soit rétablie la paix dans Paris.»[5] Après six années d'efforts pour contrôler le déroulement de la Révolution, la majorité des citoyens de Paris avait sans doute peu gagné et avait souffert plus que toute autre partie de la population française.

C'est Napoléon Bonaparte qui rétablit la domination de Paris sur la France, mais seulement après être devenu le maître de la capitale et du pays, un rôle auquel ne le destinaient ni ses origines ni son âge. Napoléon était né en Corse, un an après son acquisition par la France, et il s'exprimait mieux en italien qu'en français. Il se mérita une bourse d'étude dans une académie militaire en France et, à l'instar d'autres bourgeois, trouva son avancement limité au sein de l'armée de l'Ancien Régime, parce qu'il n'était pas un noble de naissance. La Révolution supprima ces obstacles et offrit de l'emploi aux soldats de talent. En 1793, il fit sensation comme officier d'artillerie en forçant la flotte anglaise à abandonner le port de Toulon. Après que la «nuée de plomb» l'eut rendu sympathique au Directoire, on lui confia le commandement de l'armée qui combattait les Autrichiens au nord de l'Italie. Lors d'une brillante campagne, il expulsa les forces autrichiennes hors de l'Italie; dans un traité qu'il rédigea lui-même, il fit de l'Italie du Nord une république et de la rive gauche du Rhin un territoire

5 *Ibid.*, p. 58.

français. Il fut ensuite envoyé en Égypte pour détruire les positions anglaises qui commandaient la partie orientale de la Méditerranée. Même si sa campagne fut un échec et que l'amiral britannique Nelson détruisit sa flotte à l'embouchure du Nil, il fut chanceux lorsqu'on compare ses résultats à ceux, plus médiocres, des généraux français en Europe. En 1799, la France n'était pas seulement en train de perdre ses conquêtes précédentes, mais elle était encore une fois menacée d'envahissement. Approché par des politiciens ambitieux du Directoire, qui désiraient utiliser un général populaire et ses troupes loyales pour devancer les Jacobins et les royalistes, Napoléon accepta de renverser le gouvernement. Il quitta son armée en Égypte, se dépêcha de retourner en France avant que ne se répandent les nouvelles de sa déroute en Égypte. À la suite d'un coup d'État rapide et sans effusion de sang, il renversa le Directoire. Son initiative fut accueillie avec joie par la majorité de la population française qui lui accorda un vote de confiance important lors de l'adoption de la nouvelle constitution du Consulat. Cette constitution était une dictature à peine déguisée, et le Premier Consul n'était nul autre que Napoléon.

La Madeleine, à Paris
En 1805, Napoléon ordonna la construction de ce temple qui s'inspirait du Parthénon, en souvenir des victoires de sa Grande Armée. Il s'agit de l'un des plus importants édifices de son plan de reconstruction, qui devait faire de Paris une nouvelle Rome.
(Peter Menzel)

Le Consulat, 1799-1804

Napoléon commença à accorder aux électeurs les bienfaits qu'ils attendaient. En deux ans, il avait défait les Autrichiens et convaincu les Russes et les Britanniques de faire la paix. À ce moment, sa popularité était si grande, et les arrestations d'ennemis potentiels à Paris si nombreuses, qu'il fut nommé en 1802 consul à vie par une plus grande majorité que la précédente. Il n'est donc pas étonnant qu'en 1804 un plébiscite ait changé son titre de consul pour celui d'empereur.

C'est au cours des cinq années du Consulat que Napoléon a accompli les réformes intérieures qui ont assuré la permanence de nombreux changements apportés par la Révolution: il atteint cet objectif en subordonnant le reste du pays à Paris. L'administration chaotique de l'Ancien Régime, dont avaient commencé à s'occuper les gouvernements révolutionnaires, fit l'objet d'un grand nettoyage, y compris les deux instruments essentiels de la gestion que sont le ministère des Finances, qui contrôlait les impôts, et le ministère de l'Intérieur, qui assurait la sécurité interne. Napoléon approuva la division administrative de la France en départements, cantons et communes, mais il rendit les fonctionnaires responsables devant Paris en les faisant nommer par le pouvoir central, au lieu de les soumettre à l'élection. Afin d'assurer l'harmonisation des programmes gouvernementaux, il créa le Conseil d'État, un groupe de légistes experts qui formaient une espèce de cabinet responsable uniquement devant lui, et il suivit leurs conseils lorsqu'il chercha un moyen de relancer l'économie de la France. On s'assura des revenus par l'imposition de plusieurs vieilles taxes indirectes et en tentant maladroitement de taxer tous les gens par des impôts directs. La centralisation financière fut réalisée avec la création de la Banque de France dont le corps des gouverneurs (ses deux cents plus importants actionnaires) était composé de l'élite de la bourgeoisie financière de Paris. La centralisation du système judiciaire fut poussée plus loin par l'adoption du Code Napoléon, une nouvelle codification du droit qui abolissait les différentes coutumes provinciales et établissait un droit commun fondé sur la raison et non sur le précédent. Même la centralisation de la religion fut rendue possible lorsque le pape accepta le Concordat qui donnait à l'État le pouvoir de nommer les membres du clergé.

Toutefois, les rédacteurs du Code étaient profondément inquiets de plusieurs réformes révolutionnaires et, plus particulièrement, ils considéraient qu'une grande partie de la législation relative aux femmes, avait miné l'institution de la famille. Bien qu'ils conservassent l'égalité des droits de la femme en matière d'héritage, ils abandonnèrent la plupart des réformes relatives au statut juridique de la femme. Les motifs de divorce furent considérablement limités et le divorce lui-même ne fut conservé qu'à la suite de l'insistance de Napoléon. Le Code déclarait que «la femme doit obéissance à son époux» et qu'elle ne pouvait faire de donation ou encore rédiger un testament sans son consentement.

Napoléon réussit à unir la France sous le contrôle des ministères du gouvernement à Paris et ce contrôle est sans doute l'héritage le plus durable qu'il ait laissé à la France. Grâce à cette mesure il a pu se présenter comme le sauveur et l'héritier de la Révolution. Aux classes moyennes, il avait offert une stabilité financière, une administration organisée et une mobilité sociale qui étaient les motifs pour lesquels elles avaient fait la révolution. Aux paysans, il avait garanti les terres qu'ils avaient acquises, accepté dans son Code la fin des droits seigneuriaux et rétabli l'Église catholique. Aux classes ouvrières, il avait fourni de l'emploi, surtout à cause des besoins de l'armée en main-d'œuvre, de l'approvisionnement et de la nourriture. Aux démocrates de toutes les classes, il avait garanti l'égalité devant la loi et l'égalité des chances, la tolérance religieuse, l'abolition de la torture et des châtiments cruels, et des possibilités d'éducation pour les personnes douées. Il promit une plus large diffusion de ces bienfaits sous son administration que lors de la Révolution. À tous les nationalistes, il promettait non seulement une sécurité nationale, mais aussi une expansion territoriale et la gloire militaire. C'est pour ces différentes raisons que Paris, sous l'autorité de Napoléon, cessa d'être une ville en révolution. Après 1799, c'est à l'extérieur des frontières de la France que des villes furent en révolution.

BERLIN ET NAPLES: LA PRÉPARATION DE LA RÉVOLUTION NATIONALISTE

Les conséquences de la Révolution française et du régime de Napoléon sur le reste de l'Europe furent contradictoires. Le renversement de l'Ancien Régime en France a sans nul doute stimulé l'enthousiasme libéral des futurs réformistes d'autres parties de l'Europe. Mais ce furent des gouvernements despotiques, comme ceux de la Prusse et de l'Autriche, qui devinrent les plus ardents défenseurs de l'introduction de certaines réformes adoptées par l'Assemblée nationale en France. «Votre Majesté», écrivait le ministre réformiste Hardenberg au roi de Prusse, «nous devons faire, à partir du haut, ce que les Français ont fait à partir de la base». Le libéralisme trouvait ainsi des partisans inattendus. La stimulation du nationalisme, provoquée par les premières conquêtes des armées révolutionnaires et ensuite par Napoléon, fut également paradoxale. Le nationalisme s'enflamma à la suite des réformes introduites par les armées révolutionnaires et les gouvernements qu'elles avaient aidé à mettre en place, de même que par les réformes gouvernementales réalisées dans les pays conquis par Napoléon. Mais, au même moment, il était stimulé par les gouvernements conservateurs de pays qui étaient en guerre avec Napoléon et qui pensaient avoir trouvé une arme contre lui. Enfin, le nationalisme était encouragé par les classes dirigeante qui risquaient beaucoup si le nationalisme prenait le virage du libéralisme.

Berlin et Naples n'avaient pas été atteintes par la première expansion territoriale des armées révolutionnaires. Lorsque l'Assemblée nationale déclara la guerre à l'Autriche et à la Prusse en 1792, elle promit une diffusion

Influence de la Révolution française en Europe

1792	avril	Déclaration de guerre à l'Autriche et à la Prusse. Guerre de la Première Coalition
	septembre	Bataille de Valmy (défaite de la Prusse)
	novembre	Bataille de Jemappes (défaite de l'Autriche)
1793	février	Déclaration de guerre à la Grande-Bretagne et à la Hollande
	mars	Déclaration de guerre à l'Espagne
		Les Français sont refoulés hors de la Belgique et de la Rhénanie
	août	Les Jacobins ordonnent une «levée en masse» (la conscription)
1794		Reconquête française de la Belgique et de la Rhénanie
1795	avril	La Prusse se retire de la guerre
1796	mars	Début de la campagne d'Italie de Napoléon. Fondation des Républiques cisalpine et ligurienne
1797	octobre	Traité de Campoformio avec l'Autriche
		L'Autriche reconnaît l'annexion de la Belgique et de la Rhénanie à la France
		L'Autriche annexe Venise
1798	juillet	Victoire de Napoléon en Égypte, à la bataille des Pyramides
	août	Nelson détruit la flotte napoléonienne à la bataille de la baie Aboukir
		L'armée de Napoléon est isolée en Égypte et en Syrie
1799		Guerre de la Deuxième Coalition (Angleterre, Autriche, Russie, Turquie, royaume de Naples et Portugal). Les Français sont repoussés hors de l'Italie par le maréchal Suvorov
	décembre	Napoléon s'empare du pouvoir en France
1800	juin	Napoléon défait l'Autriche à la bataille de Marengo en Italie
1801	février	Traité de Lunéville. L'Autriche confirme la cession territoriale du traité de Campoformio
1802	mars	Traité d'Amiens. Paix avec l'Angleterre
1803	mai	Guerre de la Troisième Coalition (Grande-Bretagne, Autriche, Russie, Suède, et plus tard la Prusse). Préparation d'une invasion de l'Angleterre à partir de Boulogne
1805	octobre	Napoléon défait l'Autriche à Ulm
	octobre	Nelson anéantit les flottes française et espagnole à la bataille de Trafalgar
	décembre	Victoire écrasante de Napoléon sur l'Autriche à la bataille d'Austerlitz
1806	octobre	Défaite de la Prusse aux batailles d'Iéna et d'Auerstedt. Napoléon occupe Berlin. Décret ordonnant un blocus continental contre l'Angleterre
1807	février	Impasse de la bataille d'Eylau avec la Russie
	juin	Défaite de la Russie à Friedland
	juillet	Traité de Tilsit entre Napoléon et Alexandre, tsar de Russie. Création du grand-duché de Varsovie et du royaume de Westphalie
1808	mars	Invasion de l'Espagne par la France
	juillet	Défaite française à Baylen aux mains des Espagnols. L'Angleterre entre en Espagne. Napoléon place son frère Joseph sur le trône d'Espagne
1809	avril	L'Autriche déclare la guerre à la France
	juillet	Napoléon défait l'Autriche à la bataille de Wagram
	octobre	L'Autriche fait la paix en signant le traité de Vienne
1812	juin	Napoléon envahit la Russie avec une armée de 450 000 hommes
	août	Prise de Smolensk
	octobre	Retraite de Moscou
1813	février	Défaite de la Prusse aux batailles de Lützen et de Bautzen
	octobre	Les armées allemandes unies défont Napoléon à Leipzig (bataille des Nations)
	octobre	Le duc de Wellington envahit la France à partir de l'Espagne
1814	mars-avril	Les armées alliées occupent Paris
	avril	Napoléon doit abdiquer; il s'exile à l'île d'Elbe. Début de la conférence de paix à Vienne
1815	mars	Napoléon débarque en France
	juin	L'armée napoléonienne est défaite à Waterloo par les armées anglaise et allemande. Deuxième abdication
	octobre	Début de l'exil de Napoléon à Sainte-Hélène

Napoléon accueillant la reine de Prusse à Tilsit, par F.L.N. Gosse
(Editorial Photocolor Archives / Alinari)

de la liberté. Mais la France annexa la Savoie et Nice en 1792, la Belgique en 1795 et la rive gauche du Rhin en 1797. Une agitation provoquée par des minorités de démocrates, dont la plupart étaient originaires des classes moyennes, donna une excuse à la France, ou peut-être une justification, pour aider à l'établissement de républiques en Hollande, en Suisse et Italie du Nord (les républiques batave, helvétique, cisalpine et ligurienne). À l'intérieur de cette zone soumise à l'influence directe de la France, on notait une diversité dans les réactions face à la Révolution. On accueillait avec satisfaction l'introduction de réformes comme l'abolition des droits seigneuriaux, la modernisation des administrations centrale et locale, l'égalité des chances pour obtenir des postes au sein de l'administration de la justice et du gouvernement, la liberté d'expression et la diminution de la richesse de l'Église. Mais il y avait aussi un mécontentement généralisé face aux annexions et une amertume à l'endroit des exactions et de la conduite générale des armées françaises. Il devenait de plus en plus difficile, même pour les plus chauds partisans des changements à Paris, de considérer les armées révolutionnaires comme des libératrices altruistes. Il était ainsi facile, pour le roi de Prusse, d'ignorer la menace idéologique que faisait peser la Révolution sur son pouvoir; ses ministres soutenaient déjà en 1791, que l'objectif du roi de limiter le pouvoir de sa propre noblesse en faisait un «démocrate à sa façon». À la suite de l'échec de sa campagne non coûteuse de 1792-1795, la Prusse allait demeurer neutre jusqu'en 1806.

**Napoléon et
l'Allemagne**

Après la prise du pouvoir par Napoléon en 1799, l'influence de la France, comme force d'encouragement de changement libéral et comme occupant oppressif stimulant une réaction nationaliste, augmenta beaucoup en Allemagne. Au cours des mois de la courte paix de 1802-1803, Napoléon avait apporté des changements profonds en Allemagne. S'attirant la coopération des plus grands États allemands en faisant miroiter la possibilité de gains territoriaux, Napoléon avait réussi à convaincre les Allemands d'abolir la plupart des États ecclésiastiques, la plupart des villes libres et toutes les principautés des chevaliers impériaux. La géographie politique de l'Allemagne avait été simplifiée considérablement et le nombre de personnes qui avaient des droits acquis et qui s'opposaient à son unification future fut réduit. En accordant à la Prusse de nouveaux territoires, Napoléon renforçait davantage l'État qui allait finalement expulser l'Autriche de l'Allemagne.

Lorsque la guerre éclata à nouveau en mai 1803, Napoléon concentra ses forces pendant deux années le long de la Manche, en vue d'une éventuelle invasion de l'Angleterre. Toutefois, devant le danger d'une attaque de la part des armées autrichiennes et des petits États allemands au cours de l'automne 1805, il déplaça soudainement ses troupes en Allemagne. Il infligea une défaite mineure aux Autrichiens à Ulm en octobre et, ensuite, après avoir occupé Vienne, il anéantit leurs principales armées à Austerlitz, au cours de sa plus brillante victoire militaire, en décembre. La Prusse fut achetée par la cession du royaume de Hanovre.

Toutefois, Napoléon continuait à refaire la géographie de l'Allemagne avec la création, en 1806, de la Confédération du Rhin, une union fédérale de cinquante États allemands comprenant la Bavière, Baden et Württemberg. Dans cette région de l'Allemagne, fière d'avoir fait partie du Saint Empire romain germanique, consciente de ses affinités culturelles avec la France, et méfiante face à l'État militariste prussien, la population ressentait un grand sentiment d'affinité. Si on parvenait à éviter l'unification provoquée par l'absorption du reste de l'Allemagne par un de ses plus puissants États, l'expansion de cette confédération à une union fédérale de toute l'Allemagne était une solution possible. Mais la Confédération constituait une menace directe aux ambitions de la Prusse et à l'amour-propre de l'Autriche, et en 1806, le roi de Prusse, Frédéric-Guillaume III, se décida enfin à rallier les Russes contre Napoléon. Surclassés dans le nombre, dans l'équipement et la tactique, les Prussiens subirent d'humiliantes défaites aux batailles d'Iéna et d'Auerstedt; Napoléon put alors entrer triomphalement à Berlin. Lorsque la Russie fut elle aussi battue l'année suivante, le tsar Alexandre rencontra Napoléon à Tilsit, sur la rivière Niemen. Ensemble, ils scellèrent le sort de l'Europe, pendant que Frédéric-Guillaume galopait de long de la rive opposée, sous la pluie. Finalement, Napoléon prit la décision de ne pas rayer la Prusse de la carte. (Contrairement à ce que certains ont suggéré, les flatteries de la reine Louise de Prusse n'auraient pas eu d'influence sur cette décision. «Je suis fait de toile cirée et tout ceci ne fait que glisser», écrivait Napoléon à son épouse Joséphine.) Toutefois, la Prusse fut amputée de la moitié de son territoire et de sa population. Ses possessions polonaises formèrent une partie du grand-duché de Varsovie. Une partie de ses territoires allemands et ceux des autres princes qui avaient attaqué Napoléon sans réfléchir, formèrent le royaume de Westphalie, un trône pour Jérôme, le frère de Napoléon. Frédéric-Guillaume retourna dans un Berlin profondément humilié, afin d'entreprendre la reconstruction des restes de son État.

La philosophie de la révolution entreprise en Prusse, principalement par les premiers ministres Stein en 1807-1808 et Hardenberg en 1810-1822, fut résumée par Hardenberg dès 1794 :

La révolution de l'élite en Prusse

La Révolution française a donné une nouvelle vitalité aux Français, en dépit de toutes ses agitations et bains de sang. ... C'est une illusion que cette croyance que nous pouvons résister à la Révolution de manière efficace en nous cramponnant encore davantage au vieil ordre, en proscrivant les nouveaux principes sans pitié. ... Notre principe directeur doit être une révolution au meilleur sens du terme, une révolution menant directement vers ce grand objectif, l'élévation de la dignité humaine à travers la sagesse des personnes au pouvoir et non par le recours à la violence. Des règles de conduite démocratiques au sein d'une administration monarchique, telle est la formule.[6]

Bref, la révolution «par le haut» qui se produisait en Prusse allait déclencher la modernisation de cet État. Les réformes permirent aux gens de mieux s'identifier à l'État. «Nous devons former la nation à la gestion de ses propres affaires», écrivait Stein, «et à grandir pour quitter cette enfance dans laquelle un gouvernement toujours agité et trop zélé désire garder son peuple».[7] Les mesures de modernisation furent nombreuses et efficaces. La première des initiatives de Stein fut un décret émancipant les serfs et leur accordant une partie des terres. Les doctrines des physiocrates furent utilisées lors de l'abolition des corporations médiévales. Les professions étaient ouvertes à tous, ce qui permettait enfin aux nobles de s'impliquer dans le commerce et l'industrie. Une bureaucratie nouvelle et efficace fut créée en 1808. De la sorte, Stein et Hardenberg espéraient changer la structure sclérosée de la société prussienne, en permettant aux nobles et aux membres des classes moyennes de contribuer davantage à l'État sans nuire à son despotisme. Mais les réformes les plus significatives furent celles de l'armée et c'est l'armée révolutionnaire française qui servit de modèle. On mit un terme aux privilèges de la noblesse. Le comité de gestion énonçait ainsi le nouvel objectif: «À partir de maintenant, en temps de paix, les promotions à un grade d'officier se feront sur la base des connaissances et de l'éducation; en temps de guerre, sur la base de la bravoure exceptionnelle et de la rapidité de prise de décision. Par

6 Cité dans Koppel Pinson, *Germany: Its History and Civilization,* New York, Macmillan, 1954, p. 33.

7 Cité dans Peter Paret, *Yorck and the Era of Prussian Reform, 1807-1815,* Princeton, N.J., Princeton University Press, 1966, p. 118.

conséquent, de toute la nation, les personnes qui possèdent ces qualités pourront prétendre aux titres les plus convoités de l'armée.»[8] Après une lutte avec la noblesse, on adopta le principe de la conscription et on humanisa le service militaire. Afin de se soustraire à l'interdiction du traité de paix qui empêchait d'avoir une armée de plus de quarante mille hommes, les troupes étaient appelées pour un mois d'entraînement à la fois et placées ensuite en réserve permanente.

Pour rendre efficaces en Prusse des réformes ouvertement empruntées aux Français, on jugea qu'il était nécessaire, pour le peuple, d'être pénétré d'un sens nationaliste qui pourrait être utilisé contre les Français; à cette fin, on eut recours à des écrivains, des philosophes, des poètes et des journalistes. Dans ses *Adresses au peuple allemand*, Fichte réclamait cette «flamme dévorante du patriotisme, pour laquelle l'homme noble d'esprit sacrifie joyeusement sa vie, et l'homme ignoble, qui ne vit qu'en fonction des autres, doit aussi se sacrifier».[9] À Berlin, les plus profondes émotions du romantisme allemand furent centrées sur la lutte nationale: la haine de la raison et de la France en tant que terre des Lumières, le culte de la communauté nationale et de la surbordination de l'individu dans la nation, l'admiration pour le Moyen Âge, époque où la nation allemande était d'une plus grande pureté. En 1813, au moins chez les intellectuels, et tout spécialement chez les étudiants et les professeurs de la nouvelle université de Berlin, il y avait une ferveur ardente de nationalisme qui était apparue pour appuyer les réformes de l'État prussien. Elle fut importante, car elle inspira les futurs dirigeants, mais elle n'eut pas un grand écho dans la masse du peuple allemand, que ce soit en Prusse ou ailleurs. Les dernières campagnes de 1813, au cours desquelles les armées des États allemands avaient attaqué les forces de Napoléon après sa défaite en Russie, ne furent pas une guerre nationale de libération (*Befreiungskrieg*) par des forces volontaires, venues de toute l'Allemagne, mais plutôt des attaques par des armées professionnelles bien entraînées contre une armée napoléonienne affaiblie et démoralisée.

L'hégémonie napoléonienne en Italie

La propagation d'un sentiment nationaliste en Italie, même s'il était moins répandu parmi les masses qu'en Allemagne, eut des effets tout aussi importants auprès de la minorité politiquement active des villes. L'effet le plus durable de l'hégémonie française fut de persuader cette minorité que les réformes internes ne pourraient jamais être réalisées par les anciens dirigeants, dont les administrations stagnantes supportaient mal la comparaison avec les réformes introduites par les Français.

Le royaume d'Italie, fondé par Napoléon en 1804, et qui comprenait une grande partie de l'Italie du Nord et de l'Italie centrale, était le meilleur exemple des bienfaits de la modernisation. Sous l'administration du vice-roi, Eugène de Beauharnais, il y eut: un financement efficace, le Code

8 *Ibid.*, p. 133.

9 Pinson, *Modern Germany*, p. 35.

Napoléon, une éducation améliorée, des travaux publics de grande envergure, une croissance de l'exportation des denrées agricoles et l'ordre public. De plus, en unissant pendant un certain nombre d'années les habitants d'anciens États indépendants, on donnait aux administrateurs l'expérience d'un travail d'équipe au sein d'une administration unifiée. Il n'y eu pas de révolte contre Eugène en 1814, même après la chute de Napoléon, et plusieurs personnes, dans son royaume, auraient été heureuses de le reconnaître comme roi en titre. Une grande partie des États pontificaux fut annexée par la France. Le pape fut déposé et l'amélioration de l'administration eut droit à l'admiration de la populace romaine.

Mais c'est à Naples que les dirigeants français adressèrent un appel au nationalisme italien. Le roi Ferdinand IV, un Bourbon espagnol, et la reine Marie-Caroline, une Habsbourg autrichienne, étaient aveuglément opposés au changement. Ils avaient déjà été brièvement chassés par des forces républicaines, aidées par des troupes révolutionnaires françaises. En 1806, Ferdinand était contraint par les armées de Napoléon de s'enfuir en Sicile. Ses territoires de l'Italie continentale devinrent le royaume de Naples, lesquels furent confiés au frère aîné de Napoléon, un aimable mais distrait administrateur. Le court règne de Joseph à Naples prit fin en 1808 lorsque Napoléon l'envoya en Espagne pour y être le roi. Il laissait en héritage une nouvelle constitution, le Code, des routes améliorées et des bureaucrates plus compétents. Son successeur au trône fut le maréchal Joachim Murat, le beau-frère de Napoléon, un commandant de cavalerie brillant.

Pendant qu'il poursuivait les politiques de Joseph, Murat fit une tentative délibérée pour courtiser les réformistes et en vint progressivement à se considérer comme le «libérateur de l'Italie». Ses origines gasconnes, son ascension dans l'armée et son inconfort avec les aristocrates firent de lui un égalitariste inné, tandis que son exubérance sans limite dans ses manières et son habillement lui valurent une grande popularité parmi la population napolitaine. Il semble qu'il soit devenu méfiant à l'endroit des ambitions de sa femme, Caroline Bonaparte, lorsque commencèrent à s'accumuler les défaites. Il voulut dissocier sa fortune de celle de l'empereur, courtisa les petits groupes révolutionnaires de Carbonari et se tourna progressivement vers les conseillers napolitains de son gouvernement qui favorisaient une Italie unifiée. Réhabilité aux yeux de Napoléon lorsque ce dernier lui confia le commandement de la cavalerie lors de l'invasion de Russie, Murat décida d'abandonner Napoléon après la retraite de Russie. En 1813, il retournait à Naples pour négocier auprès des Autrichiens une récompense pour avoir abandonné Bonaparte. Il déclara à son armée qu'il se battrait désormais pour l'indépendance italienne, et après avoir conservé le trône jusqu'à l'évasion de Napoléon de l'île d'Elbe, il déclara finalement la guerre à l'Autriche en 1815, avec la prétention de libérer l'Italie de l'hégémonie étrangère. Il ne reçut toutefois que le soutien de quelques intellectuels; la paysannerie ignora ses appels à la mobilisation. Les Autrichiens ayant défait rapidement ses troupes, il s'enfuit en

Pauline Bonaparte, par Antonio Canova (1757-1822)
Napoléon avait marié sa sœur préférée, Pauline, à un éminent aristocrate romain de la famille des Borghèse et ensuite, lorsqu'ils se séparèrent, il en fit la princesse du petit État italien de Guastalla. (Gracieuseté du Bureau de tourisme du gouvernement italien)

France, où ses derniers espoirs s'évanouirent avec la défaite de Napoléon à Waterloo. Dans un dernier geste, il rassembla deux cents hommes en Corse et envahit Naples, où il fut immédiatement capturé et mis à mort, sous les ordres de Ferdinand. La carrière de Murat fut une farce ignominieuse et ne contribua probablement pas à faire avancer la cause du nationalisme italien. Ce n'est qu'en rétrospective, lorsque furent rétablis les régimes conservateurs à travers toute la péninsule, que le souvenir des changements introduits par la France devint un catalyseur du désir d'un gouvernement amélioré et d'une unité nationale.

La révolte nationaliste contre Napoléon

Napoléon fut incapable d'établir des bases durables pour son hégémonie en Allemagne ou en Italie parce que, après 1803, il n'est jamais parvenu à convaincre les Anglais de cesser leur lutte acharnée contre lui. Pendant la paix de 1802-1803, les Anglais avaient conclu que leurs intérêts et ceux de Napoléon étaient irréconciliables. Napoléon avait fait campagne en Égypte et les Britanniques estimaient qu'il avait l'intention de défier leur domination en Inde. Il contrôlait les Pays-Bas, ce qu'ils considéraient comme une menace à la sécurité de Londres. En plus, il préparait les forces militaires nécessaires à une expansion de sa domination en direction de l'Europe centrale et au-delà. L'amiral Nelson mit un terme à toute tentative d'invasion de l'Angleterre, en détruisant les flottes combinées de la France et de l'Espagne au large du cap de Trafalgar en octobre 1805. De plus, en 1806, Napoléon avait tenté de contraindre les Britanniques à demander la paix en fermant tous les ports de l'Europe au commerce avec la Grande-Bretagne. Le blocus continental se révéla plus dommageable pour les pays européens que pour l'Angleterre, ce qui provoqua de la résistance au sein de l'Europe à l'endroit de Napoléon, laquelle allait finalement provoquer sa chute.

Comme la plupart des Européens, dont les Français, les Italiens contournaient le système continental en recourant à la contrebande. Toutefois, le refus de collaborer du Portugal, en 1807, puis de la Russie, en 1810, entraîna Napoléon dans des aventures militaires qui se soldèrent par une défaite totale. Alors qu'il traversait l'Espagne pour attaquer Lisbonne, qui était protégée par des troupes britanniques commandées par le duc de Wellington, Napoléon fut tenté, dans un geste irréfléchi, de faire de l'Espagne un royaume satellite sous la tutelle de son frère Joseph. L'initiative de Napoléon provoqua un soulèvement national contre les armées françaises, mené par une junte de prêtres et de nobles. Ceux-ci se révélèrent de précieux alliés de l'armée espagnole et des troupes de Wellington, lors de la résistance qui combattit les meilleures troupes de France pendant les six années suivantes. Dès lors, Napoléon fut dans l'impossibilité d'obtenir un répit. Les Autrichiens lui déclarèrent la guerre en 1809 et il lui fallut rassembler une armée de trois cent mille hommes, dont la moitié était des conscrits étrangers à la loyauté douteuse, pour vaincre les Autrichiens à Wagram. Son succès tracassa les Russes, à tel point qu'ils se retirèrent du système continental et massèrent des troupes à la frontière polonaise. Napoléon commit ensuite sa plus grave erreur. À la tête d'une armée de quatre cent cinquante mille hommes, il envahit la Russie en juin 1812. Il ne mena ses troupes à la bataille qu'à une seule occasion, lors de la marche sur Moscou, à travers la «terre brûlée» que l'armée russe laissait derrière elle. Il trouva Moscou en flammes, et dut battre en retraite vers la Pologne, tandis que l'hiver disséminait ses troupes. À peine trente mille hommes de la Grande Armée atteignirent la Pologne en décembre. Son état de faiblesse était l'occasion que Prussiens et Autrichiens attendaient, afin de lancer leurs armées disciplinées contre les troupes novices que Napoléon tentait désespérément de lever en France. Après plusieurs batailles incertaines, il fut défait lourdement à Leipzig en 1813. Lorsqu'il retourna en France afin de lancer une dernière campagne, ses maréchaux le forcèrent à abdiquer. Napoléon s'embarqua en avril pour l'île d'Elbe, sur laquelle ses ennemis lui avait cédé la souveraineté, tandis que Louis XVIII, le plus jeune frère de Louis XVI, retournait à Paris pour y prendre le pouvoir. (Le fils de Louis XVI, Louis XVII, était décédé dans une prison parisienne en 1795, laissant ainsi à son oncle le droit légitime au trône.) Les alliés victorieux se rendirent à Vienne où, sous la présidence du prince von Metternich, chancelier autrichien, ils délibérèrent sur l'avenir de la France et de l'Europe.

En mars 1815, leurs délibérations furent interrompues par la nouvelle de l'évasion de Napoléon de l'île d'Elbe. Dès son arrivée dans le sud de la France, Napoléon fut accueilli par ses anciennes troupes. Louis XVIII s'enfuit en Belgique et Napoléon, qui avait tenté de s'assurer un grand soutien populaire en promulguant une Constitution libérale pour l'Empire restauré, partit avec une armée d'un peu plus de cent mille hommes rencontrer les armées britanniques et prussiennes au sud de Bruxelles. À la bataille de Waterloo (18 juin 1815), l'empereur fut vaincu de façon décisive et contraint, une fois de plus, à abdiquer, mettant ainsi fin à l'épisode des Cent-Jours. Les Britanniques l'exilèrent à Sainte-Hélène, une île isolée dans le sud de l'océan Atlantique, où il rédigea ses mémoires et où il mourut en 1821.

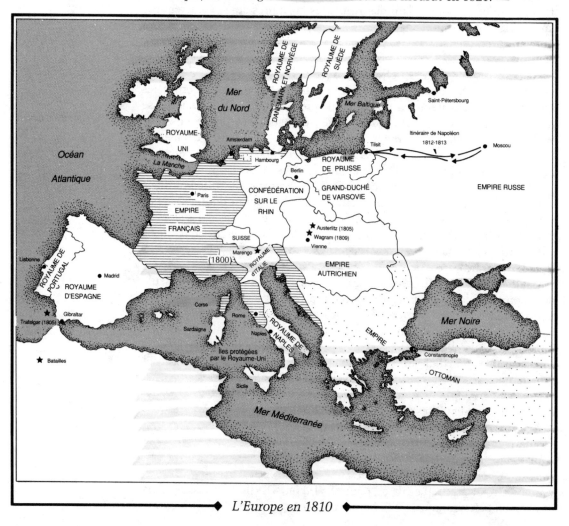

◆ *L'Europe en 1810* ◆

À Vienne, la conférence reprit son cours et il devint évident que les hommes d'État n'avaient pas seulement à modifier des frontières et à établir des indemnités, mais à trouver des méthodes pour lutter contre des ennemis intangibles — les forces révolutionnaires du libéralisme et du nationalisme. Si l'unité des années 1776 à 1815 réside dans la libération de ces forces, l'unité des années 1815 à 1848 résidera dans la tentative ratée de les contenir.

Tombeau de Napoléon, Église des Invalides, à Paris
Le corps de Napoléon fut ramené de l'île Sainte-Hélène à Paris en 1840. Le monument funéraire fut taillé dans du porphyre rouge obtenu de la Russie, parce que cette pierre était utilisée pour l'inhumation des empereurs romains. (Peter Menzel)

18

LA VIENNE DE METTERNICH

Vienne, sur laquelle j'ai posé mon regard par un dimanche ensoleillé, m'avait enchanté — je dois l'admettre. Je retrouve Paris encore plus beau, joyeux et allemand — Richard Wagner, pendant la Révolution de 1848.

Pendant la première moitié du XIXᵉ siècle, Vienne était la ville européenne dominante, et ceci, pour deux raisons contradictoires. En effet, jusqu'aux révolutions de 1848, c'est Vienne qui allait façonner la diplomatie des grandes puissances, inspirant une politique conservatrice de répression contre les forces du libéralisme et du nationalisme qui s'étaient exprimées au moment de la Révolution française. Mais au même moment, elle stimulait un des plus grands foisonnements de génie musical qu'ait jamais connu l'Europe.

Depuis la chancellerie dans la Ballhaus au centre de la Vieille cité à Vienne, le prince Clemens von Metternich a dirigé l'univers diplomatique de l'Europe. En 1815, dans ses bureaux, les souverains et diplomates qui participaient au Congrès de Vienne avaient tenté de restaurer la société prérévolutionnaire, telle qu'elle existait avant 1789, grâce à une entente mutuelle pour étouffer les pressions effervescentes

(Page gauche) Vienne, vue depuis le Palais du Haut Belvédère (détail), par Bernardo Bellotto (1720-1780) (*Kunsthistoriches Museum, à Vienne*); (en médaillon) Metternich (*Bildarchiv d. Ost. Nationalbibliothek*)

du libéralisme et du nationalisme. Pour Metternich, une telle politique de répression était nécessaire à l'intérêt personnel de l'Autriche, parce que l'Empire autrichien, absolutiste et multinational, était de tous les États européens celui qui avait le plus de difficulté à résister aux demandes de changement politique exprimées par les chefs libéraux et nationalistes. Cette politique connut un succès jusqu'en 1848, au moment où les mouvements libéraux et nationalistes unirent leurs forces dans la plupart des États européens, dans une vaine tentative de renverser les régimes qui avaient été maintenus en place jusque-là, grâce aux subtilités de la diplomatie de Metternich.

Mais c'est l'autre Vienne qui domina l'Europe d'une façon plus durable. Dans le grand hall de l'université, dans le *Theater an der Wien* ou dans la salle de bal du palais du comte Rasumowsky, les orchestres et les chœurs, les troupes d'opéra et les quatuors jouaient les œuvres des compositeurs de Vienne. La plupart d'entre eux étaient des Viennois d'adoption qui avaient trouvé l'atmosphère de la ville propice à leur talent. Mozart avait été inhumé à Vienne dans une fosse commune en 1791, l'année de la première production de *La flûte enchantée*. En 1790, Franz Josef Haydn retournait à Vienne pour lui donner la *Création* et *Les Saisons*. Lorsque Beethoven mourut, en 1827, Schubert, Czerny et le dramaturge Grillparzer étaient présents; Schubert fut inhumé près de Beethoven un an plus tard, dans un tombeau viennois. Plusieurs s'établirent à Vienne lors des années qui suivirent — Brahms et Bruckner et, vers la fin du siècle,

◆ *La Vienne de Metternich* ◆

Période étudiée	La chancellerie du prince Clemens von Metternich (1809-1848)
Population	232 000 (1800); 260 224 (1820); 356 869 (1840)
Superficie	La Vieille cité, 0,86 kilomètre carré; la ville et ses banlieues, 13,9 kilomètres carrés
Type de gouvernement	Monarchie absolue: les empereurs François Ier (1792-1835) et Ferdinand Ier (1835-1848)
Chefs politiques	Metternich; le comte Kolowrat; l'archiduc Lewis
Fondement économique	Bureaucratie impériale; production de biens de luxe (et plus particulièrement les textiles); les banques; les revenus fiscaux de l'Empire autrichien
Vie intellectuelle	Drame (Grillparzer); peinture Biedermeier (Amerling); musique (Beethoven; Schubert; Czerny; Johann Strauss, père et fils; Lanner)
Édifices principaux	Cathédrale Saint-Étienne; palais baroques (et plus spécialement ceux de Hofburg, du Haut Belvédère et de Schönbrunn)
Divertissements publics	Concerts en plein air; opéra et concerts symphoniques; petits salons de la forêt viennoise.
Religion	Catholique

Mahler, Hugo Wolf et Richard Strauss. Au même moment, les tavernes de la forêt viennoise et les kiosques à musique des remparts de la ville, où se produisaient les régiments de la garde de la ville, résonnaient au rythme des valses de Johann Strauss, père et fils, et de leur rival, Joseph Lanner. En matière de musique orchestrale, Vienne ne comptait aucun rival et, dans le domaine de l'opéra, elle n'admettait que la concurrence de l'Italie.

Robert Schumann, qui venait de découvrir la *Symphonie inachevée* de Schubert parmi ses manuscrits inédits, commentait en 1840 :

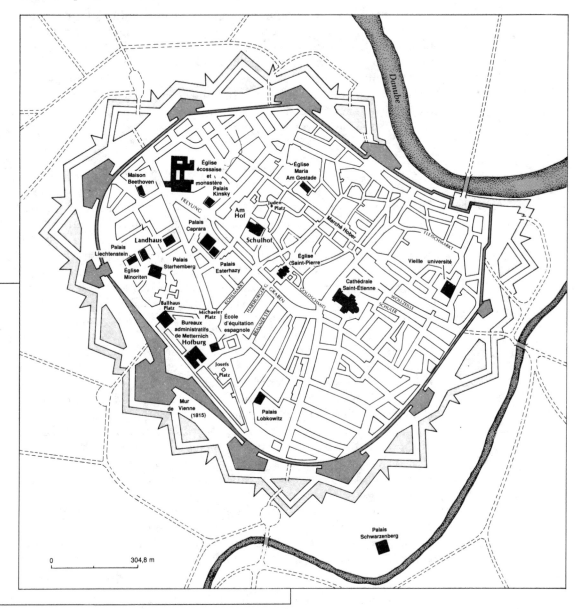

C'est vrai: cette Vienne, avec sa tour de Saint-Stephen, ses femmes magnifiques, son atmosphère d'apparat, ceinturée par les nombreux méandres du Danube et s'étendant à la plaine luxuriante, qui s'élevait graduellement pour former les hautes montagnes au loin, cette Vienne, avec tous ses souvenirs des grands maîtres allemands, doit être propice à l'imagination du musicien. … Dans une symphonie de Schubert, dans toute sa clarté, sa richesse et sa vitalité romantique, je me souviens de Vienne aujourd'hui plus que jamais et je réalise, de nouveau, pourquoi un tel environnement a su produire de telles œuvres.[1]

Comment devons-nous expliquer les contradictions dans les caractéristiques de la prééminence viennoise? Pourquoi cette ville, du moins pendant la première moitié du siècle, devait-elle produire une musique aussi superbe et si peu d'œuvres artistiques ou architecturales de grande importance, si peu d'œuvres scientifiques ou philosophiques, et seulement un écrivain de grande renommée? Et pourquoi Vienne devait-elle se distinguer, pendant cette période, comme chef de file des forces conservatrices du continent?

L'HÉRITAGE BAROQUE

Structure de classe de l'empire des Habsbourg

La noblesse multinationale de Vienne tirait sa richesse de ses grandes propriétés foncières. Les Habsbourg eux-mêmes avaient été des archiducs en Autriche et, à partir du noyau qui représente l'Autriche actuelle, ils réussirent à ajouter, principalement par des mariages, mais aussi par des guerres occasionnelles, une série de régions disparates qui n'étaient unies que par une commune allégeance envers les souverains habsbourgeois. Des régions que la dynastie possédait à la fin du XVIIIe siècle, elle avait acquis la Bohème pendant le XVe siècle, reconquis la Hongrie et la Croatie aux dépens des Turcs à la fin du XVIIe siècle, conservé les Pays-Bas autrichiens et la Lombardie en 1713, et pris la Galicie polonaise lors des morcellements de 1772 et 1795. La noblesse de la Pologne et de l'Italie était d'origine préhabsbourgeoise; mais dans toutes les autres régions, les grandes familles, comme celles des Esterhazy en Hongrie et des Kolowrat en Bohême, devaient une part de leur fortune aux concessions foncières des empereurs. De plus, l'empire était fondé sur un système agricole simple — du moins, depuis les réformes de Joseph —, une division des terres entre la paysannerie en propriété libre et la haute noblesse. Les paysans qui travaillaient dans les domaines des nobles étaient, presque entièrement, sous leur contrôle, malgré l'abolition du servage par Joseph. En Hongrie, il y eut un compromis qui permettait à la noblesse locale d'exercer un contrôle sur les affaires locales; dans le reste de l'empire, l'hégémonie de la bureaucratie impériale était totale. Les grands aristocrates (*Hochadel*) conclurent une alliance tacite avec l'empereur, qui acceptait leur hégémonie sur la paysannerie. Il accorda des

1 Cité dans Martin Hürlimann, *Vienna*, Londres, Thames and Hudson, 1970, p. 74.

postes, pour les cadets dans l'armée, dans l'Église ou encore dans la bureaucratie. L'aristocratie considérait faire partie d'une société internationale qui gravitait autour de l'empereur, et trouvait un cadre de vie naturel au sein de la cour de Vienne.

Si la haute aristocratie était liée par une appartenance à la société de cour qui transcendait les origines nationales, la classe des bureaucrates, qui s'était développée à Vienne durant le XVIIIᵉ siècle, était unie par ses origines exclusivement allemandes. L'édifice de la chancellerie, conçu par Lukas von Hildebrandt en 1719, de même que son agrandissement réalisé par Fischer von Erlach, a marqué le début de la bureaucratisation de l'administration de l'empire, et la création à Vienne de ce qui allait bientôt devenir sa classe la plus nombreuse. Vienne dominait l'administration du reste de l'empire à travers les villes, elles aussi largement peuplées d'Allemands; même à Prague et à Budapest, il y avait plus d'Allemands que de Tchèques ou de Hongrois. Le lien était la langue et la culture allemandes, lesquelles étaient volontairement acceptées par les recrues de la bureaucratie. Pour la classe moyenne viennoise, la bureaucratie était la voie de l'avancement social menant aux rangs de l'aristocratie professionnelle (*Briefadel*), un deuxième niveau de l'aristocratie inférieur à celui des Hochadel.

Vue aérienne de Vienne (vers 1769-1774), par Josef Daniel Huber
Cette vue extraordinairement précise, qui ne sera surclassée qu'avec l'avènement de la photographie aérienne, est le résultat du travail d'un officier d'artillerie. (Bildarchiv d. Ost. Nationalbibliothek)

L'HÉRITAGE BAROQUE

Le reste de la population urbaine vivait aux derniers étages des maisons de la classe moyenne, dans des immeubles situés dans les quartiers les moins chics, ou dans les maisons plus salubres des villages à l'intérieur ou à l'extérieur des murs de la ville. Ils travaillaient dans des petites boutiques, des ateliers ou dans une meunerie, pour répondre aux besoins de la cour, de la bureaucratie, de l'Église et de l'armée. Cette population était composée de cordonniers, de tisserands de soie, de fabricants de porcelaine, de charpentiers-menuisiers, des métiers qui comblent les besoins de toute grande ville. Ce qui est remarquable, c'est qu'une ville, consacrée exclusivement à l'approvisionnement de la cour et de l'aristocratie, ait pu faire vivre une population de près de trois cent mille personnes. Il devint bientôt évident que toute la ville gravitait autour du Hofburg, ce palais composé de dix-sept édifices différents, construits de façon décousue, qui s'étendait au sud-ouest de la ville. S'y combinaient les restes d'une forteresse médiévale, d'une chapelle gothique, d'un manoir du XVIᵉ siècle et les grandes séries d'édifices baroques construits par Fischer von Erlach et Hildebrandt. Ces édifices superbes comprenaient l'École d'équitation espagnole, laquelle était souvent utilisée pour les grands dîners d'État; la bibliothèque impériale, avec les volumes reliés en cuir de la collection privée du prince Eugène; la longue rangée des appartements d'État le long de la Josefsplatz; et la chancellerie impériale sur la Ballhaus-

Vienne, vue depuis le Belvédère, par Jacob Alt
Des jardins terrassés unissaient les palais du haut et du bas Belvédère, lesquels avaient été construits par Lukas von Hildebrandt en guise de résidence d'été pour le prince Eugène de Savoie. À la gauche du tableau, on aperçoit l'église baroque de Charles, tandis que le clocher de la cathédrale de Saint-Étienne marque le centre de la Vieille cité de Vienne. (Bildarchiv d. Ost. Nationalbibliothek)

platz. Sauf lorsque la cour se déplaçait à Schönbrunn pour l'été, toutes les cérémonies, les divertissements et les prises de décision se déroulaient au sein de cet ensemble d'édifices.

La Vienne de Metternich se distinguait des autres grandes capitales d'Europe. Jusqu'en 1830, elle n'avait qu'une faible importance commerciale et presque aucune importance industrielle. Elle n'était exclusivement qu'une capitale sociale et administrative. Mais les deux classes qui contrôlaient son existence, l'aristocratie multinationale et la bureaucratie allemande, étaient — à leur façon — étrangères à la majorité des habitants

Thérèse, la comtesse de Kinsky, par Élisabeth Vigée-Lebrun
Après la Révolution, la peintre de la cour de France, Vigée-Lebrun, s'était enfuie de Paris pour trouver de nouveaux mécènes parmi les membres de la noblesse ennemie de France. (La Fondation artistique Norton Simon)

de l'empire, dont elles tiraient un soutien économique. Il y avait deux motifs pour qu'un changement révolutionnaire se produise. Le premier était l'éclosion d'une révolution sociale voulue par la paysannerie contre les grands propriétaires fonciers et l'empereur (dont le pouvoir reposait sur les aristocrates). Le second était une révolution nationaliste probablement menée par la basse noblesse, qui souffrait économiquement, ou par la paysannerie révoltée contre la domination austro-allemande. Ces deux craintes pesaient sur Metternich, lorsqu'il devint chancelier, après la défaite désastreuse de l'Autriche face à Napoléon à Wagram, en 1809.

METTERNICH ET LA RESTAURATION CONSERVATRICE

La bibliothèque du palais de Hofburg, à Vienne
Cette somptueuse bibliothèque, en noyer et en stuc, fut construite entre 1722 et 1737 par Fischer von Erlach, afin de contenir la grande collection de livres du prince Eugène de Savoie. (Bildarchiv d. Ost. Nationalbibliothek)

S'il est facile d'expliquer la prééminence de Metternich parmi les diplomates de l'Europe, il est cependant plus difficile de comprendre son influence au sein de l'Empire autrichien.

Metternich était le représentant suprême de la doctrine du conservatisme dans les affaires internes et dans les relations étrangères, à une époque où les souverains de l'Europe tentaient de préserver leurs sujets, et ceux des puissances voisines, de l'idée répandue par la Révolution française et Napoléon que les sociétés établies depuis longtemps pouvaient être modifiées par leurs membres les moins privilégiés. Les dangers pour l'Autriche, auxquels il eut à faire face, changèrent au cours du demi-siècle suivant, mais la conviction de Metternich, lorsqu'il assuma ses fonctions à Paris, allait demeurer la même : «Napoléon me semblait l'incarnation de la Révolution, tandis que la puissance autrichienne, que je devais représenter à sa cour, me semblait être le gardien le plus sûr des principes sur lesquels reposaient la paix générale et l'équilibre politique».[2]

Telle était la conviction de Metternich, lorsque les puissances victorieuses se réunirent à Vienne à l'automne de 1814. La paix avec la France devait prendre la forme d'une revanche ou d'une tentative en vue d'établir «le meilleur équilibre politique entre les puissances». Afin de convaincre les puissances d'accepter ses idées, il lui fallait fournir un cadre propice : Vienne, à l'exception de l'intermède des Cent-Jours de Napoléon, allait être un gigantesque festival pour les aristocrates de l'Europe. Dans le palais de Hofburg, l'empereur reçut le tsar de Russie, les rois de Prusse, du Danemark, de Bavière et de Saxe, et une foule de nobles de moindre importance. Quarante tables étaient dressées pour le dîner, à chaque soir. Mille quatre cent chevaux étaient à leur disposition. Des défilés militaires colorés, des expositions équestres dans l'École d'équitation, des feux d'artifices, des parties sur glace, des bals dans la grande salle du palais, des bals hebdomadaires chez Metternich, des loteries, des représentations de théâtre amateur, des concerts dirigés par Beethoven, et une nouvelle présentation de *Fidelio*, convainquirent les Viennois que leur ville était la plus romantique de l'Europe. La pompe permettait aussi de taire le fait que d'importantes discussions du Congrès avaient lieu entre Metternich, le secrétaire britannique des Affaires étrangères Castlereagh, le tsar Alexandre Ier, le ministre prussien Hardenberg et le français Talleyrand, lequel réussit à rallier les membres du Congrès à l'idée qu'ils assureraient la stabilité de l'Europe en rendant Louis XVIII — le roi bourbon restauré — populaire aux yeux de ses sujets. L'imposition d'un traité sévère à la France ne contribuerait pas à rendre sympathique à ses sujets un roi qu'ils savaient revenu au pays après un voyage «dans les malles des alliés».

Afin d'atteindre un équilibre, les grands États se mirent d'accord sur des annexions territoriales d'égale importance, de sorte qu'aucun d'entre eux ne puisse constituer une menace pour les autres. Leur première décision fut de ne pas retourner aveuglément à la situation qui prévalait en 1789. Metternich était convaincu que la principale menace de l'Autriche était l'Italie, où les réformes de Napoléon avaient laissé des séquelles de

Metternich, par Klemens Wenzel Lothar
Intelligent, séduisant, élégant et doté d'un bon sens de l'humour, Metternich incarnait, pour plusieurs, la continuité des idéaux aristocratiques de l'Ancien Régime au sein du XIXe siècle. Toutefois, pour les millions de mécontents qui désiraient des changements politiques et sociaux, le système de répression de Metternich constituait le principal obstacle à la réalisation de leurs objectifs.
(Bildarchiv d. Ost. Nationalbibliothek)

---

2 Metternich, *Mémoires*, I, p. 65.

ressentiments libéraux et nationalistes. L'Autriche avait récupéré la Lombardie qu'elle avait perdue en 1797, en plus d'annexer la Vendée et les provinces de l'Illyrie le long de la côte dalmatienne. L'empereur François II remit plusieurs États italiens à des membres de sa famille. En Allemagne, Metternich voulait la constitution d'une confédération présidée par l'Autriche, confédération qui remplacerait le Saint Empire romain germanique. Mais pour s'assurer de l'appui de la Prusse à cette idée de confédération allemande, il devait accepter le doublement de la superficie de la Prusse par l'acquisition de territoires appartenant à ses voisins immédiats et d'une grande partie de la rive gauche du Rhin. La Russie s'empara d'une portion agrandie de la Pologne à laquelle elle était censée accorder une autonomie interne, à titre de royaume de Pologne; elle annexa ensuite la Finlande. L'Angleterre rétrocéda la plupart des possessions coloniales françaises, mais conserva l'île de Malte, en Méditerranée, l'Helgoland, au large des côtes du nord de l'Allemagne, ainsi que des postes commerciaux et d'approvisionnement le long de la route des Indes: la colonie du Cap à l'extrémité sud de l'Afrique, l'île Maurice dans l'océan Indien et Ceylan. Les alliés se mirent d'accord pour contraindre la France à céder les territoires qu'elle avait annexés en Europe, sans toutefois les démembrer, comme l'exigeaient les Prussiens.

Le deuxième principe, sous-jacent aux changements politiques, concernait la création d'une série d'États tampons le long de la frontière de la France, afin de prévenir toute nouvelle agression française. Les anciens Pays-Bas autrichiens (la Belgique) furent unis à la Hollande sous l'hégémonie de la famille d'Orange; on confia la surveillance du Rhin aux Prussiens; et

Signatures des membres du Congrès de Vienne, le 13 mars 1815

Le soutien apporté à Napoléon, après sa fuite de l'île d'Elbe, conduisit les chefs d'État, au Congrès de Vienne, à abandonner le traitement indulgent qu'ils avaient décidé de réserver à la France, par le protocole du 13 mars 1815. Parmi les signatures, on retrouve celles de Metternich pour l'Autriche, de Talleyrand pour la France et du duc de Wellington pour la Grande-Bretagne. (Bildarchiv d. Ost. Nationalbibliothek)

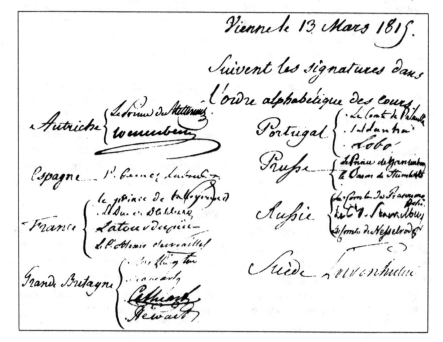

le royaume du Piémont et de la Sardaigne fut agrandi avec l'annexion de l'ancienne république de Gênes, d'une partie de la Savoie et de Nice. Il s'agit des plus importantes décisions du Congrès de Vienne et on n'allait revenir sur aucune d'entre elles. On les considérait nécessaires, pour reprendre les termes de Castlereagh, afin «de ramener le monde à des habitudes pacifiques». Le troisième principe, la légitimité — lequel sous-entendait la restauration de monarques dont le droit au trône avait été démontré lors de longs règnes et par une philosophie conservatrice —, fut invoqué pour justifier le retour de Louis XVIII sur le trône de France, de Ferdinand VII en Espagne et de Ferdinand IV au royaume des Deux-Siciles.

Afin d'assurer une permanence à ces accords, la Grande-Bretagne, l'Autriche, la Prusse et la Russie signèrent la Quadruple Alliance, par laquelle ils convinrent de prendre les armes dans l'éventualité où les Français tenteraient une nouvelle agression ou une restauration de Bonaparte, et de se rencontrer de façon périodique, afin de considérer des mesures pour assurer «le repos et la prospérité des peuples, ainsi que le maintien de la paix en Europe».

Le fondement de ce qui allait devenir, au grand étonnement de Metternich, le «système de Metternich», tel qu'édifié au Congrès de Vienne, résidait dans sa conception de la solidarité et de l'interdépendance des États: tout changement révolutionnaire au sein d'un État provoquait des conséquences sur tous les autres États. D'ailleurs, Metternich soutenait que «la paix n'est pas possible dans un système révolutionnaire, que ce soit avec un Robespierre qui déclare la guerre à la noblesse ou avec un Napoléon qui déclare la guerre aux grandes puissances». Dans le maintien d'un monde libre de révolutions, l'Empire autrichien devait jouer un rôle central, tant sur le plan de la prévention des révolutions à l'extérieur de ses frontières, qu'à propos de la préservation de sa propre stabilité interne. Metternich devait connaître plus de succès en affaires étrangères: «J'ai peut-être gouverné l'Europe, mais jamais l'Autriche.»

LE DOCTEUR DE LA RÉVOLUTION

Le pouvoir de Metternich reposait sur l'Empire autrichien où l'on comptait, en 1815, environ trente millions d'habitants, dont le quart de langue allemande. En comparaison, la population prussienne n'était que de onze millions, celle de la Russie de quarante millions et celle de la France de vingt-huit millions. La Révolution industrielle n'avait pas encore commencé sur une grande échelle dans aucun des pays de l'Europe continentale; jusqu'ici, leur force reposait sur l'agriculture et le commerce. L'Autriche, après les indispensables réformes militaires réalisées par le général Radetsky, était en mesure de vaincre les plus petites puissances de l'Europe, mais aucune des grandes puissances. Metternich était très conscient des limites qu'une telle situation imposait à toute initiative de l'Autriche, en plus de la nécessité du maintien d'un système de consultation entre les grandes puissances. De façon constante, il s'opposa à toute nouvelle annexion de territoire par l'Autriche, plus spécialement des entreprises destinées à affaiblir l'Empire turc dans le sud-est de l'Europe. Cet Empire autrichien «saturé», loin de constituer une menace pour les autres puissances, se voulait, dans sa position internationale, une barrière contre la révolution. Dans ce sens, elle était une «nécessité européenne».

La répression du
libéralisme en Italie

La principale tâche internationale de l'Autriche était de contrôler l'Italie, le pays qui avait été le plus influencé par les idées révolutionnaires françaises et par l'ingérence de la France elle-même. La dépendance de l'Autriche envers l'Italie était en partie d'origine économique. Dans la vallée du Pô, la Lombardie comprenait les plus riches terres agricoles de l'empire et fut la première région à connaître une industrialisation. Trieste avait été construite comme le principal port de l'Autriche, reliée directement à Vienne. Toute la péninsule était prête à recevoir la révolution. À la suite des réformes napoléoniennes, les régimes restaurés apparaissaient archaïques, tout particulièrement l'administration papale et le règne répressif des Bourbon à Naples. Les sociétés révolutionnaires secrètes étaient nombreuses, et plus spécialement les Carbonari avant 1830 et plus tard la Jeune Italie de Mazzini. De jeunes officiers de l'armée, les classes professionnelles et les chefs de file du monde des affaires s'accordaient sur le besoin d'une modernisation, y compris l'adoption de constitutions plus libérales. La présence des troupes d'occupation autrichiennes en Lombardie et en Vénétie, et de la police secrète ailleurs, firent que le mouvement révolutionnaire était dirigé contre l'Autriche et, par conséquent, nationaliste. Ce fut la révolution en Italie qui incita les puissances à utiliser le système du Congrès de Vienne pour autoriser des interventions armées afin de réprimer le libéralisme.

Les membres de la Quadruple Alliance se rencontrèrent à Aix-la-Chapelle en 1818, pour mettre un terme à l'occupation militaire de la France et pour transformer leur coalition en une Quintuple Alliance, afin d'y admettre la France. Deux ans plus tard, des officiers militaires et des hommes d'affaires libéraux réussirent un coup d'État en Espagne, ce qui leur permit de forcer le roi à proclamer une nouvelle constitution. Une intervention de la Quintuple Alliance fut envisagée mais les Britanniques s'y opposèrent. Lorsque les révolutionnaires de Naples suivirent l'exemple espagnol, Metternich persuada les Prussiens et les Russes, au Congrès de Laibach en janvier 1821, d'autoriser l'Autriche à écraser la révolution napolitaine avant qu'elle ne devienne contagieuse. Cette crainte sembla justifiée lorsqu'un soulèvement se produisit également dans le Piémont. Toutefois, l'armée autrichienne eut très peu de difficulté à vaincre les forces rebelles à Naples et au Piémont. Encouragées par ces succès, l'Autriche, la Russie et la Prusse décidèrent d'ignorer les nouvelles protestations de la Grande-Bretagne relativement à toute intervention en Espagne; au cours d'une rencontre à Vérone en octobre 1822, elles autorisèrent une invasion française de l'Espagne. En 1823, à l'arrivée du printemps, une armée française de cent mille hommes avait défait les révolutionnaires espagnols et le roi d'Espagne fut alors capable de révoquer la constitution libérale proclamée trois années plus tôt.

En Allemagne, Metternich estimait que la menace d'une agitation libérale parmi les officiers de l'armée, les étudiants et professeurs, et les marchands de la classe moyenne, était tout aussi dangereuse que la turbulence en Italie. Il craignait en particulier que les personnes de langue allemande, au sein de l'Empire autrichien, soient désireuses d'abandonner l'empire pour faire partie d'une Allemagne unifiée. Selon Metternich, l'Allemagne était aussi propice à la révolution que l'Italie — en particulier une révolution sociale pour renverser le contrôle exercé par la noblesse sur les terres; une révolution libérale, commençant dans les universités, pour obtenir les changements politiques de la France; et une révolution nationaliste, afin d'unifier le peuple allemand au sein d'un seul État. Napoléon avait encouragé les nationalistes en réduisant le nombre d'États allemands de cinq cents à trente-neuf, mais Metternich avait tenté, lors du Congrès de Vienne, de prévenir toute nouvelle réduction en unissant ces trente-neuf États à l'intérieur d'une Confédération allemande. La Confédération devait établir des politiques communes, principalement pour la défense, lors de rencontres d'une diète confédérale à Francfort, diète composée de diplomates représentant leur gouvernement respectif. La Confédération déçut fortement les nationalistes qui avaient espéré l'utiliser pour accroître l'unité politique allemande et réduire le pouvoir des petits États.

L'agitation nationaliste se poursuivit, plus particulièrement dans les universités où, en 1817, des organisations étudiantes — appelées *Burschenschaften* — devinrent incontrôlables. Des étudiants brûlèrent des livres antinationalistes et célébrèrent le meurtre, par un étudiant, d'un dramaturge conservateur. Metternich persuada le roi de Prusse et les principaux princes allemands de supprimer les associations étudiantes. Par les décrets de Carlsbad de 1819, la Confédération allemande bannissait les Burschenschaften, établissait une censure sévère de la presse et des universités, et eut recours à des inspecteurs pour découvrir les agitateurs subversifs. L'année suivante, les quelques assemblées parlementaires d'Allemagne virent leur champ de compétence diminuer. Lorsque certains dirigeants du sud de l'Allemagne furent obligés, à la suite de soulèvements en 1830, d'accorder des constitutions, la Diète confédérale intervint, sous la pression de Metternich, pour réduire davantage leurs pouvoirs. Jusqu'en 1848, les mouvements libéraux et nationalistes furent soumis à des contrôles policiers tellement sévères qu'ils furent dans l'impossibilité de chercher de nouveaux appuis.

Par conséquent, à travers l'Europe centrale, dans cet ensemble d'États que Metternich considérait comme la clé de la stabilité européenne, et qui comprenait les principautés allemandes, l'Empire autrichien et les États de l'Italie, on élimina les forces du nationalisme et du libéralisme. Dans ce domaine, Metternich avait prévu la création d'un régime policier symbolisé par les grandes prisons, réservées à des prisonniers politiques.

Les premières failles du système de Metternich

À l'extérieur de l'Europe centrale, Metternich luttait avec moins de succès, afin de maintenir l'équilibre politique. En Grèce, en France et en Belgique, il était contraint d'accepter le renversement des gouvernements établis par une révolte armée inspirée du nationalisme ou du libéralisme. Le règlement de ces trois crises, principalement le résultat de conférences tenues à Londres sous le patronage britannique, était une indication que, pendant les années 1830 à 1840, le rôle diplomatique de Metternich se limiterait à celui d'observateur, plutôt qu'à celui d'instigateur des événements diplomatiques européens.

Les Grecs subissaient l'hégémonie turque depuis le milieu du XVe siècle. Plusieurs Grecs, parmi les mieux éduqués, avaient fait carrière dans l'administration turque et dans les hauts rangs de l'Église grecque orthodoxe. Certains riches marchands avaient profité des avantages économiques que leur procurait l'Empire turc. Mais la plupart des paysans grecs, tout comme la classe moyenne des villes, se sentaient opprimés par les exactions croissantes des Turcs depuis le début du XVIIe siècle. Pour ces groupes mécontents, la Révolution française était une source d'inspiration; ils avaient d'ailleurs formé des sociétés secrètes pour propager le message du gouvernement autonome et de l'autonomie nationale. En 1821, ils se soulevèrent et proclamèrent leur indépendance. Pendant les quatre premières années, la lutte fut passablement équilibrée, mais en 1825, l'intervention de l'Égypte, un État vassal de la Turquie, permit d'entrevoir une victoire pour les Turcs. La Russie était déterminée à intervenir au nom des chrétiens orthodoxes de Grèce, malgré les supplications de Metternich en faveur de la neutralité. Pour leur part, la Grande-Bretagne et la France étaient décidées à intervenir elles aussi, en partie par sympathie pour les Grecs et en partie pour éviter que le nouvel État grec ne soit entièrement dépendant de la Russie. En 1827, les Français et les Britanniques détruisirent la flotte turque, et en 1828-1829, l'armée russe envahissait les Balkans. La Turquie fut contrainte à demander la paix. En 1829, par le traité d'Andrinople, elle accordait l'autonomie à la Moldavie et à la Valachie, le noyau du futur État de Roumanie, sous suzeraineté russe. En 1830, dans le protocole de Londres, la Turquie reconnaissait l'État indépendant de Grèce.

Toutefois, Metternich ne pensait pas que l'indépendance grecque, même si elle résultait d'un mouvement nationaliste, contrevenait au système qu'il avait créé, puisque la Turquie avait été considérée comme un membre du concert de l'Europe. Par contre, en France, la révolution de juillet 1830 était dirigée contre la famille des Bourbon, laquelle avait été rétablie sur le trône par les armées qui avaient vaincu Napoléon. Le roi Louis XVIII (1814-1824) n'avait été placé sur le trône que parce qu'il était le seul candidat qui faisait l'unanimité parmi les alliés. Malgré son aspect physique et son indolence, il avait été assez intelligent pour faire des concessions politiques en octroyant une charte royale. Bien que le roi conservait le pouvoir exécutif, la France pouvait élire une Chambre des députés. La forme de gouvernement que l'on avait choisie permettait de limiter le pouvoir de l'aristocratie foncière, qu'il s'agisse de la noblesse de l'Ancien Régime ou de celle établie par Napoléon. L'électorat, limité à cent mille électeurs, choisissait des majorités conservatrices, redonnait des pouvoirs à l'Église catholique et limitait les libertés civiles. Après une période de répression en 1814 et 1815 — appelée la Terreur blanche —, le roi Louis XVIII réussit à garder loin du pouvoir les personnes très conservatrices, les Ultras, jusqu'à deux ans avant sa mort. Par contre, avec l'accession au trône de Charles X (1824-1830), les Ultras eurent les coudées franches en France. Ils indemnisèrent la vieille noblesse pour les pertes qu'elle avait subies pendant la Révolution, renforcèrent la mainmise de l'Église sur l'éducation et rendirent plus sévères les sanctions aux infractions contre l'Église; ils limitèrent le droit de suffrage. En 1830, Charles X provoqua une révolution en promulguant plusieurs décrets qui limitaient la liberté de presse, abolissaient la Chambre et réduisaient le nombre des électeurs à vingt-cinq mille. En juillet, la population parisienne sortit dans les rues et érigea des barricades. Charles X s'enfuit alors en Angleterre. Même si quelques révolutionnaires tentèrent de fonder une république, les monarchistes libéraux, une coalition de riches propriétaires fonciers, de capitalistes industriels et financiers et de professionnels, comme les avocats et les journalistes, connurent le succès. Dans une manœuvre exécutée avec beaucoup de talent, ils placèrent sur le trône leur propre candidat, Louis-Philippe, membre de la branche d'Orléans de la famille des Bourbon, qui avait combattu lui-même avec les armées révolutionnaires. Il devint rapidement évident que la monarchie de la classe moyenne de Louis-Philippe ne constituait pas une menace sérieuse aux principes conservateurs de Metternich. La nouvelle constitution portait le nombre d'électeurs à deux cent mille, par une loi habilement rédigée qui accordait une franchise aux propriétaires de commerce aisés, aux médecins, aux avocats et aux professeurs, bien que ces derniers fussent moins fortunés. La plupart des membres du gouvernement étaient recrutés parmi les banquiers et les industriels de la haute bourgeoisie. L'ingérence de l'État dans le système économique fut presque complètement éliminée, sauf pour la répression des soulèvements de travailleurs et la planification du réseau ferroviaire. Quelques lois furent adoptées dans le domaine des conditions de travail, mais aucune d'entre elles ne fut appliquée. Les élections firent l'objet d'une corruption planifiée et on refusa toute modification au système électoral. Paris semblait être devenue le jouet des aristocrates de la nouvelle société — les banquiers, les constructeurs de chemins de fer, les fabricants de textile, et les manipulateurs d'obligations d'épargne du gouvernement.

En septembre 1830, les Belges se révoltèrent contre leur union avec les Hollandais. Les Belges de langue française et de langue flamande s'objectaient à la prédominance donnée aux sujets de langue hollandaise dans le nouveau royaume. On considérait que la politique économique était discriminatoire à l'endroit de la Belgique. Les catholiques se plaignaient de l'ingérence calviniste dans les écoles. Les Belges, qui étaient deux fois plus nombreux que les Hollandais, avaient le même nombre de représentants qu'eux au sein des États généraux. Metternich, tout comme les dirigeants prussiens et russes, aurait aidé le roi hollandais avec plaisir, afin de supprimer la révolte, mais les Britanniques et les Français s'y objectèrent. Avant qu'une décision ne soit prise, le tsar se trouva confronté à une révolte en Pologne et Metternich eut à faire face à des soulèvements dans plusieurs petits États italiens. Les troupes russes réprimèrent rapidement les soulèvements en Pologne et les troupes autrichiennes envahirent Parme, Modène et les États pontificaux, afin de mettre un terme à la révolution. Pendant ce temps, les Français étaient intervenus en Belgique au nom des révolutionnaires. En juillet 1831, les puissances reconnaissaient l'indépendance belge sous le règne de Léopold de Saxe-Cobourg-Gotha, acceptant ainsi la première faille importante aux décisions du Congrès de Vienne.

Après la réussite de la révolution belge, le libéralisme ou le nationalisme ne connurent toutefois pas d'autres succès avant 1848.

AGITATION DANS L'EMPIRE AUTRICHIEN

L'impact du nationalisme et de l'industrialisme

L'Empire autrichien était lui-même extrêmement fragile. Deux changements majeurs transformaient l'empire de l'intérieur. Le premier et le plus important était la montée du nationalisme; le second, le début de l'industrialisme.

Près du quart de la population de l'empire était allemand. Cette partie de la population était concentrée dans les Alpes, les plaines autour de Vienne, dans des villes à travers l'empire, et au pourtour de la Bohême. Les Allemands étaient très intéressés à préserver l'empire, à cause de la place importante qu'ils occupaient dans la bureaucratie et le commerce. Mais plusieurs étaient séduits par l'idée d'unir les Allemands autrichiens avec le reste des États allemands, au prix d'un abandon des régions non allemandes de l'empire.

Les Magyars de Hongrie se composaient d'un demi-million d'aristocrates et de près de huit millions de paysans. Ils conservaient un fort sentiment d'identité nationale, encouragés par leur diète nationale et le contrôle qu'ils exerçaient sur leur propre administration locale. Metternich trouva en la personne de Széchényi un diplomate magyar avec lequel il pourrait collaborer. Comme lui, Széchényi désirait encourager le développement économique de la Hongrie à l'intérieur de l'unité de l'Empire autrichien. Sa politique était d'obliger les membres de l'aristocratie foncière et des classes moyennes des villes hongroises, à travailler ensemble, à payer ensemble pour les routes, les ponts et les chemins de fer qui moderniseraient le pays. Toutefois, Széchényi trouva sur son chemin un adversaire nationaliste, le journaliste politique Louis Kossuth. Kossuth entreprit de regrouper les Hongrois de la classe moyenne autour du sentiment de fierté nationale, contre la domination allemande du commerce et des professions.

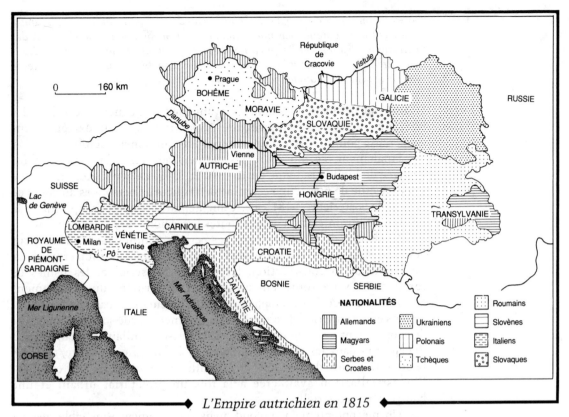

◆ *L'Empire autrichien en 1815* ◆

Les Polonais de Galicie, qui avaient été annexés seulement à la fin du XVIIIᵉ siècle, ne manifestaient aucune sympathie envers l'Empire autrichien, et leur nationalisme était stimulé par l'enseignement des intellectuels de l'université de Cracovie, l'ancienne ville polonaise à la frontière nord de l'Empire autrichien, qui avait été une république indépendante en 1815. L'influence de Cracovie était telle que Metternich annexa la ville en 1846. Les Tchèques se souvenaient du royaume indépendant de Bohême, dont le grand palais de Hradčany dominait encore le ciel de Prague, tandis qu'en Lombardie et en Vénétie, les doctrines de la Jeune Italie de Mazzini marquaient de grands progrès parmi les jeunes gens des villes.

La réponse du gouvernement autrichien au mouvement nationaliste fut la répression. Cette attitude eut du succès jusqu'en 1848, parce que le mouvement se concentrait dans les classes intellectuelles, chez les étudiants et les professeurs, les artistes et les écrivains, qui pensaient au nationalisme sous l'angle de l'histoire de la linguistique et de la littérature — c'est-à-dire tous ceux pour qui le nationalisme était un mouvement culturel avant de devenir un mouvement politique. Metternich lui-même méprisait les professeurs comme révolutionnaires :

Il n'y a pas de conspirateurs plus maladroits que les professeurs, individuellement ou en groupe. La conspiration n'est profitable que lorsqu'elle est dirigée contre des

choses et non contre des dogmes. ... Lorsque les dogmes politiques sont impliqués,
ils doivent être soutenus par une action, et l'action signifie le renversement des
institutions existantes et l'application du principe «hors de mon chemin et faites-
moi entrer!» Les savants et les professeurs sont incapables d'une telle conduite; ce
sont les avocats qui conviennent le mieux pour accomplir ce travail.[3]

La diffusion des idées nationalistes, avant 1848, conjuguée avec le désir des libéraux de renverser les régimes absolutistes, était extrêmement dangereuse pour la survie d'un empire souffrant d'inefficacité.

Finalement, ce qui attira les derniers adeptes à la révolution fut l'arrivée de l'industrialisme entre 1830 et 1840. La population de Vienne s'était accrue de près d'une centaine de milliers de personnes au cours de la période postérieure à 1815, cette augmentation étant principalement le résultat de l'immigration depuis toutes les régions rurales de l'empire.

Le chemin de fer avait rejoint les petites communautés à l'extérieur des limites de la ville et avait suscité l'établissement de manufactures pour l'industrie de la construction, les grandes brasseries et les usines de textiles. La ville toute entière sentait le ferment du changement économique avec le développement de plusieurs compagnies à capital-actions et la formation de chambres de commerce et de sociétés vouées au développement agricole et industriel. Un essor similaire prenait place à Budapest et dans les plaines occidentales de Hongrie, à Prague, dans les régions minières de Bohême et les villes de Lombardie où, en 1848, l'industrialisation avait créé à la fois un prolétariat urbain et une bourgeoisie industrielle.

Un mécontentement profond, mais généralement sans cible, régnait dans plusieurs régions de l'Empire autrichien en 1848. On n'était pas satisfait de la distribution des terres, des conditions de travail dans les fabriques, de l'absolutisme et du régime de l'État policier, du manque d'indépendance nationale. Mais la grande variété de formes que revêtait le mécontentement était considérée, par le gouvernement autrichien, comme la source de sa propre force. Lorsque la petite noblesse et les intellectuels polonais se révoltèrent pour des motifs nationalistes en 1846, les paysans, encouragés par les fonctionnaires autrichiens, profitèrent de cette occasion pour dénoncer leurs propriétaires. Les émeutiers des fabriques de Prague attaquèrent, en 1844, non pas l'administration autrichienne mais les machines qu'ils tenaient responsables de leur misère. En 1848, lorsque les révolutions éclatèrent à travers tout le continent, les révolutionnaires de l'empire échouèrent à cause de leurs divisions. Metternich aurait probablement survécu malgré le grand nombre de bouleversements, s'il n'avait pas été attaqué là où il était le plus vulnérable, par la famille royale elle-même.

L'immobilisme administratif à Vienne

Metternich était conscient du fait que l'Autriche avait besoin d'un type de gouvernement plus efficace pour faire face à ces nouvelles forces dangereuses, et il déploya plusieurs efforts en vue d'améliorer l'adminis-

3 Berthier de Sauvigny, *Metternich*, p. 60.

tration interne de l'Autriche. Chaque fois, ses initiatives furent bloquées: tout d'abord par les proclamations de François Ier et ensuite par le comité gouvernemental qui avait été institué pour pallier l'imbécillité de son successeur, Ferdinand Ier (1835-1848). Metternich admirait le système napoléonien de gouvernement, mais privé d'un empereur doté du génie de Napoléon, il proposa qu'un Conseil d'État, ou *Reichsrat*, exerce un contrôle centralisé de l'empire depuis Vienne. Afin de donner une certaine vitalité à un tel organisme, il le désirait largement représentatif de la bureaucratie, de l'aristocratie et même des assemblées provinciales. De plus, Metternich reconnaissait que le problème national ne pouvait être résolu par une simple répression. Il désirait faire un compromis en accordant davantage de pouvoirs aux assemblées de l'empire, au moins pour conseiller l'empereur. Metternich proposa même que l'Autriche soit gouvernée par une chancellerie divisée en six groupes nationaux — l'Autriche, l'Italie, la Bohême-Moravie-Galicie, l'Illyrie, la Hongrie et la Transylvanie. Mais aucun de ces projets n'alla bien loin. Metternich décrivit lui-même ce qui se produisit lorsqu'il présenta, pour la première fois, son projet de Conseil d'État à François Ier en 1811. L'empereur refusa une nouvelle version du projet en 1817. Dix années plus tard, après une grave maladie, François avoua à Metternich qu'il s'était rendu coupable d'un crime sérieux à son égard et qu'il mettrait de l'avant le programme de réformes durant sa convalescence. Après sept ans, le 31 décembre 1834, pour reprendre les mots de Metternich:

Je me rendis auprès de l'empereur pour lui offrir mes vœux à l'occasion du Nouvel An. L'empereur m'interrompit en disant: «Vous voyez encore devant vous un pécheur repentant. Votre projet n'est pas encore sorti de mon tiroir. Je vous donne ma parole d'honneur que l'année 1835 ne s'écoulera pas sans que ne soit créée cette nouvelle institution.» L'empereur devait mourir deux mois plus tard.[4]

Ferdinand Ier souffrait d'épilepsie et de rachitisme, en plus d'être instable mentalement. Le gouvernement fut donc placé entre les mains d'un comité composé de son plus jeune frère Louis, de Metternich et de son ennemi acharné, Kolowrat. Une paralysie dans l'action était inévitable et la bureaucratie — déjà stagnante — se mis à amasser les notes de service auxquelles s'opposait fermement le comité. À Vienne, chacun attendait l'avènement d'un inévitable éclatement.

LA CAPITALE MUSICALE DE L'EUROPE

Plusieurs facteurs ont contribué à accroître l'intérêt de Vienne pour la musique, outre le désir de la police secrète d'offrir aux masses un moyen de diversion et les besoins émotifs d'un chancelier surmené. Pendant des générations, le mécénat des Habsbourg fut probablement le plus important de tous. Le fondateur de la dynastie, Rodolphe Ier, avait été l'ami des troubadours et des ménestrels médiévaux; le plus grand d'entre eux,

4 *Ibid.*, p. 143.

Walter von der Vogelveide, avait déclaré : «*In Österreich lernt ich singen und sagen*» («J'ai appris à chanter et à réciter en Autriche»). Dès le XVIe siècle, la cour avait un grand orchestre et une grande chorale ; à partir du XVIIe siècle, presque tous les empereurs étaient non seulement des musiciens très talentueux mais aussi des compositeurs. Même à l'époque de Metternich, l'empereur François Ier était second violon dans un quatuor qui se réunissait chaque semaine. Sa tante, la reine Marie-Antoinette, prit des leçons de Gluck avant son mariage avec le dauphin de France. Gluck et Mozart furent nommés compositeurs de la cour, mais ils n'en tirèrent qu'un maigre revenu. Jusqu'à la fin du XVIIIe siècle, les grands aristocrates suivirent l'exemple des Habsbourg en entretenant un orchestre et en employant leur propre *Kapeilmeister*, ou chef d'orchestre. L'exemple le plus connu fut celui de la famille Esterhazy dont le domaine, situé à une cinquantaine de kilomètres de Vienne, permit à Haydn de vivre une trentaine d'années d'épanouissement intellectuel. Toutes les grandes familles, comme les Lobkowitz, les Starhemberg et les Schwarzenberg donnaient des réceptions pendant lesquelles on jouait les symphonies et les concertos des compositeurs à leur emploi, bien que plusieurs compositeurs aient aussi éprouvé le besoin de se produire comme virtuoses. La capacité d'improvisation de Beethoven, un des divertissements préférés de Vienne, le conduisit au château du prince Lichnowsky qui, ironisait Beethoven, «aurait aimé me placer sous une cloche de verre, afin que ne puissent m'atteindre ni les indignes ni leur souffle.»

Durant les premières années du XIXe siècle, les salons de Vienne rivalisaient avec les palais de l'aristocratie comme foyers artistiques pour les compositeurs de la ville. Les Viennois avaient suivi l'exemple des Français dans la création de «salons», principalement parce que les femmes de l'aristocratie et de la haute société n'avaient joué qu'un rôle modeste depuis la Renaissance dans la culture autrichienne. Vers les années 1780 cependant, plusieurs Viennoises ouvrirent des salons qui, non seulement offraient des conversations brillantes, mais des concerts de la plus haute qualité. Bien que Haydn n'ait jamais quitté le service des Esterhazy, il trouva un deuxième foyer à Vienne dans le salon de Marianne Genzinger, à qui il écrivit une lettre nostalgique, faisant état de son retour à la vie provinciale :

Me voilà de retour dans ma région sauvage ; abandonné, comme un pauvre orphelin, presque sans contact humain ; mélancolique, habité de souvenirs de jours glorieux. Eh oui, le passé hélas ! Qui pourra me dire quand seront de retour ces heures joyeuses — ces rencontres charmantes auxquelles l'entourage tout entier n'a qu'un seul cœur et une seule âme —, toutes ces soirées de musique exquise dont on ne peut que se souvenir et qui ne peuvent être décrites ! Disparues — et disparues pour toujours. Il ne faut donc pas vous surprendre, chère dame, que j'aie mis si longtemps à vous écrire pour vous faire part de ma gratitude.[5]

5 Cité dans Ernst Wangermann, *The Austrian Achievement. 1700-1800*. New York, Harcourt Brace Jovanovich, 1973, p. 126-127.

Tandis que le mécénat de l'aristocratie déclinait au début du XIXe siècle, les classes moyennes devinrent progressivement plus importantes comme protectrices des arts. Cet appui se manifesta par leur présence aux concerts publics (tels ceux de l'orchestre philharmonique de Vienne) et aux opéras, ainsi que par l'achat de partitions musicales, en dépit du fait que Vienne n'offrait pas aux compositeurs les avantages financiers de Londres et de Paris. Il est intéressant de noter qu'il existait au sein de toute la société autrichienne, depuis les villes de campagne jusqu'à la cour, une habitude pour l'écoute de la musique et aussi pour la pratique musicale. Dans les années 1770, le compositeur anglais Charles Burney a commenté à maintes reprises le contrepoint des chants d'érudits dans son auberge, les chansons gaillardes des soldats de la garde, et tout spécialement l'excellence des professeurs de musique des villes de province : «Je suis entré à l'école, qui était remplie de jeunes enfants des deux sexes, âgés de six à onze ans, qui lisaient et écrivaient de la musique, en plus de jouer du violon, du hautbois, du basson et d'autres instruments.»

Le mécénat de Vienne a ainsi encouragé l'arrivée de musiciens de toute l'Europe. «Vienne est tellement riche en compositeurs et possède chez elle un si grand nombre de musiciens talentueux, poursuivait Burney, qu'il est juste qu'elle soit, parmi les villes allemandes, le centre impérial de la musique autant que le centre de la puissance politique.» Ces musiciens apprenaient les uns des autres, et ceci permit d'améliorer la qualité de la musique viennoise. L'exemple le plus notoire fut la relation entre Haydn et Mozart, qui permit à Haydn — il avait vingt-quatre ans de plus que Mozart — d'en tirer grand profit. Ce n'est qu'après avoir étudié les œuvres de Mozart que Haydn put atteindre à une telle pureté dans ses derniers quatuors à cordes, dette qu'il reconnut volontiers. Mozart remercia Haydn en lui dédiant six grands quatuors. Quant à Beethoven, il était venu à Vienne en 1792 pour étudier avec Haydn mais, trop impatient, il se tourna vers des musiciens de moindre importance. Les échanges furent nombreux : Beethoven enseigna à Czerny et Schubert, étudia auprès de Salieri, le compositeur de la cour royale. Vienne a, par conséquent, contribué au fusionnement des styles musicaux, au sens large du terme. Grâce à sa position géographique et à son importance culturelle, elle devint le lieu de rencontre des mondes germanique et italien.

Jusqu'à la Renaissance, la musique était largement vocale, les rares instruments qui existaient alors n'ayant été utilisés que pour accompagner la voix. Des progrès avaient été réalisés grâce à la polyphonie, la combinaison de plusieurs lignes mélodiques. Cet art avait atteint son apogée avec les travaux de Palestrina et d'autres, au XVIe siècle. Il s'était ensuite enrichi par l'utilisation de l'harmonie. Les immenses possibilités de l'orgue et de l'orchestre à ses débuts lui avaient donné de la couleur comme en témoigne l'œuvre de Johann Sebastian Bach. La polyphonie avait régné en maître à la cour des Habsbourg au XVIe siècle, mais avec la visite de la première compagnie d'opéra italienne, en 1618, la musique viennoise allait être dominée pendant un siècle et demi par la recherche italienne de la mélodie

*Début du développe-
ment de la musique
européenne*

aussi bien dans la voix que dans son accompagnement orchestral. L'opéra italien était le plus baroque de tous les arts, combinant l'illusion, la sensualité, la grandeur et le déploiement. Son sommet à Vienne fut la présentation, en 1666, de l'opéra de Cesti, *La Pomme d'or*, lors de la célébration du mariage de l'empereur. La représentation, d'une durée de cinq heures, avait eu lieu dans une salle d'opéra construite spécialement à cette fin. Les intrigues étaient habituellement des mythes classiques, passablement statiques dans leur présentation, mais qui permettaient une grande liberté à la voix humaine, dans les arias, pour développer des lignes mélodiques gracieuses et une infinie possibilité de trilles et de fioritures. C'est le Viennois Gluck qui amena ce genre d'opéra à la perfection dans les années 1760, avec *Orfeo* et *Alceste*. En parallèle avec l'essor de l'opéra, les orchestres s'étaient améliorés pour des raisons techniques et stylistiques, ce qui se révéla important pour la préparation de l'ère classique de Vienne. L'instrument à clavier le plus populaire fut le clavecin, dont les cordes étaient pincées. Mais le pianoforte, un instrument dont les cordes étaient frappées par de petits marteaux, fut inventé en 1709 et il allait être perfectionné dans la dernière partie du XVIIIe siècle.

Ce fut le développement des instruments à cordes qui fut le plus important pour l'orchestre. Le violon et d'autres instruments de la même famille, la viole et le violoncelle avaient déjà été inventés au XVIe siècle, mais leur fabrication fut amenée à la perfection par des artisans, tels que Stradivarius et Guarnieri, et leurs possibilités pour la mélodie, l'harmonie et la couleur furent davantage exploitées lorsqu'ils se retrouvèrent entre les mains de virtuoses comme Tartini. Le hautbois et le basson connurent un usage répandu à la fin du XVIIe siècle, la clarinette et la flûte à la fin du XVIIIe siècle. Ainsi, à l'époque de Haydn, on avait mis au point les instruments de musique et leur combinaison sous la forme de l'orchestre moderne.

La forme, sous laquelle les compositeurs viennois avaient créé leurs œuvres les plus célèbres était la symphonie. Au XVIIe siècle, les morceaux composés pour les instruments étaient appelés des sonates, ce qui signifiait qu'ils étaient joués; des morceaux destinés à être chantés s'appelaient des cantates. Au XVIIIe siècle, le terme *sonate* se limitait à un morceau composé conformément à des règles très précises et désignait une œuvre en trois mouvements — normalement rapide (*allegro*), lent (*adagio*) et plus rapide (*presto*). Parfois, un menuet ou un scherzo était ajouté avant le dernier mouvement. De plus dans le premier mouvement, deux thèmes distincts — ou mélodies — étaient présentés, développés sous une forme plus complexe, et enfin récapitulés. Cette forme conférait à la musique orchestrale un cadre hautement intellectuel et permettait à la musique de réaliser le respect des lois universellement reconnues de la composition, un objectif qui était en accord avec les buts des autres domaines intellectuels, comme l'économie et la psychologie, dans les Lumières du XVIIIe siècle. La musique de ce siècle est connue sous le terme de classique, parce que cette expression implique un respect des règles, la conception unifiée, la retenue et le souci d'éviter les émotions excessives. Tel qu'il était souhaitable pendant un âge de raison, les auditeurs devaient penser, tout en se laissant baigner par les sons. Lorsque des compositeurs comme Mozart et Beethoven appliquèrent la sonate à la symphonie exécutée par un orchestre complet, ils furent en mesure d'atteindre une grande variété grâce à l'utilisation de changements de ton, de rythme, de la couleur tonale, de l'harmonie et de la réintroduction de la polyphonie. C'est par le jeu de l'ensemble des formes symphoniques que les compositeurs de Vienne établirent leur suprématie dans le monde de la musique. De plus, ces formes furent utilisées avec beaucoup d'effet dans les quatuors à corde, les concertos pour violon et piano et la sonate pour clavier.

Dans la seconde partie du XVIIIᵉ siècle, la musique viennoise commença à se séparer de la suprématie italienne en puisant à même les éléments des autres parties de l'Empire autrichien et de l'Allemagne. Mozart, par exemple, qui avait écrit son premier opéra, l'infructueux *Idomeneo*, selon le modèle italien, portait désormais son attention sur le *Singspiel*, une combinaison frivole de sons, de paroles et d'actions rapides. Le résultat fut l'*Enlèvement au sérail*. Lorsqu'il combina cette convention avec celle de l'opéra comique italien, *opera buffa*, il créa une série de personnages d'une personnalité inoubliable. *Don Giovanni* est un des plus grands opéras, et peut-être le plus grand. Chaque personnage est mémorable : le domestique timide et espiègle, Leporello, avec sa liste des conquêtes amoureuses de Don Giovanni («En Espagne, un millier plus trois»); la séduisante Donna Elvira qui aime Giovanni malgré son infamie; la fille volage de la campagne, Zerlina, et son gaffeur de fiancé; la puissante personnalité de Don Giovanni lui-même, dont le panache dans ses combats, ses réceptions et ses affaires amoureuses sont des traits essentiels à toute grande tragédie. Lorsque la statue du Commendatore, qui avait été assassiné par Don Giovanni, monte sur la scène de façon terrifiante, afin d'exiger sa descente aux enfers, Mozart laisse tomber toute prétention de gaieté et, dans la plus sombre des musiques, il dévoile l'inévitabilité de la damnation. Vers la fin de sa vie, Mozart combina l'opéra bouffe avec un autre élément de la culture viennoise, les contes de fées fantastiques des théâtres populaires de la banlieue. Son personnage, Papageno, le jovial et réaliste attrapeur d'oiseau de *La Flûte enchantée*, reflète les humbles traditions de la pantomime viennoise.

Ce fut Haydn qui montra, le premier, la richesse que l'on pouvait atteindre avec la symphonie. Dans plus d'une centaine d'entre elles, il évoque le matin et la nuit, passant du charme des premières à la profondeur de celles qu'il composa à Londres vers la fin de sa vie. Mozart allait prendre l'orchestre à ce niveau et l'amener à exprimer des relations mélodiques complexes. Il fit la même chose en ce qui concerne le contrepoint, l'élevant vers le sommet de subtilité que l'on trouve en écoutant la fugue de la symphonie *Jupiter*. Mais ce fut Ludwig van Beethoven (1770-1827) qui fit de la symphonie l'expression suprême de la grandeur et de la solitude humaine.

Mozart (1756-1791) et Haydn (1732-1809)

La suprématie de Beethoven

Beethoven arriva à Vienne pour la première fois à l'âge de dix sept ans, probablement pour étudier auprès de Mozart, mais il retourna à son poste à la chapelle de la cour à Bonn à la suite du décès de sa mère. Il revint ensuite à Vienne à l'âge de vingt-deux ans pour étudier avec Haydn, et il y demeura le reste de ses jours. À l'âge de trente ans, il s'était imposé comme le successeur indiscutable de Haydn et de Mozart, patronné par les plus riches aristocrates; il était pourtant différent de ces deux musiciens, en ce sens qu'il était son propre maître. Avec Beethoven, les «droits du génie» étaient respectés pour la première fois, avec autant d'égards que ceux de la naissance. «Prince», racontait Beethoven à son mécène Lichnowsky, «ce que vous êtes, vous le devez au hasard de votre connaissance; ce que je suis, je ne le dois qu'à moi-même. Il y a et il y aura des milliers de princes, mais il n'y a qu'un Beethoven.»

Beethoven avait toujours été rude et affirmatif dans ses propos, même au début de sa période glorieuse comme pianiste et compositeur. Mais en 1802, il exprimait dans le testament qu'il adressait au village d'Heiligenstadt, situé dans la banlieue de Vienne, le profond désespoir et la solitude qui devaient conférer une intensité incomparable à ses plus grandes œuvres de la décennie suivante. «Quelle humiliation», écrivait-il, «lorsqu'une

Manuscrit de *Fidelio*, par Beethoven
Dans son unique opéra, Fidelio, Beethoven utilisa l'histoire des luttes de Léonora pour libérer son époux emprisonné, afin d'exploiter deux de ses thèmes favoris — le besoin de liberté et la nature de l'héroïsme. (Bildarchiv d. Ost. Nationalbibliothek)

Ludwig van Beethoven, par August von Klöber
Lorsqu'il posa pour ce dessin en 1818, Beethoven était sourd depuis un an; mais il travaillait à ses plus complexes et profondes compositions, y compris sa grande Neuvième symphonie *ou Chorale.* (Avec la permission de la Maison Beethoven à Bonn)

personne, se tenant près de moi, peut entendre à distance une flûte que je ne saurais moi-même entendre, ou encore peut entendre le chant d'un berger, tandis que moi, je ne puis distinguer aucun son!». Sa surdité alla en s'aggravant progressivement, l'obligeant à abandonner des représentations en public et à se retirer de la composition d'une musique qu'il ne pouvait plus entendre. Dans ses cahiers de notes, il commença à élaborer la plus grande, la plus complexe sur le plan intellectuel, et la plus émouvante de toutes les symphonies qu'il composa : la symphonie *Eroica*. Dans cette symphonie, sa troisième, Beethoven semblait concerné, par la nature de l'héroïsme, apparamment dans la lumière des succès rapides de Napoléon; en réalité, c'était l'expression de sa propre lutte contre son infirmité. Il existe à travers toute la symphonie un sentiment d'énergie débordante, rappelant sa phrase célèbre : «Je prendrai le destin par la gorge». Le deuxième mouvement est une marche funèbre, mais elle vibre avec un rythme inoubliable qui prépare l'auditoire pour la syncope furieuse du scherzo qui suit. Le dernier mouvement tire sa puissance du développement des basses, grâce à une fugue, une méthode polyphonique qui permet de jouer des thèmes les uns «contre» les autres. La symphonie *Eroica* provoquait un sentiment de plénitude, d'intégration des mouvements, qui n'avait jamais été entendu auparavant. Beethoven était parvenu à surmonter la difficulté de présenter comme un tout, quatre mouvements qui différaient par leur structure, leur nature et leur humeur.

Beethoven avait fait, pour la sonate, ce que les architectes du XIIIe siècle avaient fait pour les cathédrales. Il avait créé un style dans lequel les plus profondes émotions et pensées humaines pouvaient être exprimées comme un tout artistique. Il était pleinement conscient du fait que chaque symphonie devait être créée comme un tout. «Je modifie, laisse de côté et essaie à de nombreuses reprises plusieurs éléments, jusqu'à ce que je sois satisfait. Et ensuite, à l'intérieur de ma tête, je commence à la travailler, précisant ici et limitant là. ... Et puisque je suis conscient de ce que j'essaie d'accomplir, je ne perds jamais de vue l'idée fondamentale. Elle s'élève de plus en plus haut et prend forme devant mes yeux, jusqu'à ce que je l'entende et la voie complètement.»[6] En alternant des œuvres de sérénité et de repos (les quatrième, sixième et huitième symphonies) et des œuvres tourmentées et conflictuelles (les troisième, cinquième et septième symphonies), Beethoven entra dans une décennie de grande inspiration, augmentant la portée de son orchestre par l'ajout de nouveaux instruments et soumettant les anciens à de nouvelles exigences. En 1815, à la fin de ce qu'il est convenu d'appeler sa «période moyenne», Beethoven succomba à sa surdité, à sa mauvaise santé et à sa solitude, et ne composa plus que très peu d'œuvres. Vers la fin de sa vie, il composa la *Neuvième Symphonie*, une œuvre encore plus grandiose que sa symphonie *Eroica*, ainsi que ses derniers quatuors, des œuvres difficiles dans lesquelles il explora ses propres souffrances, profondes et spirituelles.

Franz Schubert (1797-1828)

Franz Schubert, le dernier de cette grande génération de musiciens viennois, mourut en 1828 à l'âge de trente et un an, un an après Beethoven. Contrairement à Beethoven, ce n'est que quelques années plus tard qu'on reconnut le génie musical de Schubert. Les Viennois le connaissaient comme auteur de chansons (il en écrivit 603), mais ce n'est que dans les années 1840 qu'ils réalisèrent leur méconnaissance d'un autre maître de la symphonie, du quatuor et de la musique de ballet. La *Symphonie inachevée* fut trouvée par Robert Schumann, lorsqu'il commença à examiner les manuscrits inédits de Schubert en 1838, et la pièce de musique pour ballet *Rosamunde* ne fut découverte qu'en 1868 dans une vieille armoire, par sir Arthur Sullivan.

La musique symphonique de Schubert était une superbe continuité de la tradition classique. Toutefois, ce fut le lyrisme de ses chansons qui pava la voie à une nouvelle forme de musique qui devait bientôt conquérir Vienne — le romantisme.

Le mouvement romantique

Le romantisme avait pris naissance vers la fin du XVIIIe siècle, en guise de réaction à la confiance excessive en la raison et à la croyance en l'existence universelle du droit naturel, qui avaient caractérisé les penseurs du Siècle des lumières. Sa première expression artistique se retrouve dans la poésie et les nouvelles écrites en Allemagne, pendant les vingt années précédant la Révolution française, par Goethe, Schiller et d'autres, bien que l'*Émile* de Rousseau en ait fourni le fondement intellectuel. Ces auteurs exaltaient, souvent sous une forme exagérée, l'expression des émotions humaines et la recherche de la réalisation de l'individualité de chacun. Leur

---

6 Cité par Ralph Hill, *The Symphony*, Harmondsworth, England, Penguin Books, 1949, p. 94.

message fut transmis en France par les écrits de Mme de Staël, et plus spécialement dans son ouvrage important, intitulé *De l'Allemagne*. En France, dans les pièces de théâtre, les poèmes de Victor Hugo, et plus particulièrement dans son drame flamboyant *Hernani* (1830), le romantisme prenait la forme d'un culte des héros du libre arbitre et de l'apitoiement sur soi. «Je suis une force vive», s'exclamait Hernani, «un agent aveugle et sourd des mystères funèbres, une âme de misère composée de ténèbres.» De tels héros, comme les historiens l'ont fait remarquer, étaient plus susceptibles d'être personnifiés dans le passé, et plus spécialement dans des périodes comme celle du Moyen Âge.

Pour de nombreuses femmes, le romantisme constituait une fuite en dehors de l'existence limitée qu'elles menaient dans les maisons bourgeoises. Dans le théâtre et la nouvelle, elles étaient transportées en rêve vers des pays et des siècles mystérieux, dans lesquels les barrières de classes ou de nationalités s'estompaient et où les peuples aux émotions violentes et les génies exceptionnels étaient engagés dans des aventures et des amours passionnées. Mme de Staël avait déjà démontré que les femmes pouvaient, elles aussi, mener des existences semblables. Elle n'était pas seulement une romancière très admirée et une commentatrice sociale avertie, mais elle avait eu comme amants quelques-uns des plus éminents hommes d'État et écrivains de son époque, notamment Talleyrand, le ministre des Affaires étrangères, et Benjamin Constant, le romancier. La vie de l'écrivaine française George Sand (1804-1876) était, sans nul doute, encore moins conventionnelle. Auteure de quatre-vingts nouvelles, elle

Robert et Clara Schumann
Clara Wieck, une des plus brillantes pianistes du XIXe siècle, épousa le compositeur Robert Schumann en 1840. Après sa mort, en 1856, elle ne prit pas seulement soin de leurs huit enfants, mais continua aussi à donner des concerts à travers l'Europe et à enseigner au Conservatoire de Francfort jusqu'à quelques années avant sa mort en 1896.
(H. Roger-Viollet)

Cosima Wagner (1837-1930)
La fille illégitime du compositeur Franz Liszt épousa, en premières noces, un des grands chefs d'orchestre allemands, Hans von Bülow, qu'elle quitta ensuite pour aller vivre avec Richard Wagner, qu'elle épousa. Après la mort de Wagner, elle se consacra à l'administration du festival annuel de ses opéras à Bayreuth. (Les archives Bettman)

insistait pour que les femmes obtiennent la même liberté que les hommes, en s'habillant comme un homme et en s'engageant dans des liaisons amoureuses avec des personnages tels que le poète Alfred de Musset et le compositeur Frédéric Chopin. Franz Liszt, le compositeur et le pianiste de premier plan du XIXe siècle, demeura avec Marie d'Agoult pendant onze années; leur fille, Cosima, fut à son tour l'épouse des compositeurs Hans von Bülow et Richard Wagner. La vie de Marie avec Liszt, l'idole des salles de concert d'Europe, était la quintessence de l'aventure romantique.

Liszt, ainsi que d'autres musiciens et chefs d'orchestre de talent, développèrent le goût des Viennois pour la musique romantique, remplissant les salles de concert de spectateurs avides de sensations. L'idole du violon était Niccolò Paganini (1782-1840) qui introduisit non seulement de nouvelles techniques de doigté et de maniement de l'archet d'une complexité extrême, mais composa des œuvres si exigeantes que sa virtuosité semblait être l'effet d'un pacte signé avec le diable. Il utilisait des fioritures, comme celle de terminer une œuvre avec une seule corde après avoir coupé les trois autres à l'aide d'une paire de ciseaux. Au piano, Liszt était spectaculaire; il provoquait le délire par des exécutions mettant en valeur son habileté à créer des sonorités nouvelles à partir des nouveaux pianos à châssis métallique. Comme favori du public, il fut suivi de Clara Schumann, l'épouse du compositeur Robert Schumann, une ancienne enfant prodige qui devint un des plus grands pianistes du continent. Même les compositeurs devenaient des virtuoses: lorsque le compositeur allemand Carl Maria von Weber prit la baguette du chef d'orchestre, il commença une tradition qui fut suivie par d'autres grands compositeurs, comme Berlioz et Wagner.

La perfection technique de ces artistes s'alliait avec l'objectif des compositeurs, celui d'utiliser la musique dans le but de créer de nouveaux types d'expérience pour l'auditoire. Le nationalisme, par exemple, fut rehaussé par l'utilisation, chez Liszt, d'éléments du folklore musical hongrois dans ses œuvres pour piano et orchestre. La réalité d'un monde surnaturel fut créée dans l'opéra *Der Freischütz* de Weber. Mais ces compositeurs ne résidèrent à Vienne que pour une courte durée, et dans les années 1830 et 1840, ce fut Paris qui attira des maîtres en musique comme Berlioz, Chopin, Rossini, Cherubini et Meyerbeer. À l'apogée de la période Biedermeier, Vienne se tourna vers Strauss et Lanner, vers la gaieté du *Barbier de Séville* de Rossini et des *Merry Wives of Windsor* de Nicolai. La créativité musicale de Vienne connut alors une léthargie temporaire ou, du moins, eut des objectifs plus modestes.

«Comme nos sentiments étaient différents lorsque nous quittâmes Vienne, en comparaison de ce qu'ils étaient à notre arrivée», écrivait Clara Schumann en 1846. «À ce moment-là, nous pensions y avoir trouvé notre refuge céleste tandis que, maintenant, tous nos désirs pour lui se sont évanouis.» Deux ans plus tard, Vienne avait renversé Metternich et le compositeur Richard Wagner pensait que la ville était née à nouveau:

Pendant les seize années qui se sont écoulées depuis ma dernière visite à Vienne, la ville entière s'est renouvelée: son demi-million d'habitants, tous vêtus aux couleurs allemandes, se répandait dans les rues le dimanche, comme s'il s'agissait d'une fête — le samedi, un ministère chancelant et incompétent avait été chassé par le Comité du peuple! Tu devrais voir le visage de ces gens: tout ce qui te répugne chez les gens de Dresde te plairait ici. (...) Et maintenant, cette opulence! Cette vie! Les étranges costumes qu'ils portent, un nouveau type de chapeau avec des plumes et des rubans tricolores allemands. Sur presque toutes les maisons, on retrouve un drapeau allemand. ... Et ainsi de suite. Tout est gai et jeune.[1]

LES RÉVOLUTIONS DE 1848

Au printemps de 1848, des révolutions éclatèrent dans presque tous les pays d'Europe, telle une réaction en chaîne. La Grande-Bretagne, qui avait élargi le suffrage en 1832 pour répondre aux demandes des classes moyennes libérales, et la Russie, où l'opposition était écrasée par une répression bien organisée, demeurèrent largement immunisées. Mais dans le reste de l'Europe, près de cinquante révolutions différentes se produisirent. Elles résultaient de l'ultime échec de Metternich d'appliquer au reste de l'Europe une politique de temporisation, afin de faire face aux demandes de réformes politiques et sociales. Des forces de changement, communes à la plupart des pays de l'Europe, s'étaient combinées à des motifs de mécontentement propres à chaque région, pour produire une révolution universelle, mais de courte durée.

Les causes des révolutions de 1848

Les demandes des chefs révolutionnaires mirent rapidement en évidence leur foi dans les forces du libéralisme et du nationalisme, que le système de Metternich avait tenté de subjuguer. Les partisans du libéralisme étaient divisés. Le groupe le plus influent, les intellectuels et les classes moyennes commerciales et industrielles, désirait l'abolition des contrôles policiers comme la censure et l'emprisonnement pour activité politique, l'octroi d'une constitution, le droit à la liberté de presse et d'assemblée et la fin des privilèges de l'aristocratie. Lorsque ces demandes furent satisfaites, comme cela se fit dans plusieurs pays pendant les premières semaines de la Révolution, ce groupe se retira de toute nouvelle activité révolutionnaire et s'opposa directement à toute nouvelle libéralisation. Un deuxième groupe, représentant l'aile radicale du libéralisme, demandait le suffrage universel, au lieu d'une démocratie fondée sur la propriété foncière, ainsi que des réformes sociales pour le bénéfice des classes ouvrières.

Les nationalistes étaient surtout présents dans des régions comme l'Allemagne, où la nation était divisée en plusieurs unités politiques, ou dans l'Empire autrichien, où plusieurs nations furent intégrées en une seule unité politique, dominée par une nationalité. Ici, les révolutionnaires demandèrent la création d'États-nations ou, au moins, d'un nouvel État

1 Cité par Hürlimann, *Vienna*, p. 93.

dominé par leur propre nationalité. Parce que le libéralisme et le nationalisme étaient des théories intellectuelles, elles étaient largement diffusées par les classes intellectuelles des villes, et plus spécifiquement par les professeurs d'université, les avocats et les journalistes. Dans ce sens, plus encore que la Révolution française, la Révolution de 1848 était une «révolution des intellectuels».

D'autres causes d'insatisfaction, plus matérielles, poussèrent les classes ouvrières à risquer leur vie, lors de manifestations dans les rues et sur les barricades, et incitèrent la paysannerie à se joindre à la révolution. Un accroissement démographique rapide avait causé une dislocation sociale dans les campagnes et les villes. La population européenne passa de 192 millions, en 1800, à 274 millions, en 1850. Les populations de France et d'Autriche augmentèrent du tiers. Cet accroissement résultait d'une amélioration des soins médicaux, particulièrement pour les enfants et les personnes âgées; d'une augmentation de l'approvisionnement alimentaire grâce à de meilleures techniques agricoles et des transports améliorés; et de l'absence de guerres civiles et religieuses, ainsi que de désordres internes. Dans les zones agricoles de l'Europe de l'Est, la pression démographique, face aux ressources limitées de la terre causa un plus grand mécontentement à l'endroit des privilèges féodaux et des corvées encore en vigueur. Partout en Europe, cette pression augmenta la rentabilité de l'agriculture; elle encouragea la concentration des domaines ainsi que le déplacement des travailleurs agricoles vers des villes dont la superficie augmentait à un rythme plus rapide que celui de la population. Dans les villes, les anciens paysans trouvèrent des logements inadéquats, une discrimination sociale et, sauf en Angleterre et en Belgique, très peu d'emplois. Dans l'Empire autrichien, la plupart des nouveaux arrivants, d'origine slave, étaient aussi victimes de discrimination raciale. Ils étaient plus vulnérables que jamais, lors des récessions périodiques du mode de production capitaliste et plus spécialement lors de mauvaises récoltes, comme celles des pommes de terre et du blé en 1846 et 1847. Pour la première fois, les ouvriers exprimèrent leurs griefs dans une demande à caractère économique, adressée à l'État: le droit au travail.

La vague révolutionnaire en Italie et en France

L'année révolutionnaire commença en janvier, avec un soulèvement, en Sicile, contre Ferdinand II, soulèvement qui fut suivi par des révoltes semblables dans la plupart des grandes villes italiennes. En France, où la révolution de 1830 avait déçu les groupes de la classe moyenne, qui avaient souhaité une véritable application des principes démocratiques, et où les organisateurs des classes ouvrières militaient en faveur de réformes sociales, la révolution eut une plus grande portée. Après que le gouvernement eut interdit la tenue d'un banquet politique, planifié par des réformistes radicaux dans un arrondissement ouvrier de Paris, les foules commencèrent à manifester le soir du 22 février. Le jour suivant, le roi renvoyait son premier ministre, Guizot, dans l'espoir de satisfaire la population qui avait commencé à édifier des barricades. Après

L'expulsion de Metternich
Cette caricature politique, du 15 mars 1848, illustre le plaisir de la populace viennoise face à la fuite ignominieuse de Metternich. (Bildarchiv d. Ost. Nationalbibliothek)

que plusieurs manifestants eurent été tués au cours d'un affrontement avec des troupes fidèles à la monarchie, les foules portèrent leur attention vers le roi. Le 24 février, il dut s'enfuir en exil. La France redevenait une république. Le nouveau conseil des ministres était divisé entre, d'une part, les chefs de la bourgeoisie qui étaient satisfaits par l'élargissement du suffrage et par d'autres réformes politiques et, d'autre part, les socialistes qui étaient favorables à des réformes économiques immédiates. Du 25 au 28 février, le gouvernement provisoire pliait en faveur des réformistes socialistes, en garantissant un salaire minimum aux travailleurs, en fournissant de l'emploi aux chômeurs par la création d'«ateliers nationaux», et en créant une commission spéciale pour élaborer une législation du travail.

La Révolution dans l'Empire autrichien

Les nouveaux événements qui se produisaient en France eurent l'effet d'un catalyseur sur l'activité révolutionnaire au sein de l'Empire autrichien. Le 3 mars, le chef nationaliste hongrois Kossuth fit un discours pathétique devant la Diète hongroise, demandant l'autonomie pour la Hongrie et une réforme constitutionnelle de l'Empire autrichien. Le 11 mars, une assemblée de Tchèques se réunit à Prague pour présenter des demandes similaires, relativement à la réforme constitutionnelle et à l'autonomie de la Bohême. Au début de l'après-midi du 13 mars, un groupe d'étudiants et de professeurs de l'université de Vienne se rassembla dans la cour du Landhaus, où s'était réunie la Diète provinciale de la Basse-Autriche, pour discuter d'une pétition en faveur d'une réforme, pétition qu'il entendait présenter au gouvernement. Ensemble, étudiants et députés

La cérémonie d'entrée au Parlement de Francfort à Paulskirche, en 1848

Comme ville libre, Francfort fut en mesure d'accueillir le Parlement, élu sur une base nationale, dont les objectifs faisaient l'objet d'une résistance de la plupart des membres de la noblesse héréditaire allemande.

se rendirent à la Ballhausplatz, une place publique à l'extérieur de l'édifice de la chancellerie de Metternich, où quelques personnes commencèrent à scander «À bas Metternich». Lorsque des ouvriers des quartiers défavorisés de la banlieue commencèrent à s'infiltrer au cœur de la cité, la foule devint si considérable qu'elle effraya le commandant de la garde militaire de Vienne qui ordonna à ses troupes de dégager la place. Elles firent feu sur la foule, tuèrent cinq personnes et transformèrent une foule paisible en une masse furieuse. Des étudiants s'emparèrent de l'armurerie de la ville afin de riposter; les ouvriers, à qui on avait refusé l'accès à la ville en fermant les portes, retournèrent brûler les manufactures situées non loin des murs de la ville. Plusieurs factions de la foule présentèrent des ultimatums au gouvernement, exigeant que Metternich démissionne avant la nuit. Le Conseil d'État se réunit dans l'indécision, mais les ennemis de Metternich se liguèrent contre lui, heureux de le sacrifier pour leur propre avantage. Le vieux chancelier rappela que l'empire était absolu et qu'il ne pouvait être renvoyé que par l'empereur. La réponse de l'empereur ne laissait planer aucun doute quant à ses concessions: «Je suis l'empereur et il m'appartient de décider; je cède sur tout. Allez annoncer au peuple que j'acquiesce à ses demandes.» Metternich remit alors sa démission sur-le-champ. La nuit suivante, il quittait Vienne avec un faux passeport et mille ducats empruntés au banquier Rothschild.

Après le départ de Metternich, l'empereur acquiesça aux changements constitutionnels demandés par les Hongrois; en avril, il faisait les mêmes concessions aux Tchèques. Pendant ce temps, dans la province de Lombardie en Italie, province sous le contrôle de l'Autriche, la révolution avait éclaté à Milan entre le 18 et 23 mars, et cette insurrection fut suivie par un soulèvement contre les Autrichiens à Venise. Les troupes autrichiennes furent contraintes de se retirer de ces deux villes. Saisissant cette occasion pour se présenter comme le sauveur du libéralisme italien et du gouvernement national (ainsi que pour étendre les frontières de son propre État), le roi du Piémont et de la Savoie, Charles-Albert, déclara la guerre à l'Autriche et ses troupes envahirent la Lombardie.

Le roi de Prusse tenta de devancer les révolutionnaires dans son royaume, en promettant des réformes internes et en renvoyant ses ministres conservateurs. Le 18 mars, des foules nombreuses qui manifestaient devant le palais essuyèrent le tir des soldats. Confronté à une ville en complète insurrection, le roi ordonna à ses troupes de quitter la capitale, et fit la promesse d'un gouvernement libéral et d'élections au suffrage universel. Les nouvelles en provenance de Prusse déclenchèrent des soulèvements dans plusieurs villes des petits États allemands.

La Révolution en Allemagne

Ainsi, au printemps de 1848, il semblait évident que l'Europe de Metternich avait sombré avec l'ultra-conservatisme. Après la révolution à Paris, Metternich faisait la remarque suivante : «Eh bien, mon cher, tout est fini».

Pendant la dernière phase des révolutions, la plupart des demandes libérales avaient été satisfaites et on commençait à répondre à celles des nationalités. En mai, de nouvelles constitutions avaient été rédigées, ou étaient en voie d'élaboration, en France, en Prusse, dans plusieurs États allemands, en Autriche, en Hongrie, en Bohême et dans plusieurs des États italiens. On avait promis l'autonomie à la Hongrie et à la Bohême; un parlement, élu sur une base nationale, était réuni à Francfort pour rédiger une nouvelle constitution fédérale pour toute l'Allemagne. Le roi du Piémont et de la Sardaigne avait reçu des troupes en provenance d'autres États italiens pour livrer une guerre de libération nationale à l'Autriche. Au cours des six mois suivants, des demandes plus radicales furent présentées par les chefs libéraux les plus extrémistes. Ceux qui avaient soutenu la révolution, les plus riches mais aussi la paysannerie, s'opposèrent aux extrémistes et appuyèrent les gouvernements dans leur décision d'écraser les révolutionnaires avec l'aide de l'armée. À la fin de l'année, une nouvelle période de contestation avait commencé dans la plupart des pays européens.

La réaction face aux révolutions

À Paris, le gouvernement libéral — qui était en place depuis février, — avait rompu ses engagements envers la classe ouvrière, en ordonnant la fermeture des ateliers nationaux qui avaient été créés pour fournir de l'emploi aux chômeurs. En juin, lorsque la foule parisienne s'empara des quartiers ouvriers, on utilisa l'armée régulière et les paysans pour ramener l'ordre à Paris. Le vainqueur ultime de cette lutte politique fut le neveu de Napoléon, Louis-Napoléon Bonaparte, qui fut élu président de la Deuxième République en décembre, grâce à une majorité écrasante de paysans français et de bourgeois qui voyaient en lui le «symbole de l'ordre».

En novembre, à Berlin, le roi ordonna à l'armée de retourner dans ses casernes en ville. Elle en avait été éloignée pendant les émeutes de mars. Le roi suspendit les réunions du parlement prussien et il refusa outrageusement, en mars 1849, l'offre du Parlement de Francfort de devenir l'«empereur des Allemands». Le Parlement de Francfort lui-même, une assemblée d'érudits, d'avocats et de marchands dépourvus de tout sens pratique, avait rédigé une excellente charte des droits fondamentaux et une constitution avancée. Il avait même envisagé l'exclusion probable de l'Autriche du nouvel État allemand unifié. Mais il n'avait pas d'armée et son autorité n'était pas reconnue par les plus grands États allemands. Lorsque le roi de Prusse renvoya les délégués prussiens chez eux, plusieurs autres États suivirent son exemple. Les quelques membres qui restaient furent finalement dispersés en juin. La Prusse étant maintenant sous contrôle, le roi envoya son armée à Dresde, afin de rétablir le pouvoir du roi de Saxe, ainsi qu'à Baden et dans le Palatinat rhénan pour supprimer les rébellions en Allemagne occidentale. Il fallut cependant l'aide des Russes pour que l'Autriche soit en mesure de reprendre le contrôle de son empire et du reste de l'Italie.

Révolution à la Viennoise

À Vienne, après le départ de Metternich, la révolution prit une allure de fête. «C'était la révolution la plus joyeuse qu'on ait pu imaginer», écrivait Grillparzer. «Favorisée par la plus belle des températures printanières, la population remplissait les rues pendant toute la journée.»[2] Lorsque l'empereur annonça, le 15 mars, qu'il promulguerait une constitution, la ville toute entière s'illumina. Mais il y avait de nombreux réactionnaires dans le nouveau cabinet. La nouvelle constitution fut promulguée sans aucune consultation avec la Diète, alors que la garnison de la ville était doublée par des troupes supplémentaires. Une constitution plus libérale, promulguée en mai, déclarait que «les ouvriers rémunérés à la journée ou à la semaine, les domestiques et les personnes recevant une assistance publique n'avaient pas le droit de voter pour des candidats à la Chambre des députés». Une foule importante, composée d'ouvriers, d'étudiants et de la Garde nationale, marcha sur le palais Hofburg le 15 mai, pour présenter une

2 Cité par Barea, _Vienna_, p. 194.

nouvelle pétition. Cet événement terrorisa la cour, puisque les soldats fraternisaient avec les manifestants. Sur le conseil des plus éminents courtisans, l'empereur se retira dans le palais impérial à Innsbruck, afin d'être soustrait à l'influence des révolutionnaires viennois. Le gouvernement se sentit néanmoins obligé d'accepter le suffrage universel et un Parlement à chambre unique pour tout l'empire. Pendant ce temps, les ouvriers avaient été apaisés quelque peu par des programmes de travaux publics de construction routière et de collecte d'ordures : c'était répondre à leur demande en faveur du «droit au travail».

Mais le succès de la révolution viennoise dépendait de la réussite des révolutions dans les autres parties de l'empire, là où les troupes autrichiennes étaient commandées par des soldats impitoyables, efficaces et conservateurs. Le général Windischgrätz retira ses troupes de Prague en juin, laissant la ville aux mains des étudiants et des ouvriers. Une semaine plus tard, il bombardait la ville, afin d'obtenir sa soumission. En Italie, le maréchal Radetsky défit le roi du Piémont à la bataille décisive de Custozza, le 26 juillet; ensuite, il mata la révolte en Lombardie en s'emparant de Milan. Les Magyars de Hongrie qui avaient refusé, dans la partie de l'empire qui était sous leur contrôle, qu'on accorde toute forme d'autonomie aux Serbes et aux Croates, faisaient face à une révolte, soutenue par le nouveau gouverneur de Croatie, le colonel Jellachich. En septembre, Jellachich commença à marcher sur Budapest. Dans le but de lui apporter son assistance, le gouvernement impérial à Vienne donna l'ordre à une partie de la garnison viennoise de se rendre en Hongrie, afin d'aider à écraser le gouvernement de Kossuth, qui était considéré par la plupart des révolutionnaires viennois comme leur indispensable allié. Le 6 octobre commençaient des manifestations pour arrêter les trains qui partaient avec les troupes vers la Hongrie; des rails furent arrachés, des fils télégraphiques furent coupés. Lorsque le gouvernement lança des troupes fidèles sur la foule, la population lyncha le ministre de la Guerre. On ordonna ensuite à Windischgrätz et Jellachich de marcher sur Vienne.

Pendant trois semaines, Vienne, qui était assiégée par les armées impériales, ne fut défendue que par des bandes d'étudiants universitaires, des ouvriers et des artisans appauvris et quelques bourgeois idéalistes. Au départ, les assiégés tentèrent de tenir la ligne des fortifications en transformant en bastions les taudis qui se trouvaient le long des murailles. Mais Windischgrätz reprit la tactique qu'il avait utilisée à Prague et bombarda le centre de la ville pendant plusieurs jours. Une armée hongroise, dépêchée pour secourir la ville, fut défaite sans trop de difficultés. Lors de l'assaut final du 30 octobre, les armées impériales enfoncèrent les fortifications en matinée; après de durs combats, on réussissait à prendre la ville. Ensuite, Windischgrätz lâcha ses troupes sur la population, permettant le pillage et la brutalité sans distinction. La loi martiale fut décrétée, des milliers de personnes furent jetées en prison et on encouragea les délateurs à dénoncer les personnes indignes de confiance.

Le rétablissement de l'absolutisme

Le nouveau cabinet impérial, dirigé par le prince Schwarzenberg, s'empressa de rétablir l'efficacité au sein de l'absolutisme autrichien. On persuada l'empereur Ferdinand d'abdiquer au profit de son neveu de dix-huit ans, François-Joseph. Celui-ci allait gouverner l'empire pendant soixante-huit ans. On créa de nouveaux tribunaux et de nouveaux ministères du gouvernement. On mit un terme aux barrières douanières internes, faisant de l'Empire autrichien un des plus grands marchés, favorisant ainsi le développement du capitalisme industriel. Plus important encore, les droits féodaux qui existaient encore, comme le droit de justice sur les paysans et le droit des corvées, furent abolis. Ceci permit au paysan de devenir propriétaire d'une terre, de la vendre si nécessaire, et de partir pour la ville. Un nouvel absolutisme, encore plus efficace, reposant sur une alliance avec les couches supérieures de la classe moyenne, fut ainsi le premier résultat interne de la révolution viennoise. Dans les discussions avec le reste de l'empire, on ne parvint pas à trouver une solution à la question des nationalités. On ignora la constitution de l'Assemblée constituante, qui proposait une autonomie nationale et locale. Les demandes des nationalistes allemands furent déjouées par la réintroduction de la Confédération allemande de 1815. Le reste des foyers de révolte fut rapidement éteint. L'assistance de cent quarante mille hommes de troupes russes fut nécessaire pour vaincre les Hongrois. En Italie, Radetsky assiégea Venise par terre et sur mer, l'amenant à la défaite par la famine, le choléra et les bombardements. À Rome, une république avait été établie en 1849; elle était dirigée par Mazzini et défendue par le héros charismatique de la guérilla, Garibaldi. La ville fut prise par une armée française dépêchée par le nouveau président français, Louis-Napoléon Bonaparte.

Le libéralisme et le nationalisme n'avaient pas réussi à défaire le système de Metternich. Le leadership libéral avait été idéaliste et irréaliste. Le nationalisme s'était révélé comme une force qui sème le désaccord, puisque les querelles entre les différentes nationalités avaient été une cause déterminante de l'échec des révolutions. L'industrialisme avait connu un essor suffisant pour créer un prolétariat appauvri dans quelques grandes villes, mais ne s'était pas assez développé pour que les classes ouvrières soient suffisamment puissantes pour créer leur propre mouvement révolutionnaire. En fait, l'industrialisme avait produit les chemins de fer, le télégraphe et les gros canons, grâce auxquels les gouvernements réactionnaires étaient parvenus à juguler les révolutions. Les dirigeants des révolutions libérales, nationales et sociales furent ainsi contraints à réévaluer leurs objectifs et leurs méthodes, ce qui allait être un des thèmes principaux des prochaines cinquante années. La société de la cour restaurée de Vienne n'avait que très peu d'attrait pour l'homme d'État qu'elle avait sacrifié avec plaisir au début de la révolution. Metternich se sentait chez lui à Londres où il trouva, à sa grande surprise, une société réceptive, «un calme dont le continent a perdu, depuis longtemps, la mémoire et pour lequel, il en va de son propre intérêt, il doit retrouver goût». Mais son épouse ne partageait pas son goût pour la vie londonienne. En 1851, il retourna donc à Vienne, d'où il continua à offrir aux gouvernements d'Europe ses conseils judicieux, lesquels étaient prisés par tous, tant par le secrétaire britannique aux Affaires étrangères que par le sultan de Turquie.

19

LA RÉVOLUTION INDUSTRIELLE

L'histoire politique des années qui vont de la Révolution américaine aux révolutions de 1848 fut marquée par la montée du libéralisme et du nationalisme, et par les tentatives infructueuses pour les supprimer. L'histoire économique de cette période fut façonnée par la fin de la première phase de l'industrialisation de l'Europe, la révolution dans le domaine des textiles, du charbon et du fer, qui débutèrent en Angleterre à la fin du XVIIIe siècle. Ce mouvement se propagea au continent au cours des trois décennies qui suivirent le congrès de Vienne. L'industrialisation entraîna des changements plus fondamentaux que ceux qu'avait connus la société occidentale. La force humaine et animale furent remplacées par des machines infiniment plus efficaces. Des ressources largement inutilisées, plus spécialement celles du sous-sol, furent exploitées. La manufacture remplaça l'artisan et réduisit considérablement l'importance de la production qui était réalisée à la maison par des membres de la famille. Les classes ouvrières passèrent de la paysannerie au prolétariat urbain. En comparaison avec l'industrie, l'agriculture perdit continuellement de son importance comme source de richesse économique. Résultat: dans plusieurs secteurs, la campagne connut une baisse démographique, tandis que la vie urbaine devenait la norme, au lieu d'être l'exception. De plus, l'impact de l'industrialisation et de l'urbanisation modifia le rôle des hommes, des femmes et des enfants à l'intérieur de la structure économique. Les femmes, par exemple, trouvèrent des emplois profitables, mais souvent difficiles, dans les manufactures de textile, ou des emplois peu rémunérateurs comme domestiques. Au fur et à mesure que le siècle progressait, la population augmenta à des taux sans précédent, grâce au progrès réalisé dans le domaine de l'alimentation et des soins médicaux.

Taudis de la ville de Manchester en Angleterre. *(Gracieuseté des Services culturels de la cité de Manchester, Angleterre)*

De nouveaux moyens de transport et de communication contribuèrent à l'unification du monde. Une classe moyenne dynamique remplaça l'aristocratie comme propriétaire de la plus grande partie de la richesse de la société. L'antagonisme qui existait entre les employeurs et les salariés se résorba par des négociations entre employeur et syndicat, pour devenir une guerre ouverte entre les classes. Finalement, et ce qui est sans doute le plus important, le développement et l'application de nouvelles idéologies politiques, conçues comme des solutions aux problèmes inhérents à la société capitaliste, commencèrent à transformer la nature de la vie politique.

MANCHESTER ET LES ORIGINES DE LA RÉVOLUTION INDUSTRIELLE

"De cet égout infect, les plus grands flots de l'industrie humaine coulent pour fertiliser le monde entier», écrivait Alexis de Tocqueville, après avoir visité Manchester en 1835. «De cet égout crasseux s'écoule de l'or. Ici, l'humanité atteint presque son développement complet et le plus grossier; ici, la civilisation accomplit des miracles et l'homme civilisé est presque transformé en sauvage.»[1] La raison pour laquelle Manchester jouissait et subissait cette double bénédiction est évidente pour tout observateur: le Lancashire, avec Manchester comme cœur, avait adopté le système de la manufacture moderne. Tout ce que Tocqueville observa résultait de ce seul changement fondamental.

Manchester était située à l'extrémité de la plaine du sud-ouest du Lancashire, où les vents dominants de l'ouest de l'Atlantique chassaient les nuages chargés de pluie sur les pentes escarpées des Pennines. Pendant longtemps, elle fut une agréable ville de marché, qui apportait les agréments de la ville à une région agricole reculée. Un visiteur du XVIe siècle l'avait qualifiée de «ville la plus juste, la mieux construite, la plus rapide et la plus populeuse de tout le Lancashire», mais ensuite, elle n'eut que très peu de concurrence de la part du village de pêche décharné de Liverpool ou de la forteresse lugubre de Lancaster. Les changements dans le reste de la Grande-Bretagne permirent à Manchester, à partir de 1770, de tirer profit de ses avantages naturels, mais si peu appréciés: son climat humide, son accès à la force hydraulique, la disponibilité d'une main-d'œuvre en provenance de la campagne en dépression, son ouverture sur la mer grâce au port naturel de Liverpool et, peut-être, le protestantisme économe et intransigeant de ses habitants.

Les conditions préalables à l'industrialisation de la Grande-Bretagne

En 1700, seule la Grande-Bretagne répondait à toutes les conditions nécessaires à une «révolution industrielle», expression qui fut utilisée pour la première fois dans les années 1820, afin de démontrer que les changements industriels qui prenaient place étaient de la même amplitude

1 Cité par E.J. Hobsbawm, *Industry and Empire: An Economic History of Britain Since 1750*, London, Weidenfeld and Nicolson, 1968, p. 27.

Légende de la carte :
- Régions industrielles majeures
- Canaux majeurs

0   80,0 km

Firth of Forth

Glasgow
Fer
New Lanark
Charbon
Construction navale

Canal du Nord

Charbon
Fer
•Carlisle
Newcastle
Sunderland

Charbon
Plomb
Barrow-in-Furness

Mer d'Irlande

Charbon
Cotonnades
Halifax
•Preston
Leeds
Hull

Mer du Nord

Liverpool
Manches-ter
Laine
Bridgewater Canal
Sheffield
Pièces de métal

Canal Saint-Georges

Wolverham ton•
Potterie
Birming-ham•
Fer
Cotonnades
Norwich

•Cambridge

Grand Trunk Canal

Charbon
Cardiff
Canal Bristol
•Bristol
Londres
Rivière Thames

Southampton

La Manche

Cuivre
Plymouth

La révolution industrielle en Angleterre, vers 1840

que les changements politiques introduits par la révolution française.
Au plan géographique, l'expression convenait admirablement bien
à l'émergence d'une grande puissance économique, car en Grande-
Bretagne aucun endroit ne se trouve à plus de quatre-vingts kilomètres de
la mer, et on retrouve de grands ports sur toute la côte. Les distances étaient
si minimes et les barrières naturelles si négligeables que, lorsque les
rivières étaient impraticables pour la navigation, on pouvait construire des
canaux avec profit et une relative facilité. De riches gisements de matières
premières attendaient d'être exploités: le charbon du Tyneside près de
Newcastle, dans le Lancashire près de Manchester, dans le Staffordshire
près de Birmingham et dans le sud du pays de Galles; le fer le long des
versants est et sud des Pennines; et même l'argile qui servait à fabriquer
la poterie d'inspiration étrusque de Wedgwood. Des ressources
hydrauliques, que l'on pouvait harnacher facilement, étaient fournies

Des mineurs de charbon au travail, en 1871
Les conditions de travail dans les mines s'améliorèrent quelque peu au cours du XIXᵉ siècle. Le charbon était encore extrait à la main, mais la lumière était assurée par une lampe de secours, et les enfants menaient des poneys de galeries, au lieu de tirer eux-mêmes les wagonnets de charbon.
(The Graphic, 28 janvier, 1871)

par les cours d'eau profonds des Pennines, comme la Ribble, la Tees et l'Irwell.

Au plan économique, la Grande-Bretagne possédait les outils nécessaires au développement de ses richesses naturelles. Au cours des deux siècles qui avaient suivi le premier défi qu'elle avait lancé aux Espagnols sur les mers, elle avait construit la plus grande flotte marchande au monde, probablement composée de six mille navires qui employaient une centaine de milliers de marins. Ces navires étaient engagés dans un commerce régulier, non seulement avec l'Empire colonial britannique, mais aussi avec la Baltique, l'Empire turc, les colonies espagnoles et portugaises ainsi que l'Afrique occidentale. Les gens de la Compagnie des Indes naviguèrent même jusqu'en Chine. Expertes en commerce, les classes marchandes de l'Angleterre accumulèrent ainsi du capital pour lequel il existait très peu de possibilités d'investissement. Pour leur part, les aristocrates dotés d'un esprit d'entreprise, en clôturant les terres et les pâturages communs, transformaient l'agriculture anglaise. Autrefois agriculture de subsistance, elle devenait une agriculture capitaliste orientée vers la réalisation de profits, grâce à l'existence d'un marché national. Cette transformation changea la structure sociale de l'agriculture anglaise, qui passa d'une paysannerie foncière à une structure en trois volets composée d'une aristocratie foncière, de fermiers-locataires et d'ouvriers agricoles. Le surplus de capitaux, qui était entre les mains de la noblesse agricole et des affaires, fut mobilisé par le développement d'un système bancaire très perfectionné. Il se composait d'une banque nationale centrale, la Banque d'Angleterre (fondée en 1694), d'un grand nombre de banques privées dont des institutions aussi anciennes que les banques Barclay et Martin. Tout au long de l'industrialisation de la Grande-Bretagne, le rôle du système bancaire fut de transférer vers le Nord les sommes accumulées principalement dans le Sud et l'Ouest. Ce fut particulièrement le cas dans les années 1820, lorsque des investissements dans le fer, le charbon et les chemins de fer s'avéraient pleins de promesses. La création de sociétés par actions, pour des expériences commerciales comme la compagnie Muscovy ou même la Banque d'Angleterre, avait fourni l'expertise financière et les mécanismes de protection qui pouvaient être utilisés lors de la création de compagnies industrielles, en plus de familiariser plusieurs personnes aux multiples usages du «capital de risque».

Les améliorations dans le secteur agricole n'avaient pas seulement produit des surplus de capitaux qui étaient disponibles pour l'investissement. Leur effet le plus considérable fut de permettre l'augmentation de la productivité des ouvriers et du rendement des sols cultivés. Grâce à l'amélioration de la technique de rotation des cultures, la mise en jachère n'était plus nécessaire. La culture du trèfle et du navet, qui permettait au sol de retrouver sa fertilité après avoir été cultivé de blé, fournissait du fourrage pour les animaux. Les longues haies inutiles, qu'on retrouvait dans les champs, avaient disparu et le laboureur n'avait plus à perdre de longues heures pour se déplacer entre des champs éparpillés. Une meilleure alimentation des animaux, en particulier le bétail et les moutons, augmenta énormément la part que représentaient les animaux dans les revenus agricoles. Vers le milieu du XVIIIe siècle, seulement le tiers de la population britannique travaillait à l'agriculture et ce ne fut pas avant 1780 que, pour la première fois, la Grande-Bretagne fut incapable de nourrir sa population à partir de la production domestique. À la suite des changements survenus dans l'agriculture et de l'accroissement démographique qui résultait principalement d'une amélioration des soins médicaux et d'un meilleur régime alimentaire, un grand nombre de travailleurs ruraux perdirent leur emploi. Puisqu'ils n'habitaient plus sur des fermes familiales, ils ne pouvaient demeurer sans emploi. Comme leurs homologues sur le continent, ils durent s'en remettre à l'assistance publique ou partir à la recherche d'un emploi dans les villes industrielles. C'est ainsi que la révolution agricole fournit à la fois des ouvriers pour les manufactures et la majeure partie des vivres pour les nourrir.

Cet exode forcé de la campagne ne semblait pas, aux yeux des contemporains, constituer toujours une calamité. En effet, comme le rapportait une femme à une commission d'enquête en 1843, les conditions de travail, à la campagne, étaient extrêmement difficiles:

Lorsque j'étais apprentie, je conduisais les bœufs aux champs et je devais ensuite les rassembler pour les ramener; je nettoyais leur étable et leur litière; je lavais les pommes de terre, que je faisais cuire ensuite, pour les porcs; je trayais dans les champs, conduisais les chevaux ou les bœufs à la charrue. (...) J'étais employée à mélanger la chaux en vue de son épandage, ramassant les pommes de terre, arrachant les navets, ainsi que toute autre tâche qui pouvait être nécessaire. (...) Je moissonnais un peu, mais pas beaucoup; je chargeais les chevaux et les ramenais avec des ajoncs. Je me levais à cinq ou six heures, sauf les jours de marché où je devais me lever à trois heures, deux fois par semaine. Je ne me couchais que vers vingt et une heures trente.[2]

Les conditions n'étaient pas meilleures, notamment le salaire ou les heures de travail, pour les personnes (principalement des femmes) qui travaillaient dans des «ateliers à domicile». Dans ce système, le marchand fournissait aux femmes des matières premières, comme la laine et la soie, qu'elles devaient filer, tisser ou tricoter. Bien que les femmes pussent demeurer à la maison, les salaires étaient bas et les lieux de travail souvent sombres, humides et froids. D'autres travaux, comme la fabrication d'épinglettes, souvent accomplis par des enfants de plus de six ans, étaient encore plus exigeants. Une raison pour laquelle l'exploitation des travailleurs était possible par les propriétaires de manufactures, était que plusieurs jeunes gens célibataires, hommes ou femmes, désiraient travailler dans les manufactures, que ce soit par besoin ou nécessité.

Le climat politique et social, un facteur intangible mais important, était propice à l'industrialisation. À la suite des luttes constitutionnelles du XVIIᵉ siècle, le gouvernement était stable et dominé par les classes supérieures. Celles-ci respectaient et encourageaient, grâce à des mesures législatives, l'aptitude à faire de l'argent. Être riche était une garantie d'ascension sociale, bien que cette mobilité ne se fît pas toujours au rythme souhaité par les détenteurs de ces richesses. La puissance de l'État qui reposait, dans une large mesure, sur la marine et, dans une moindre mesure, sur l'armée, était au service de l'expansion outre-mer des intérêts économiques de la Grande-Bretagne. Ceci fut évident lorsque, durant la guerre de Sept Ans, le gouvernement reconnut qu'il était de l'intérêt de la Grande-Bretagne, de prévenir l'expulsion, hors du Bengale, de la Compagnie des Indes occidentales. Tout ceci contribua au succès d'un type d'homme, le capitaliste puissant, qu'on allait bientôt appeler, partout en Angleterre, *The Manchester Man* (l'homme de Manchester).

Les premières inventions dans le domaine du textile

Depuis le XVIᵉ siècle au moins, Manchester était une ville de textiles. L'ensemble du commerce se composait alors principalement de produits de la laine, tissés par des familles de paysans dans les chaumières des villages voisins. Lentement, les produits devinrent plus variés avec l'introduction du lin d'Irlande et de la soie de Damas, et spécialement du coton. La futaine (un mélange de lin et de coton en provenance du Caire), le calicot (une étoffe de coton en provenance de l'ancienne ville de Calicut) et la mousseline (fabriquée à partir du coton de Mossoul en Iraq) étaient exportés vers plusieurs régions d'Europe et plus spécialement vers

2 Cité par Patricia Branca, *Women in Europe since 1750*, London, Croom Helm, 1978, p. 19.

Une fabrique de coton à
Manchester, en 1842

l'Afrique. Au début du XVIIIᵉ siècle, les marchands de coton de
Manchester devinrent conscients du marché potentiel qui s'offrait à leur
produit. Ce marché se fondait sur le confort et la qualité des produits en
coton, par rapport à ceux fabriqués en laine. Les fileurs étaient presque
exclusivement des femmes qui travaillaient à la maison pour de faibles
salaires. Elles ne pouvaient pas concurrencer les tisserands qui avaient
commencé à utiliser une machine appelée le métier à tisser hollandais,
importé de Hollande en 1660. La Révolution industrielle débuta lorsque
les inventeurs de Manchester et des environs créèrent des machines pour
accélérer le filage, machines que les hommes d'affaires placèrent ensuite
dans les manufactures.

Cette première phase de l'industrialisation ne nécessitait aucune
connaissance scientifique avancée de la part des inventeurs et peu de capital de la part des propriétaires de manufactures. Le premier des inventeurs
du Lancashire fut John Kay, un tisserand qui augmenta la différence entre
l'efficacité du filage mécanique et celle du tissage manuel. Son invention,
la «navette volante», permettait de tisser plus rapidement et de produire,
pour la première fois, un tissu plus large que l'écartement des bras de
l'ouvrier. Lorsque la navette volante connut une large diffusion dans les
années 1760, la Société pour l'avancement des arts et des manufactures de
Londres fut tellement frappée par la nécessité d'une productivité
comparable dans le filage, qu'elle offrit deux prix pour «la meilleure
invention d'une machine capable de filer simultanément six fils de laine,
de lin, de coton ou de soie, et qui ne nécessiterait qu'une personne pour la
mettre en opération et s'en occuper». L'invention recherchée fut brevetée
en 1770 par James Hargreaves, de Blackburn, une petite ville près de
Manchester, qui utilisa ses talents de menuisier et de tisserand pour fabri-

Le tissage du coton, tiré du livre *Michael Armstrong*, par Frances Trollope (1780-1863)

Frances Trollope, la mère du romancier Anthony Trollope, écrivit plusieurs récits de voyages et des romans. Michael Armstrong *est une condamnation sévère des conditions de travail des femmes et des enfants dans les manufactures du nord de l'Angleterre.*

quer une machine qui pouvait filer huit fils à la fois. En moins de vingt ans, vingt mille de ces machines à filer (*mule-jennies*) étaient en usage en Angleterre tandis que le rouet disparaissait presque complètement du Lancashire. (Toutefois, il semble que Hargreaves ne mérita pas le prix de la Société et que son invention fut imitée par d'autres.)

L'application de la force hydraulique aux opérations de filage suivit rapidement, lorsque Richard Arkwright inventa le «châssis d'eau» (*water frame*) à Preston, près de Manchester. Arkwright était un barbier et un perruquier, dont le sens aigu des affaires le conduisit, non seulement à inventer, mais aussi à commercialiser ses produits sur une grande échelle. Au yeux de Thomas Carlyle, dont les écrits populaires assombrirent la renommée des capitalistes de Manchester, il était l'exploiteur industriel typique, un «homme du Lancashire, direct, presque grossier». Arkwright devint le plus riche de tous les fileurs de coton de l'Angleterre, ses manufactures servant de modèle pour toute l'industrie du textile. Lorsque Samuel Crompton, de Bolton, inventa sa «mule», une combinaison du «châssis d'eau» et de la *mule-jenny*, les fileurs furent à même de dépasser la production des tisserands et ils purent fabriquer une grande variété de fils de coton, depuis les fils les plus grossiers et les plus robustes jusqu'aux fils délicats de mousseline. La première phase de la révolution dans la production du coton eut donc lieu dans le domaine du tissage. Au début des années 1800, Manchester était devenu le chef de file parmi les villes qui appliquaient les inventions à la production manufacturière. Arkwright construisit lui-même la première manufacture de tissu dans les années 1780; en 1802, on comptait cinquante-deux de ces manufactures. Vingt ans plus tard, le quart des fuseaux de coton de la Grande-Bretagne se trouvait à Manchester. Puisque les femmes, qui travaillaient chez elles, ne pouvaient plus concurrencer les nouvelles machines, la famille rurale perdit une part importante de ses revenus, à une époque où le travail agricole nécessitait une main-d'œuvre moins abondante même si, en 1871, le tiers des 580 000 femmes de l'industrie textile travaillait encore à domicile.

À partir de 1820, des ateliers de tissage furent ajoutés aux fabriques de fils, afin de faciliter le travail de la dernière grande invention de cette révolution technologique, le métier à tisser mécanisé, inventé par un ecclésiastique du Leicestershire, Edmund Cartwright.

L'essor de l'industrie du coton, à Manchester, a stimulé d'autres formes de progrès industriel. Dès 1759, le duc de Bridgewater, dont le domaine de Worsley renfermait de riches dépôts de charbon, était décidé à devenir le principal fournisseur de la ville, en creusant un canal depuis les galeries souterraines de Worsley jusqu'au centre de Manchester. Il fit appel à James Brindley, un brillant ingénieur, mais presque illettré, qui effectua le creusage du canal en deux ans, bien que les premières étapes se fissent à 167,6 mètres sous le sol et qu'un aqueduc ait dû être construit pour faire passer le canal à environ douze mètres au-dessus de la rivière Irwell. Ce canal, qui était le premier véritable canal en Grande-Bretagne, contribua à réduire de moitié le prix du charbon et fut considéré comme une merveille de l'ingénierie. Brindley poursuivit son travail en reliant Manchester à la rivière Mersey, puis au port de Liverpool par le canal Bridgewater, long de soixante-sept kilomètres. Ce faisant, Manchester inaugura une ère de construction de canaux dans le reste du pays. Au début du XIXᵉ siècle, les principaux centres industriels de la Grande-Bretagne étaient reliés entre eux et avec leurs ports. Grâce au canal du Grand Tronc, le nord et le sud de l'Angleterre communiquaient l'un avec l'autre. Ce canal et ses embranchements, la dernière grande réalisation de Brindley, reliaient Manchester, les Midlands, Londres et les ports occidentaux de la rivière Severn.

En plus d'un excellent mode de transport, l'industrie du coton exigeait une force motrice. Les machines à vapeur étaient en usage depuis le début du XVIIIᵉ siècle, afin de pomper l'eau hors des mines de charbon. En 1769, James Watt, un fabricant d'instruments scientifiques à l'université de Glasgow, inventa le premier moteur qui utilisait la puissance de la vapeur, au lieu de la pression atmosphérique, pour actionner un piston. Ce moteur permettait de grandes économies de combustible et, comme il le démontra plus tard, il pouvait passer d'un mouvement de haut en bas à un mouvement rotatif. Associé avec Matthew Bolton, un homme d'affaires de Birmingham, Watt put vendre ses moteurs à la plupart des districts miniers de Grande-Bretagne, et plus spécialement aux fabriques de coton du Lancashire. Durant le dernier quart du XVIIIᵉ siècle, les manufactures utilisaient trois fois plus de machines à vapeur que les mines.

Manchester favorisa également l'application la plus importante du moteur à vapeur au transport ferroviaire. Le chemin de fer, c'est-à-dire des

Canaux, machines à vapeur et chemins de fer

rails parallèles sur lesquels on tirait de petits wagonnets, avait été utilisé dans les années 1700, et une locomotive à vapeur fort complexe avait été utilisée à quelques reprises. En 1829, George Stephenson, un ingénieur originaire des mines de Tyneside, perfectionna une locomotive appelée la fusée, dans laquelle la pression de la vapeur était soumise à un mouvement rotatif pour actionner un piston relié directement aux roues. Stephenson reçut le mandat, de la part du Comité du chemin de fer de Liverpool et Manchester, de relier les deux villes par un chemin de fer. Lors de la célèbre compétition réalisée à mi-chemin entre Liverpool et Manchester, il démontra que sa fusée pouvait atteindre la vitesse de quarante-six kilomètres à l'heure, tout en tirant une charge de trente tonnes. Un an plus tard, lors de l'inauguration officielle du chemin de fer, à laquelle assistait tout le gouvernement, la fusée renversa et tua le secrétaire de l'Intérieur. Ce fut le premier accident mortel de l'histoire du chemin de fer. Tout comme le canal de Bridgewater, le succès de la Compagnie du chemin de fer Liverpool-Manchester donna le signal à l'amélioration des moyens de transport. En 1843, 1 900 kilomètres de voie ferrée avaient été construits en Grande-Bretagne, et toutes les principales villes étaient reliées plus efficacement qu'elles ne l'avaient été par les canaux.

Le commerce outre-mer de Manchester

L'influence des marchands de coton de Manchester se faisait également sentir outre-mer. On avait besoin de grandes quantités de matières premières. En 1785, la valeur des importations de coton s'élevait à dix millions de livres; en 1850, la valeur des importations atteignait cinq cent quatre-vingt-huit millions de livres. À leur apogée, les importations de coton constituaient le cinquième de toutes les importations britanniques. Pendant presque tout le XVIIIe siècle, l'ensemble des besoins du Lancashire fut satisfait par les îles des Indes occidentales. Le commerce du coton accrut ainsi les besoins en esclaves africains de ces îles, et augmentèrent les profits des marchands des environs de Liverpool qui se livraient à ce genre de commerce. Toutefois, à partir de 1790, les États du sud des États-Unis d'Amérique devinrent le principal fournisseur de coton, après qu'Eli Whitney eut inventé une égreneuse qui rendait possible l'utilisation du coton américain. En 1830, les trois quarts du coton importé par la Grande-Bretagne provenaient des plantations du sud des États-Unis. L'industrie britannique du coton fut largement responsable de l'expansion des plantations de coton dans cette région, tout comme de la rentabilité de la traite des esclaves.

Les conséquences de l'exportation des produits en coton furent aussi considérables. En Europe, la prépondérance des produits de coton britanniques retarda d'un demi-siècle la croissance des industries de coton européennes. Mais la guerre et les barrières tarifaires limitèrent la croissance des exportations britanniques vers le continent, et l'industrie cotonnière devint dépendante des exportations vers les régions non développées de l'Empire britannique ou à la veille d'en faire partie. Après avoir obtenu son indépendance de l'Espagne, l'Amérique latine acheta plus de coton que l'Europe. Les industries des populations autochtones s'effondrèrent devant la concurrence du Lancashire. Les chemises du Lancashire furent portées par les Africains de l'Ouest (dans le pays ou par les esclaves aux Indes occidentales), par les citoyens de l'Empire turc et même par les paysans chinois. Le coton établit un type d'impérialisme économique, où les industries locales des pays non protégés furent sévèrement limitées et où l'on encourageait la production de matières premières au profit des pays industrialisés. Plusieurs auteurs ont soutenu que le gouvernement britannique cherchait à étendre son empire, dans le but d'acquérir de nouveaux marchés pour son coton.

Ce qui impressionnait le plus les observateurs contemporains de l'essor industriel de Manchester, c'était le nouveau genre de société que cet essor semblait avoir créé. Manchester était divisée en deux classes sociales, entre lesquelles il ne semblait pas exister de lien si ce n'est ceux que Carlyle appelait les liens du capital. Et, qui plus est, les deux classes de Manchester — les propriétaires de manufactures et les ouvriers — étaient nouvelles en Angleterre. Pour plusieurs, les propriétaires de manufactures représentaient une force vitale nouvelle et solide pour l'Angleterre. Sans les manufactures de coton, écrivait l'un d'entre eux, «ces masses majestueuses qui s'étirent, comme un corps vivant, le long de nos quartiers du centre de la ville, n'auraient pas d'existence, et l'impulsion magique qui avait été ressentie pendant cette période dans chaque domaine de l'énergie nationale, qui avait plus ou moins affecté notre littérature, notre droit, notre condition sociale, nos institutions politiques, faisant presque de nous un nouveau peuple, n'aurait jamais pu être communiquée.»[3] Robert Owen, un de ces *self-made men*, fut un des premiers théoriciens socialistes. Il débuta sa carrière à Manchester avec la somme de 100 livres et fut finalement en mesure de fournir 84 000 livres comptant pour payer son usine.

Les hommes d'affaires de Manchester étaient profondément et personnellement impliqués dans la production industrielle. Plusieurs d'entre eux avaient commencé leur carrière comme fileur ou tisserand, d'autres comme fabricants d'équipement pour le textile, d'autres encore comme courtiers de coton brut ou de produits finis. Ils connaissaient chaque détail du processus de fabrication, travaillaient eux-mêmes de longues heures. Ils prirent des risques avec leur capital et exigèrent de grandes marges de profit pour leurs investissements. De plus, ils étaient sincèrement convaincus de la légitimité de tout ce qu'ils faisaient. Par exemple, Andrew Ure, dans une apologie très connue des gens d'affaires, intitulée *The Philosophy of Manufactures*, soutenait qu'on payait de faibles salaires aux femmes, afin de les inciter à demeurer à la maison:

L'homme d'affaires de Manchester

3 Cité par Asa Briggs, *Victorian Cities*, Harmondsworth, England, Penguin Books, 1968, p. 100.

Les femmes qui travaillent dans les manufactures touchent des salaires bien inférieurs à ceux des hommes et ont fait l'objet d'une pitié et d'une sympathie peu judicieuse, parce que le montant de leurs salaires a pour effet de rendre le travail domestique plus profitable et plus agréable. On évite ainsi que l'attrait de la manufacture les incite à délaisser la maison et les soins qu'elles doivent prodiguer à leurs enfants. Ainsi, la Providence pourvoit avec sagesse et efficacité, de manière à pallier au manque de prévision des machines humaines.

Il laissait entendre que si les salaires n'étaient pas aussi bas, les femmes afflueraient en grand nombre vers les manufactures.

La vieille aristocratie foncière fut ébranlée par le dynamisme des hommes d'affaires de Manchester lorsqu'elle vit que le puissant appareil de propagande, édifié par Manchester dans les années 1840, voulait obliger le gouvernement à abolir la protection dont jouissaient les producteurs de blé. Ils impressionnèrent tellement les romanciers durant les années 1840 et 1850 que parmi les personnages les plus mémorables figurent des hommes d'affaires. À titre d'exemples, citons *Coningsby* de Disraeli, *Mary Barton* de Madame Gaskell et *Hard Times* de Charles Dickens. Dans le personnage de Josiah Bounderby de Coketown, Dickens chercha à cerner par l'exagération, le caractère exceptionnel du nouvel homme d'affaires:

C'était un homme riche: un banquier, un industriel, et quoi d'autre! Un homme au physique imposant, au regard fixe et au rire métallique. Un homme fait d'une étoffe grossière. Un homme à la tête et au front gonflés, avec des tempes aux veines saillantes, et un visage à la peau si tendue qu'elle semblait tenir ses yeux ouverts et soulever ses sourcils. (...) Un homme qui ne pouvait jamais suffisamment se vanter d'être un «self-made man». Un homme qui proclamait, de sa voix tonitruante, son ignorance et sa pauvreté passées. Un homme qui était une brute d'humilité.[4]

Pour la plupart des critiques sociaux contemporains, le portrait de Dickens était exact. Les personnes aisées de Manchester demeuraient dans Alderley Edge, dans les faubourgs de la ville, en face de la lande ravissante. En 1861, Henry Adams décrivait la région comme «un ensemble de maisons de campagne dans les faubourgs de la ville, de telle sorte que pendant des milles on rencontre de longues et charmantes petites routes, parsemées de villas et de parcs, ce qui laisse la ville morne et triste, dans son manque de magnifiques maisons privées».

La situation des ouvriers

Le reste de la ville s'étendait au hasard dans des acres de taudis construits pour procurer un profit rapide aux entrepreneurs locaux. Le pire quartier était celui des Irlandais, construit pour des immigrants dans une vallée au-dessous du niveau du reste de la ville. Pour les classes ouvrières, il existait peu de logements convenables. Les conditions de travail étaient aussi pitoyables que le démontrèrent de nombreuses enquêtes gouvernementales dans les années 1800. Très tôt, la main-d'œuvre infantile fut

4 Charles Dickens, *Hard Times*, Boston, Houghton Mifflin, 1894, p. 14.

considérée comme essentielle pour que les opérations soient rentables. On choisit d'abord les apprentis parmi les orphelins à la charge des paroisses. Ensuite, la main-d'œuvre infantile se répandit largement parmi les enfants des ouvriers des manufactures. Dès l'âge de six ans, ils travaillaient dans les manufactures de six heures du matin à dix-neuf ou vingt heures le soir, six jours par semaine. Ils ne disposaient que d'une demi-heure pour le dîner et d'une demi-heure pour le souper. On les utilisait pour nouer les fils cassés sous les métiers à filer, pour balayer les déchets de coton ou pour remplacer les bobines de fil. Les enfants étaient battus fréquemment, afin de les garder éveillés, et ils avaient des problèmes pulmonaires chroniques, à cause de la fine poussière de coton qu'ils respiraient. La première tentative importante pour améliorer leurs conditions, la *Loi sur les manufactures*, était elle-même un commentaire sur les attitudes face à la main-d'œuvre infantile, puisqu'elle ne faisait qu'interdire l'emploi

À l'extérieur de la manufacture, tiré du livre *Michael Armstrong*, par Frances Trollope
Le récit, par les romanciers, de la souffrance des pauvres dans les villes industrielles obligea le Parlement, dans les années 1840, à légiférer pour limiter le nombre d'heures de travail des femmes et des enfants et surveiller leurs conditions de travail. Toutefois, les progrès furent très lents.

La main-d'œuvre infantile
Comme le démontre cette populaire revue londonienne, un demi-siècle après la Loi sur les manufactures, *on continuait à employer de très jeunes enfants à de lourdes tâches dans les mines, dans des conditions insalubres. (The Graphic, le 10 juin 1871)*

Un quartier pauvre de Liverpool, vers 1895
Liverpool était le principal port pour l'exportation des produits des villes industrielles du nord de l'Angleterre. Ses taudis s'étendaient sur de nombreux kilomètres, le long des docks de la rivière Mersey. (Radio Times Hulton Picture Library)

d'enfants âgés de moins de neuf ans et limiter les heures de travail des enfants de moins de dix-huit ans, à dix heures et demie par jour. L'application de la loi était confiée aux juges locaux, qui étaient souvent des propriétaires d'usines à la retraite.

Les conditions de travail des femmes n'étaient guère plus enviables, plus particulièrement dans les usines de textile, qui employaient près de quatre cent mille femmes en 1871. C'était un nombre considérable, qui résultait du fait qu'elles avaient dû remplacer les enfants, après que la *Loi sur les manufactures* ait limité la main-d'œuvre infantile. Les femmes travaillaient de douze à quatorze heures par jour, dans des bâtiments sales, étouffants et surpeuplés. Dans les manufactures de draps, la température pouvait atteindre 48 degrés Celsius. Dans la plupart des usines de textile, l'air était rempli de fibres, tandis que dans les usines de polissage de métaux, les femmes respiraient une fine poussière de métal. Les femmes de Oldham, une ville près de Manchester, avaient, à elles seules, fait tripler le taux national de tuberculose dans les années 1850. Un député du parlement anglais décrivait à sa femme la réalité quotidienne des conditions de travail dans les manufactures :

J'ai vu, entre autres choses, une manufacture de coton, et cela m'a glacé le sang. L'endroit était plein de femmes de tout âge, dont certaines étaient enceintes, qui passaient quotidiennement une douzaine d'heures debout. Leur horaire de travail s'étend de cinq heures à dix-neuf heures, dont deux heures sont consacrées au repos, afin qu'elles puissent tenir douze heures durant. La chaleur était intense en plusieurs endroits, une puanteur étouffante s'en dégageait, de la poussière de coton flottait dans l'ensemble des pièces. Je me suis presque évanoui. Les jeunes femmes étaient pâles, avaient le teint jaunâtre, étaient maigres, et bien qu'elles aient connu une croissance normale, elles allaient pieds nus — une vision étrange pour les yeux d'un Anglais.[5]

Le salaire des femmes était bien inférieur à celui des hommes; tout manquement aux règlements, affichés un peu partout dans la manufacture, entraînait une amende. Les femmes mariées ne pouvaient faire face à leurs responsabilités familiales et parentales, si bien qu'elles étaient contraintes à n'occuper qu'un emploi à temps partiel. Outre leur bas salaire, les femmes ne recevaient qu'une formation minimum. Il leur était donc impossible de livrer concurrence aux hommes pour les postes spécialisés. Dans les années 1840, plusieurs d'entre elles regrettèrent que la *Loi sur les manufactures* réduisît leurs heures de travail et l'accès à des emplois dangereux, parce qu'elles perdaient en même temps la possibilité d'augmenter leurs revenus. Toutefois, certains auteurs ont soutenu que le système des manufactures, malgré ses abus, offrait des avantages aux femmes. C'était l'occasion d'acquérir une expérience de travail et un revenu personnel, de nouer des relations avec d'autres femmes ou avec d'éventuels maris, et de développer un sens d'autonomie à l'intérieur de la famille. Mais le prix à payer était fort élevé.

Pendant les années 1830 et 1840, plusieurs commissions gouvernementales firent enquête à Manchester et dans d'autres villes industrielles, afin d'étudier les conditions de travail de tous les ouvriers. Elles rédigèrent de nombreuses études de cas, en plus de certaines études statistiques, tout en rendant publiques les conditions de travail épouvantables qui avaient été découvertes lors de leurs enquêtes. Le rapport le plus important, intitulé *On the Sanitary Condition of the Labouring Population of Great Britain in 1842*, démontra que l'âge moyen de décès, pour «les mécaniciens, les ouvriers et leurs familles» à Manchester, était de 17 ans, comparativement à l'âge moyen des populations rurales qui était de 38 ans. Même les personnes aisées vivant à Manchester souffraient des mauvaises conditions sanitaires de la ville, puisque «les professionnels, les membres de la petite noblesse et les membres de leurs familles» décédaient à l'âge de 38 ans, comparativement à 52 ans dans les régions rurales.

5 Cité par Wanda Neff, *Victorian Working Women*, p. 42.

Récemment, des spécialistes de l'histoire économique ont démontré que les salaires réels, en Angleterre, ont augmenté tout au long du XIXᵉ siècle : une augmentation de 25 % entre 1800 et 1825, de 40 % entre 1825 et 1850. L'espérance de vie avait, quant à elle, connu une nette amélioration. Par exemple, une femme née en 1850 pouvait espérer vivre jusqu'à l'âge de 42 ans, comparativement à 30 ans, pour une femme née en 1800. Mais tout ceci ne contribua pas à apaiser le mécontentement des classes ouvrières : Manchester était d'ailleurs considérée comme une marmite dont le couvercle est sur le point de sauter. Fréquemment, les ouvriers fracassaient les machines qu'ils estimaient responsables de leur sort. Parfois, ils fomentaient des émeutes pour obtenir du pain, comme ce fut notamment le cas pendant les années de guerre avec la France. Des syndicats rudimentaires furent créés parmi les fileurs de coton, dès les années 1790, et ils organisèrent des grèves sporadiques mais sans grande efficacité. Par contre, les désordres au sein de la populace étaient plus fréquents. Les plus sérieux eurent lieu en 1819, lorsque les troupes ouvrirent le feu sur une foule de manifestants : dix manifestants furent tués, tandis que des centaines d'autres étaient blessés, dans ce qui allait devenir le massacre de Peterloo. En 1842, la ville tomba aux mains d'une foule considérable, à laquelle s'étaient joints des émeutiers en provenance des autres villes cotonnières des environs, pendant les émeutes du *Plug Plot*. Durant toute la première moitié du XIXᵉ siècle, la crainte d'une insurrection à Manchester était omniprésente. «Ici, il semble n'y avoir aucune sympathie entre les hautes et basses classes de la société», pouvait-on lire dans un journal de Manchester en 1819. «Il n'existe ni confiance réciproque ni lien d'appartenance.» C'est cette vision de Manchester que Engels devait offrir à Karl Marx, lors de leurs entretiens à Paris en 1844. C'est Manchester qui occupait leurs pensées lorsqu'ils entreprirent la rédaction du *Manifeste communiste* :

Notre époque, celle de la bourgeoisie, possède ce trait particulier : elle a simplifié les antagonismes entre les classes. Dans son ensemble, la société se divise, de plus en plus, en deux camps hostiles, en deux grandes classes qui s'affrontent ouvertement : la bourgeoisie et le prolétariat.[6]

Caractéristiques de la ville industrielle

À Manchester, et dans d'autres grandes villes industrielles du nord de l'Angleterre, un nouveau type d'urbanisation apparut, plus particulièrement pendant les 50 à 70 premières années de leur expansion. Les villes avaient comme unique objectif la production économique. Jusqu'aux années 1850, la plupart des édifices de Manchester étaient des usines, des entrepôts et des logements en grand nombre; sa structure sociale était tout aussi simple. En d'autres termes, les deux tiers de la population se composaient de salariés, qui travaillaient principalement pour l'industrie du coton. Le reste se composait de personnes offrant des services divers : propriétaires de boutiques, avocats, médecins et «marchands», lesquels

6 Karl Marx, *The Karl Marx Library*, Vol. I, *On Revolution*, New York, McGraw Hill, 1971, p. 81.

Contrastes, par Augustus Welby Pugin (1812-1852)
(En haut) Une ville catholique en 1440. (En bas) La même ville en 1840. Pugin tenta de démontrer que la décadence de la ville anglaise était attribuable au protestantisme, tout comme à l'industriali-sation.

incluaient, non seulement les propriétaires de manufactures, mais les propriétaires de firmes d'ingénierie et compagnies commerciales, ainsi que les banquiers. À partir des années 1840, lorsque Manchester devint irrévocablement une ville du charbon, elle commença à recevoir quelques-uns des agréments qui avaient rendu la vie si intéressante et agréable à l'ensemble des habitants de Constantinople ou de Paris. Trois parcs publics furent inaugurés en 1846. L'université de Manchester embaucha ses cinq premiers professeurs en 1851 et, un an plus tard, la bibliothèque publique ouvrait ses portes. Une exposition de tableaux provenant de collections privées fut tenue en 1857 et attira plus d'un million de visiteurs. Le directeur musical de la ville, Charles Hallé, choisit de demeurer à Manchester pour y fonder l'un des grands orchestres symphoniques du monde. Finalement, entre 1868 et 1877, l'administration municipale consacra la somme d'un million de livres à la construction d'un hôtel de ville, d'inspiration gothique, afin de créer un monument qui symboliserait la dévotion de la ville en faveur d'un gouvernement local autonome. Ainsi, Manchester se donnait lentement et tardivement une vie culturelle, au milieu de ses innombrables cheminées de manufactures.

Vers le milieu du siècle, Manchester était l'archétype de la ville industrielle construite sans planification. Elle était créatrice de richesse et protectrice de biens matériels à un niveau qui n'avait jamais été atteint dans l'histoire. Jusqu'au milieu du XIXe siècle, elle fut toutefois considérée comme une ville sans éclat ni beauté. «Chaque jour de mon existence», écrivait un Américain en 1845, après qu'il eut visité Manchester, «je remercie le ciel de ne pas être un pauvre homme avec une famille en Angleterre.»

LA DIFFUSION DE L'INDUSTRIALISATION SUR LE CONTINENT

Sur le continent européen, l'industrialisation traînait le pas derrière les Britanniques. Mais à partir du milieu du XIXe siècle, la Belgique, certaines régions de la France, la Rhénanie et la Saxe, quelques villes de Lombardie, ainsi que quelques régions de l'Empire autrichien commencèrent à profiter des bienfaits de l'apparition de leurs propres *Coketowns*. Engels avait vu les eaux de la rivière Wupper polluées par la teinture des usines de textiles d'Elberfeld, région de l'Allemagne où avaient été installées les premières *mule-jennies*. Il avait assisté à la disparition de «la vie populaire, pleine d'entrain et de vigueur, qui existait partout en Allemagne». En 1831, 30 000 tisserands de soie s'étaient emparés de la ville de Lyon, dans le sud de la France, afin de protester contre leurs salaires inadéquats. Des villes minières de Belgique, comme Liège et Namur, étaient aussi infectes que n'importe quelle ville de la vallée de la Rhondda, dans le sud du pays de Galles, et aucune mesure législative n'avait été adoptée, afin de corriger les conditions de travail effroyables.

Entraves à l'industrialisation sur le continent

Plusieurs facteurs, communs à tous les pays d'Europe, permettent d'expliquer le retard de l'industrialisation; mais il convient d'ajouter des obstacles propres à chaque pays. La guerre et des révolutions internes avaient poussé l'économie européenne dans un chaos sans fin, décourageant l'investissement de capital à risque ou le déplacement de la force de travail vers les villes. La plupart des gouvernements considéraient l'essor des villes comme une menace à l'ordre public; en conséquence, ils tentèrent de freiner cet essor. Les communications terrestres étaient lamentables, puisque seules quelques routes avaient été construites depuis l'époque de l'Empire romain. Le transport maritime dépendait des frontières politiques, ce qui empêchait aussi la construction de canaux transfrontaliers. Les droits de douane gênaient, non seulement le commerce extérieur, mais le commerce domestique, et les gouvernements étaient réticents à abandonner leur source de revenu la plus fiable. Alors que les produits de luxe, comme l'a démontré le commerce médiéval, pouvaient être vendus à des prix dépassant plusieurs fois leur prix de revient, ce qui permettait d'absorber les coûts élevés de transport et les droits de douane, il en allait tout autrement des produits que la Révolution industrielle destinait aux masses. Ainsi, la vente de matières premières, comme le charbon et le fer, ou de produits manufacturés, n'était possible qu'avec des frais de transport minimes et une diminution des péages et des droits de douane. Dans un sens plus large, ceci impliquait que la Révolution industrielle n'était possible que s'il existait un vaste marché unifié. Par conséquent, le morcellement politique de l'Allemagne et de l'Italie était un obstacle économique, au même titre que la revendication nationaliste. Le morcellement politique était particulièrement néfaste pour le développement de l'industrie européenne du charbon, parce que les grands dépôts de charbon en Europe se trouvaient dans une zone qui s'étendait du nord de la France à la région de la Rhur en Allemagne. Ils étaient répartis entre la France, la Belgique, les Pays-Bas, le Luxembourg et la Prusse. Le seul gisement important de fer sur le continent se trouvait en Lorraine française. Il était séparé des dépôts de charbon de la Sarre à cause de la haine qui existait entre Français et Allemands. Faute de moyens de transport, il n'y avait pas non plus de lien avec les gisements situés près des côtes de la Manche. Les entraves, placées continuellement sur toute nouvelle activité économique par les guildes, qui restaient fort puissantes à travers toute l'Europe, empêchaient l'introduction du système manufacturier dans les vieilles villes. Le fait que de nombreux paysans, en France par exemple, préféraient souffrir de la faim sur leurs terres plutôt qu'en ville, empêchait la croissance d'un important marché du travail. Même l'attitude des classes moyennes, qui avaient fait fortune dans le commerce, n'était pas en faveur de l'industrialisation. La plupart d'entre elles préféraient investir leur argent dans des placements plus lucratifs sur le plan social, comme la propriété foncière. Ceux qui plaçaient leur argent dans des entreprises industrielles limitaient l'ampleur de leur engagement et préféraient brasser leurs affaires dans des entreprises familiales. On recherchait la sécurité plutôt que l'expansion. Mais l'élément le plus dissuasif était le progrès industriel que la Grande-Bretagne avait réalisé et qui lui avait assuré un énorme avantage dans la conquête de marchés, particulièrement dans le domaine des techniques et dans la mobilisation du capital. Concurrencer les Britanniques au niveau de la qualité, du prix ou de l'organisation de marchés, était une chose difficile.

De façon très modeste à partir de 1815, et sur une grande échelle à partir de 1830, quelques régions du continent connurent leur propre révolution industrielle, puisque les conditions y étaient plus favorables qu'au cours du XVIIIe siècle. Aucune guerre n'avait ébranlé la stabilité politique du continent. La population augmentait comme en Angleterre; avec le surpeuplement, le chômage augmenta dans les village. En conséquence, les ouvriers agricoles, qui souffraient de la pauvreté, commencèrent à émigrer vers les villes. Plusieurs gouvernements, désireux

Le début de l'industrialisation en Europe

◆ *Les débuts de l'industrialisation de l'Europe, vers 1850* ◆

de reprendre les initiatives de Napoléon, voulurent stimuler la modernisation de leur économie, par le biais de l'intervention de l'État. Parmi ces gouvernements, il y avait ceux des Pays-Bas, de la Prusse et de la France (après la révolution de 1830). Ces gouvernements parrainaient des expositions industrielles, subventionnaient les inventeurs, établissaient des écoles techniques et scientifiques, et défrayaient les frais pour des missions d'affaires officielles à l'étranger. On pouvait mobiliser le capital plus facilement en vue d'investissements dans des entreprises industrielles, grâce à une nette amélioration du système bancaire, notamment la création de banques nationales, de banques à capital-actions. Les Britanniques recherchaient des placements lucratifs pour les profits qu'ils avaient réalisés lors de leur propre révolution industrielle. Ils commencèrent à libérer d'importantes sommes pour l'industrialisation du continent, plus spécialement dans un secteur qui offrait, croyait-on, une grande sécurité aux investisseurs : la construction de chemins de fer.

Le transport apparaissait pour plusieurs comme la clé de voûte d'une révolution industrielle sur le continent. On commença donc par construire des routes et des canaux et par draguer les rivières. La France, par exemple, comptait 1 200 kilomètres de canaux au moment de l'abdication de Napoléon. Le régime restauré des Bourbon en ajouta 900, et le gouvernement favorable à la classe moyenne de Louis-Philippe en ajouta 2 000 avant la révolution de 1848. L'introduction de la vapeur fut importante pour la navigaton fluviale et de haute mer, principalement sur de courtes distances. Comme en Angleterre, ce fut le chemin de fer qui relia entre eux les fournisseurs continentaux et les marchés. L'État belge prit l'initiative en construisant deux lignes de chemin de fer à travers le pays. Par contre, la France et l'Allemagne procédèrent avec lenteur; mais dans les années 1840, les Français concevaient un plan ingénieux, selon lequel l'État fournissait le ballast, les tunnels et les ponts, tandis que le matériel roulant et les rails incombaient aux compagnies privées. La construction d'un système de planification centralisé, dont Paris était le pivot, progressait rapidement au début de 1848 et fut complétée au début des années 1860, malgré la crainte que les vaches terrorisées ne donnent plus de lait et que les passagers n'attrapent facilement une pleurésie dans un tunnel. Moins craintifs face à ce genre de périls, les Allemands établirent leur réseau dix ans avant celui des Français. L'Est rural de l'Allemagne, maintenant uni à l'Europe de l'Ouest, trouva des nouveaux débouchés pour ses produits agricoles; les aristocrates des plaines orientales subirent un choc psychologique comme jamais ils n'en avaient eu auparavant. Le contexte économique était favorable à l'industrialisation, mais la phase la plus difficile dans le processus de croissance économique était le décollage vers une croissance soutenue ou, selon Walt Rostow, «la période intermédiaire au cours de laquelle on réussit à surmonter les obstacles et la résistance à la croissance stable». En Europe, un premier stimulus fut fourni par l'acquisition de machines britanniques et par le développement d'habiletés techniques. Cet objectif fut partiellement atteint grâce à l'espionnage industriel et par l'étude de revues techniques de Grande-Bretagne. Une loi interdisait, depuis 1842, l'exportation de la plupart des machines, sauf les machines à vapeur. Plusieurs ouvriers qualifiés britanniques émigrèrent vers le continent pour bénéficier des salaires élevés qu'on leur versait, afin qu'ils enseignent leurs techniques aux ouvriers du continent. Les gestionnaires et les entrepreneurs britanniques constatèrent qu'ils pouvaient faire fortune plus rapidement dans l'environnement économique moins compétitif du continent. Des ingénieurs dotés d'un sens des affaires construisirent le chemin de fer Paris-Rouen, lancèrent l'exploitation des mines de charbon Hibernia dans la région de la Rhur, modernisèrent l'industrie cotonnière de la Normandie, en plus d'établir la plus grande entreprise sidérurgique des années 1830 à Seraing, en Belgique.

La grande presse, baptisée «Fritz», à l'usine Krupp d'Essen en Allemagne (1861)
Le propriétaire de l'usine, Alfred Krupp, avait conçu cette presse pour fabriquer des lingots d'acier pesant près de cinquante mille livres pour des arbres à hélice et d'autres pièces de machinerie lourde.
(Gracieuseté du Centre allemand de l'Information)

De leur côté, les Européens développèrent rapidement leurs propres inventions et améliorèrent celles qui avaient été apportées d'Angleterre. Parmi ces pionniers, on retrouve les noms des fondateurs des grandes fortunes industrielles du XIXe siècle. Friedrich Krupp, d'Essen, fit des moulages d'acier au début des années 1800; la compagnie Borsig mit au point à Berlin, dans les années 1830, un modèle de locomotive amélioré; la famille De Wendel, de Lorraine, fit figure de pionnière en procédant à l'intégration des diverses étapes du processus de fabrication de l'acier. Ce ne sont là que quelques-uns des grands noms parmi les milliers d'entrepreneurs capitalistes qui voulaient devenir les homologues continentaux de «l'Homme de Manchester».

Ainsi, vers le milieu du siècle, la position économique relative de la Grande-Bretagne et des pays du continent avait considérablement changé, bien qu'il ne s'agît pas encore d'une mutation dramatique. La Grande-Bretagne produisait la moitié de l'acier et du coton et les deux tiers du charbon mondial; la moitié de sa population habitait les villes. Mais la Belgique, le pays le plus industrialisé d'Europe, présentait beaucoup de similitudes avec la Grande-Bretagne. Elle avait une industrie charbonnière et sidérurgique hautement développée dans une région allant de Mons à Liège, et une industrie textile d'envergure pour les produits du coton et de la laine. Les Français avaient développé les houillères de la région du Nord et commençaient à exploiter en Lorraine les gisements de fer, de piètre qualité. Plusieurs centres de production d'acier, bien organisés comme Le

Creusot, étaient répartis sur le territoire. Il existait aussi une industrie textile florissante en Alsace. Toutefois, l'agriculture demeurait le principal employeur et la forme usuelle de l'entreprise commerciale était la firme familiale. (Il est curieux de constater que la raison pour laquelle le même nombre de femmes occupaient un emploi en France et en Angleterre, était qu'elles demeuraient sur les fermes familiales ou occupaient un emploi au sein des entreprises familiales.) En Allemagne, on avait connu un début d'industrialisation avec l'ouverture des mines de charbon et le développement d'une industrie de l'acier dans les régions de la Rhur et de la Sarre, ainsi qu'en Saxe, mais la fabrication du textile était disséminée à travers le pays, où s'affairaient des milliers d'artisans. À une plus petite échelle, un développement industriel, spécialement dans les domaines du textile et de l'acier, avait vu le jour dans le nord de l'Italie, en Bohême, en Hongrie occidentale et aux alentours de Vienne.

Les changements survenus au sein de la société eurent des effets variés sur les Européens. Pour ceux qui aimaient la vie paisible du XVIIIe siècle, la société était devenue déprimante. «La richesse et la vitesse sont deux choses

Paysage industriel, par Vincent Van Gogh (1853-1890)
Bien que le continent connût une industrialisation plus tardive que l'Angleterre, ses effets n'en furent pas moins dévastateurs sur le paysage. (Musée Stedelijk, Amsterdam)

Conséquences sociales de l'industrialisation en Europe

que les gens admirent et qu'ils s'efforcent d'obtenir», écrivait le philosophe Goethe, alors âgé de soixante-dix ans.[7] Pour ceux qui étaient gagnés à l'esprit d'entreprise, ils vivaient une époque aux possibilités illimitées. Même les chemins de fer allemands évoquaient des possibilités romantiques :

> *Pour eux, les rails sont des bracelets de fiançailles,*
> *Des anneaux nuptiaux en or le plus pur;*
> *Comme des amants, les États les échangeraient*
> *Et les liens du mariage seraient solides.*[8]

Mais l'industrialisation du continent causa des problèmes identiques à ceux qui avaient choqué les observateurs de Manchester. En 1828, on informait le roi de Prusse que les manufactures de la Rhénanie avaient drainé la population de ses provinces de l'Ouest à un point tel qu'elles ne pouvaient plus fournir le nombre prescrit de recrues pour l'armée. Onze ans plus tard, on interdisait le recours à la main-d'œuvre infantile de moins de neuf ans. En 1840, Louis Blanc avait commencé son accusation célèbre du capitalisme français naissant, *De l'Organisation du Travail*, avec ce message alarmiste : «L'autre jour, le froid a tué un enfant sous une guérite de sentinelle au cœur de Paris, et personne n'a été choqué ou surpris de cet événement». Les Européens, comme les Britanniques, avaient réalisé tardivement que l'industrialisation était un phénomène dont les conséquences sociales étaient tellement perturbantes qu'elles rendaient nécessaire une vaste action politique. Mais on notait beaucoup d'opinions diverses quant aux solutions à apporter.

LES PANACÉES POLITIQUES DE L'INDUSTRIALISATION

Le libéralisme

Pour ceux qui en tiraient le plus grand profit, les bienfaits de l'industrialisation valaient bien quelques inconvénients. Les couches supérieures des classes moyennes avaient adopté la doctrine du libéralisme dont le principe, si l'on en croit leurs adversaires, se résumait par ce conseil que donnait le premier ministre français Guizot à ceux qui souhaitaient une diminution des critères d'admission au sens électoral: «Enrichissez-vous!» Cette doctrine utile avait été formulée avec autorité par le célèbre économiste anglais Adam Smith (1723-1790), dans son livre publié en 1776, *Recherches sur la nature et les causes de la richesse des nations*. Smith avançait que les individus avaient une disposition toute naturelle pour le commerce, c'est-à-dire à échanger des biens matériels pour le bien-être des deux parties. Au sein d'un État de liberté complète, dénué de toute ingérence, quelques personnes constatent que certains produits sont plus demandés que d'autres; ils s'appliquent alors à tirer profit de cette demande. Ces entrepre-

---

7 Cité par Theodore S. Hamerow, *Restoration, Revolution, Reaction: Economics and Politics in Germany, 1815-1871*, Princeton, N.J., Princeton University Press, 1966, p. 3.

8 *Ibid.*, p. 8.

neurs développent de nouvelles ressources ou créent de nouvelles tendances; en répondant à ces besoins, ils vont améliorer leur sort. La concurrence entre les divers fournisseurs a pour effet d'améliorer la qualité des produits et d'éviter des profits excessifs. Lorsqu'ils ont su répondre à un besoin, les entrepreneurs se tournent alors vers la satisfaction de nouveaux besoins. Le consommateur, avec son pouvoir de décider d'acheter ou de ne pas acheter un produit, est alors le maître incontesté du système économique. L'ouvrier, avec son pouvoir de vendre ou de ne pas vendre sa force de travail, du moins théoriquement, maîtrise la structure des salaires, puisque la concurrence entre les employeurs pour la main-d'œuvre permet à l'ouvrier de choisir le salaire le plus intéressant. Le consommateur est également protégé, puisque les demandes salariales des ouvriers ne peuvent faire augmenter les prix au-delà de ce que peuvent payer les consommateurs. Ainsi, Smith pouvait soutenir qu'il existait une communauté d'intérêts entre les consommateurs, les employeurs et les salariés, à condition que le système économique ne soit pas vicié par l'ingérence de l'État, les douanes ou d'autres limites au commerce international ou par des monopoles de producteurs. Le rôle de l'État est alors de protéger la société des attaques étrangères, d'assurer l'ordre et la justice internes, et de permettre la réalisation de travaux publics de grande envergure, comme les routes, que les individus ne pourraient entreprendre eux-mêmes.

Cette théorie fut reprise par David Ricardo (1772-1823), dont l'ouvrage intitulé *Les Principes de l'économie politique et de l'impôt*, publié en 1817, allait devenir le livre de chevet des libéraux du début du XIXe siècle. Toutefois, Ricardo était convaincu que Smith avait affiché un trop grand optimisme en pensant que ce système naturel pourrait fonctionner avec harmonie. Ricardo considérait que les classes de la société étaient antagonistes par nécessité et, en particulier, que les salaires des classes ouvrières demeuraient toujours, de façon approximative, au niveau nécessaire à leur seule subsistance. Reprenant la théorie que Thomas Malthus avait exposée dans son *Essai sur le principe de population* (1798), Ricardo démontra qu'une économie en plein essor parvient seulement à faire vivre sa population croissante et que la tendance naturelle est, pour cette population, de dépasser les approvisionnements en nourriture. Confrontée à une famine, la classe ouvrière est alors contrainte à décroître de telle sorte que sa part de la richesse de la société corresponde exactement à ce qui est nécessaire à sa subsistance. Mais il y a aussi deux autres groupes en compétition pour obtenir leur part de la richesse de la société. Ce sont les propriétaires qui touchent des loyers, et les capitalistes qui profitent de la richesse générée par la main-d'œuvre. La sympathie de Ricardo allait vers le capitalisme, dont les entreprises étaient la source de la richesse. À ses yeux, les propriétaires fonciers faisaient peu pour justifier leur part de cette richesse.

Les radicaux — ou démocrates — croyaient que l'erreur des libéraux était de limiter le suffrage à leur seule classe. Ils soutenaient que la solution

Le radicalisme en Grande-Bretagne

aux maux de la société résidait dans l'universalité du suffrage et la prise du pouvoir par le peuple. Ce programme, préconisé en Angleterre par un brillant pamphlétaire politique, William Cobbett, avait reçu un large appui pendant les années difficiles qui avaient suivi la fin des guerres napoléoniennes. Le gouvernement répondit à ce programme par la répression : le massacre de Peterloo de 1819 et les six lois qui limitèrent les assemblées publiques et la liberté de presse. Pendant la période difficile des années 1830 et 1840, ces demandes furent reprises par les Chartistes (du nom de la Charte du peuple qu'ils rédigèrent en 1838), un groupe composé de membres des classes ouvrières, qui demandait le suffrage universel, des parlements annuels, l'égalité des circonscriptions électorales et le versement d'un salaire aux députés. (Au départ, le programme des Chartistes comprenait, en 1838, une proposition en faveur du vote féminin, proposition qu'ils abandonnèrent rapidement en faveur d'un suffrage masculin.) À deux reprises, les Chartistes adressèrent des pétitions au Parlement, pétitions portant plus de deux millions de signatures, organisèrent de grandes manifestations et menacèrent de déclencher des grèves générales. En 1839, dans le pays de Galles, de violents affrontements entre les mineurs chartistes et les troupes britanniques conduisirent à l'arrestation des dirigeants chartistes ; vers la fin des années 1840, le mouvement avait perdu une grande partie de ses appuis. Lors d'une dernière tentative à Londres en 1848, pour organiser une grande manifestation, les organisateurs durent annuler leur marche à travers les rues de la ville, car le gouvernement avait refusé la délivrance d'un permis.

Mary Wollstonecraft (1759-1797)
Elle fut l'une des premières femmes, en Angleterre, à militer en faveur de l'égalité des droits pour les femmes. Elle se rendit à Paris au moment de la Révolution française et elle fit la connaissance de plusieurs de ses chefs. Plus tard, elle épousa le philosophe politique William Godwin et mourut en couches, lors de la naissance de leur premier enfant, Mary, la future épouse du poète Shelley. (The Walker Art Gallery, Liverpool)

Les demandes des radicaux en faveur de libertés individuelles accrues avaient incité les femmes à rechercher l'amélioration de leurs conditions juridique et sociale. Un premier pas fut franchi par Mary Wollstonecraft, l'amie d'auteurs radicaux anglais tels que Thomas Paine et William Godwin, qu'elle épousa d'ailleurs plus tard. En 1792, elle écrivait *A Vindication of the Rights of Women*, ouvrage dans lequel elle affirmait l'égalité naturelle des hommes et des femmes et la nécessité d'une éducation comparable à celle des hommes. Des critiques, à l'endroit de la subordination juridique des femmes en Angleterre, avaient contraint le Parlement à faire plusieurs changements au cours de la première moitié du XIX siècle. Lady Caroline Horton, dont le mari lui avait refusé de visiter leurs enfants après leur séparation, écrivit à tous les députés du Parlement et signa un grand nombre de pamphlets, plaidant en faveur du droit d'une mère à la garde de ses jeunes enfants. Le Parlement donna suite à ses demandes en accordant le droit de garde des enfants, jusqu'à l'âge de sept ans, aux femmes qui étaient séparées de leur mari. Des demandes en faveur de la reconnaissance juridique du divorce conduisirent à la *Loi sur le divorce* de 1857 qui, toutefois, rendait plus difficile une demande de divorce présentée par une femme, bien que la loi leur permît d'envisager le divorce.

Mais la demande la plus importante pour les femmes fut celle de pouvoir contrôler leurs propres biens. Selon la *common law* anglaise, en vertu d'un principe cité à de nombreuses reprises et attribué à l'un des plus éminents juristes d'Angleterre, «le mari et l'épouse sont une seule et même personne, et le mari est cette personne». Au moment du mariage, tous les biens de la femme passaient sous le contrôle de son mari, tout comme ce qu'elle pouvait gagner ou ce dont elle héritait pendant le mariage. À une époque où le quart des femmes mariées travaillait à l'extérieur de la maison et constituait le quart des femmes au travail, plusieurs d'entre elles estimaient que l'argument selon lequel la propriété des biens revenait au mari parce qu'il était le soutien de son épouse était dépassé. Elles estimaient que la réforme du droit relatif à la propriété était plus importante que leurs demandes en faveur de l'égalité politique.[9] Le premier projet de loi concernant le droit de propriété des femmes mariées fut abandonné en 1857, parce que le Parlement considérait qu'il était devenu inutile, à la suite de l'adoption de la *Loi sur le divorce* au cours de la même année. Toutefois, dix ans plus tard, les femmes mirent sur pied une vaste campagne afin d'obtenir, pour toutes les femmes mariées, le droit de contrôle sur leurs propres biens. Les conservateurs, au nombre desquels figurait un journal londonien très influent — le *Times* —, contre-attaquèrent avec l'argument que la religion reconnaissait les droits du mari: «Tout comme aux yeux de l'Église, les deux personnes deviennent un seul corps (par le mariage), en droit, et ne forment qu'une seule

---

9 Lee Holcombe, *Wives and Property : Reform of the Married Women's Property Law in Nineteenth-Century England*, Toronto et Buffalo, Toronto University Press, 1983, p. 3.

personne».[10] En 1870, le Parlement adopta finalement la *Loi sur les biens des femmes mariées* et améliora davantage les droits des femmes en 1882 et 1893. Même si la loi n'avait que peu d'intérêt pour les femmes pauvres, elle était considérée comme une étape importante pour les femmes des classes moyennes et supérieures, comme le soulignait une contemporaine, puisqu'elles avaient l'assurance que «la théorie du mariage ne serait plus fondée sur l'esclavage de l'un, mais sur l'égalité des deux époux».[11]

Le radicalisme en France

Paris devint le centre du radicalisme sur le continent en accueillant les réformateurs exilés de tout acabit. En France, les couches inférieures des classes moyennes étaient encore plus aigries par les limites du suffrage et elles trouvèrent des meneurs parmi l'élite intellectuelle, notamment le poète Lamartine et les journalistes politiques, en réclamant une république. En 1847 et 1848, les radicaux créèrent l'équivalent français des pétitions des Chartistes, soit une série de «banquets de réforme», au cours desquels les principaux députés de l'opposition réclamaient une extension du suffrage et des salaires pour les députés. En février 1848, alors que la dépression régnait dans l'industrie, les chefs radicaux renversèrent le gouvernement libéral et firent de la France, pour une courte période, une république avec suffrage universel. Lamartine assuma la présidence du gouvernement provisoire de la Deuxième République, le 24 février. En juin, lorsqu'il fut contraint d'utiliser l'armée pour réprimer les actes des ouvriers parisiens, il devint évident pour une partie de la population que les solutions politiques des radicaux ne convenaient pas aux problèmes sociaux. Les problèmes sociaux exigeaient plutôt des solutions socialistes.

La première théorie socialiste

La théorie du socialisme existait bien avant la Révolution industrielle. Dans *La République*, Platon avait suggéré la propriété commune, y compris celle des femmes et des enfants; les premiers Chrétiens accordaient aussi une grande importance au partage de la richesse. Au cours du XVIe siècle, des auteurs de livres relatifs à des pays idéaux (comme sir Thomas More dans *L'Utopie*) avaient fréquemment refusé l'existence de la propriété privée. Rousseau critiquait la propriété privée dans un de ses plus célèbres passages:

Le premier homme qui, ayant clôturé un bout de terrain, se dit à lui-même «ceci m'appartient» et trouva les gens assez sots pour le croire, fut le véritable fondateur de la société civile. Quels crimes, guerres, meurtres, quelles misères et horreurs auraient pu être épargnés à l'humanité si quelqu'un, se sauvant du bûcher ou comblant les ornières, s'était écrié: «Prenez garde d'écouter cet imposteur; vous êtes perdus si vous oubliez que les fruits appartiennent à tous et que la Terre n'appartient à personne».[12]

10 *Ibid.*, p. 151.

11 *Ibid.*, p. 206.

12 Cité par Alexander Gray, *The Socialist Tradition: From Moses to Lenin*, Londres, Longmans, Green, 1947, p. 81.

Les paysans français démontrèrent comment Rousseau les avait mal compris en complotant eux-mêmes pour s'emparer de la terre au lieu d'en faire un bien commun. Le seul adversaire authentique de la propriété privée lors de la Révolution, François Noël Babeuf (dit Gracchus), qui mena une insurrection en 1796 afin de remplacer le Directoire par une société communiste, fut dénoncé par des délateurs et condamné à mort. La théorie moderne du socialisme ne prit naissance que lorsque les progrès de l'industrialisation commencèrent à créer de grandes agglomérations d'ouvriers des manufactures, un prolétariat, et une autre classe, également identifiable, d'employeurs bourgeois qui pratiquaient la doctrine selon laquelle les ouvriers ne pourraient jamais s'élever au-dessus du seuil de subsistance.

Au départ, le socialisme n'était qu'une réaction émotive aux effets de la Révolution industrielle et aux inégalités dans le partage des fruits de l'industrialisation entre les ouvriers et les capitalistes. Il s'agissait également d'une réaction contre l'inadéquation du mode de vie industriel dans les nouvelles villes, où la liberté n'était accordée qu'aux individus que pour qu'ils recherchent le profit, sans égard au bien-être de la population et, dans une certaine mesure, à leur propre bien-être. Il ne s'agissait pas d'une réaction défavorable à l'industrialisation, mais plutôt d'une demande pour une meilleure réglementation et utilisation de cette industrialisation.

Le socialisme utopique

Un des premiers socialistes les plus influents fut Robert Owen, un propriétaire de manufactures qui, à l'âge de vingt-huit ans, avait fait fortune avec ses filatures de Manchester et acheta ensuite la plus grande manufacture d'Écosse, à Lanark, pour en faire un modèle de société communiste. À la grande surprise des industriels de toute l'Europe, Owen démontra qu'une usine pouvait être conçue d'une manière attrayante, que les ouvriers pouvaient recevoir des logements décents et des écoles gratuites et que les salaires pouvaient être plus élevés que ceux des concurrents, le tout sans perte de profits. À New Lanark, et plus tard aux États-Unis, à New Harmony (Indiana), il établit des exemples pratiques de réconciliation entre les classes. Il s'efforça de démontrer que la nouvelle société industrielle pouvait être créée à partir de l'implantation graduelle de communautés de ce genre. Ces deux idées furent très populaires parmi les socialistes de la première moitié du XIXᵉ siècle, lesquels furent qualifiés, par Karl Marx, à cause de leur idéalisme peu réaliste, de socialistes «utopistes». Owen lui-même connut la désillusion et tenta par la suite d'améliorer les conditions de travail des classes ouvrières par le biais d'une organisation syndicale nationale et, plus tard, par la création de coopératives de consommateurs.

Les femmes qui travaillaient, virent dans des expériences comme celles d'Owen à New Lanark ou de la manufacture construite par Francis Lowell à Waltham, au Massachussetts, une occasion d'obtenir des salaires plus élevés et de meilleures conditions de travail. Mais un faible nombre de femmes travaillaient dans ces endroits et leur salaire ne représentait que la moitié de celui des hommes. La stratégie la plus évidente était de travailler pour les syndicats qui étaient soutenus par Owen, mais les femmes ne prirent que lentement part au mouvement syndical. En effet, elles considéraient leurs emplois comme des obstacles temporaires au mariage et elles souffraient à l'intérieur des syndicats d'une discrimination aussi forte qu'au sein de la société. Les femmes de la manufacture de Lowell firent la grève dans les années 1830 et formèrent le premier syndicat pour les ouvrières industrielles, le «Female Labor Reform Association». En Grande-Bretagne, une des premières grèves fut organisée par les travailleuses de l'industrie des allumettes, à Londres en 1888, prouvant ainsi l'utilité de l'action directe. Celles qui travaillaient dans le domaine du commerce, plutôt qu'au sein de l'industrie, constatèrent qu'au cours de cette période les syndicats commençaient à les accueilir. Les femmes furent admises à la «National Union of Shop's Assistants» dès sa fondation dans les années 1880.[13] Mais ce n'est qu'à partir du XXe siècle que les syndicats commencèrent à apporter de véritables solutions aux problèmes des femmes des classes ouvrières.

L'idéal d'Owen d'organiser la société en une série de communautés industrielles harmonieuses fut repris par l'écrivain français Charles Fourier (1772-1837), un voyageur de commerce excentrique, passionné pour les mathématiques. Fourier affirmait que la société pouvait être organisée en groupes de 1 620 personnes, parce qu'au sein d'un tel groupe le travail à effectuer pouvait être réparti en fonction des goûts de chacun. (Les enfants, qui aimaient jouer dans la terre, seraient responsables de l'entretien des rues.) Dans ces groupes, appelés *phalanstères*, tout travail serait coopératif, mais les profits seraient distribués de façon inégale entre les ouvriers, le capital et les personnes talentueuses.

Fourier s'inspira des socialistes anglais Owen et William Thompson en croyant que le socialisme devait améliorer le statut de la femme. Thompson avait publié un long plaidoyer en faveur du suffrage féminin, *Appeal of One-Half of the Human Race Against the Pretensions of the Other Half* (1825). Dans ses phalanstères, Fourier fournissait des services de garde pour les enfants durant la journée, ce qui permettait aux femmes d'avoir une liberté d'action comparable à celle des hommes, et il rendit plus facile le recours au divorce. À l'instar de Thompson, il soutenait aussi que ni les femmes ni les hommes ne pouvaient être libres dans une société capitaliste et que le niveau de liberté d'une société devait être évalué par les progrès des femmes vers l'égalité. Néanmoins, Fourier en appelait aux capitalistes de bonne volonté, afin qu'ils investissent dans ses communautés; mais bien qu'il rentrât à la maison à midi tous les jours, pour rencontrer d'éventuels investisseurs, il ne s'en présenta aucun.

En France, les disciples de Claude de Saint-Simon eurent une grande influence. C'était un noble qui avait combattu pendant la Révolution américaine et s'était tourné vers la science et l'histoire, afin de trouver une

13 Branca, *Women in Europe since 1750*, p. 54.

façon plus harmonieuse d'organiser la société. Saint-Simon était un théoricien important, parce qu'il enseignait à ses disciples que la société industrielle pouvait être planifiée collectivement pour le bénéfice de tous. Il estimait que la Révolution française avait fait du bon travail en éliminant des institutions désuètes; le moment était venu d'en créer de nouvelles. Pour cela, il fallait renverser les *oisifs*, c'est-à-dire les nobles et les militaires; l'administration et le gouvernement devaient être contrôlés par des *industriels* (les manufacturiers et les banquiers), lesquels travaille-raient pour le bien de la classe des non-propriétaires, «la classe qui est la plus nombreuse et la plus pauvre». Le moral général et le bien-être intellectuel de la société devaient être assurés par une élite composée d'intellectuels et d'artistes. La société serait ainsi administrée pour le bénéfice des pauvres par les personnes qui étaient les plus aptes à assumer cette responsabilité. Saint-Simon eut aussi de nombreuses idées qui furent utilisées par les banquiers et les industriels qui servaient Louis-Napoléon, lorsque celui-ci devint empereur (1852-1870). C'est le cas de la construction du canal de Suez, de la fondation d'institutions de crédit, de l'emploi de technocrates au sein du gouvernement. Après son décès, ses disciples firent de son credo une étrange religion messianique, où un père universel consacrait un temps considérable à la recherche de la mère universelle, remettant ainsi en question la dévotion du mouvement envers l'égalité véritable des femmes, même si leur fondateur avait été l'un des premiers défenseurs des droits de la femme et, en particulier, d'une réforme du droit matrimonial français relatif à la propriété des biens des femmes.

La transition vers la conception selon laquelle les classes ouvrières ne pouvaient se réconcilier avec la bourgeoisie, mais qu'elles devaient plutôt la renverser, fut réalisée par Pierre Joseph Proudhon (1809-1865), le seul théoricien utopiste issu des classes ouvrières. Comme *Le Contrat social* de Rousseau, le principal ouvrage de Proudhon, *Qu'est-ce que la propriété?* (publié en 1840), connut une renommée grâce à son premier paragraphe :

Si on me posait la question suivante : Qu'est-ce que l'esclavage?, *je devrais répondre en un mot :* C'est le meurtre; *mon propos serait alors compris du même coup. Ne sont pas nécessaires de longs arguments pour démontrer que le pouvoir de prendre à un homme ses pensées, sa volonté, sa personnalité, est un pouvoir de vie et de mort; et que réduire un homme en esclavage équivaut à le tuer. Ensuite, à cette autre question,* Qu'est-ce que la propriété?, *je ne puis apporter une réponse semblable :* C'est le vol; *car on ne me comprendra sûrement pas; la seconde proposition n'est pourtant rien d'autre que la transformation de la première.*[14]

La propriété devait disparaître; la possession devait être accordée à ceux qui exécutent le travail, mais seulement pour le temps où ils travaillent. La so-ciété deviendrait un ensemble de fédérations de producteurs, et comme l'affir-meront plus tard les anarchistes, le pouvoir de l'État deviendrait alors inutile.

14 Cité par Albert Fried et Ronald Sanders, *Socialist Thought : A Documentary History*, Garden City, N.Y., Doubleday, 1964, p. 201.

Au sein d'une telle société, comme le conseillait l'écrivaine socialiste française et organisatrice syndicale Flora Tristan, on pourrait mettre simultanément un terme à l'exploitation de l'ouvrier et de la femme. Mais ses efforts en vue de gagner les femmes au socialisme et les hommes au féminisme furent prématurés. Elle écrivait: «J'ai presque le monde entier contre moi. Les hommes, parce que je demande l'émancipation de la femme, et les propriétaires, parce que je demande l'émancipation de l'ouvrier.»

Louis Blanc et les Ateliers nationaux

Des socialistes utopistes, Louis Blanc (1811-1882) fut le seul à trouver un gouvernement désireux de mettre ses idées en pratique. Dans *L'Organisation du travail* (publié en 1840), il présentait, sous la forme d'une satire, la prétendue liberté de l'ouvrier d'offrir sa force de travail à l'employeur qui lui offrirait le meilleur salaire.

Qu'est-ce que la concurrence pour un ouvrier? C'est le travail mis à l'enchère. Un entrepreneur a besoin d'un ouvrier, il s'en présente trois. ... Combien pour votre travail? ... Trois francs; j'ai une femme et des enfants. ... Bon, et vous? Deux francs et demi; je n'ai pas d'enfants, seulement une femme. ... Merveilleux. Et vous? ... Deux francs me suffisent; je suis célibataire. ... Vous avez l'emploi. La transaction est conclue; la négociation est terminée. Qu'arrivera-t-il des deux prolétaires qui ont été exclus? Il est à souhaiter qu'ils se laisseront mourir de faim. Mais supposons qu'ils deviennent des voleurs! N'ayez crainte, nous avons des policiers. Des meurtriers? Nous avons le bourreau. Pour le plus chanceux des trois, son triomphe ne sera que provisoire. S'il devait se présenter un quatrième ouvrier assez robuste pour jeûner un jour sur deux, les salaires glisseraient vers le bas; il y aurait un nouveau paria, un nouveau candidat à l'emprisonnement, peut-être![15]

Le travailleur, prétendait Blanc, avait un droit au travail; le devoir de l'État était de l'aider à exercer ce droit en créant des «ateliers sociaux». Au départ, ces ateliers devaient être financés par l'État et devaient fournir des conditions de travail idéales et de bons salaires, en plus d'attirer les meilleurs travailleurs de l'industrie privée. Les capitalistes, confrontés à la difficulté de concurrencer les ateliers sociaux, céderaient leurs entreprises à l'État et ainsi, progressivement, toute l'industrie serait transformée en unités coopératives prospères.

Pendant la Révolution française de février 1848, à Paris, Blanc et d'autres chefs des classes ouvrières devinrent membres du gouvernement provisoire et ils pressèrent Lamartine et les membres démocrates de fournir de l'emploi aux chômeurs grâce à des ateliers nationaux. Mais les démocrates, qui ne croyaient guère aux réformes sociales, sabotèrent le projet en refusant de placer Blanc à sa tête et en n'offrant que des emplois insignifiants. Lorsque 120 000 ouvriers affluèrent à Paris pour travailler dans les ateliers nationaux, le gouvernement perdit son calme et ordonna leur démembrement. Une fois de plus, les Parisiens montèrent aux barricades; les troupes de l'armée leur faisaient face. Au cours des journées sanglantes de juin, la première confrontation eut lieu entre les démocrates,

15 Cité par Gray, *Socialist Tradition*, p. 221-222.

qui désiraient une réforme politique, et les réformateurs socialistes. Pendant cette bataille de rue, les libéraux et les conservateurs unirent leurs forces à celles des démocrates pour anéantir les prolétaires. Les journées de juin éliminèrent le socialisme utopique comme solution aux maux de l'industrialisation. La réconciliation des classes et l'adaptation progressive de la société à l'industrialisation, grâce à des unités coopératives de production, furent considérées comme des vestiges idéalistes de peu d'utilité pour la lutte des classes. La doctrine de la nouvelle époque fut le socialisme «scientifique», mieux connu d'après Karl Marx, son fondateur, sous le nom de marxisme.

LE MARXISME

L'événement sans doute le plus important de l'année 1848 fut la publication, par un petit groupe de socialistes allemands, d'un court pamphlet intitulé *Le manifeste communiste*, rédigé par Karl Marx (1818-1883) et Friedrich Engels (1820-1895). Bien qu'à l'époque, seules quelques centaines de personnes eussent lu le manifeste, il fit plus tard partie de la philosophie politique officielle de plus d'un milliard de personnes. Marx et Engels avaient apporté au mouvement socialiste une théorie de l'histoire, une philosophie matérialiste, une explication économique de la lutte des classes et l'ébauche d'une nouvelle société. De plus, ils avaient conféré un rôle précis aux chefs des classes ouvrières: accélérer le déroulement de l'histoire, exacerber la lutte des classes et réaliser la nouvelle société.

Né à Trèves, une ville d'Allemagne occidentale située à une cinquantaine de kilomètres de la France, Marx était le fils d'un avocat juif converti au christianisme, lorsque son fils avait six ans. Marx était profondément marqué par un sentiment d'isolement messianique, que plusieurs ont attribué aux générations d'ancêtres rabbiniques. Bien qu'il ait étudié le droit aux universités de Bonn et de Berlin, il succomba à l'attrait qu'exerçait la philosophie de Hegel. Il changea rapidement d'orientation professionnelle et, après avoir terminé ses études de doctorat, il tenta, mais en vain, d'occuper une chaire universitaire en philosophie. Les premiers principes du marxisme furent élaborés lors de discussions sur la philosophie de l'histoire avec des disciples de Hegel. Comme Hegel, Marx considérait que l'histoire était un processus dynamique — ou dialectique — qui évoluait grâce à une suite de conflits: tout État dans la société (la thèse) produisait sa propre contradiction (l'antithèse), et on pouvait unir les contradictions au sein d'une classe supérieure (la synthèse). Toutefois, Hegel avait envisagé le processus historique comme le résultat de l'intention divine, la concrétisation d'une idée d'absolu qui, selon lui, avait été atteinte au sein de l'État prussien. De telles considérations abstraites étaient insatisfaisantes aux yeux de Marx et il trouva sa solution dans sa

La philosophie de Marx

philosophie matérialiste de Feuerbach. Pour Marx, le processus dialectique de l'histoire était déterminé par des facteurs économiques, et non par des concepts abstraits.

Le matérialisme historique

En 1845, Marx avait énoncé les éléments fondamentaux qui permettaient d'appliquer sa théorie à des événements historiques. À toute époque, le mode de production imposait la nature des relations sociales et de la politique, du droit et même des valeurs et des croyances spirituelles de la société. Par exemple, la société médiévale croyait en la chevalerie, l'Église, etc., parce qu'elle reposait sur l'exploitation agricole par une main-d'œuvre servile. De plus, dans le mode de production, il y avait toujours deux classes, l'exploiteur et l'exploité qui, en termes politiques, sont le dirigeant et l'opprimé. La lutte des classes est la dialectique de l'histoire. L'évolution des moyens de production, à la suite de progrès techniques, des pressions démographiques, contribuait à l'émergence de classes nouvelles qui posaient constamment des défis à la classe dirigeante. Les plébéiens avaient défié les patriciens; les ouvriers, les associations de maîtres; les serfs, les barons. Mais le plus important défi fut l'attaque de la bourgeoisie commerçante et manufacturière contre l'hégémonie de l'aristocratie, laquelle était une offensive lancée par une classe de capitalistes contre une classe de propriétaires fonciers.

La rencontre de Marx et Engels, s'était produite en 1842, et surtout lors de la rédaction par Engels de son livre *The Condition of the Working Class in England*, est inestimable. N'ayant pu obtenir une chaire à l'université, Marx se tourna, pendant deux années, vers le journalisme. Traqué par les censeurs, il partit pour Paris, et plus tard pour Bruxelles et, finalement, après l'échec de la révolution en Rhénanie, à laquelle il avait pris part, il termina son périple à Londres. Avant sa rencontre avec Engels, il n'avait qu'une piètre connaissance du prolétariat, bien qu'il fût outré de sa condition. Engels lui fit connaître en détail la vie dans une usine, dans les taudis, les crises cycliques; toutes ces choses qui alimentèrent plus tard la passion avec laquelle, Marx allait analyser le prolétariat. La classe ouvrière, «plutôt que de s'élever avec les progrès de l'industrie, s'enfonce davantage sous les conditions sociales de [sa] propre classe. L'ouvrier devient le pauvre, et le paupérisme s'accroît encore plus rapidement que la population et la richesse.» Toutefois, Marx désirait, plus qu'un polémiste, donner une explication des conditions de vie du prolétariat dans un contexte économique qu'il voulait le plus large possible. La pauvreté de l'ouvrier s'expliquait par la théorie de la *plus-value*. Un produit n'était «que de la main-d'œuvre congelée; mais le capitaliste vendait le produit à un prix qui dépassait de plusieurs fois les salaires qu'il versait à ses employés. Cette différence, la plus-value, était empochée par le capitaliste, ce qui constituait une forme d'exploitation éhontée. Cependant, à cause de la concurrence entre les capitalistes, leur nombre connaissait une baisse constante, alors que le prolétariat était en progression. Pendant que le prolétariat augmentait ainsi sa force, les

Karl Marx (1818-1883)
Bien qu'il ait eu une allure poétique durant sa jeunesse, Marx développa ensuite le tour de taille et la barbe caractéristiques des patriarches à la tête d'un mouvement ouvrier révolutionnaire. (Tass, Sovfoto)

capitalistes s'aperçurent que les crises du système économique augmentaient en nombre et en intensité, pavant ainsi la voie au moment où le prolétariat allait s'emparer du pouvoir.

La théorie marxiste de la révolution était déjà contenue dans le *Manifeste communiste*. Le processus de l'évolution économique ne pouvait que conduire à la victoire du prolétariat sur la bourgeoisie, parce que la propriété industrielle se limitait de plus en plus à quelques capitalistes très riches qui s'affaiblissaient mutuellement par le jeu de la concurrence. Une fois la bourgeoisie renversée, le prolétariat établirait une dictature de durée indéterminée, laquelle créerait une société sans classes, qui mettrait un terme au processus dialectique de l'histoire. Avec la disparition des classes, on supposait qu'il n'y aurait plus de lutte de classes. Il fallait transformer progressivement l'attitude des travailleurs face aux biens matériels. Pendant l'étape où subsisteraient encore les idées héritées du capitalisme, les salaires seraient fixés en fonction du travail accompli, mais l'État s'étant déjà approprié les moyens de production, il n'y aurait plus de capitalistes pour s'approprier la plus-value. Au moment où cette société deviendrait une réalité, le slogan en serait «À chacun selon ses moyens; à chacun selon ses besoins». Les femmes, elles aussi, seraient libérées de leur dépendance à la structure familiale par leur droit à la propriété privée, tel que l'indiquait Engels dans un essai intitulé *On the Origins of the Family, Private Property, and the State*. Au sein de cette nouvelle société, les êtres humains connaîtraient une transformation de leur propre nature. Des institutions comme la police et l'armée deviendraient inutiles; les organes de l'État seraient appelés à disparaître. «Le gouvernement des personnes serait remplacé par une administration des choses et une gestion du mode de production.»

Plusieurs critiques ont été adressées aux théories de Marx et Engels. On les accusa d'avoir exagéré la motivation matérialiste des êtres humains et d'avoir délaissé des forces comme le patriotisme, la religion, voire même la chance. On a également avancé que, alors qu'ils avaient fondé leur dialectique sur les changements des moyens de production, leur dialectique reposait en fait sur l'initiative humaine et non sur des forces matérielles. L'importance qu'ils accordaient à la plus-value passait sous silence la contribution du capitalisme à la création de la richesse. Quelques historiens ont souligné que l'hypothèse marxiste d'une crise inévitable du système capitaliste et d'une réduction du nombre de capitalistes, n'avait pas été démontrée dans les faits. Enfin, plusieurs objectèrent que la lutte des classes et la révolution étaient des solutions inhumaines pour protéger l'humanité de l'inhumanité. Néanmoins, cette doctrine avait un cachet révolutionnaire et une logique intellectuelle qui faisaient défaut aux premières théories socialistes. L'apparition, en Europe, de villes semblables à celle de Coketown en Angleterre, fournirent à Marx et à ses disciples l'armée prolétarienne à laquelle ils avaient fait allusion dans le *Manifeste*.

La révolution prolétaire

20

FIN DE SIÈCLE

Durant les années 1870 et 1880, les Européens furent très conscients qu'une accélération était en train de se produire dans le rythme des événements. Une nouvelle époque s'ouvrait alors, excitante et pleine de promesses. Après des siècles d'éclatement, l'Allemagne et l'Italie devenaient toutes deux des États-Nations en 1871, mais leur rôle futur dans l'équilibre européen demeurait incertain. Les puissances européennes commençaient à se bousculer pour le contrôle des régions non développées du monde. Cet élan laissait présager d'importantes retombées économiques, mais aussi la possibilité d'une guerre entre les nations impérialistes. L'Européen moyen était plutôt conscient des changements sociaux et économiques qui affectaient sa vie quotidienne, et ceux-ci étaient énormes. Une explosion démographique avait fait passer la population européenne de 274 millions en 1850 à 460 millions en 1914, en dépit d'une émigration de 25 millions de personnes entre 1870 et 1914. Cette augmentation de la population avait provoqué un accroissement de la taille et du nombre des villes en Europe occidentale et en Russie. L'urbanisation de la vie, le regroupement massif de populations au sein de villes industrielles modernes composées principalement de manufactures, de bureaux et de maisons, fut sans doute le phénomène le plus visible de l'histoire sociale. Cette concentration de la population fut rendue possible grâce à des progrès technologiques révolutionnaires et à une réorganisation du mode capitaliste de gérer l'économie. Toutefois, au même moment, les classes ouvrières devenaient moins enclines à tolérer les conditions de vie dans les manufactures et dans les quartiers insalubres et elles exprimaient leurs demandes de changement par l'intermédiaire de syndicats de plus en plus efficaces et de partis politiques. Tous ces changements donnèrent naissance à une transformation intellectuelle d'une ampleur inégalée dans l'histoire de l'Occident. Elle s'étendit à la science, à la médecine, à la musique, à la

Avenue de l'Opéra, Paris   *(H. Roger-Viollet)*

peinture et à la philosophie. L'amplitude de ce bond en avant est évidente lorsqu'on considère quelques-uns des intellectuels de cette période — Einstein, Freud, Picasso, Schoenberg, Max Weber et Proust. Ces années comptèrent parmi les plus fécondes de toute l'histoire de l'Occident et, bien que chaque partie du continent ait contribué à cette réalisation, deux villes émergent universellement comme étant l'incarnation de l'esprit de la fin du XIXe siècle, de cette *fin de siècle*. Dans la Vienne de l'empereur vieillissant François-Joseph et dans le Paris de la Belle Époque, le XIXe siècle s'acheva en apogée alors que le XXe siècle allait connaître un début iconoclaste conforme à l'évolution des idées. «Le monde a moins changé depuis Jésus-Christ», écrivait le poète français Charles Péguy en 1913, «qu'au cours des trente dernières années.»

L'URBANISATION DE L'OUEST

L'explosion démographique

Pendant le XIXe siècle, la population européenne a augmenté plus rapidement que dans toute autre partie du globe, à l'exception des régions habitées par des immigrants européens. En 1800, la population représentait le cinquième de la population mondiale; à la fin du siècle, elle en représentait le quart. Cette croissance a affecté toutes les parties du continent. Entre 1850 et 1914, la population de la Russie a augmenté de 89 pour cent, pour atteindre 142 millions. La population de l'Italie est passée de 26 à 36 millions, lui donnant une densité de 118 personnes par kilomètre carré. La Grande-Bretagne, dont la population avait augmenté de 26 à 40 millions, a atteint une densité de 172 personnes par kilomètre carré.

Le facteur le plus important de l'accroissement de la population fut la chute du taux de mortalité. Pendant le dernier quart du siècle, des progrès remarquables furent réalisés en médecine, notamment dans la prévention de la fièvre typhoïde, du choléra, du typhus et de la peste. L'amélioration des soins hospitaliers, le recours à l'anesthésie, un meilleur contrôle de l'hygiène lors des opérations, une amélioration des techniques de laboratoire pour le dépistage des bactéries, de nouveaux codes de santé publique, toutes ces mesures contribuèrent à augmenter l'espérance de vie. En France, par exemple, entre 1880 et 1900, le taux de mortalité infantile chuta de 184 à 159 pour mille. Un autre facteur de progrès réside dans l'amélioration de l'approvisionnement en nourriture. Grâce au chemin de fer et au navire à vapeur, on put acheminer plus rapidement et plus économiquement des aliments variés provenant de régions éloignées. Durant la première partie du siècle, la culture de la pomme de terre permit de fournir de la nourriture aux pauvres, même si cette culture pouvait éprouver elle aussi des difficultés, comme le démontre la famine irlandaise de 1846. À la fin du siècle, mêmes les classes ouvrières achetaient des matières grasses faites à partir d'huiles végétales. Des légumes variés, des agrumes, du lait pasteurisé et du fromage apparurent en plus grande quantité. Des maisons et des appartements mieux construits, avec l'eau courante et le chauffage au charbon, atténuèrent les effets des épidémies hivernales, bien que dans les quartiers insalubres densément peuplés des grandes villes, le taux de mortalité ait pu connaître une augmentation. Au moins jusqu'en 1880, on note une augmentation du taux de natalité de près de moitié dans certains pays; la famille nombreuse devint ainsi la règle courante dans la plupart des régions de l'Occident. Une baisse du taux de natalité s'était pourtant amorcée en France dès le début du siècle. Elle se manifesta en Grande-Bretagne vers 1880, aux États-Unis vers 1900 et finalement en Allemagne, vers 1910. En Grande-Bretagne, par exemple, le taux de natalité chuta de 5,9 à 2,8 personnes entre 1870 et 1914.

Les effets de ces changements sur la vie personnelle des hommes furent considérables. Ils menaient une existence plus longue, plus saine et étaient moins susceptibles de vivre le deuil d'une épouse ou d'un enfant. Pour les femmes, les conséquences furent tout aussi révolutionnaires et se poursuivirent à une vitesse accrue dans le courant du XXe siècle. L'espérance de vie des femmes atteignit un taux plus élevé que chez les hommes. De 1840 à 1910, dans les pays développés occidentaux, l'espérance de vie des hommes passa de 39,6 à 52,7 années et celle des femmes de 42,5 à 56,0 années.[1]Par conséquent, le nombre de femmes célibataires et de veuves connut aussi une augmentation. Le risque de décès lors d'un accouchement avait diminué progresivement, à la suite de l'arrivée des antiseptiques dans les hôpitaux, vers la fin du XIXe siècle. Mais ces risques diminuèrent aussi à cause du nombre moins élevé de grossesses et des méthodes de planification des naissances. La diminution du nombre des grossesses, qui s'était manifestée en France dès 1850, accordait aux femmes une période plus longue durant laquelle elles n'étaient pas enceintes ou ne devaient pas s'occuper des enfants. La baisse accentuée du taux de mortalité infantile après le début du siècle rendit moins nécessaire pour les femmes des sociétés industrialisées d'avoir un nombre plus élevé d'enfants qu'elles ne désiraient, afin de compenser les décès éventuels (bien que la diminution de la taille des familles fût principalement un phénomène de l'Europe du Nord).

Une proportion sans cesse croissante de cette nouvelle population était née dans les villes ou y avait émigré. En Allemagne, l'accroissement de la

◆ *Accroissement de la population urbaine au XIXe siècle* ◆
(En millions d'habitants)

| Ville | Année | | | | | |
	1800	1820	1840	1860	1880	1900
Londres	0,86	1,2	1,9	2,8	3,8	4,1
Paris	0,55	0,71	0,93	1,7	2,3	2,7
Berlin		0,20	0,33	0,55	1,1	1,9
Vienne	0,23	0,26	0,36	0,48	0,78	1,9
Budapest	0,06	0,08		0,18	0,36	0,72

1 E.A. Wrigley, *Population ans History*, New York, McGraw-Hill, 1969, p. 171.

population des villes correspondait exactement à l'accroissement de la population du pays. En France, où la population augmentait plus lentement, l'accroissement de la population parisienne seule représentait la moitié de l'accroissement total du pays. Le vaste mouvement d'expansion urbaine ne se limita pas à l'Europe occidentale ou encore aux régions industrialisées.

Mécanisation du transport urbain

Il existe de grandes similitudes dans la façon dont les nouveaux centres se développaient et l'expansion des plus vieilles villes. La caractéristique la plus nouvelle de la ville à cette période fut la mécanisation de ses modes de transport. L'édification de la voie ferroviaire reliant Londres à Birmingham, en 1838, bouleversa le paysage avec les viaducs, les voies de garage et les gares de triage. À la fin du siècle, les chemins de fer serpentaient dans toutes les directions, à partir des énormes gares de style gothique ou classique. Les gares avaient commencé à acquérir une certaine notoriété. Dans son livre *Howard's End* (1910), le romancier E.M. Forster parlait ainsi de la signification symbolique des différentes gares :

> *Comme plusieurs autres personnes qui avaient vécu dans une grande capitale, elle éprouvait de profonds sentiments pour les différentes gares de chemin de fer. Elles nous permettent d'accéder à un monde glorieux et inconnu. ... À Paddington, tout Cornwall est présent ainsi que l'Ouest lointain; au bas de la rue Liverpool se trouvent les marécages et les immenses estuaires d'East Anglia; l'Écosse est présente dans les pylônes d'Euston; le Wessex derrière le chaos gracieux de la gare de Waterloo. Le même sentiment existe chez les Italiens; ceux qui parmi eux sont malheureux de travailler comme serveurs dans Berlin désignent la station Anhalt Bahnhof la «Stazione d'Italia», parce qu'ils doivent l'emprunter pour retourner à la maison. Un Londonien frileux est celui pour qui les gares ne sont pas dotées d'une personnalité, et auxquelles il ne confère pas, même timidement, les émotions de la crainte et de l'amour.*[2]

Mais on aurait pu dire la même chose de n'importe quelle grande métropole. À Paris, la gare Saint-Lazare signifiait un voyage vers un lieu de vacances de la Manche ou de l'Angleterre; la gare de Lyon, une évasion vers la Riviera. À Vienne, la Südbahnhof représentait des voyages à Budapest et dans les Balkans. À Saint-Pétersbourg, l'express de nuit de Moscou arrivait à la gare Nikolævsky que Léon Tolstoï, dans son roman *Anna Karénine*, avait utilisée comme cadre pour la première séparation entre Anne et le séduisant prince Vronsky. C'était à la gare de Finlande que les bolchéviques avaient rencontré Lénine en avril 1917 à son retour d'exil en Suisse, un événement qui allait immortaliser cette gare dans l'histoire du communisme. En somme, l'étendue du réseau ferroviaire de l'Europe passa de 106 213,8 à 276 799,6 kilomètres pendant les trente dernières années du XIXe siècle. Chaque grande ville et la plupart des petites villes furent intégrées au réseau de transport.

Le chemin de fer exerça une influence directe sur la nature même de la ville. Les pauvres voyaient les chemins de fer traverser leurs quartiers

2 E.M. Forster, *Howard's End*, New York, Knopf, 1951, p. 16.

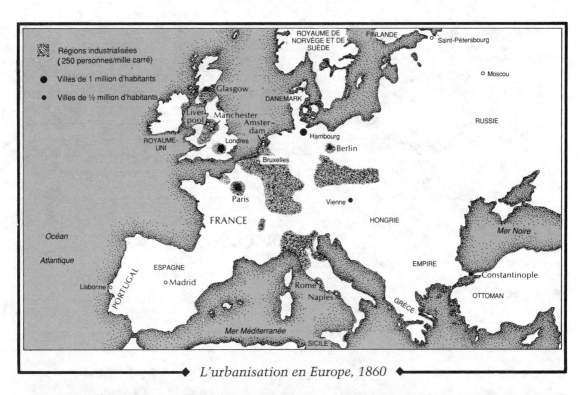

ROYAUME DE NORVÈGE ET DE SUÈDE

FINLANDE

Saint-Pétersbourg

Moscou

Glasgow

DANEMARK

RUSSIE

Liver-
pool

Manchester

Amster-
dam

Hambourg

ROYAUME-
UNI

Londres

Berlin

Bruxelles

Paris

Vienne

FRANCE

HONGRIE

Océan

Atlantique

ESPAGNE

EMPIRE

Mer Noire

Lisbonne

PORTUGAL

Madrid

Rome

Naples

GRÈCE

Constantinople

OTTOMAN

Mer Méditerranée

SICILE

L'urbanisation en Europe, 1860

FINLANDE

Saint-Pétersbourg

NORVÈGE

SUÈDE

ROYAUME-UNI

Moscou

Glasgow

DANEMARK

RUSSIE

Copenhagen

Liver-
pool

Manchester

Amster-
dam

Varsovie

Sheffield

Hambourg

Birmingham

Londres

Berlin

Bruxelles

Cologne

Vienne

Paris

Budapest

FRANCE

Munich

AUTRICHE

Milan

Lyon

ROUMANIE

Bucarest

Mer Noire

Océan

ESPAGNE

BULGARIE

Marseilles

Lisbonne

PORTUGAL

Madrid

Barcelone

Rome

Naples

GRÈCE

Constantinople

Atlantique

Mer Méditerranée

SICILE

L'urbanisation en Europe, 1930

Quartiers ouvriers à Kreuzberg, en Allemagne
La municipalité de Kreuzberg se développa rapidement vers le milieu du XIXᵉ siècle, à la suite de la construction du canal Landwehr, qui reliait les parties haute et basse de la rivière Spree. Kreuzberg était densément peuplée, comptant en moyenne 170 habitants à l'acre. (Gracieuseté du Service allemand de l'Information)

densément peuplés, situés autour des centres industriels d'emploi. Au moins 37 000 personnes furent chassées de leurs maisons entre 1859 et 1867 — suite à l'essor de la construction ferroviaire à Londres, sans que soient prévues des mesures afin de les reloger. Seules les classes moyennes et ensuite, avec l'arrivée de tarifs pour la navette entre la banlieue et la ville vers la fin du siècle, les travailleurs les plus prospères pouvaient s'offrir le train pour se rendre au travail. Il en résulta une séparation entre les classes, à une échelle jusque-là inconnue. Pour le travailleur moyen, l'innovation la plus importante, dans le domaine du transport urbain, fut la pose de rails pour les omnibus, lesquels furent tirés par des chevaux à partir des années 1860 et, à partir des années 1880, furent actionnés par l'électricité. Dans les grandes villes, le transport de surface était complété par un réseau de chemin de fer souterrain. Londres construisit la première ligne souterraine, à seulement quelques mètres sous le sol; en 1864, le métro transporta pas moins de douze millions de passagers. D'autres villes suivirent l'exemple londonien: Boston en 1895, Paris en 1900 et New York en 1904. Plusieurs villes, plus particulièrement aux États-Unis, considéraient qu'il était monétairement plus avantageux de construire des chemins de fer sur-élevés, au-dessus des rues existantes, bien qu'il s'agît là d'une solution désagréable pour les citadins vivant à proximité de ceux-ci. Ces nouveaux modes de transport public, les chemins de fer souterrains et surélevés, étaient les solutions les plus économiques et les plus efficaces qu'ont ait pu concevoir, puisque les trains pouvaient transporter de 40 000 à 60 000 passagers à l'heure.

La révolution des transports entraîna l'apparition de la banlieue ouvrière. On construisit, à la limite des grandes villes de l'Occident, de nouveaux quartiers aux immeubles serrés les uns contre les autres. Les villes n'étaient plus limitées à un développement linéaire, le long des lignes de chemins de fer, et qui avait donné lieu à la création d'une aristocratie de banlieusards. Sans qu'un véritable contrôle soit exercé par les autorités municipales, les entrepreneurs privés purent construire, à leur guise, de nombreux immeubles à appartements. À Berlin, des immeubles de six et sept étages étaient érigés autour de minuscules cours, où pénétraient difficilement l'air et la lumière. Jusqu'en 1929, il était possible de construire, à Vienne, un édifice de huit étages, qui pouvait occuper 80 % de la surface du terrain. Des endroits qui, auparavant, avaient été classés comme impropres à la construction, parce qu'ils étaient de faible superficie, sujets aux inondations ou aux maladies, faisaient maintenant l'objet d'un projet visant à héberger les classes ouvrières. La ville de Budapest s'étendait depuis les charmantes constructions sur les collines du quartier de Buda, avec ses palais, ses églises et ses maisons de l'époque médiévale, traversait le Danube jusqu'aux basses terres du quartier de Pest, qui devint rapidement la partie industrielle, commerciale et ouvrière de la ville. Pour ce qui concerne l'espace urbain, la séparation entre les différentes classes de la population a retardé, sans aucun doute, les demandes en faveur d'améliorations urbaines dans les domaines de l'hygiène, de la santé publique, du logement, de l'éducation et des aménagements culturels. Les habitants des villas de Hampstead, en banlieue de Londres, ou des somptueux chalets des collines de Buda, pouvaient s'isoler moralement et physiquement de la fumée et de la saleté des villes. La distance physique d'un lieu à un autre, devenait alors une solution aux améliorations proposées par les services municipaux, dans une société largement caractérisée par le laisser-aller.

Ce ne sont pas toutes les villes de cette époque qui se sont développées sans plan d'ensemble, et les mouvements de population n'obéissaient pas tous à des forces centrifuges. À la suite des progrès de la technologie militaire, le rôle défensif des remparts s'était estompé, faisant alors place à une période de démolition des fortifications dans la plupart des grandes villes du continent. Le sol ainsi dégagé appartenait au pays ou à la ville. De vastes plans de reconstruction et d'embellissement urbain furent adoptés, au profit des habitants du centre de la ville. Un coup d'œil sur la carte de la plupart des villes européennes révèle une large bande de rues encerclant la ville, les grands boulevards. Ceux-ci étaient bordés de rangées d'arbres ou de maisons construites sur l'ancien site de l'enceinte, pour le bénéfice des classes moyennes. L'exemple le plus révélateur de développement de la

Les constructeurs de boulevards

La Ringstrasse à Vienne
Lorsque furent démolies, entre 1858 et 1865, les imposantes fortifications qui ceinturaient la ville médiévale, on les remplaça par des boulevards bordés de rangées d'arbres. Le premier édifice construit sur la Ringstrasse fut l'opéra d'État (à droite), qui fut inauguré en 1869 avec une représentation de l'opéra Don Giovanni *de Mozart. (H. Roger-Viollet)*

construction est Vienne, dont on abattit les murailles à partir de 1858. Pour les remplacer, une série de larges boulevards encerclait la ville médiévale. Cette *Ringstrasse*, inaugurée en 1865, était large de 54,8 mètres et longue de quatre kilomètres. Elle était bordée d'arbres et illuminée par des réverbères au gaz. Entre les boulevards, on trouvait des allées pour les piétons et, aux extrémités, plusieurs jardins publics. La Ringstrasse devint le cadre où l'architecture impériale des Habsbourg put s'épanouir dans toute sa grandeur. Pendant 25 ans, un ensemble de styles architecturaux différents se développa le long de la Ringstrasse : en premier lieu, l'opéra de style néo-renaissance et l'université; ensuite, un hôtel de ville gothique, un immeuble classique pour le parlement impérial et, enfin, des constructions hybrides pour les arts et la science. «La Ringstrasse tout entière m'émerveillait comme un conte de fées des *Mille et Une Nuits*», commentera plus tard Adolf Hitler, après qu'il eut vécu à Vienne.

Les améliorations de la vie urbaine

Il existait de nombreux autres domaines où l'on pouvait améliorer la qualité de l'environnement urbain. Le gaz et l'électricité firent leur apparition entre 1880 et 1900 dans l'éclairage des rues. Des réservoirs d'eau propre et des aqueducs furent aménagés dans tous les quartiers de la ville; on construisit même des bains publics. Des améliorations appréciables furent apportées aux maisons privées, ce qui devait contribuer à améliorer la vie quotidienne des femmes. À partir des années 1850, on avait introduit l'éclairage au gaz dans les maisons des classes moyenne et supérieure. Cet éclairage jaunâtre à l'odeur désagréable fut remplacé dans les maisons ouvrières, vers les années 1890, par un gaz blanc et brillant qui brûlait à travers un manchon incandescent. Bien que l'usage du poêle à bois ou au charbon fût encore très répandu vers la fin du siècle, ce qui imposait à la femme de transporter de lourdes charges, on commença à trouver des cuisinières au gaz dans les maisons. Elles étaient munies d'un compteur actionné par des pièces de monnaie, afin de payer immédiatement le gaz que l'on consommait. Une eau courante de qualité, qu'on ne retrouvait à Paris que dans une maison sur cinq au milieu du XIXe siècle, était disponible dans toutes les maisons de la classe moyenne et dans les cours intérieures des logements d'ouvriers, ce qui éliminait le transport de charges lourdes. L'usage des cabinets de toilette se limitait aux maisons des classes moyenne et supérieure, tandis que les classes ouvrières recouraient à des méthodes peu hygiéniques pour se défaire des eaux usées. Les améliorations apportées à l'intérieur de la maison étaient telles que plusieurs femmes de la classe moyenne commencèrent à réduire le nombre de leurs domestiques ou à les éliminer, augmentant ainsi l'intimité de la vie privée qui était l'idéal recherché par la famille à la fin de l'ère victorienne.

Des entreprises privées commencèrent également à offrir des services à une grande échelle, pour la plus grande joie des classes ouvrières. Les dernières années du XIXe siècle furent le témoin de la construction des grands théâtres populaires, des music halls et des vaudevilles, le long de l'avenue Shaftesbury à Londres, du boulevard Montmartre à Paris et de Broadway à New York. Après 1895, lorsque fut présenté le premier film à Paris, on assista à une augmentation du nombre de salles de cinéma.

Les sports furent aussi offerts à un large auditoire. Ils avaient été encouragés par des organismes publics et privés, au cours du XIXe siècle, pour plusieurs raisons. En Allemagne, des clubs de gymnastique avaient été fondés pour préparer la jeunesse allemande à une guerre de libération contre Napoléon Ier; plus tard, ils devinrent partie intégrante du système scolaire allemand. Des syndicats et d'autres associations ouvrières se tournèrent

Salle de vente pour les appareils ménagers à Montpelier, au Vermont, en 1908
En 1908, l'ensemble des appareils alimentés au gaz comprenait des cuisinières, des fours, des chauffe-eau et des foyers. Ceci éliminait, pour une large part, le transport du bois ou du charbon dans la maison. (Les archives Bettmann)

La galerie Umberto Ier à Naples, en Italie
À la fin du XIXe siècle et au début du XXe siècle, les architectes italiens utilisèrent la galerie marchande, dont le toit était fait d'une structure d'acier et de verre. Le plancher était en marbre multicolore. Comme les forums de l'antique Rome, la galerie devint un lieu de rencontre privilégié, agréable par journée ensoleillée ou pluvieuse. (Peter Menzel)

vers l'athlétisme et les sports de plein air pour contrecarrer les effets néfastes de la vie dans les taudis et dans les usines. Certaines organisations du travail comptaient sur le sport pour édifier un sens de la solidarité au sein de la classe ouvrière. En Angleterre, le sport, plus particulièrement le rugby, était considéré, par les directeurs des écoles privées, comme un aspect de la formation des futurs administrateurs de l'empire. Plusieurs réformateurs socialistes se réjouissaient du fait que le soccer contrebalançât l'attrait de l'alcool dans les bars publics. À Londres, dès 1900, les parties de soccer attiraient plus d'un millier de personnes. Aux États-Unis, le baseball devenait le sport le plus important dans les villes industrielles et en 1876, année de la fondation de la Ligue nationale, la plupart de ces grandes villes possédaient un stade de baseball. En France, les courses de chevaux attiraient un grand nombre de spectateurs. Le tiers des habitants de Paris pouvait se rendre aux hippodromes de Longchamps et Auteuil, au Bois de Boulogne, pour un après-midi de jeu et de pique-nique.

Parmi les agréments que l'on avait introduits dans la vie urbaine, le magasin à rayons était des plus appréciés. Celui-ci avait été conçu au début du XIXe siècle. Des étiquettes, indiquant les prix, apparurent dans les devantures des magasins pour la première fois en 1820; les vitrines de verre apparurent autour des années 1850. Les magasins d'articles de mode prirent l'initiative en diversifiant leurs inventaires, et les marchands de denrées alimentaires les suivirent. L'éclairage au gaz et la vitrine permettaient aux décorateurs de rendre les devantures attrayantes: l'ère du lèche-vitrine commençait. Le travail de commis dans une boutique devint la principale solution de rechange urbaine au métier de domestique. Le nombre de domestiques avait progressé tout au long du XIXe siècle, car le fait d'employer au moins un ou deux domestiques était le reflet du statut social de la nouvelle classe moyenne. En 1901, 45 pour cent des femmes qui occupaient un emploi à Paris travaillaient comme domestiques. Bien que cette occupation offrît aux femmes dynamiques un moyen d'échapper à la vie de village, les conditions de travail étaient souvent mauvaises et caractérisées par la solitude. Par contre, la boutique offrait une plus grande respectabilité, un nombre accru de contacts sociaux et, parfois, un meilleur salaire. En 1914, un demi-million d'Anglaises travaillaient dans des boutiques. La seule protection juridique dont elles bénéficiaient était une loi de 1886 qui interdisait l'emploi de femmes de moins de 18 ans pour plus de 75 heures par semaine. Vers le milieu du siècle, la création du magasin à rayons transforma la vente au détail pour les employés et les consommateurs. En premier lieu dans les grandes villes, et ensuite en province, le magasin à rayons devint un palais de lumière. Dès 1900, des centres commerciaux enchanteurs avaient été construits sur la Cinquième Avenue à New York, sur Regent Street à Londres, sur le boulevard Haussmann à Paris, sur la Leipzigerstrasse à Berlin et sur Nevsky Prospekt à Saint-Pétersbourg. C'était néanmoins dans les usines et dans les édifices à bureaux qu'on retrouvait le mieux les caractéristiques propres au nouvel urbanisme. Les créateurs de richesse venaient d'inventer le paysage urbain.

LE VIEIL ET LE NOUVEL INDUSTRIALISME

Entre 1870 et 1914, la Révolution industrielle, fondée sur le charbon, le fer et les textiles, poursuivit son expansion vertigineuse. Dans les pays où elle était déjà implantée, comme la Grande-Bretagne, la France, l'Allemagne et les États-Unis, la Révolution industrielle avait

Le charbon, le fer et les textiles

atteint de nouveaux sommets de productivité. De plus, elle s'étendit rapidement à d'autres parties de l'Europe et à quelques régions limitées de l'Amérique du Sud, de l'Afrique et de l'Asie. Ainsi, le fondement de l'essor industriel de la fin du XIXe siècle était principalement le prolongement de la première révolution industrielle. Le charbon demeura essentiel à l'expansion. La production de charbon s'accrut de 150 pour cent en Grande-Bretagne, de 300 pour cent en France, de 800 pour cent en Allemagne et de 1 700 pour cent aux États-Unis. L'extraction du minerai de fer connut une expansion similaire et de nouvelles mines de fer furent ouvertes dans des régions comme la Lorraine, après qu'elle fut annexée par l'Allemagne en 1871. Pendant que la Grande-Bretagne conservait sa suprématie dans le domaine de la production textile, on vit apparaître de nouveaux concurrents, comme l'Italie et la Russie. Enfin, la construction des chemins de fer progressa rapidement, et plus particulièrement dans des pays comme les États-Unis, le Canada et la Russie, qui s'ouvraient sur de vastes territoires. Le premier chemin de fer transcontinental fut inauguré en 1869 aux États-Unis, en 1875 au Canada et en 1905 en Russie. Cette expansion eut, dans les villes, des effets semblables à ceux qu'avait connus Manchester cinquante ans plus tôt. Les maisons, les usines, les gares de triage et les agréments urbains de Pittsburg, Saarbrücken et Dnepropetrovsk différaient peu de ceux des villes anglaises.

Usine utilisant le procédé Bessemer, à l'aciérie Krupp d'Essen, en Allemagne
On aperçoit quatre cuves Bessemer, de forme ovoïde, à la base des cheminées de ventilation. Montées sur des pivots actionnés par des engrenages, les cuves pouvaient basculer, afin de recevoir le minerai de fer, tandis qu'elles demeuraient en position verticale pendant qu'on y insufflait de l'air à travers leur base sphérique, afin de brûler les impuretés. Elles basculaient de nouveau afin de verser le métal en fusion. (Gracieuseté du Centre allemand de l'Information)

Néanmoins, et grâce à l'application de nouvelles connaissances scientifiques, l'échelle de la production industrielle fut accrue considérablement, et les fruits de cette production firent l'objet d'une diversification au cours de cette période. La nature de la ville industrielle avait changé et, dans certains cas, ce changement avait été positif. De nouvelles entreprises firent leur apparition en grand nombre, dont la plus significative fut celle de l'acier.

L'acier était un métal d'une grande versatilité et plus résistant que le fer utilisé pendant la première moitié du XIX siècle. L'acier était fabriqué à partir d'un mélange de fer et de charbon, et ses propriétés pouvaient être modifiées par l'addition de petites quantités d'autres métaux, comme le tungstène et le manganèse. Henry Bessemer, un scientifique anglais, fut le premier à mettre au point un procédé économique de fabrication de l'acier en 1856, et des améliorations ultérieures permirent à des pays, dont les gisements de fer étaient limités, de remplacer le minerai de fer par de la ferraille, tandis que les pays qui ne possédaient pas de charbon, mais plutôt de l'énergie électrique, pouvaient fabriquer de l'acier à partir d'une fournaise électrique. À la suite de ces résultats, la production mondiale d'acier avait atteint 60 millions de tonnes en 1914, production qui dépassait de cent vingt fois celle de la fin des années 1870. Rapidement, l'acier remplaça le fer dans la construction des chemins de fer, des machines à vapeur, des câbles métalliques et de plusieurs autres types de machinerie. L'acier fut utilisé pour la construction de bateaux à vapeur plus légers et de plus fort tonnage, qui finirent par remplacer les voiliers comme principal moyen de transport océanique. Il permit l'invention de la machine à coudre, qui remplaça le travail manuel vers les années 1870, et qui fut utilisée lorqu'on mécanisa l'industrie de la chaussure. La machine à coudre était devenue une nécessité pour la classe moyenne au début des années 1900. Elle permettait à la femme de délaisser le travail manuel de couture et de rentabiliser le coût élevé de la machine en confectionnant elle-même ses vêtements et ceux de ses enfants. La machine à coudre avait permis la création d'ateliers de couture, où les ouvriers étaient exploités, et qui furent désormais désignés par l'expression *sweatshops*. L'acier transforma aussi le bureau, où la machine à écrire fit son entrée en 1878 et la machine à additionner en 1890. L'acier permit à Daimler-Benz de concevoir, en 1886, le premier véhicule automobile dont le moteur était alimenté à l'essence, même si les effets de cette invention ne se firent sentir, à une grande échelle, qu'à la fin de la Première Guerre mondiale. Enfin, l'acier révolutionna le monde de la construction en remplaçant le bois, la brique et la pierre par les poutres d'acier et le béton armé.

Il semblerait que l'apparition d'un nouveau genre d'architecture, au cours de la première moitié du siècle, résulte du fait que l'on se soit adressé à des ingénieurs, plutôt qu'à des architectes, pour concevoir les ponts suspendus en fer. Le pont d'Adam Clark, au-dessus du Danube à Budapest, ou encore le palais de cristal de Paxton, un édifice de fer et de verre, en sont des exemples éloquents. Les États-Unis furent les premiers à reconnaître le potentiel qu'offrait l'acier à l'architecture. Pour la première fois, on fit usage d'une structure d'acier pour la façade d'une construction, en 1884 à Chicago, avec l'édifice de la Home Insurance Company. Le style convenait parfaitement aux entrepôts, aux magasins à rayons et aux manufactures. Avec les constructions de Louis Sullivan (1856-1924), Chicago devint le chef de file de l'innovation architecturale. L'entrepôt Marshall Field Warehouse (1895), à Chicago, était un parfait exemple de l'utilisation de la structure d'acier afin de créer de vastes espaces intérieurs. Le célèbre innovateur Walter Gropius avait, quant à lui, conçu une usine faite d'une structure d'acier et de verre en Allemagne, dès 1911.

Mais ce fut l'utilisation de l'acier dans la construction de gratte-ciel qui modifia le plus l'apparence de la ville américaine. Le premier ascenseur électrique avait été utilisé en 1889. Grâce à l'ascenseur, les édifices américains devenaient des gratte-ciel. Dès les années 1850, les Américains construisirent de solides édifices en pierre comportant une vingtaine d'étages, munis d'ascenseurs hydrauliques. Mais à partir de 1890, on développa des structures d'acier rivetées et, en 1913, l'édifice de la compagnie Woolworth à New York, d'une hauteur de soixante étages, devint l'immeuble le plus haut du monde.

L'électricité

À titre d'élément de transformation du paysage urbain, l'électricité ne vient qu'au second rang, après l'acier. On connaissait l'électricité depuis longtemps, mais elle n'avait servi, avant le XIXe siècle, qu'à étonner les invités lors de réceptions dans les salons du XVIIIe siècle. Benjamin Franklin avait capté l'électricité de la foudre grâce à son paratonnerre et il s'était livré à des expériences sérieuses, au même titre que des chercheurs italiens, pour identifier la source de cette force mystérieuse. On ne put utiliser l'électricité, comme source d'énergie, qu'une fois qu'on eut compris le lien entre le magnétisme et l'électricité.

L'Anglais Michæl Faraday inventa le premier moteur électrique en appliquant le principe de l'induction magnétique. Il utilisa un aimant qui pivotait à l'intérieur d'une bobine, afin de produire de l'électricité. Peu de temps après, l'inventeur américain Samuel Morse fut en mesure d'appliquer un tel moteur à la conception du télégraphe électrique. Dans les années 1870, un progrès considérable fut réalisé avec l'invention de la turbine, pour produire de l'électricité. La turbine, qui convertissait en énergie mécanique la puissance de l'eau ou de la vapeur, avait été utilisée sur une grande échelle dans les Alpes pour harnacher la puissance hydraulique. Les turbines hydrauliques de ce genre étaient reliées à des générateurs; grâce à eux, l'énergie mécanique qui passait à travers les turbines produisait de l'énergie électrique. Toutefois, on produisit encore plus d'énergie lorsque Charles Parsons, dans les années 1880, utilisa la vapeur pour actionner une turbine, ce qui allait devenir bientôt le mode de propulsion des navires. D'autres équipements permirent de transporter de façon sûre l'énergie électrique, comme le courant alternatif, vers les usines. Bien que l'invention du manchon incandescent, en 1886, eût permis de

prolonger l'utilisation du gaz d'éclairage pour une vingtaine d'années, l'électricité devint la principale source d'éclairage grâce au développement de l'ampoule électrique par Joseph Swan, en 1860 en Angleterre, et par Thomas Edison, en 1879 aux États-Unis. Bref, l'électricité était devenue une source importante d'énergie et d'éclairage pour des industries en pleine expansion.

En 1914, les traces de l'utilisation de l'électricité étaient visibles dans toutes les parties de la ville, surtout dans l'entrelacement de fils qui surplombait les rues. Les tramways puisaient leur force motrice à partir de petits chariots attachés à des fils électriques aériens. La nouvelle ampoule électrique éclairait les rues, les manufactures, les théâtres et plusieurs maisons. Elle prolongeait les heures d'ouverture, rendait la vie urbaine plus propre et sûre, et éliminait les inconvénients de la lampe à l'huile et de la chandelle. Des signes avant-coureurs de la transformation qui allait s'opérer au sein de la vie quotidienne des ménages apparaissaient : l'époque où les appareils électriques seraient accessibles à la classe moyenne était proche. La radio, le phonographe, le réfrigérateur, la machine à laver et le radiateur électrique étaient déjà inventés en 1914.

Ce fut toutefois le téléphone qui retint le plus l'attention de la génération de la fin du siècle. Pour la sensibilité exquise d'un romancier

Les avantages (à gauche) et les désavantages de l'électricité (à droite)
Au fur et à mesure que l'usage de l'électricité se répandit dans les années 1880, les rues de toutes les villes d'Occident se tissèrent de câbles et de fils innombrables.

comme Marcel Proust, qui écrivait à l'époque où les appels étaient traités par des standardistes féminins, il s'agissait de la «voix d'un ange»:

Et nous sommes comme le personnage du conte à qui une magicienne sur le souhait qu'il en exprime, fait apparaître, dans une clarté surnaturelle, sa grand-mère ou sa fiancée en train de feuilleter un livre, de verser des larmes, de cueillir des fleurs, tout près du spectateur et pourtant très loin, à l'endroit même où elle se trouve réellement. Nous n'avons, pour que ce miracle s'accomplisse, qu'à approcher nos lèvres de la planchette magique et à appeler — quelquefois un peu trop longtemps, je le veux bien — les Vierges Vigilantes dont nous entendons chaque jour la voix sans jamais connaître le visage, et qui sont nos Anges gardiens dans les ténèbres vertigineuses dont elles surveillent jalousement les portes; les Toutes Puissantes par qui les absents surgissent à notre côté, sans qu'il soit permis de les apercevoir; les Danaïdes de l'invisible qui sans cesse vident, remplissent, se transmettent les urnes des sons; les ironiques Furies qui, au moment que nous murmurions une confidence à une amie, avec l'espoir que personne ne nous entendait, nous crient cruellement: «J'écoute»; les servantes toujours irritées du Mystère, les ombrageuses prêtresses de l'Invisible, les Demoiselles du téléphone![3]

La chimie

Les inventions, dans le domaine de la chimie, furent moins évocatrices, mais leurs effets tout aussi envahissants. Pendant la première moitié du XIXᵉ siècle, l'utilisation de la chimie s'était limitée à l'adaptation de l'acide sulfurique et du chlore à l'industrie lourde et à la production textile. Toutefois, au cours de la seconde moitié du siècle, la chimie réalisa une percée importante. Le papier fut fabriqué à partir de la pulpe de bois et non plus à partir de linge et de chiffon, tout comme la rayonne (une soie artificielle). Les différents alliages de métal diversifièrent les types de métaux disponibles, et plus spécialement les différentes sortes d'acier. La photographie en noir et blanc fut inventée en 1870 et les années 1880 virent la commercialisation des appareils photographiques. Mais les deux principales réalisations de la chimie furent la production de bases à bon marché et l'invention de teintures synthétiques. Les bases, spécialement la poussière de soude, étaient nécessaires, sur une grande échelle, pour le savon et la fabrication de textiles, et aussi comme poudre à blanchir dans la fabrication du papier. Le procédé Solvay, perfectionné au cours des années 1870, réduisit les coûts de production de la poussière de soude et aida à prévenir le gaspillage de sous-produits. La première teinture synthétique, le mauve, fut réussie en Angleterre en 1856 et, par la suite, les chercheurs allemands produisirent une série de teintures artificielles qui étaient plus fiables et durables que les teintures naturelles. Des ventes importantes de teinture permirent à l'industrie chimique allemande de connaître un essor tel qu'elle devint la plus importante au monde.

L'influence de la chimie était perceptible dans les produits peu coûteux qu'elle avait permis de commercialiser. Il n'était plus nécessaire

---

3 Marcel Proust, *À la recherche du Temps perdu*, éd. publiée sous la direction de Jean-Yves Tadié, Paris, Gallimard, 1988, 3 volumes, Bibliothèque de la Pléiade, p. 431.

pour les citadins de porter des vêtements noirs, puisque les couleurs de leurs vêtements allaient désormais conserver leur fraîcheur. Du papier bon marché favorisa le développement d'une nouvelle industrie des communications, y compris les journaux à prix abordable et les revues — celles-ci devinrent encore plus populaires dans les années 1880, puisqu'elles contenaient des photographies prises par des journalistes à l'aide de leur caméra Kodak ou Zeiss. Des perfectionnements apportés au procédé de mise en conserve permirent de consommer des fruits et des légumes tout au long de l'année, en plus d'améliorer le régime alimentaire des pauvres. Mais, comme toujours, le prix à payer était élevé. Le pouvoir destructeur de la chimie fut mis en évidence par les explosifs développés par le Suédois Alfred Nobel. Une nouvelle forme de risque industriel, celui de l'empoisonnement chimique progressif, apparut dans les endroits où étaient utilisés le plomb et le phosphore, même si les conséquences de ce risque ne furent pas connues avant plusieurs décennies. Les dommages environnementaux furent importants, car peu d'entreprises contrôlaient le rejet de leurs déchets chimiques. Les usines chimiques rejetaient autour d'elles des fumées contenant du soufre, de l'acide chlorhydrique et du calcium. Les villes où l'on retrouvait l'industrie chimique, comme Widnes, sur la rivière Mersey dans le nord de l'Angleterre, étaient recouvertes de fumées bleues et jaunes, tandis que les maisons étaient tapissées d'un film de poudre de soufre.

Les nouvelles techniques industrielles, les améliorations apportées au transport des marchandises lourdes et volumineuses, la concurrence de plus en plus effrénée, et la rapidité avec laquelle l'offre répondait à la demande sur le marché mondial rendaient anachroniques les petites entreprises familiales et les associations qui avaient été le fondement de la plupart des entreprises industrielles jusqu'aux années 1870. La production industrielle et la distribution devaient maintenant être assurées par de grandes entreprises qui, souvent, comme la compagnie Krupp en Allemagne, contrôlaient toute la chaîne de production, depuis les matières premières jusqu'aux produits finis. Il était fréquent qu'on fusionne des entreprises qui se livraient à des activités comparables, faisant ainsi ce qu'on appelle de l'intégration horizontale. Des compagnies aux activités commerciales comparables se regroupaient au sein de *holdings* ou de sociétés d'investissement, comme la société Standard Oil de John D. Rockefeller ou le trust de la dynamite d'Alfred Nobel. Les avantages financiers, provenant de la collaboration d'entreprises qui se disputaient les mêmes marchés, pouvaient être obtenus sans qu'il soit nécessaire de procéder à une fusion. Des cartels, c'est-à-dire des regroupements informels d'entreprises, se formaient pour établir les prix et éliminer les coûts de la concurrence en partageant le marché entre les compagnies participantes. L'initiative vint des aciéries du nord de l'Europe et elle fut reprise rapidement par d'autres cartels regroupant des banquiers, des armateurs, des fabricants de munitions, des fabricants de produits

Les changements dans l'organisation du monde des affaires

chimiques et métalliques, et même des producteurs de whisky. Ainsi, on réduisit de façon draconienne le nombre d'entreprises industrielles et, du même coup, de propriétaires individuels.

Une modification importante se produisit dans le domaine bancaire, où les changements dans l'organisation du monde des affaires s'accompagnèrent du passage du capitalisme industriel au capitalisme financier. Dans les premières années de la Révolution industrielle, le capital nécessaire à l'expansion avait été fourni par les capitalistes eux-mêmes, à partir de leurs profits. Du capital à court terme était fourni par les banques, pour permettre l'achat de matières premières. Mais au XIXe siècle, les compagnies firent appel directement à l'épargne des particuliers, grâce à la vente d'actions. Ces compagnies à capital-actions ne purent être créées sur une grande échelle qu'une fois que le gouvernement eut autorisé le principe de la responsabilité limitée. Ce principe signifiait que les gestionnaires de la compagnie ne pouvaient être tenus personnellement responsables des dettes de leur compagnie. Ce fut la Grande-Bretagne qui, la première, accorda la responsabilité limitée en 1825; elle fut suivie par les États-Unis, la France et l'Allemagne. À partir des années 1870, des compagnies à capital-actions de services publics furent créées, de même que dans le domaine des compagnies d'assurance, des banques et de la majorité des modes de transport. À partir des années 1900, les compagnies à capital-actions s'étendirent à la plupart des types de manufactures, permettant ainsi au petit investisseur, aux compagnies d'assurance et aux banques, de canaliser leurs investissements vers le monde des affaires. De plus en plus, la gestion des grandes compagnies échappait au contrôle des actionnaires. Ils préféraient que leurs épargnes soient administrées par des banques qui exerçaient un certain contrôle sur la gestion des compagnies. Le résultat fut que, plusieurs grandes banques — certaines aux mains de familles comme les Rothschild d'autres puisant leurs ressources financières à même les épargnes des particuliers comme la Darmstädter Bank en Allemagne — exerçaient un pouvoir énorme, non seulement sur le monde financier, mais aussi sur l'industrie.

L'aristocratie de la richesse

Les profits réalisés par les chefs de file de l'industrie et des banques étaient démesurés, lorsqu'on les compare à ceux de n'importe quelle autre période historique. Chaque secteur de l'industrie, du commerce et de la finance avait son élite de la richesse. Elle constituait, à une époque où le sentiment nationaliste se développait parmi les masses, une espèce d'aristocratie supranationale qui se réunissait fréquemment, tant pour les affaires que pour le plaisir. Peu à peu, les industriels et les banquiers s'amalgamèrent à la vieille aristocratie foncière pour former une classe de dirigeants européens relativement homogène. Dans la constitution de ce nouveau capitalisme, les États-Unis furent très prolifiques. Lorsque l'immigrant écossais Andrew Carnegie vendit son holding de l'acier à la United States Steel Company, il reçut la somme de 250 millions de dollars. Le chemin de fer fut à l'origine de nombreuses fortunes, comme celles des

Vanderbilt du New York Central Railroad ou des Standford de la Southern Pacific. L'empire banquier de John Pierpont Morgan fit de son fondateur un Midas de l'époque moderne parmi les financiers. C'était le résultat de son génie en matière financière qui lui avait permis de tirer profit de ses investissements dans l'acier, le transport maritime, les communications, les assurances, les mines et les munitions. Bien sûr, ces capitalistes étaient les bâtisseurs des banques, des bureaux, des manufactures et des logements pour les ouvriers qui représentaient une part importante du développement urbain. Même s'ils possédaient de vastes domaines, les grands capitalistes demeuraient des citadins, un peu à la manière de l'aristocratie parisienne du XVIIIe siècle ou des patriciens de la Florence du XVe siècle. Avec leurs manoirs, ils ajoutèrent variété et, parfois, charme à l'environnement urbain. À New York, leurs maisons s'étalaient vers le nord, depuis Washington Square jusqu'à Fifth Avenue; à San Francisco, leurs maisons surplombaient leurs entreprises, depuis les hauteurs de Nob Hill; à Paris, leurs maisons avaient une vue imprenable sur le Bois de Boulogne ou l'avenue Foch.

Toutefois, ces nouveaux riches n'étaient pas une classe distincte de l'ancienne aristocratie foncière. Dans quelques cas, la vieille aristocratie participa elle-même aux affaires: par exemple, lord Derby, en Angleterre, était propriétaire d'une grande partie des terrains sur les rives de l'estuaire de la Mersey à Liverpool, et de plusieurs mines de charbon dans le sud du Lancashire. D'autres, comme les vieilles familles de l'Empire austro-hongrois ou les aristocrates de Russie, demeuraient extrêmement riches grâce à l'exploitation de leurs vastes propriétés agricoles et pouvaient surclasser, en richesse et en sang, les couches supérieures de la bourgeoisie. Dans plusieurs cas, la richesse apportait l'égalité sociale. La reine Victoria acceptait avec plaisir l'hospitalité des Rothschild. Souvent, on obtenait cette égalité par alliance: une riche héritière américaine épousait un membre désargenté de la noblesse européenne. Normalement, l'égalité résultait de la combinaison de plusieurs facteurs sociaux — une éducation dans les mêmes écoles, une appartenance aux mêmes régiments et aux mêmes clubs, un même accès aux loges réservées à l'hippodrome ou à l'opéra.

Toute l'Europe devenait le terrain de jeu de cette élite de la richesse et du métissage. Pendant la saison sociale, les capitales européennes étaient animées par les bals, les pièces de théâtre, les banquets et les courses de chevaux. La saison anglaise imposait le rythme et faisait l'objet d'une émulation de la part des autres capitales de l'Europe. En juillet, comme le faisait remarquer un visiteur français, il semblait qu'«une race de dieux et de déesses était descendue de l'Olympe sur l'Angleterre... pour vivre sur un nuage doré, dépensant sa richesse avec indolence et tout aussi naturellement que poussent les feuilles».[4] Aux yeux du romancier John Buchan, qui évoquait ses souvenirs, tout ceci semblait n'être qu'un rêve:

4 Cité par Barbara Tuchman, *The Proud Tower*, New York, Macmillan 1966, p. 16.

Au tournant du siècle, Londres conservait toujours son petit air géorgien. Jusqu'à la mort de la reine Victoria, ses dirigeants étaient membres de la société aristocratique, et ils préservèrent les modes et les rites de l'aristocratie. (...) Pendant l'été, Londres était une véritable ville de plaisir, chaque fenêtre était garnie de fleurs, ses rues comptaient de magnifiques équipages, le parc était un lieu d'exposition pour de superbes chevaux et pour des hommes et des femmes ravissantes. Le rituel allait encore plus loin, puisqu'on portait couramment la redingote et le haut-de-forme, non seulement dans le West End, mais aussi dans les environs des cours de justice et dans la cité. (...) Quand j'y pense, cette époque me semble incroyablement sûre et suffisante. Les gens étaient amicaux et de bonne famille, tel que je m'en souviens, sans cette vulgarité et ce culte de la richesse qui apparut avec le nouveau siècle.[5]

En dehors de la saison sociale, les personnes aisées s'invitaient réciproquement à leur maison de campagne pour la chasse au coq de bruyère, ou encore se rencontraient à l'occasion de fêtes à leurs lieux de villégiature favoris. Plusieurs préféraient les stations thermales, comme Aix-les-Bains dans les Alpes françaises, Marienbad et Karlsbad dans les montagnes des Sudètes (la Tchécoslovaquie moderne) et Baden-Baden, à l'orée de la Forêt-Noire. Mais les stations balnéaires, et plus spécialement celles de la Riviera française et italienne, attiraient leur clientèle vers les fantaisies tarabiscotées des hôtels situés le long de la mer et les casinos. Les Américains et les Russes partageaient ces passions. Les Américains prospères fréquentaient les stations thermales de Hot Springs en Virginie, et se reposaient près de l'océan dans leurs manoirs, le long des falaises de Newport au Rhode Island. Les Russes prenaient leurs bains de soleil à Yalta et soignaient leur santé à Piatigorsk, bien qu'on les retrouvât souvent dans les lieux de divertissement de l'Europe occidentale.

Les progrès du mouvement syndical

En dépit des améliorations apportées aux conditions de vie dans les villes, les classes ouvrières estimaient qu'on leur refusait une juste part de la richesse en contrepartie de leur travail, et qu'on les exploitait pour le bénéfice de l'argent. Au cours des cinquante années qui ont précédé la Première Guerre mondiale, leur mécontentement s'organisa efficacement par le biais de syndicats et de partis politiques.

Les premiers regroupements de travailleurs furent les sociétés d'assistance mutuelle pour les journaliers, qui avaient mis en commun leurs ressources pour s'entraider en cas de maladie, d'accident ou de décès. Les gouvernements toléraient généralement ces sociétés, à condition qu'elles ne mènent aucune action politique et ne s'organisent pas contre les employeurs. Les syndicats ouvriers, créés pour contraindre les employeurs à accorder des conditions de travail plus adéquates par le recours au mécanisme de la négociation collective, mirent beaucoup de temps à être reconnus légalement par des gouvernements qui étaient contrôlés par les industriels et les propriétaires. En Grande-Bretagne, les

5 John Buchan, *Hold the Door*, London, Hodder and Stoughton, 1940, p. 92-94

activités syndicales pacifiques ont été autorisées dès 1824-1825; mais la plupart des pays européens furent réticents à suivre l'exemple britannique. La liberté d'association syndicale ne fut reconnue qu'en 1870 en Autriche-Hongrie, au terme de longues luttes; l'Allemagne suivit en 1890 et la Russie en 1906. Après 1886, les syndicats commencèrent à concentrer leur action sur l'aide aux travailleurs, grâce à des programmes d'assurance-maladie et accident de même qu'à promouvoir des grèves contre les employeurs. De longues et dures grèves furent organisées à Londres par des groupes de travailleurs tels que ceux des ouvrières des fabriques d'allumettes et des débardeurs. En France, vers la fin du siècle, mais pour une courte période, il semblait que le mouvement syndical allait s'emparer du pouvoir par le recours à une grève générale, comme le préconisait l'auteur syndicaliste Georges Sorel. Les syndicalistes affirmaient que les syndicats, plutôt que toute forme de gouvernement, étaient le fondement de la société. Il fallait paralyser les organes de l'État par la grève générale, y compris le recours à la violence si nécessaire, afin de permettre aux travailleurs de prendre le pouvoir grâce à leurs syndicats. De telles grèves furent généralement mal organisées et rapidement réprimées, bien qu'elles aient, en partie, forcé le gouvernement belge à concéder le suffrage universel masculin en 1893, et contraint le tsar Nicolas Ier de Russie à promulguer une constitution en 1905.

À partir des années 1880, on observe un changement dans la nature des syndicats. Alors qu'auparavant, il s'agissait principalement de regroupements d'artisans qui étaient les membres les plus qualifiés de la classe ouvrière, on commençait à y retrouver la masse des ouvriers moins qualifiés. De plus, il y eut une prolifération de différents types de syndicats. L'Église catholique encourageait la création de syndicats catholiques. D'autres suivaient les différentes tendances au sein du mouvement socialiste. En Angleterre, plus de trente syndicats locaux furent fondés par la Women's Trade Union League (1874-1921), en partie à cause du refus de plusieurs syndicats d'admettre des femmes. Toutefois, cet obstacle fut surmonté puisqu'en 1914, 6,4 pour cent des travailleurs syndiqués britanniques étaient des femmes. Par contre, la fragmentation affaiblissait souvent le mouvement ouvrier: en Grande-Bretagne, on comptait plus d'un millier de syndicats. Par conséquent, on fit des efforts en vue de former des fédérations nationales de syndicats, et plusieurs de ces organisations devinrent de puissants groupes de pression au plan national, comme le British Trades Union Congress, créé en 1868. Enfin, les fédérations nationales s'associèrent en 1913 pour former l'International Federation of Trade Unions, dont l'objectif était de coordonner l'activité syndicale en Europe.

De 1800 à 1850, les classes ouvrières s'étaient tournées vers le *socialisme utopique*, et un nombre limité de personnes avaient suivi Karl Marx, après qu'il eut énoncé les doctrines du socialisme scientifique (ou marxisme) dans le *Manifeste communiste* en 1848. Mais, à la suite de l'échec des

La création de partis politiques ouvriers

Clara Zetkin (1857-1933) se rendant au Reichstag en 1930
Zetkin était l'une des meilleures oratrices du Parti communiste allemand. Elle fut élue au Reichstag, pour la première fois, en 1920.
(Les archives Bettmann)

révolutions de 1848 et du discrédit jeté sur l'expérience des Ateliers nationaux en France, le socialisme n'attira que peu de partisans au cours des trois décennies qui suivirent. Marx lui-même se retira dans la salle de lecture du British Museum, où il se concentra sur la formulation théorique de sa pensée dans *Le Capital*, dont le premier volume fut publié en 1867, et sur une série d'analyses des luttes révolutionnaires dont il avait été le témoin en France. À la tête de la Ire Internationale (l'Association internationale des travailleurs, fondée à Londres le 28 septembre 1864), il joua un rôle éminent dans le mouvement ouvrier, en aidant à diffuser les idées socialistes au sein des mouvements syndicaux à travers le monde. Après d'amères querelles avec Mikhaïl Bakounine (1814-1876), dont les disciples anarchistes croyaient que l'État devait être remplacé par des regroupements de producteurs, au cours d'un soulèvement violent, Marx accepta la dissolution de l'Internationale en 1876.

Malgré le charisme de Bakounine, l'anarchisme ne devint jamais un rival sérieux du marxisme. Bakounine trouva des disciples dans les régions moins favorisées de l'Europe, et seuls quelques terroristes adoptèrent ses idées dans les pays développés. L'assassinat d'éminents hommes d'État, qui devait être le prélude à l'abolition de l'appareil de l'État, devint pratique courante vers la fin du siècle. Les meurtres exécutés par des anarchistes comprennent ceux du président de la France en 1894, du premier ministre espagnol en 1897, de l'impératrice d'Autriche en 1898, du roi d'Italie en 1900, du président des États-Unis en 1901, et d'un autre premier ministre espagnol en 1912. L'anarchisme était très florissant parmi les ouvriers agricoles et de l'industrie en Espagne. Ce furent les anarchistes qui dominèrent les mouvements antifascistes de la Catalogne, lors de la guerre civile espagnole (1936-1939). Mais dans les autres régions de l'Europe, l'anarchisme ne réalisa pas de gains substantiels aux dépens du socialisme ou du communisme.

Les chefs modérés des classes ouvrières, qui cherchaient à améliorer la condition des travailleurs, sans recourir à la violence pour détruire le système capitaliste, posaient un défi plus important que l'anarchisme aux enseignements de Marx. Le premier regroupement d'importance à demander, en 1863, une activité législative au nom des travailleurs, fut l'Association ouvrière allemande Ferdinand Lassalle. En 1875, cette association fusionnait avec un mouvement plus révolutionnaire du sud de l'Allemagne, le Parti travailliste social-démocrate allemand. Dans leur programme de Gotha, les deux groupes se mirent d'accord pour fonder un parti social-démocrate allemand, dont l'objectif était de faire campagne en vue d'une représentation au sein du Reichstag, où il serait possible de recourir à des moyens parlementaires pour promouvoir la cause socialiste. Malgré le harcèlement des lois antisociales du chancelier Bismarck, ils obtinrent beaucoup de succès. Sous la direction de l'ancien menuisier August Bebel, le parti réussit à recruter un million de membres.

Le parti devait une part importante de ses succès à son implication à l'intérieur de plusieurs organisations culturelles et sociales. Il publiait quatre-vingt-dix journaux, tirés à plus d'un million et demi d'exemplaires, plus un nombre important de revues consacrées à la théorie du socialisme. De plus, on publiait des journaux à l'intention de groupes-cibles, comme les cyclistes, les gymnastes et mêmes les personnes qui refusaient de consommer de l'alcool. Des clubs furent créés afin d'attirer dans les rangs du parti les personnes qui pratiquaient les activités les plus populaires en Allemagne. Les clubs de gymnastique attirèrent 186 000 membres, les clubs de cyclistes 130 000 membres, tandis qu'on en comptait 200 000 parmi les chorales, qui étaient de loin les plus populaires. En 1920, il y avait plus de membres dans les clubs de gymnastique et les chorales qu'à l'intérieur du parti. On tenta avec succès d'attirer les femmes par la publication de journaux spécialement conçus à leur intention. En 1914, 17 pour cent des membres étaient de sexe féminin. Parmi les premiers chefs de file du parti, on retrouvait Clara Zetkin, la principale théoricienne sur le rôle de la femme au sein du Parti socialiste, et fondatrice du journal socialiste féminin *Égalité*, ainsi que Rosa Luxemburg, une brillante oratrice et fine tacticienne. Louise Kautsky, l'épouse du théoricien marxiste orthodoxe Karl Kautsky, travailla au sein de la IIe Internationale pour que soit adopté un plan de réformes pour les femmes. Celui-ci comprenait la journée de travail de huit heures, l'interdiction d'employer les femmes pour effectuer un travail dangereux ou pour les faire travailler le soir, et la nomination de femmes pour faire l'inspection des usines. En 1907, les femmes fondèrent leur propre section de la IIe Internationale, l'Internationale des femmes socialistes, dont l'*Égalité*, journal fondé par Zetkin, allait devenir l'organe officiel. Parce que plusieurs membres non allemands de l'Internationale des femmes socialistes étaient défavorables à la demande du suffrage féminin et au refus de collaborer avec les partis bourgeois, les recommandations de l'organisation n'eurent guère d'influence. Zetkin et Luxemburg se rapprochèrent des Communistes, dont elles joignirent officiellement les rangs au cours de la Première Guerre mondiale. Le Parti social-démocrate suivait une direction opposée tandis qu'augmentait sa popularité. En 1903, il recueillait le double des votes de n'importe quel autre parti du Reichstag, en dépit du fait qu'il dut attendre jusqu'en 1912 pour avoir le plus grand nombre de députés. Ses succès parlementaires conduisirent plusieurs de ses membres, à la tête desquels on retrouvait Eduard Bernstein, à demander que le parti révise son idéologie, c'est-à-dire accepter ouvertement ce qu'on reconnaissait tacitement : que le marxisme était dépassé. Les *révisionnistes* demandaient que le parti délaisse toute discussion relative à l'inévitable lutte des classes, à la dictature du prolétariat et à la prise révolutionnaire du pouvoir, et qu'il privilégie plutôt la transformation progressive de la société. Le parti refusa de rompre avec les enseignements de Marx, même si, dans les faits, il continuait d'agir suivant les idées de Bernstein. En conséquence, il perdit inutilement l'appui de plusieurs membres de la classe moyenne qui étaient offusqués par le discours révolutionnaire et qui ne réalisaient pas que les pratiques du parti tenaient davantage de celles des réformateurs socialistes de la Grande-Bretagne et de la Scandinavie.

En Grande-Bretagne, un petit parti marxiste avait été fondé en 1883, sous le nom de Fédération sociale-démocrate, et était patronné par le poète William Morris. Toutefois, ce groupe n'eut guère d'importance avant qu'il ne se joigne aux groupes de réformateurs socialistes (à savoir le Parti indépendant du travail fondé par Keir Hardie en 1893, la Société fabienne fondée par un groupe d'intellectuels de gauche en 1894 et les syndicats) pour fonder le Parti travailliste britannique anglais en 1900. En France, les guerres intestines entre les diverses factions des socialistes ne furent réglées qu'en 1905, sous l'autorité de Jean Jaurès, un organisateur de talent et un brillant orateur. Dès 1913, le Parti socialiste français comptait soixante-dix-sept députés à l'Assemblée nationale. Ainsi, avant 1914, la majorité des socialistes des grands pays industrialisés d'Europe acceptait la doctrine de la réforme progressive du système capitaliste, grâce à leur participation à l'élargissement et à l'administration de la démocratie parlementaire. Le marxisme orthodoxe, en accord avec les principes du *Manifeste communiste*, semblait se limiter à quelques bavards fanatiques et sans grande influence, jusqu'au moment où la chute de la monarchie russe, en 1917, permit au mouvement bolchévique de Lénine de s'emparer du pouvoir dans le plus grand des États d'Europe.

L'ÉCRIVAIN COMME ANALYSTE DE LA SOCIÉTÉ

Les écoles réaliste et naturaliste

Le rythme rapide du changement industriel scientifique et social, incita les écrivains de la fin du XIXe siècle à entreprendre une analyse rigoureuse de leur monde en évolution. Les écrivains européens de l'école réaliste des années 1850 et 1860 commencèrent une enquête sur la nature de la nouvelle société industrielle, plus spécialement sur les difficultés qu'éprouvait la bourgeoisie dans son ascension vers la réussite matérielle. Très impressionnés par les progrès scientifiques et techniques, ils avaient rejeté l'exagération, le sentimentalisme et l'irréalisme des auteurs de l'école romantique, et ils étaient plutôt déterminés à utiliser une méthode scientifique dans leur analyse des êtres humains, de leur environnement physique et de leurs rapports sociaux. Ils considéraient que leur approche était une méthode expérimentale, une tentative de combiner tous les éléments, qu'il s'agisse de la laideur ou de la beauté, de la corruption ou de l'héroïsme, en plaçant les êtres humains dans un contexte décrit avec précision, afin d'en observer les résultats. Ils étaient convaincus que le philosophe Auguste Comte (1798-1857) avait décrit avec justesse que l'évolution de la société et de l'individu se faisait en trois phases: un premier stade théologique primaire; un second stade plus avancé, métaphysique; enfin, un stade scientifique ou positiviste. À ce stade, il était possible, grâce à l'observation des phénomènes et à la collecte de données scientifiques, de découvrir les lois qui régissent la connaissance, que ce soit des mathématiques ou de la sociologie (mot inventé par A. Comte en 1830). En 1857, lorsque Gustave Flaubert publia *Madame Bovary*, le portrait d'une femme prisonnière des mœurs de province, il publia aussi le premier chef-d'œuvre du réalisme. Après Flaubert, les écrivains réalistes insistèrent sur la précision absolue et l'énumération des détails physiques de l'environnement, le portrait soigné des pensées et des émotions humaines, ainsi que l'analyse de l'influence d'éléments comme l'hérédité et les barrières sociales.

Émile Zola (1840-1902) porta l'approche réaliste à son paroxysme. Il exposa ses théories en 1880 dans *Le Roman expérimental*, dans lequel il affirmait que «l'écrivain est à la fois un observateur et un expérimentateur. En lui, l'observateur relate les faits tels qu'il les perçoit, détermine le point de départ, établit le cadre dans lequel évolueront les personnages et se déroulera l'action. Ensuite, l'expérimentateur fait son entrée et procède à l'expérience, c'est-à-dire qu'il contraint les personnages à agir et à évoluer dans une situation particulière, de façon à démontrer que la suite des événements sera celle qu'exige le déterminisme des phénomènes qui font l'objet de l'analyse.»[6] Avez Zola, le roman réaliste s'associait au mouvement naturaliste.

L'école naturaliste soutenait que toute action humaine devait être expliquée en fonction des forces naturelles, comme l'hérédité, l'environnement physique ou les pulsions humaines. Zola fixa lui-même la grille d'analyse, en procédant à l'examen, non pas de quelques individus, mais de toute une famille dans les vingt volumes de l'*Histoire naturelle et sociale d'une famille du Second Empire*. Malgré la profusion de détails matériels, ces nouvelles évoquaient encore la morale outrée d'un Dickens, comme ce fut le cas lorsque Zola traita de la prostitution dans *Nana* (1879) ou des souffrances des travailleurs dans *Germinal* (1885).

Ce ne fut qu'au cours des vingt années précédant la Première Guerre mondiale que les écrivains naturalistes produisirent leurs œuvres les plus équilibrées et les plus soignées alors que la critique littéraire délaissait de plus en plus les excès du réalisme social au profit de l'analyse des caractères dans les romans psychologiques. L'écrivain et auteur dramatique Anton Tchekov (1860-1904) explora le vide et l'inefficacité de la petite noblesse provinciale en Russie. Le poète et auteur dramatique norvégien Henrik Ibsen (1828-1906) exposa les fausses valeurs des classes moyennes, comme dans *Un ennemi du peuple*: une ville toute entière, dont l'économie est dépendante de ses eaux thermales, se soulève contre un médecin consciencieux qui découvre que les eaux ont des effets néfastes sur la santé des visiteurs de la station thermale. À la fin du siècle, les frères Heinrich Mann (1871-1950) et Thomas Mann (1875-1955) offrirent des portraits désormais classiques de la décadence de la bourgeoisie. Ils avaient grandi à Lübeck, une ville qui avait connu une décadence irréversible, parce que ses classes moyennes avaient refusé de suivre le rythme du progrès. Pour Heinrich Mann, la classe moyenne méritait une féroce satire. Dans son roman *Der Untertan (Le Sujet)*, il suivait les traces de Diederich Hessling,

Thomas Mann (1875-1955)
Après sa chronique de la vie d'une famille bourgeoise allemande dans Les Buddenbrook *(1901), Mann se tourna de plus en plus vers les problèmes psychologiques, dans des romans comme* La mort à Venise *(1910) et* La Montagne magique *(1924). (Karsh/Woodfin Camp and Associates)*

6 Cité et traduit par Eugène Weber, *Paths to the Present*, New York, Dodd, Mead, 1962, p. 167.

dont l'engouement malheureux pour les Allemands de la classe supérieure symbolisait le désir des couches supérieures de la classe moyenne, de rechercher une espèce de féodalisation de leurs propres valeurs sociales, dans l'Allemagne de la fin du XIXᵉ siècle. Diederich vient de vendre son usine pour une somme dérisoire au gouverneur local. On le récompense en lui remettant une médaille impériale, l'Ordre de la Couronne, quatrième classe.

On pouvait voir un ruban bleu aux doigts de Karnauke, auquel était accrochée une croix au rebord scintillant. ... Ah, quelle émotion! Diederich tendit les bras, une joie ineffable montant de son cœur à sa gorge, et il se mit à parler involontairement, bien avant qu'il ne réalise ce qu'il disait : «Votre Majesté... grâce sans précédent... services modestes... loyauté inébranlable». Il s'inclina et, au moment où Karnauke lui remit la croix, il porta la main à son cœur, ferma les yeux, se laissant emporter comme si une autre personne se tenait devant lui, le bienfaiteur lui-même. Fier de l'approbation royale, Diederich sentit que le salut et la victoire étaient siens. (...) L'autorité avait honoré son pacte avec Diederich. L'Ordre de la Couronne, quatrième classe, scintillait de tous ses feux. Il s'agissait d'un événement qui éclipsait en importance le monument de Guillaume le Conquérant et Gausenfeld, les affaires et la gloire!...

Tel un homme de fer, il se tenait fièrement devant elle [son épouse], sa médaille épinglée à la poitrine. «Avant d'aller plus loin», dit-il d'un air martial, «ayons une douce pensée pour Sa Majesté, notre Gracieux Empereur. Nous devons garder devant nous cet objectif suprême de faire honneur à Sa Majesté et de lui fournir de bons soldats.» «Oh», s'écria Guste, emportée vers de douces splendeurs à la vue de la magnifique décoration, «est-ce... vraiment... toi... mon cher Diederich?»[7]

Marcel Proust

En 1913, grâce à l'œuvre du célèbre écrivain français Marcel Proust (1871-1922), le roman qui s'était jusqu'alors attaché à décrire les particularités de la société, s'enrichit par l'exploration du rôle de l'inconscient et de l'expérience du passage du temps. Fils gâté de parents riches, Proust avait fait, avec succès, des efforts pour atteindre les hautes couches de la société parisienne. Avant la mort de sa mère en 1905, il rédigea quelques pièces sans grande importance. Affligé par l'asthme depuis l'âge de neuf ans, il s'isola dans sa chambre de malade après 1905, cherchant par l'écriture la nature d'une société qui l'avait déçue, et l'essence de sa propre existence. Le premier tome de son volumineux ouvrage *À la recherche du temps perdu* ne retint guère l'attention; par contre, le second tome, publié en 1919, fut reconnu comme un classique de la prose moderne. Ses autres ouvrages, publiés pour la plupart à titre posthume, consacrèrent sa renommée comme l'un des plus remarquables auteurs de la littérature française. Les ouvrages de Proust étaient de superbes représentations des faiblesses et des idiosyncrasies des classes moyennes et supérieures de la société française au tournant du siècle. Il créa une inoubliable galerie de portraits de membres de la petite noblesse

7 Heinrich Mann, *Little Superman*, New York, Creative Age, p. 241-242.

Marcel Proust (1871-1922)
Après 1905, Proust s'isola de la haute société, afin d'évoquer cette société dans les sept tomes du livre À la recherche du temps perdu.
(A. Harlingue)

et de la bourgeoisie montante : le gracieux aristocrate Saint-Loup, l'irritable hôtesse qu'était madame Verdurin, le marquis de Villeparisis toujours plein d'esprit, le fanatique et fier baron de Charlus. Mais par-dessus tout, il y a le duc de Guermantes, avec sa richesse, sa vanité et sa vulgarité, ainsi que la duchesse de Guermantes, qui revient tout au long de l'ouvrage, tel un personnage dans un rêve lointain :

Mᵐᵉ de Guermantes s'était assise. Son nom, comme il était accompagné de son titre, ajoutait à sa personne physique son duché qui se projetait autour d'elle et faisait régner la fraîcheur ombreuse et dorée des bois de Guermantes au milieu du salon, à l'entour du pouf où elle était. Je me sentais seulement étonné que leur ressemblance ne fût pas plus lisible sur le visage de la duchesse, lequel n'avait rien de végétal et où tout au plus le couperosé des joues (...) ses yeux, où était captif comme dans un tableau le ciel bleu d'une après-midi de France, largement découvert, baigné de lumière même quand elle ne brillait pas; et une voix qu'on eût crue, aux premiers sons enroués, presque canaille, où traînait, comme sur les marches de l'église de Combray ou la pâtisserie de la place, l'or paresseux et gras d'un soleil de province.[8]

8 Marcel Proust, *À la recherche du temps perdu*, édition publiée sous la direction de Jean-Yves Tadié, Paris, Gallimard, 1988, 3 volumes, Bibliothèque de la Pléiade, p. 501-502.

Mais Proust avait fait davantage que de reprendre l'analyse sociale de Thomas ou Heinrich Mann. Il contribua à changer la nature même de la rédaction du roman en y décrivant le travail de l'inconscient, ces souvenirs oubliés qui peuvent être déclenchés par un événement soudain et sans importance, comme lorsque un petit gâteau sucré à pâte molle, appelé une madeleine, trempé dans le thé, lui rappelait toute son enfance vécue à Illiers-Combray. Mais par-dessus tout, il analysa la nature du temps, sa flexibilité face aux émotions et aux expériences de l'individu, la fusion du passé et du présent. Aux yeux de Proust, c'était le monde intérieur qu'il valait la peine de connaître, et ce monde ne pouvait être compris qu'en relation avec les expériences du temps, qui demeuraient perpétuellement dans l'inconscient de chacun.

L'ANALYSE DU COMPORTEMENT HUMAIN

Les écrivains avaient sapé la confiance envers la société bourgeoise en démontrant son hypocrisie et le caractère superficiel de ses prétentions. La psychologie, une nouvelle discipline, avec l'accent qu'elle mettait sur les motivations inconscientes de l'esprit, mina encore davantage la croyance selon laquelle la raison pouvait contrôler l'environnement.

Sigmund Freud

Depuis le milieu du XIXe siècle, plusieurs chercheurs en médecine avaient fait des progrès appréciables dans la compréhension de l'esprit, en se penchant sur les rapports entre la physiologie et la psychologie. Le médecin français Philippe Broccart avait démontré que le lobe frontal du cerveau contrôlait la parole. Des psychologues spécialisés dans l'étude du comportement (les *behavioristes*) se livrèrent à des expériences sur les animaux, afin de trouver des stimulations physiques capables de provoquer des réponses psychologiques. Le plus célèbre d'entre eux, Ivan Pavlov (1849-1936), avait conditionné le réflexe salivaire chez le chien chaque fois que sonnait une cloche pour indiquer la présence de nourriture. Mais il était essentiel de dépasser les facteurs physiologiques et rationnels du comportement humain. L'explication de l'inconscient fut entreprise par Sigmund Freud (1856-1939), un neurologue et psychiatre viennois, dont les idées eurent une influence formatrice sur la culture du XXe siècle, parce qu'il combinait un génie scientifique, des talents littéraires et une ambition acharnée. Freud était le fils d'une famille juive allemande, qui avait quitté la Moravie pour Vienne à la suite de difficultés financières, alors qu'il était âgé de quatre ans. Même s'il vécut à Vienne une grande partie de sa vie, il affirma n'avoir jamais aimé cette ville. «Je ne me suis jamais senti à l'aise dans la ville. J'estime maintenant que j'étais toujours prisonnier de la nostalgie de la forêt magnifique près de chez moi où», écrit-il en reliant ses sentiments au complexe d'Œdipe, «(tel que me le rappelle un souvenir de cette époque) je fuyais mon père, presque avant que j'aie appris à marcher».[9] Bien qu'il ait été constamment à court d'argent, Freud fut admis à l'université comme étudiant en médecine. S'apercevant qu'il détestait les aspects physiques de la pratique médicale, il se consacra à l'étude de la neurologie. Peu à peu, sous l'influence des professeurs avec lesquels il travailla à Vienne et Paris, il abandonna les explications physiques des troubles nerveux. Dans le cas célèbre d'Anna O., une personne qui était paralysée par l'hystérie, il réussit à soigner les symptômes physiques de sa patiente en la persuadant, grâce à l'hypnose, de déterrer les mauvais souvenirs de son enfance.

La théorie freudienne

Il était important pour le médecin, concluait Freud, de découvrir les pensées ou les désirs de l'inconscient qui sont incompatibles avec les «prétentions éthiques, esthétiques et personnelles de la personnalité du patient», et qui ont fait l'objet d'un refoulement. Puisque ces idées refoulées demeuraient présentes, causant de la souffrance et même des symptômes physiques, Freud ne proposait pas seulement la libre association d'idées, stimulée par les questions du médecin ou par l'hypnose, mais également l'interprétation des rêves et des actes inconscients, tels l'oubli des noms et les mouvements erratiques du corps. Mais il fallait qu'il explique les origines de la mémoire qui restait dans l'inconscient. Il avait déjà constaté que les impressions primaires, qu'il croyait présentes depuis la tendre enfance, étaient d'ordre sexuel. «Il trouva chez lui un amour pour sa mère et éprouva de la jalousie envers son père», et il affirma qu'il s'agissait d'un élément caractéristique de la tendre enfance. Selon lui, ceci expliquait pourquoi la pièce *Œdipe roi*, de Sophocle, était si passionnante. Le mythe grec «s'emparait d'une contrainte connue de tous, parce qu'il en avait trouvé les traces chez lui. Chacun des spectateurs était un Œdipe en puissance, en rêve, et la réalisation de ce rêve dans la réalité obligeait chacun à reculer devant l'horreur, avec la pleine mesure de refoulement qui sépare son enfance de son état présent.»[10] Il poursuivit ensuite sa théorie en soutenant que la personnalité pouvait être comprise comme la lutte entre le *ça*, (l'ensemble des pulsions sexuelles et inconscientes du moi) et l'*ego* (ou le *moi*). Pour Freud, l'*ego* jouait un rôle important, parce qu'il devait sublimer, au plan social, les pulsions du *ça*; en cas d'échec, la répression de ces pulsions pouvait conduire à la névrose.

L'influence de la psychologie freudienne

Les principales idées psychologiques de Freud étaient largement connues à la veille de la Première Guerre mondiale. Freud poussa son raisonnement encore plus loin en tentant de relier tout le développement de la société au travail de l'inconscient, mais seules quelques personnes l'acceptèrent comme analyste de tout le développement humain. Il fut toutefois largement reconnu comme analyste de l'individu. Ses idées

9 O. Mannoni, *Freud*, New York, Pantheon, 1971, p. 8-9.

10 *Ibid.*, p. 46.

furent à la base des travaux d'autres psychologues, comme Carl Jung (1875-1961), qui remplaça le rôle fondamental que jouait la pulsion sexuelle par l'ambition du pouvoir, inhérente à l'homme. L'influence de cette nouvelle psychologie se fit sentir partout. Au sens large, elle sapait la croyance libérale en la rationalité des êtres humains et leur habileté à se gouverner eux-mêmes par des méthodes rationnelles. Elle détruisait plusieurs croyances relatives à des questions comme les relations parent-enfant. Même si quelques disciples de Freud utilisèrent ses théories relatives à la différenciation sexuelle de l'homme et de la femme, pour réaffirmer les notions traditionnelles de l'accomplissement de la femme par la maternité et de sa dépendance envers l'homme, ses travaux eurent l'effet d'une force libératrice face à plusieurs des notions les plus puritaines de l'ère victorienne quant à la nature des femmes.

Pour quelques théoriciens politiques, ces nouvelles connaissances en psychologie étaient le point de départ d'une conception plus sage de l'État. Aux yeux de certains réformateurs, il s'agissait de la clé de voûte d'une meilleure société. À l'esprit créatif, elles offraient beaucoup d'espoir; c'était l'explication tant attendue de la motivation humaine. En décrivant un état de conscience, il était possible, pour les écrivains, de rompre avec les habitudes du style narratif. Aux peintres, comme les surréalistes, on offrait le défi de coucher sur une toile l'association libre des idées et le travail de l'inconscient. À des écrivains comme Proust, James Joyce et Virginia Woolf, à des poètes comme T.S. Eliot et W.B. Yeats, et à des peintres comme Salvador Dali et René Magritte, le psychologue avait ouvert les portes d'un monde nouveau.

LA NOUVELLE SCIENCE

L'apogée d'un siècle de progrès, dans plusieurs domaines des sciences, eut lieu avec les découvertes des grands physiciens entre 1890 et 1914, lesquels rejetaient le concept de nature tel qu'il avait été énoncé dans les lois que des scientifiques, comme Newton, avaient découvertes. La nature impliquait l'existence d'un espace absolu et distinct, du temps, de la matière, de l'énergie et de la vitesse. En 1914, on avait réussi à démontrer que la matière et l'énergie étaient interchangeables; que la matière n'était pas composée d'atomes indivisibles, mais que ces atomes se composaient plutôt de particules électriques; et que même la masse augmentait avec la vitesse.

Les progrès
de la chimie

Au début du XIXe siècle, le domaine de la recherche scientifique où se réalisèrent les plus grandes percées fut la chimie, grâce aux perfectionnements apportés à l'expérimentation en laboratoire. Des chimistes, comme le pionnier français Lavoisier et l'expérimentateur anglais Joseph Priestley, portèrent leur attention sur la théorie d'Aristote selon laquelle la matière est formée de quatre éléments (la terre, l'air, l'eau et le feu), et furent en mesure de démontrer, après que l'oxygène eut été identifié en 1774, que des phénomènes comme la combustion et la rouille résultaient de l'effet combiné d'un élément quelconque et de l'oxygène. En 1800, on avait rejeté le concept aristotélicien et les scientifiques commencèrent, avec succès, à dresser la liste des éléments chimiques fondamentaux. Lavoisier identifia lui-même trente-deux de ces éléments. Priestley découvrit plusieurs mélanges de base, comme l'acide sulfureux, l'oxyde de carbone et plusieurs acides.

Toutefois, après 1800, une percée remarquable fut réalisée lorsqu'on considéra que les éléments étaient constitués d'atomes. John Dalton, un instituteur anglais, avait suggéré, entre 1802 et 1808, que la nature des composés chimiques (c'est-à-dire, un ensemble d'éléments) pouvait être décrite en fonction de la masse atomique des éléments de ces composés. C'est avec justesse que Dalton avait supposé que tout progrès, dans le domaine scientifique, reposait sur la détermination de la masse atomique exacte des différents éléments, bien qu'il ait, par erreur, supposé que le composé chimique le plus simple, composé de deux éléments, serait constitué d'un seul atome de chacun de ces deux éléments. Au cours des soixante années qui suivirent, les chimistes purent identifier la structure atomique de plusieurs composés chimiques grâce à des lettres et à la structure des regroupements d'atomes au sein des molécules.

Des progrès importants furent aussi réalisés dans le domaine de l'énergie. Au XVIIIe siècle, les scientifiques avaient été dans l'impossibilité d'établir le lien entre la chaleur, la lumière, l'électricité et le magnétisme, un ensemble de formes d'énergie que l'on pouvait transformer en énergie mécanique. En effet, ils avaient supposé que la chaleur, l'électricité, etc., étaient des substances, des fluides matériels sans masse, qui entraient ou s'échappaient d'autres substances matérielles. Ils désignaient ces substances sans poids sous le terme d'impondérables. On considérait qu'un corps chaud contenait un impondérable appelé fluide calorifique; un corps électrifié contenait un fluide électrique; un corps magnétique, un fluide magnétique. L'idée des fluides calorifiques fut abandonnée après les expériences réalisées par Benjamin Thompson (le comte Rumford) à la fin du XVIIIe siècle. Rumford réussit à démontrer que de la chaleur, en quantité illimitée, pouvait être produite par friction et puisqu'on ne pouvait pas produire de la matière en quantité illimitée, la chaleur ne pouvait être de la matière. À partir des années 1830, on concédait, de façon générale, que la lumière n'était pas une substance, mais plutôt le mouvement d'une onde d'énergie. Dans les années 1840, les travaux d'un médecin anglais, James Joule, et de l'Allemand Hermann von Helmholtz permirent de démontrer, au plan quantitatif, qu'il était possible de convertir une forme d'énergie en une autre, comme l'électricité en chaleur. Ensuite, Helmholtz énonça la loi fondamentale de la conservation de l'énergie, selon laquelle l'énergie peut passer d'une forme à une autre, mais que la quantité totale d'énergie, dans le monde, demeurait constante. Ce concept fut particulièrement utile

L'étude de l'énergie

à la chimie industrielle, où la transformation d'une forme d'énergie en une autre était à la base de nombreux procédés de fabrication. Elle connut son usage le plus concret au XXe siècle avec l'énergie atomique, qui servit surtout à des fins militaires.

Darwin et la théorie de l'évolution

Les progrès réalisés en biologie au milieu du XIXe siècle causèrent tout un émoi au sein de l'opinion publique, car ils défiaient l'histoire de la création de l'humanité, telle qu'on la retrouve dans la Bible, plus particulièrement dans la Genèse où il est dit que la terre et tous les êtres vivants ont été créés par Dieu en six jours (vers 4 000 ans avant notre ère, selon plusieurs exégètes). Les travaux du naturaliste anglais Charles Darwin lui valurent de nombreuses oppositions de la part des Églises parce que : (1) il contestait la croyance selon laquelle Dieu avait créé des espèces immuables; (2) il s'opposait à l'idée voulant que l'homme ait toujours été l'être supérieur de la création; (3), il réfutait l'hypothèse selon laquelle toute modification, au sein du monde biologique, était le résultat d'un dessein, et plus spécialement d'un dessein divin.

À l'âge de vingt-deux-ans, Darwin s'était embarqué, à titre de naturaliste, à bord du *Beagle*, un navire de recherche qui devait naviguer autour du globe pendant cinq années (1831-1836). Dès le début de son périple, il amassa d'importantes collections : des fossiles en provenance des îles du Cap-Vert, des espèces disparues aussi grosses que des éléphants dans le lit des rivières d'Argentine, des poissons du Pacifique Sud. Mais ce fut dans l'archipel des Galapagos, au large des côtes de l'Équateur, qu'il trouva l'exemple le plus saisissant de la mutation des espèces. Darwin consacra le reste de sa vie à la préparation d'une théorie qui devait permettre d'expliquer ces différences et qui, en réalité, imposerait un modèle d'explication de l'origine de toutes les créatures vivantes et disparues, et de leurs relations entre elles et avec leur environnement. En 1859, il exposait sa théorie dans un ouvrage intitulé *De l'origine des espèces au moyen de la sélection naturelle*.

Darwin commençait son livre en soulignant que les espèces pouvaient changer, comme en témoigne la domestication des animaux et des plantes. Mais les espèces changent aussi dans leur nature et, selon lui, on ne pouvait expliquer ce changement que par le résultat d'une lutte pour la survie, résultat d'une tendance, parmi tous les groupes, à se multiplier en nombre.

Puisque les espèces donnent naissance à un nombre plus grand d'êtres que celui de ceux qui survivront, il s'ensuit une lutte constante pour la survie où les espèces les mieux adaptées survivront.[11]

Darwin attribuait cette «divergence de caractère» entre les formes de vie à l'existence de «variables», ou variations, qui faisaient en sorte qu'une plante ou un animal s'adaptait plus efficacement à son milieu. Les oiseaux

---

11 Cité par Philip Appleman (éd.), *Darwin*, New York, Norton, 1970, p. 103.

qui avaient un plumage leur permettant de se camoufler survivaient, alors que ce n'était pas le cas de ceux qui en étaient dépourvus. En elles-mêmes, ces variations étaient minimes, des différences «accidentelles» d'une espèce à l'autre, auxquelles Darwin ne pouvait pas donner d'explications, plus fréquentes chez les espèces qui étaient les plus adaptées dans la lutte pour la survie. La théorie suggérait que toute forme de vie améliorait sans cesse son adaptation à l'environnement.

Le concept d'un dessein divin était inutile, du moins selon une perspective biologique. La conséquence la plus surprenante de la théorie de Darwin, selon laquelle les espèces avaient évolué depuis un ancêtre commun, fut son application aux êtres humains. Non seulement Darwin contestait-il l'interprétation littérale de la Bible, mais il ajoutait que les êtres humains étaient apparentés biologiquement à tous les invertébrés et spécialement aux primates. Une levée de boucliers salua la publication de *L'origine des espèces*, menée par l'évêque d'Oxford qui accusa Darwin d'«une tendance à réduire la gloire divine dans la création.» Pour l'évêque, la théorie de la sélection naturelle «contredisait la relation révélée de la création avec son Créateur». Quant au cardinal catholique Manning, il fit remarquer que la théorie de Darwin était «une philosophie brutale, où la sagesse ne réside pas en Dieu et où notre Adam est un singe». Pour une fois, les catholiques et les protestants s'unissaient dans leur dénonciation. La controverse dura plus d'une trentaine d'années, pendant lesquelles l'opposition du clergé perdit beaucoup de sa ferveur. À partir des années 1890, les théories de Darwin devinrent généralement acceptées dans les milieux lettrés de la société. Pour plusieurs, Darwin avait pris place aux côtés de Newton, puisqu'il avait établi les lois régissant tout un champ de la connaissance scientifique.

À la fin du XIXᵉ siècle, les progrès de la physique transformèrent l'étude de la matière et créèrent un nouveau champ de connaissance. La nouvelle physique était le résultat de percées simultanées dans plusieurs domaines de l'expérimentation et de la théorie. Des expériences sur la nature de la radioactivité avaient été réalisées dans les années 1890 par Wilhelm Roentgen, qui avait découvert les rayons X, et par les chercheurs français Pierre et Marie Curie, qui démontrèrent que le radium émettait de l'énergie. En 1911, Ernest Rutherford, qui s'était déjà mérité le prix Nobel de chimie pour ses travaux sur la radioactivité, démontra que l'atome, loin d'être un corps solide, se composait d'un noyau chargé positivement, autour duquel gravitaient des particules chargées négativement, les électrons. En 1913, Niels Bohr se tourna vers la théorie quantique, qui avait été proposée par Max Planck en 1900 et avait été élaborée par Albert Einstein en 1905. Selon cette théorie, l'énergie qu'on appela *quanta*, était émise dans une série d'éjections discontinues, plutôt que dans un flot continu. En 1927, Werner Heisenberg affirmait que, à cause de l'extrême petitesse et du mouvement rapide des particules subatomiques comme les électrons, il était possible d'énoncer la probabilité *relative* de leur position

Einstein et la théorie de la relativité

Albert Einstein (1879-1955)
Einstein énonça sa théorie de la relativité en 1905, alors qu'il travaillait au Bureau des inventions techniques à Berne, en Suisse. Par la suite, il accepta des chaires d'enseignement à Zurich et Berlin, mais fut contraint de quitter l'Allemagne et de s'installer à l'université Princeton, après la prise du pouvoir par les nazis, en 1933.
(Archives nationales)

et de leur momentum, une théorie qui fut désignée par l'expression du principe de l'incertitude.

La grande renommée d'Einstein, comme physicien, résultait principalement de l'explication unifiée qu'il donnait aux phénomènes du monde physique qui étaient découverts lors des expériences des chercheurs. Né en Allemagne de parents juifs, il avait étudié la physique à l'université de Zurich. En 1905, alors qu'il travaillait au Bureau des inventions techniques à Berne, il publia cinq articles qui proposaient une nouvelle approche des concepts de base de la physique, affirmant que les concepts newtoniens de l'espace absolu, du temps et du mouvement devaient être mis de côté. En se fondant sur les expériences réalisées par A.A. Michelson et E.W. Morley au cours des années 1880, Einstein affirma que l'espace n'était pas rempli d'une substance appelée éther, à partir de laquelle on pouvait mesurer le mouvement, comme le voulait alors la théorie des scientifiques. Dans sa théorie spéciale de la relativité, il démontra que tout mouvement est fonction de la vitesse à laquelle se déplace l'observateur. Des observateurs voyageant à haute vitesse, par rapport à chacun d'entre eux, seront en désaccord quant à leur mesure du temps: ainsi, le temps est relatif au système dont il fait l'objet de l'observation. La masse est fonction de la vélocité, parce qu'elle augmente avec la vitesse. La masse et l'énergie sont des données interchangeables, et leur relation peut être définie par l'équation $E = mc^2$ (l'énergie est égale au produit de la masse et du carré de la vitesse de la lumière). En 1916, dans sa théorie générale de la relativité, Einstein démontra que le concept de l'espace absolu et du temps devait être remplacé par un continuum spacio-temporel en quatre dimensions. Il était particulièrement concerné par l'ajout d'une explication de la gravitation à ses théories, affirmant que la gravitation faisait courber les ondes lumineuses. Ses idées sur la courbure de l'espace lui valurent l'admiration populaire en 1919, lorsqu'une éclipse solaire prouva l'exactitude de sa prédiction selon laquelle les rayons lumineux se courberaient en passant près du soleil. Ainsi, les scientifiques jouèrent un rôle important en ébranlant la conception que l'humanité avait d'elle-même. Si l'espace, le temps et le mouvement ne pouvaient être considérés comme des réalités externes, restait-il d'autres certitudes?

L'ANALYSE DU SON

L'empereur François-Joseph d'Autriche *(Hoover Institution)*

Dans les domaines de la musique et de la peinture, Paris et Vienne continuaient d'être à l'avant-plan. Les artistes et les musiciens étaient attirés par ces villes bruyantes et excitantes, qui permettaient d'entrer facilement en contact avec d'autres artistes et offraient une vie agréable et des auditoires enthousiastes.

À Vienne, on avait l'impression d'assister à la fin brillante d'une grande époque. L'impulsion fut donnée en partie par l'empereur François-Joseph lui-même (1848-1916). Confronté à de continuelles tragédies personnelles, il était obstinément déterminé à jouer le rôle aimable mais distant de père pour son peuple. De grande taille, droit et arborant une grande moustache blanche, *der alte Herr* («le Vieil homme») régna à Vienne pendant près de soixante-dix ans et on n'avait qu'à le regarder pour voir revivre l'ancien empire. Selon un diplomate russe, lorsque l'empereur faisait une brève apparition à un bal de l'aristocratie, «ce n'était pas pour vivre quelques instants l'existence d'un simple mortel, mais pour incarner la majesté du souverain». Tous les habitants de Vienne s'abandonnaient à une sorte de nostalgie faites d'illusions bien entretenues. Johann Strauss était décédé en 1899, mais il avait été remplacé par Franz Lehar, un autre fabricant de rêves talentueux, qui composa *La Veuve joyeuse* en 1905. Bien plus qu'au cours de l'ère Biedermeier, Vienne vivait sous le charme de sa propre admiration, ses maisons étant décorées de gravures de ses rues, ses jardins renvoyant l'écho de chants célébrant son unique beauté, ses conversations remplies d'anecdotes de personnages viennois mémorables.

Les auditoires qui s'entassaient dans le nouvel édifice de l'opéra sur la Ringstrasse, après 1869, étaient satisfaits de la continuité et du développement de la grande tradition de la musique classique qui avait été patronnée par leurs grands-parents. Johannes Brahms (1833-1897), qui s'était établi à Vienne en 1863, était considéré comme celui qui avait maîtrisé l'art du contrepoint de Bach et la structure symphonique de Beethoven. Sa Première Symphonie lui valut les louanges des mélomanes viennois.

Brahms, Bruckner et Mahler

Quatre ans après la venue de Brahms à Vienne, Anton Bruckner (1824-1896) arrivait des provinces autrichiennes. Disciple de Richard Wagner, c'était un compositeur dont les cadences sans limites comblaient les auditoires des années 1870. Son orchestration était tellement riche que Brahms la trouvait choquante. Bruckner cherchait à recréer des forêts entières, des danses joyeuses et rustiques de paysans avec leurs chaussures de fer, des orages menaçants et des chasseurs au trot. Avec lui, la teinte émotive de la musique romantique atteignait une nouvelle dimension.

Après Bruckner, vint la musique encore plus expansive de Gustav Mahler (1860-1911). À titre de directeur de l'opéra et de chef de l'orchestre philharmonique, il connaissait mieux que Bruckner les instruments de l'orchestre. Dans sa Huitième Symphonie, intitulée *La Symphonie des Mille*, parce qu'elle exige un orchestre et un chœur énormes, il donnait l'impression d'introduire, dans la musique symphonique, cette combinaison de voix et d'instruments qui avait trouvé un idéal dans l'opéra. Toutefois, en dépit de l'embellissement de l'orchestre et des chœurs de sa musique, Mahler créait une nouvelle forme d'expression symphonique. Dans sa Neuvième Symphonie, en 1909, il plongeait au plus profond de sa personnalité, composant une musique cynique, autoritaire, nostalgique, délicate et tragique.

La musique atonale

L'œuvre de Mahler s'inscrivait néanmoins dans la tradition de la musique occidentale, que l'on composait à partir d'une gamme de sept notes, avec des clés majeures et mineures. La révolte envers la tonalité commença avec Arnold Schœnberg (1874-1951), un compositeur de grand talent, qui était originaire d'une famille juive de la classe moyenne. Schœnberg était insatisfait de tout, depuis l'éducation des enfants jusqu'aux tramways, et il proposait des remèdes à tous les maux de la société. Il fit ses débuts comme compositeur avec *Verklärte Nacht* (1899), un poème lyrique et moralisateur, où un homme pardonne à une femme de porter un enfant qui n'est pas le sien et, par sa compassion, transfigure la nuit. La clarté sinistre de la lune est suggérée par une nouvelle forme d'harmonie qui, avec le sujet du poème, choqua l'auditoire lors de la première en 1899. Déjà, en 1908, Schœnberg et deux de ses disciples, Alban Berg et Anton Webern, avaient abandonné la conception traditionnelle des clés. Le résultat en fut le son étrange et dérangeant de l'atonalité, que Schœnberg appelait la «tonalité flottante». Il affirmait que toutes les notes devraient avoir la même valeur, ce qui pouvait être obtenu grâce à une gamme de douze notes. Les notes répondaient alors au principe de la «série», selon lequel aucune des douze notes ne pouvait être répétée avant que ne soient jouées les onze autres notes. Cette tonalité sérielle serait répétée avec des variations de l'orchestration ou du volume et pouvait être utilisée avec toutes sortes de variations mathématiques, comme la configuration à l'envers ou sens dessus-dessous. Pour la plupart des gens, il était impossible de faire la distinction entre les tonalités sérielles qui étaient utilisées; la musique semblait avoir été composée sans véritable caractère. En réalité, Schœnberg avait créé un nouveau son que l'auditoire, soutenait-il, devait apprendre à entendre.

Berg et Webern

Mais ce fut Berg, un élève de Schœnberg qui, à partir de 1904, gagna à la nouvelle musique l'auditoire le plus considérable, quoique encore limité. Dans ses opéras *Wozzeck*, une attaque sauvage sur la cruauté de la guerre, et *Lulu*, une fantaisie freudienne jonchée de cadavres d'amants inefficaces, Berg démontra que l'action de la scène d'opéra pouvait accentuer le drame inhérent dans l'utilisation modérée de l'atonalité. Webern, un docteur en musicologie de l'université de Vienne, était un disciple naturel de Schœnberg. Pour lui, la gamme atonale présentait un attrait, à cause de sa capacité d'exprimer, dans sa forme la plus élémentaire, les émotions les plus profondes. Son œuvre complète peut être jouée en trois heures; à titre d'exemple, mentionnons qu'un de ses quartuors à cordes dure une minute. Schœnberg était attiré par la gamme à douze notes puisque, selon lui, il n'était pas nécessaire d'avoir un accord pour terminer un air de musique. Conformément à ce principe, après avoir étonné les auditeurs par des notes qui semblent n'avoir aucun lien entre elles, sa musique cesse brusquement.

Le Chevalier à la rose

Même les jeunes admettaient que Vienne s'était retrouvée, non pas dans Schœnberg ou Berg, mais dans la collaboration entre son meilleur poète, Hugo von Hofmannsthal (1874-1929) et le nouveau génie de l'opéra, Richard Strauss (1864-1949). Strauss était un irrépressible romantique qui avait du succès. Hofmannsthal faisait partie d'un groupe d'écrivains appelé la Jeune Vienne, qui se réunissait le soir au Café Griensteidel, afin d'insuffler une nouvelle vigueur à la littérature viennoise, en lui apportant une analyse des émotions humaines et de l'aberration mentale. Ils s'appelaient eux-mêmes les expressionnistes, parce qu'ils désiraient révéler la condition mentale de leurs personnages. C'est un miracle de la musique viennoise que Hofmannsthal ait été en mesure d'écrire un livret d'opéra, dont le personnage de Marschallin résume ce moment de fragile beauté et de conscience qu'une femme charmante ressent quand, pour la première fois, passe le souffle froid des années. Il est difficile de croire que la grande popularité du *Chevalier à la rose*, à Vienne, ait tenu dans le fait que les Viennois voyaient en Marschallin, et dans les valses de Strauss, le dilemme de leur ville vieillissante :

> *Je me souviens aussi d'une jeune fille*
> *Qui, à peine sortie du couvent, fut contrainte au sacrement du mariage.*
> *Où est-elle aujourd'hui ? Oui.*
> *Cherche la neige des années passées !*
> *Comment puis-je le dire aussi légèrement !*
> *Mais comment se peut-il*
> *Que j'aie été cette petite Resi*
> *Et qu'un jour je deviendrai une vieille femme,*
> *Une vieille femme, la vieille Marschallin !*
> *«Regarde, la voilà qui s'en va, la vieille princesse Resi !»*
> *Comment cela a-t-il pu se produire !*
> *Comment mon Dieu bien-aimé a-t-il pu nous faire une chose semblable !*
> *Alors que je suis la même personne qu'auparavant.*
> *Et s'il doit le faire ainsi*
> *Pourquoi me fait-il voir le changement*
> *De manière si criante ! Pourquoi ne me le cache-t-il pas !*
> *Tout ceci est un secret, un très grand secret,*
> *Et maintenant nous sommes ici pour l'endurer.*
> *Et dans le «comment»*
> *Se trouve ce qui fait toute la différence.*[12]

PARIS PENDANT LA BELLE ÉPOQUE

Plus qu'à toute autre époque, le Paris de la fin du siècle remplit le rôle de foyer de l'intellect européen qu'il combine avec l'esprit créateur et la séduction de la vie quotidienne. Pour l'auteur autrichien Stefan Zweig, qui y arriva en 1904 à l'âge de vingt-trois ans, Paris était «animé et exaltant» :

12 Hugo von Hofmannsthal, *Le Chevalier à la rose*, Acte I, (traduction).

Il n'y a qu'à Paris que l'on peut expérimenter cette naïve et sage liberté d'existence, là tout est glorieusement présent dans la beauté des formes, par la douceur du climat, par la richesse et la tradition. Chacun d'entre nous, jeunes gens, s'accaparait pour lui-même d'une partie de cette légèreté et, ce faisant, y apportait sa propre contribution : Chinois et Scandinaves, Espagnols et Grecs, Brésiliens et Canadiens, tous se sentaient chez eux le long des rives de la Seine. (...) Oh, avec quelle facilité et quel confort pouvait-on vivre à Paris, et plus particulièrement si l'on était jeune. (...) La seule difficulté était de demeurer ou de retourner à la maison, et tout spécialement au printemps lorsque le soleil jetait une douce lumière argentée sur la Seine, que les arbres des boulevards commençaient à bourgeonner et que les filles portaient des violettes qu'elles avaient achetées pour un penny. Mais ce n'était pas seulement le printemps parisien qui vous mettait d'une aussi bonne humeur.[13]

Paris était vraiment le centre artistique de l'Europe, et rares étaient les artistes ou les écrivains qui pouvaient s'en éloigner pour longtemps. Ils trouvaient dans cette ville leur inspiration, une stimulation réciproque grâce à de nouvelles expériences et des efforts d'imagination. Des États-Unis vinrent Henry James et Gertrude Stein; de Russie, Stravinsky, Diaghilev et Kandinsky; de Belgique, Maurice Mæterlinck; d'Italie, Modigliani; de Suisse, Le Corbusier; d'Espagne, Pablo Picasso; et d'Allemagne, Rainer Maria Rilke. Paris dominait l'Occident dans les domaines de la peinture et de la poésie et ne cédait le premier rang en musique qu'à Vienne.

L'attrait de Paris

Paris était le cadre incomparable d'une société caractérisée par l'individualisme et la complexité. Malgré l'essor industriel, les peintres parisiens pouvaient encore apprécier la lumière claire et argentée de l'Île-de-France, non seulement dans les villes avoisinantes comme Barbizon, mais au cœur même de Paris, comme en témoignent les scènes de la rue de Camille Pissarro. La population parisienne faisait partie de cette fascination. La centralisation à Paris du gouvernement, du commerce, des banques, des maisons d'édition, des théâtres et de la recherche médicale et scientifique avait drainé vers la ville une grande partie des personnes compétentes du pays. On y avait aussi concentré une grande partie de la richesse nationale, une grande partie de ce qui n'était pas gagné à Paris y était dépensé. La première impression qui se dégageait de Paris était celle d'une ville aisée, où se trouvait un nombre inégalé de grands restaurants, de boutiques, d'hippodromes et d'écuries, de théâtres, d'expositions internationales, de galeries d'art et de musées. Bien entendu, tout ceci était dû à l'extravagance de l'époque. Ce flot de dépenses entretenait une politique de divertissement pour une grande partie de Paris, et quiconque aurait voulu réformer cette situation aurait eu bien des difficultés à le faire. Avec la présence d'Édouard VII chez Maxim, celle de Sarah Bernhardt au Théâtre de la Nation et celle du roi de Prusse au Club des jockeys, les intellectuels eux-mêmes ne pouvaient qu'apprécier le spectacle; des

13 Stefan Zweig, *World of Yesterday*, New York, Viking, 1943, p. 127, 128, 130.

peintres comme Degas et Renoir faisaient les délices de tous, en peignant les étoffes somptueuses d'un couple dans une loge de l'Opéra ou le panorama coloré des courses au bois de Boulogne.

On tolérait cette vie débridée, parce qu'elle contribuait à améliorer le niveau de vie de l'ensemble de la population parisienne, ce qui devint plus évident après 1900. À l'exception des membres les plus pauvres de la classe ouvrière, les salaires permettaient de consacrer un peu d'argent au divertissement et, en général, la population parisienne était aussi déterminée que les gens aisés à profiter de la vie. Les membres des classes ouvrières parisiennes assistaient aux courses, bien qu'ils le fissent depuis le parterre au centre de la piste, plutôt qu'à partir des estrades. Comme le montrait Renoir, ils prenaient plaisir dans les loisirs nautiques sur la Seine ou, tel que le décrivent les tableaux pointillistes de Seurat, dans la baignade à l'île de la Grande Jatte. Ils remplissaient les salles de danse en plein air, comme celles de la butte de Montmartre, et spécialement au Moulin de la Galette, où Toulouse-Lautrec les trouvait en train de danser sous des lumières au gaz. Chacun exprimait cette *joie de vivre* qui émanait de Paris. Ce fut spécialement dans les salles de concert et les cafés que Paris atteint une espèce d'unité sociale. Le café, avec ses tables éparpillées sur les trottoirs des nouveaux boulevards, devenait un substitut aux salons qui étaient en déclin. Même s'il y avait encore quelques grandes dames pour perpétuer la tradition du XVIIIᵉ siècle, les intellectuels se rencontraient dans des cafés, tels le Napolitain ou le Weber. La peinture impressionniste

Au Moulin Rouge, par Toulouse-Lautrec (1864-1901)
Dans le célèbre cabaret de Montmartre, l'artiste se déplace au centre avec son cousin, tandis qu'à proximité, la danseuse La Goulue noue ses cheveux roux. (Gracieuseté de l'Institut des Arts de Chicago)

élaborait son credo autour des tables du Café Guerbois et celui de la Nouvelle Athènes où le compositeur Éric Satie deviendra plus tard pianiste de café. La conversation était difficile dans des endroits comme le Moulin Rouge ou le Chat Noir, où se produisait, pour Émile Zola et ses amis, Yvette Guilbert, une chanteuse à la voix gutturale, et où Toulouse-Lautrec peignait la danseuse surnommée La Goulue. En résumé, Paris semblait offrir une multitude d'expériences, comme le démontre Guillaume Apollinaire :

> Mais je connus dès lors quelle saveur a l'univers
> Je suis ivre d'avoir bu tout l'univers
> Sur le quai d'où je voyais l'onde couler et dormir les bélandres
> Écoutez-moi je suis le gosier de Paris
> Et je boirai encore s'il me plaît l'univers
> Écoutez mes chants d'universelle ivrognerie[14]

La vitalité devint moins cohérente à mesure que l'on progressait dans le XXᵉ siècle, bien que pour le poète Cendrars en 1913, les vues et les bruits de Paris fussent toujours symboliques d'un univers d'expériences :

> Les moteurs beuglent comme les taureaux d'or
> Les vaches du crépuscule broutent le Sacré-Cœur
> O Paris
> Gare centrale débarcadère des volontés carrefour des inquiétudes
> Seuls les marchands de couleur ont encore un peu de lumière sur leur porte
> La Compagnie Internationale des Wagons-lits et des Grands Express Européens
>   m'a envoyé son prospectus
> C'est la plus belle église du monde[15]

C'est dans cette atmosphère animée que les écrivains, les peintres et les musiciens de Paris s'engagèrent, à un rythme de plus en plus endiablé, dans un demi-siècle d'expériences. Ils laissaient derrière eux, non seulement les protecteurs des arts les plus conservateurs, mais aussi la majorité du public.

La foire des chevaux, par Rosa Bonheur (1822-1899)
R. Bonheur réalisait ses scènes de la vie rustique, représentant du bétail et des chevaux, à partir de la réalité, et c'est pourquoi le gouvernement français lui permettait de porter des vêtements masculins. (The Metropolitan Museum of Art, don de Cornelius Vanderbilt, 1887)

14 Guillaume Apollinaire, *Alcools suivi de Le Bestiaire*, Paris, Gallimard, 1920, p. 142.

15 Blaise Cendrars, *La Prose du Transsibérien* (1913), dans Le livre d'Or de la poésie française, Paris, Seghers, coll. Marabout Université, p. 373.

DE L'IMPRESSIONNISME AU CUBISME

e 1800 à 1875, Paris avait connu trois courants artistiques majeurs qui avaient été acceptés de façon générale et avaient ensuite succombé aux critiques: le romantisme, le réalisme et le naturalisme. Dans les années 1870, les représentants de l'école naturaliste, comme l'écrivain Zola ou le peintre Gustave Courbet, continuaient à défendre une approche artistique qui était presque scientifique par nature. Un peintre comme Rosa Bonheur (1822-1899) réalisait qu'elle pouvait, grâce à la vente de ses tableaux, avoir l'indépendance financière qui lui permettait de conserver son mode de vie peu orthodoxe. Elle portait des vêtements masculins, fumait la cigarette et refusait le mariage afin, selon elle, «de conserver mon propre nom». Des tableaux comme son imposante *Foire aux chevaux* firent l'objet d'une telle admiration qu'elle fut la première femme à être décorée de la Légion d'honneur. Toutefois, un nombre de jeunes

Gare Saint-Lazare à Paris, en 1877, par Claude Monet (1840-1926)
(Fogg Art Museum, Harvard University)

Paris aperçu depuis le Trocadero, par Berthe Morisot (1841-1895)

Les peintres impressionnistes aimaient dépeindre des paysages panoramiques vus du haut des collines, afin d'accentuer l'effet de la lumière changeante et de l'atmosphère sur une scène urbaine ou rurale, comme dans cette vue de Paris, aperçue depuis l'autre côté de la Seine, du haut de la colline du Trocadero. (The Santa Barbara Museum of Art, don de Mme Hugh N. Kirkland)

peintres était déterminé à pousser l'étude de la réalité au-delà de la conception de Courbet, pour qui la «peinture est essentiellement un art concret et ne consiste en rien d'autre que la représentation de choses réelles». La caméra à elle seule pouvait atteindre cette fin.

Les premiers pas vers le rejet du style naturaliste furent accomplis par Édouard Manet dans deux peintures dont le sujet, seul, avait réussi à choquer les sensibilités bourgeoises: deux jeunes hommes et une femme nue prenant un *Déjeuner sur l'herbe* et une courtisane nommé *Olympia*. Manet influença un groupe de peintres appelé les impressionnistes, un terme utilisé abusivement au départ, mais qui, par la suite, correspondait précisément à leur tentative d'immortaliser l'impression que provoquait la réalité extérieure sur leur sens visuel. Les impresssionnistes préféraient travailler au grand air, peignant directement la nature, parce qu'ils étaient surtout intéressés à la création d'une impression par la lumière et les couleurs. Le chef de file du mouvement impressionniste, Claude Monet, montrait le peu d'importance qu'il accordait à une scène particulière — son véritable sujet étant le changement de lumière dans différentes conditions atmosphériques — en peignant à plusieurs reprises la même scène sous des conditions changeantes de lumière, reprenant des sujets comme les meules de foin, les nénuphars, la gare Saint-Lazare ou l'église du sud à Amsterdam. Monet et Alfred Sisley faisaient preuve d'un intérêt particulier pour le jeu de la lumière sur l'eau où la dissociation d'avec la réalité est évidente. Sisley, par exemple, tira profit de la grande inondation de la vallée de la Seine, en 1876, pour dépeindre une série de rues et de prés inondés. La technique des impressionnistes était d'éviter de peindre trop

Une mère s'apprêtant à laver son enfant somnolent, par Mary Cassatt (1844-1926)
Cassatt se joignit aux impressionnistes en 1879 et, deux ans plus tard, au cours de leur sixième exposition, elle exposait une série de peintures intimes de la famille de son frère, qui comprenait le thème classique de la mère et de l'enfant. (Los Angeles County Museum of Art, Mrs. Fred Hathaway Bixby Bequest)

précisément leur sujet en utilisant des lignes. Au contraire, il s'agissait de poser de larges taches de couleur, qui devaient, à distance, allumer dans les yeux de l'observateur un sens de la perspective et rehausser le caractère scintillant des couleurs. Cette technique pouvait être transposée des paysages de l'extérieur de Paris aux rues de la ville, comme l'a démontré Camille Pissarro. Elle pouvait aussi s'appliquer à une vue panoramique de Paris scintillant sous le soleil d'été, comme dans le tableau de Berthe Morisot, *Paris aperçu depuis le Trocadero*. Auguste Renoir utilisa cette technique pour trouver une nouvelle beauté au corps féminin, qu'il soit ou non vêtu.

L'apogée de la période des impressionnistes se situe entre leur première exposition indépendante en 1874 et leur dernière en 1886. À partir de ce moment, leur conception du rôle de l'artiste, comme témoin d'impressions sensibles éphémères, avait été mise au défi par plusieurs peintres, désignés comme étant les post-impressionnistes. Paul Cézanne, le chef de file de cette nouvelle école, affirmait que l'artiste devait passer de l'instant fugitif à l'éternité. À l'aide d'une discipline de l'esprit, il devait imposer sa conception propre au sujet qu'il était en train de peindre. Ceci impliquait, d'une part, un retour aux lignes «classiques» et à un design strict

Le post-impressionnisme

Des meules de foin, par Vincent Van Gogh (1853-1890)
Même dans un dessin en noir et blanc, Van Gogh pouvait présenter la chaleur intense et vibrante d'un paysage de Provence. (Philadelphia Museum of Art, Samuel S. White III and Vera White Collection)

et, d'autre part, l'implication intellectuelle du peintre dans la scène. Plus que jamais déterminé à discipliner le sujet de son travail, Cézanne était convaincu que la réponse résidait dans la géométrie, dans la réduction de la diversité des formes de la nature aux formes élémentaires de la sphère, du cône et du prisme. Dans ses paysages des collines de Provence, on constate que la vision impressionniste évolua lentement d'une toile à l'autre, jusqu'au moment où un paysage fut représenté d'une manière abstraite.

Pour Paul Gauguin — le fils d'une famille aisée de la bourgeoisie, qui avait abandonné le monde artificiel de la France pour trouver sa propre réalité parmi les paysages et les sociétés primitives des mers du Sud —, le rôle essentiel du peintre était de créer une compréhension de l'humanité par un recours à ses plus profondes émotions. «D'où venons-nous? Qui sommes-nous? Où allons-nous?», se demandait-il constamment. Sa réponse consistait en une présentation presque mystique de la vie des insulaires des mers du Sud chez qui, selon lui, on trouvait un sens de la réalité que l'Europe civilisée avait perdu depuis longtemps.

La fraîcheur du style de Suzanne Valadon résidait dans sa nature autodidacte; mais comme elle avait servi de modèle pour Renoir et Toulouse-Lautrec, elle avait aussi appris en observant les maîtres. Degas, encore une fois, fut l'artiste qui reconnut son talent et, à partir de 1890, elle développait un style dont l'exotisme et l'énergie nerveuse allaient influencer des peintres post-impressionnistes comme Vincent Van Gogh. Elle apporta une autre contribution à l'art français en enseignant la peinture à Maurice Utrillo, son fils illégitime.

Ce fut le Hollandais Vincent Van Gogh, qui avait passé les dernières années tourmentées de sa vie dans le sud de la France, qui connut le plus de succès en transformant les éléments de base de la peinture, les couleurs, en symboles exprimant une vision intérieure de la vérité. «Pour exprimer les sentiments de deux amoureux, le mariage de deux couleurs complémentaires, leur mélange et leur contraste, les vibrations mystérieuses des teintes dans leur proximité. Pour exprimer la pensée derrière un sourcil, l'éclat d'une teinte vive sur un fond sombre. Pour exprimer l'espoir par une quelconque étoile, l'ardeur d'être dans l'éclat d'un soleil couchant.»[16] Mais Van Gogh pouvait exprimer la même intensité intérieure dans un dessin en noir et blanc, où la flamme ardente des émotions pouvait se retrouver dans le mouvement des branches ou de l'herbe vacillant sous le vent. Van Gogh — et c'était son vœu — réussit à approcher de très près l'essence de la musique et de la poésie, à une époque où toutes deux cherchaient à s'incarner grâce au symbolisme.

L'école symboliste de la poésie fut une création française, un autre aspect de l'attaque contre le réalisme. Pour échapper à la représentation concrète et détaillée d'une perception purement rationnelle, les symbolistes privilégièrent les qualités du symbole qu'ils aimaient pour son effet d'intensité. L'Église chrétienne avait utilisé le ciel et l'enfer comme symboles; le poète pouvait, lui aussi, utiliser des mots qui évoquaient en lui certaines expériences passionnées, des souvenirs ou des réactions inconscientes. Les symbolistes estimaient que Wagner avaient réussi à atteindre cet objectif en musique, par son utilisation du *leitmotiv*. Le poète devait utiliser les mots à la façon du musicien. *De la musique encore et toujours*, écrivait Verlaine:

Le symbolisme

> *De la musique encore et toujours!*
> *Que ton vers soit la chose envolée*
> *Qu'on sent qui fuit d'une âme en allée*
> *Vers d'autres cieux à d'autres amours.*
>
> *Que ton vers soit la bonne aventure*
> *Éparse au vent crispé du matin*
> *Qui va fleurant la menthe et le thym...*
> *Et tout le reste est littérature.*

À partir de 1900, il semblait qu'il y avait une pratique courante parmi les artistes, les poètes et les musiciens qui vivaient à Paris. Comme à l'accoutumée, le succès d'une idée — comme en témoignent la participation des impressionnistes et des post-impressionnistes à l'Exposition universelle de 1900 et la vente de tableaux à des collectionneurs américains, sinon français — fut immédiatement suivi d'une réaction.

Le fauvisme et le cubisme

16 Cité par Weber, *Paths to the Present*, p. 202.

Les Demoiselles d'Avignon, par Pablo Picasso (1881-1973). Huile sur canvas, 8' x 7'8".
Picasso a réalisé et exposé pour la première fois cette toile, représentant des jeunes femmes d'Avignon, en 1907. Même s'il était retourné aux formes géométriques de Cézanne, la distorsion des corps représentait sa propre tentative de résoudre le problème de la représentation simultanée de tous les aspects de la personne humaine. (Collection, Museum of Modern Art, New York. Acquired through the Lillie P. Bliss Bequest)

Les artistes en révolte, surnommés *les fauves*, à cause de leur conception violente des arts, était quelque chose de tout à fait nouveau. Le chef de file des fauves était Henri Matisse, qui expliquait ainsi leur utilisation audacieuse de couleurs brutales et discordantes :

L'expression n'est pas pour moi une passion que reflète un visage ou que trahit un geste violent. Toute la conception de mon tableau est expressive. La place qu'occupent les figures et les objets, le vide qui les entoure, les proportions, tout joue un rôle. La composition, c'est l'art d'arranger sous une forme décorative, les divers éléments qui sont à la disposition du peintre, en vue de l'expression de ses sentiments.[17]

Si Paris trouvait déconcertantes les couleurs de Matisse et de Georges Rouault, il fut davantage choqué par la première exposition de peintures cubistes en 1907, pendant laquelle Pablo Picasso, un émigré espagnol, exposa *Les Demoiselles d'Avignon*. Picasso qui, à cette époque, était influencé par les paysages géométriques de Cézanne, avait adopté une

17 Cité par Herbert Read, *A Concise History of Modern Painting*, New York, Præger, 1968, p. 38.

approche géométrique de la personne humaine. Non seulement Picasso et les autres cubistes qui se joignirent à lui à cette époque, y compris Georges Braque et Fernand Léger, cherchaient à construire des figures géométriques, mais ils fragmentèrent délibérément leurs sujets, comme s'ils étaient vus à travers une mosaïque de miroirs. Ils passèrent ensuite à une plus grande distorsion avec le collage, une technique qui permettait de représenter l'inconscient. Fernand Léger expliquait ainsi les objectifs poursuivis par le peintre cubiste :

Les arbres cessent d'être des arbres, une ombre traverse la main posée sur le comptoir, un œil déformé par la lumière, les silhouettes changeantes des passants. L'existence des fragments : un ongle rouge, un œil, une bouche. Les effets élastiques produits par des couleurs complémentaires qui avaient transformé les objets en une autre réalité. Il se remplit de tout cela, puisant dans l'ensemble une instantanéité vitale qui le transperce de toutes parts. Il est une éponge : une sensation d'être une éponge, transparence, intensité, nouveau réalisme.[18]

À vrai dire, ce qui avait été réalisé, c'était le point de départ de tout l'art moderne. L'image avait été enfin libérée de sa relation avec son sujet. Le peintre était passé de la représentation d'un objet à l'interprétation d'un objet et, finalement, à l'idée suggérée par cet objet. La peinture existait maintenant par elle-même comme une association libre d'images tirées de l'esprit de l'artiste, avec leur propre réalité objective qu'on retrouvait dans la peinture. Il devint dès lors possible de glisser vers des formes d'art encore plus révolutionnaires. Déjà, avant 1914, on avait posé les principes du surréalisme, du dadaïsme, du futurisme et de l'art abstrait.

Mais les artistes parisiens constituaient une coterie de plus en plus isolée et incompréhensible. Lorsque *Le Sacre du Printemps* de Stravinsky apporta ses rythmes endiablés et son histoire dérangeante de sacrifice humain sur la scène en 1913, on ne put entendre la musique à cause des huées des spectateurs.

18 *Ibid.*, p. 88 (traduction).

21

BERLIN SOUS LE KAISER

Depuis 1870, alors que Berlin, la petite capitale bien prosaïque et nulle-
ment opulente du royaume de Prusse était devenue la résidence de
l'empereur d'Allemagne, cette petite ville sans prétentions des bords de
la Spree avait pris un essor formidable... Les grands consortiums, les
familles opulentes se fixaient à Berlin, et une nouvelle richesse associée
à l'audace et à l'esprit d'entreprise offrait à l'architecture, et au théâtre
plus de possibilités qu'en aucune grande ville d'Allemagne.

C'est justement à cette époque de transition, où la simple capitale
s'élevait au rang de ville mondiale, que j'arrivai à Berlin — Stefan Zweig,
sur Berlin, au début des années 1900.

Même si le kaiser Guillaume II d'Allemagne (empereur de 1888 à 1918) n'était pas un homme particulièrement réaliste, il était tout de même suffisamment conscient du manque d'attractions de sa capitale.
«La gloire des Parisiens empêche les Berlinois de dormir,»
répondit-il lorsque son chancelier lui suggéra d'organiser une
exposition mondiale à Berlin en 1892. «Paris est le lupanar du
monde; c'est ce qui la rend attirante, indépendamment de
toute exposition. Il n'y a rien à Berlin qui puisse captiver
l'étranger, sauf quelques musées, quelques châteaux et
quelques soldats. Après six jours, son livre [guide] rouge en
main, il a tout vu et il quitte, soulagé, avec le sentiment
d'avoir accompli son devoir. Les Berlinois ne voient pas ces
choses clairement et ils seraient très contrariés de les
apprendre. Mais c'est pourtant le véritable obstacle à une
exposition.»[1]

1 Gerhard Masur, *Imperial Berlin*, New York, Basic Books, 1971, p. 125-126.

(Page de gauche) La cathédrale de Berlin (*H. Roger-Viollet*); (en mortaise) Le
kaiser Guillaume II.   (Gracieuseté du Centre allemand de l'Information)

En 1786, Berlin, avec une population de presque 150 000 habitants, était un bon exemple de capitale princière modérément attrayante dans une Allemagne divisée en plus de 300 États. Chacun des souverains du dernier siècle et demi avait marqué la ville grandissante de son empreinte. La femme du Grand Électeur avait fait construire l'avenue la plus célèbre de la ville, Unter den Linden, qui se dirigeait vers l'ouest en partant du palais. Le palais lui-même avait été doté d'une nouvelle façade baroque lorsque le successeur du Grand Électeur, Frédéric Ier, qui avait pris le titre de roi, décida de laisser Andreas Schlüter, le plus grand architecte et urbaniste d'Allemagne, élever Berlin à un rang digne de son nouveau statut de capitale royale. Quant à Frédéric II, il créa des deux côtés d'Unter den Linden une des grandes places publiques du XVIIIe siècle, le forum Fredericianum. La façade classique du palais du frère du roi se trouvait

◆ *Berlin sous le Kaiser* ◆

Période étudiée	Le gouvernement de Bismarck (1862-1890) et le règne du kaiser Guillaume II (1888-1918)
Population	657 690 (1865); 964 240 (1875); 1,5 million (1889); 1,9 million (1900); 2 millions (1910)
Superficie	Vieille ville, 7,4 kilomètres carrés; Berlin métropolitain, 74 kilomètres carrés (1910)
Forme de gouvernement	Empire autoritaire. Le gouvernement est constitué de deux chambres législatives (Le Bundesrat, choisi par les gouvernements des États et le Reichstag, élu au suffrage universel masculin) et d'un exécutif (chancelier nommé par l'empereur). La ville est dirigée par un maire et un conseil municipal.
Dirigeants politiques	Empereurs: Guillaume I et Guillaume II. Chanceliers: Bismarck (1862-1890), Caprivi (1890-1894), Hohenlohe-Schillingsfürst (1894-1900), Bülow (1900-1909), Bethmann-Hollweg (1909-1916); Chefs de partis: August Bebel (social-démocrate); Ludwig Windthorst (centre); Eduard Lasker, Rudolf von Bennigsen (national-libéral)
Base économique	Administrations impériale et prussienne; activités financières (banques et Bourse); ingénierie lourde; appareils électriques; produits chimiques; édition.
Vie intellectuelle	Musique (Hans von Bülow, Johannes Brahms, Richard Strauss); théâtre (Gerhart Hauptmann); roman (Theodor Fontane); poésie (Stefan George, Georg Heym, Rainer Maria Rilke); peinture (Oskar Kokoschka, Käthe Kollwitz); science (Max Planck, Albert Einstein)
Principaux immeubles	Avant 1871: Le Forum Fredericianum, la porte de Brandebourg, Neue Wache, le Vieux Musée, l'Ancien Palais, le château de Charlottenbourg Après 1871: L'île des musées, la cathédrale, l'église commémorative du kaiser Guillaume, le Reichstag, le quartier général de l'état-major
Divertissements publics	Parades et manœuvres militaires; gymnastique, randonnées pédestre et cycliste; spectacles (théâtre, opéra et orchestre symphonique); brasseries
Religion	Luthéranisme, catholicisme, judaïsme

d'un côté de la rue; ce palais deviendrait bientôt l'université de Berlin. Le nouvel opéra, le dôme d'une église catholique et la façade arrondie de la Bibliothèque royale lui faisaient face. Avec l'achèvement du forum de Frédéric, Berlin possédait un centre monumental d'une grande dignité et la porte de Brandebourg, construite de 1788 à 1791 à l'extrémité occidentale d'Unter den Linden, en soulignait l'importance.

Le style classique, en train de renaître, remplaça le style rococo durant la génération qui suivit et le style qui fut créé alors domina la première décennie du XIXe siècle. Les architectes du Berlin monumental de l'époque espéraient y créer une synthèse d'Athènes et de Rome, ce qui correspondait, jusqu'à un certain point, à la vision des dirigeants politiques qui croyaient que Berlin pouvait être une combinaison d'esprit *(Geist)* et de

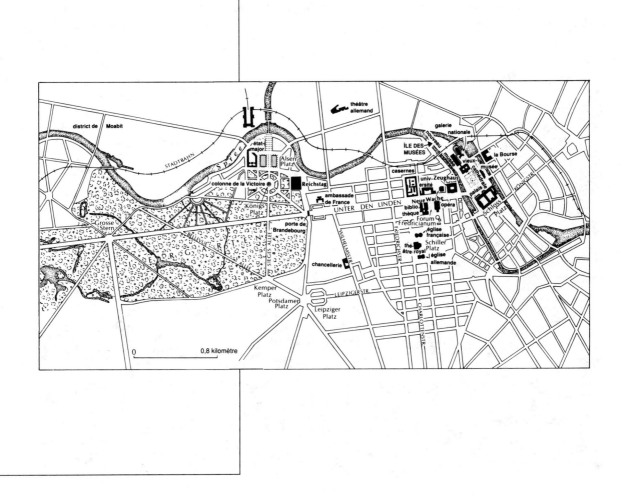

puissance *(Macht)*. La porte de Brandebourg était une version dorique d'un arc de triomphe romain. Le portique du corps de garde, le Neue Wache, avait été construit dans le style du Parthénon et servait d'entrée à une forteresse romaine carrée. Le vieux musée de l'architecte Karl Friedrich Schinkel, l'homme qui fut peut-être plus responsable que quiconque de l'apparence du cœur de Berlin, était une longue basilique, comme celle de Jules César à Rome, masquée par une façade de colonnes ioniennes. N'oublions pas l'Île des musées sur la Spree, un concept totalement nouveau pour Berlin et les autres cités. Consacrée «sanctuaire de l'art et de la connaissance» par le roi, l'Île fut développée au cours des cent années qui suivirent, en l'un des trois ou quatre grands complexes muséologiques du monde.

Pourtant, pendant la plus grande partie du XIXe siècle, le développement de Berlin fut terne malgré son ampleur. Après la brève période qui vit la Prusse mener la révolte nationale contre Napoléon, alors que les réformes de Stein et de Hardenberg avaient revigoré la vie politique de Berlin et que les frères Humboldt avaient donné un souffle nouveau à sa vie intellectuelle, elle s'affaissa dans sa passivité petite-bourgeoise. La vie intellectuelle allemande était concentrée à Weimar, où Gœthe la domina

Berlin en 1815
En 1815, le nouveau palais royal de style baroque et les coupoles néo-classiques des églises jumelles, bâties à l'intention respectivement des protestants français et allemands, étaient les points de repère les plus remarquables de Berlin. Ils étaient visibles des prés qui entouraient la ville. (Gracieuseté du Centre allemand de l'Information)

jusqu'en 1832. Mais à Berlin, Hegel et ses disciples enseignaient (à Karl Marx entre autres) la philosophie de la dialectique ainsi que la personnification du pouvoir absolu par l'État prussien.

En Prusse, après que le roi eut renvoyé les ministres réformateurs en 1819, le climat devint plus propice aux changements économiques que politiques. Dans les provinces de la Rhénanie que la Prusse avait acquises en 1815, les premières grandes entreprises de sidérurgie et d'ingénierie furent fondées dans les années 1830 et 1840. À Berlin même, l'usine de locomotives Borsig annonçait la création des grosses usines d'ingénierie de l'avenir. Ce fut surtout l'expansion du réseau ferroviaire et la formation de la *Zollverein*, une union douanière réunissant la plupart des États allemands, qui stimula l'essor de ces usines. En 1848, la population de Berlin atteignait 400 000 habitants dont une grande partie vivait dans des conditions misérables dans la nouvelle banlieue de Moabit. Ni l'industrialisation, ni la répression politique n'avaient pu transformer les Berlinois en révolutionnaires. L'échec de la révolution de 1848 à Berlin lié à l'effondrement de la tentative d'unification de l'Allemagne par le Parlement de Francfort aurait pu permettre à Berlin d'unifier l'Allemagne. Berlin serait ainsi devenue la capitale impériale d'un pays unifié par la puissance militaire de la Prusse.

Mais pendant les années 1850, le gouvernement prussien ne semblait pas vouloir s'apercevoir de la bonne occasion que l'échec du Parlement de Francfort lui offrait. Le roi Frédéric-Guillaume IV (1840-1861), succombait lentement aux troubles mentaux qui le forcèrent, trois ans avant sa mort, à céder la régence à son frère Guillaume Ier (1861-1868). Les plus hautes positions sociales et politiques appartenaient à l'aristocratie terrienne et surtout à la petite noblesse semi-féodale de Prusse orientale et de la lignée de Brandebourg, qui montraient peu d'intérêt pour l'Allemagne occidentale ou pour l'Allemagne du Sud. La classe moyenne, ravie de la rapidité de la croissance de l'économie prussienne, propulsée par la grande vague de construction ferroviaire, était de plus en plus consciente des bénéfices d'une unification économique de l'Allemagne, mais elle ne savait pas comment y arriver. La constitution prussienne, octroyée par le roi après la défaite des forces révolutionnaires à Berlin, donnait aux membres les plus riches de la classe moyenne la majorité dans la Chambre basse de la législature, le Landtag, au moyen d'un système électoral qui favorisait les plus gros payeurs de taxes. Les aristocrates s'étaient retranchés dans la Chambre haute. Ils y étaient nommés par le roi, qui gardait toutefois la maîtrise du pouvoir exécutif, et la direction de la politique extérieure et de l'armée.

En 1860-1861, cependant, les libéraux qui constituaient le Parti du progrès à la Chambre basse s'opposèrent à une réorganisation de l'armée qui aurait augmenté le temps de conscription à trois ans, doublé les effectifs de l'armée et diminué sévèrement l'importance de la milice civile. Les libéraux, avec raison, accusèrent le gouvernement de vouloir réduire l'importance des officiers de la milice, qui faisaient partie de la classe moyenne, de chercher à inculquer à la population un sens de la discipline plus militaire et une plus grande admiration pour la monarchie, et de tenter d'étendre le rôle de la noblesse terrienne dans l'armée. En 1862, la Chambre basse refusa de passer une augmentation de budget pour la réorganisation de l'armée. Il en résulta une impasse constitutionnelle. Le roi et les conservateurs accusèrent les libéraux de tenter de prendre les commandes de l'État, et ceux-ci les accusèrent en retour d'essayer de le militariser. Le roi Guillaume résolut l'impasse en nommant un nouveau ministre-président, Otto von Bismarck. En neuf ans, Bismarck allait transformer Berlin, la capitale du royaume prussien de 18 millions d'habitants, en capitale de l'empire allemand, le deuxième Reich, un État de presque 40 millions d'habitants.

DE CAPITALE ROYALE À CAPITALE IMPÉRIALE, 1862-1871

Pour parvenir à cette fin, Bismarck avait dû écraser l'opposition libérale en Prusse, créer une armée moderne, rallier le nationalisme de l'Allemagne du Nord derrière la Prusse, défaire l'Autriche et la bouter hors du pays. Il avait dû aussi unifier les États du sud sous le commandement de la Prusse, en les menant à la victoire dans la guerre contre la France.

Le génie de Bismarck comme politicien international, venait de son astuce à manipuler les ambitions et les rivalités des autres puissances d'Europe. Là où Metternich avait utilisé son habilité diplomatique afin de décourager le changement, Bismarck utilisait, dans les années 1860, sa maîtrise tout aussi parfaite afin d'instituer des changements qui profiteraient à la Prusse tout en affaiblissant ses ennemis. La France et l'Autriche étaient les deux ennemis qui menaçaient le plus ses plans pour l'unification de l'Allemagne; mais ces deux puissances étaient en train de s'affronter à cause de l'appui de la France aux partisans de la formation d'un État italien uni.

Pendant les années 1850, le Second Empire de Napoléon III paraissait l'État le plus puissant d'Europe. Les excès et l'incompétence des radicaux et des socialistes du gouvernement républicain avaient provoqué une désillusion croissante dans plusieurs secteurs de la population française, ce qui avait amené l'élection, en décembre 1848, de Louis Napoléon Bonaparte au poste de président de la IIe République de France. Il avait promis un retour à l'ordre, une relance économique et le retour du prestige extérieur de la France. Pendant trois ans, il manipula les partis politiques en Chambre, afin d'écarter les fervents républicains d'une coalition plus conservatrice allant des monarchistes et des bonapartistes aux républicains modérés. Il nomma aussi des partisans à la tête de l'armée et de la police de Paris. En décembre 1851, lors d'un rapide coup d'État, il renversa le système constitutionnel de 1848 et se proclama président pour dix ans avec une maîtrise absolue sur l'exécutif. Un an plus tard, la majorité de la population française appuya un plébiscite qui le nommait empereur de France.

Le Second Empire de France

Napoléon III fit de grands efforts pour stimuler la croissance économique de la France. Il transforma le système bancaire français en encourageant la fondation de plusieurs grandes banques au service de la nouvelle industrie, des fermiers, des citadins ainsi que des compagnies de chemins de fer et de transport maritime. La mobilisation de l'épargne de plusieurs petits investisseurs permit de faire des prêts aux gouvernements étrangers pour des projets d'envergure. Des progrès énormes furent accomplis pour mener à terme le réseau ferroviaire français. Quinze mille kilomètres de nouvelles voies furent placés et on fit un effort spécial afin d'amener le système de transport national aux régions isolées. Pour augmenter la stimulation créée par la compétition étrangère et afin d'aider à ouvrir les marchés étrangers aux exportations françaises, Napoléon III adopta une politique de libre-échange et négocia des traités de réduction de tarifs douaniers avec ses partenaires commerciaux les plus importants. Le résultat de ces politiques fut un boom économique qui augmenta substantiellement le niveau de vie de la population française. La production de charbon et de produits métallurgiques tripla, tout comme le volume du commerce avec l'extérieur. La bourgeoisie financière et industrielle et, plus faiblement, les professionnels et les fonctionnaires de la classe moyenne profitèrent de la nouvelle prospérité. Même les salaires des gens de la classe ouvrière augmentèrent, mais plus lentement, tandis que les améliorations du transport et de la technologie aidaient la population agricole.

La démonstration la plus évidente de la prospérité du nouveau régime apparut lors de la reconstruction du centre de Paris entreprise par l'empereur et par le préfet de la Seine, Georges Haussmann. Celui-ci se servit des pouvoirs dictatoriaux de l'empire pour outrepasser les droits fonciers, les exigences de conservation historique ou esthétique et les difficultés financières, dans le but d'ouvrir le cœur médiéval malodorant de la cité. Il construisit cent trente-six kilomètres de nouvelles rues, y imposant une uniformité de style et de hauteur. Un grand nombre d'entre elles traversaient directement les quartiers ouvriers où les barricades avaient été érigées durant les révolutions précédentes. Il réduisit l'incidence du choléra en fournissant aux gens de l'eau pure à la place de l'eau polluée qu'ils tiraient de la Seine. Sous la ville, il creusa de vastes égouts dont le réseau souterrain serait plus tard utilisé par les services publics. Enfin, sur les abords de la ville il créa de nouveaux parcs, surtout le bois de Boulogne à l'ouest et le bois de Vincennes à l'est, qui allaient devenir les poumons de la ville.

Paris devint ainsi, plus qu'auparavant, la capitale touristique de l'Europe. La cour impériale des Tuileries, présidée par l'empereur et Eugénie, sa belle impératrice espagnole, était la plus brillante d'Europe. Le reste de l'Europe ainsi que l'Amérique du Nord calquaient leurs modes sur celles de la France. Les nouveaux grands magasins à rayons, comme le Bon Marché et la Samaritaine, offraient un étalage invitant de produits français et étrangers. Le nouvel Opéra de Paris attirait les meilleurs chanteurs d'Europe, tandis que des foules enthousiastes se ruaient aux représentations des opérettes d'Offenbach ou aux toutes nouvelles Folies Bergères. Pour démontrer les réalisations de son empire, Napoléon organisa deux splendides expositions, la première en 1855 et la seconde en 1867, suivant le modèle du Palais de Cristal de Londres de 1851.

À l'extérieur, Napoléon III avait l'intention de devenir l'arbitre de la diplomatie européenne. Ses deux buts constants, malgré de fréquentes hésitations et de nombreux changements de direction, furent un appui aux mouvements nationalistes en Europe (sauf en Allemagne) et, tout comme son oncle Napoléon Ier, la recherche de la gloire en annexant des territoires à la France, surtout le long de ses frontières orientales. La première grande aventure militaire de Napoléon III, son intervention dans la guerre de Crimée (1853-1856), fut son plus grand triomphe en politique internationale. En juillet 1853, les armées russes avaient envahi les principautés de Moldavie et de Valachie, le noyau de la Roumanie moderne, sous prétexte de protéger les chrétiens orthodoxes de l'Empire ottoman. En novembre, la marine russe coulait une escadre turque. Napoléon, de concert avec le gouvernement britannique, déclara la guerre à la Russie, afin d'éviter l'établissement d'une hégémonie russe dans la péninsule balkanique. La guerre fut un gâchis des deux côtés. Un demi-million d'hommes périrent en Crimée dans des combats qui prirent fin avec la prise de la forteresse de Sébastopol par les forces franco-britanniques. La Russie accepta finalement les termes des Français et des Britanniques et Napoléon profita de la conférence de paix qui eut lieu à Paris en 1856 pour s'afficher comme le champion de l'autonomie des Roumains de Moldavie et de Valachie. De plus, il s'assura que le Piémont-Sardaigne puisse faire connaître ses revendications quant à l'expulsion des Autrichiens de leur province italienne de Lombardie. Pour l'Autriche, la France était devenue la menace la plus pressante à la conservation de son empire multinational, Napoléon s'étant déclaré sans équivoque, partisan de l'expansion du Piémont-Sardaigne vers les territoires autrichiens du nord de l'Italie.

L'allié du gouvernement français en Italie, l'État de Piémont-Sardaigne, était dirigé par des chefs beaucoup plus réalistes que les révolutionnaires précédents (Mazzini et Manin). Le comte Camillo Cavour, qui devint ministre en chef du Piémont-Sardaigne en 1852, planifia froidement et laborieusement l'unification de l'Italie par son propre État et sa famille royale, la seule dynastie autochtone de la péninsule. Il soigna l'image du Piémont, modernisa son industrie et partit à la recherche d'alliés fiables contre l'Autriche. Après des années de marchandage avec Napoléon et de propagande habile parmi les divers groupes nationalistes d'Italie, Cavour provoqua une guerre entre l'Autriche et le Piémont, en avril 1859. Ses plans bien orchestrés se réalisèrent aussitôt: la France vint à l'aide du Piémont et vainquit les armées autrichiennes en Lombardie en sa faveur. Des soulèvements nationalistes furent provoqués dans les États du centre de l'Italie, dont la population exigea l'unification avec le Piémont. Lorsque Garibaldi conquit Naples et la Sicile sans l'appui ou l'autorisation du Piémont, une armée piémontaise fut envoyée pour le contraindre à remettre ses nouvelles possessions — ce qu'il fit paisiblement et avec panache, au grand soulagement de Cavour. En 1860, le Piémont avait ainsi réussi à réunir toute l'italie, sauf Venise et

L'unification de l'Italie

L'Opéra de Paris
Charles Garnier tenta de créer un «style Napoléon III» dérivé du baroque en traçant les plans de l'imposant théâtre de l'Opéra. Cet édifice devait être l'un des centres d'attraction de la reconstruction du centre de Paris par Haussmann. Même si l'Opéra est le plus grand théâtre au monde, il ne compte que 2 200 sièges. (Peter Menzel)

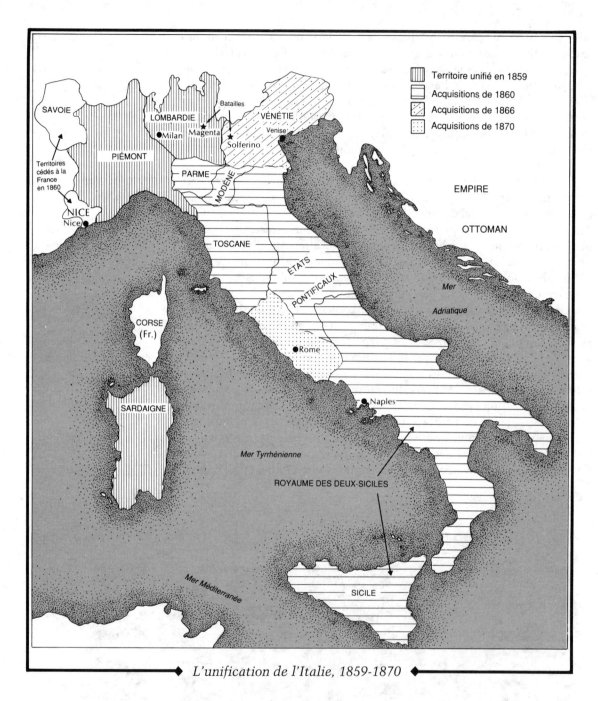

Territoire unifié en 1859
Acquisitions de 1860
Acquisitions de 1866
Acquisitions de 1870

SAVOIE

LOMBARDIE
Batailles

VÉNÉTIE
Venise

PIÉMONT
● Milan ★ Magenta
Solferino ★

Territoires
cédés à la
France
en 1860

PARME

MODÈNE

NICE
● Nice

EMPIRE

OTTOMAN

TOSCANE

ÉTATS

PONTIFICAUX

Mer
Adriatique

CORSE
(Fr.)

● Rome

SARDAIGNE

● Naples

Mer Tyrrhénienne

ROYAUME DES DEUX-SICILES

Mer Méditerranée

SICILE

◆ *L'unification de l'Italie, 1859-1870* ◆

une partie des États pontificaux, sous la couronne de son roi, Victor-Emmanuel II. Le prix en avait été la cession à la France de Nice et de la Savoie. L'Autriche, le grand obstacle à l'unification italienne depuis 1815, s'était écroulée honteusement.

Bismarck voulait l'unification de l'Allemagne et il ne cachait ni ses buts, ni ses méthodes. Son milieu et son caractère le prédisposaient à l'autoritarisme. «Je ne suis pas un démocrate et je ne peux pas en être un! Je suis né et j'ai été élevé en aristocrate.» De plus sa loyauté envers la monarchie prussienne était inébranlable, quoique réaliste. «J'ai ma façon de prendre le roi, je l'influence, je lui fais confiance, je le guide, mais il est au centre de ma réflexion et de mes actions, le point d'appui du levier qui me permettra de soulever le monde». Cependant, Bismarck était loin d'être un hobereau reclus, il avait étudié le droit à Göttingen et à Berlin et avait acquis de l'expérience en politique internationale en tant que représentant de la Prusse à la Confédération germanique à Francfort et plus tard comme ambassadeur à Saint-Pétersbourg et à Paris. Cette expérience l'avait fait conclure qu'il n'y avait pas de place en Allemagne pour la Prusse et l'Autriche et qu'il faudrait régler cette question sur le champ de bataille. Il se prépara à ce moment avec une habileté extraordinaire.

Lorsque le Parlement refusa le rameau d'olivier que Bismarck lui offrait (il offrit littéralement un rameau d'olivier rapporté d'Avignon), il ordonna aux percepteurs d'impôt de percevoir les impôts tout de même et donna aux organisateurs de l'armée, Albrecht von Roon et Helmut von Moltke, les crédits dont ils avaient besoin pour fournir à l'armée le fusil à aiguille et l'artillerie à barillet d'acier des usines Krupp. Il manipula l'Autriche avec une grande habileté. Après avoir gagné l'amitié de la Russie en l'encourageant à écraser la révolte de ses territoires polonais en 1863, il attira l'Autriche dans une guerre avec le Danemark afin d'empêcher l'incorporation de deux duchés à forte population allemande, le Schleswig et le Holstein, au royaume danois. Bismarck convainquit ensuite les Autrichiens d'administrer le Holstein pendant que la Prusse dirigeait le Schleswig.

En même temps, il manœuvra pour isoler diplomatiquement l'Autriche. Il sentit que l'humiliation de Napoléon III au Mexique — où sa tentative en 1861-1867 d'établir un État satellite de la France sous l'archiduc Maximilien d'Autriche était en train d'échouer à cause de la résistance militaire des Mexicains et de la pression apportée par les États-Unis — le poussait à chercher quelque gain prestigieux en Europe. Lors d'une rencontre avec Napoléon à Biarritz en octobre 1865, il lui fit des promesses vagues mais plausibles, qui indiquaient que la neutralité française en cas de guerre entre la Prusse et l'Autriche pourrait être récompensée par des territoires le long du Rhin. Il stupéfia, et désarma à un certain point, les libéraux allemands en proposant que la Confédération germanique soit dotée d'un parlement totalement allemand, élu au suffrage universel. Il signa un traité secret avec le gouvernement italien, lui promettant la Vénétie si elle attaquait l'Autriche par le sud en cas de guerre austro-prussienne en moins de trois mois.

Unification de l'Allemagne par Bismarck

Le prince Otto von Bismarck (1815-1898)
Même lorsqu'il fut le chancelier de l'Allemagne unifiée, Bismarck s'enorgueillissait d'avoir conservé la simplicité et la franchise d'un junker poméranien. (Gracieuseté du Centre allemand de l'Information)

Enfin, il rassura l'opinion mondiale en affirmant que son but n'était pas d'amener l'Autriche ou les États du sud de l'Allemagne sous la domination prussienne, mais seulement «cette partie de l'Allemagne qui est unie par son génie, sa religion, ses mœurs et ses intérêts à la destinée de la Prusse — l'Allemagne du Nord.»

Lorsque les préparatifs militaires pour une guerre avec l'Autriche furent terminés, il critiqua sévèrement l'administration de l'Autriche au Holstein et s'empara de cette province. L'Autriche et la Confédération germanique déclarèrent la guerre à la Prusse pour son occupation du Holstein, même si l'armée autrichienne était mal armée et gênée par un service ferroviaire inadéquat. L'Autriche et ses alliés furent défaits en sept semaines à la bataille décisive de Sadowa. Bismarck, qui y avait assisté avec le roi Guillaume Ier, dont il avait vu l'excitation grandissante et le mépris du danger, trouvait que l'expérience martiale avait donné au roi et à son état-major un désir peu sage d'humilier les Autrichiens en occupant Vienne

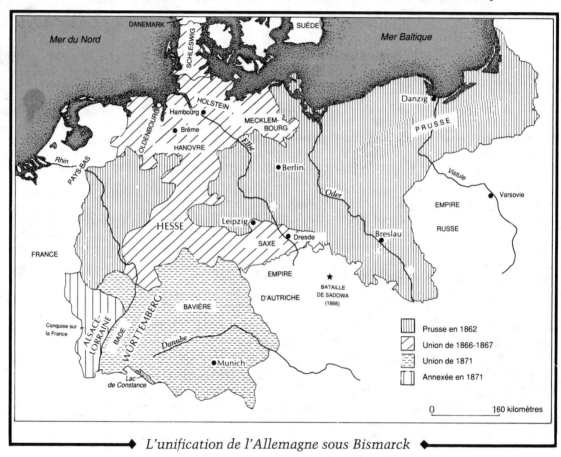

L'unification de l'Allemagne sous Bismarck

et en annexant les territoires autrichiens. «Nous nous enivrons aussi vite que nous nous décourageons», écrit-il à sa femme, «et j'ai la tâche ingrate de verser l'eau dans leur vin, et de leur faire voir que nous ne sommes pas seuls en Europe, mais qu'il nous reste trois voisins.» Il réussit à obtenir qu'on allège les conditions imposées à l'Autriche, mais insista pour que l'Italie, qui avait joint les combats comme promis mais avait été défaite, reçoive la Vénétie. Quant aux États de l'Allemagne du Nord, il demanda leur union à la Prusse dans une nouvelle Confédération germanique du Nord, avec Berlin comme capitale. En 1866, le territoire sous domination prussienne avait augmenté de quatre millions et demi d'habitants, alors que l'Autriche était définitivement expulsée des affaires internes de l'Allemagne. Dans l'euphorie de la victoire, le Parlement prussien passa une loi d'indemnisation accordant l'adoption des budgets de 1862 à 1864 dont Bismarck avait tiré des revenus sans autorisation du Parlement.

Après la défaite de l'Autriche, la France demeurait le principal obstacle à l'unification des États du sud de l'Allemagne à la Prusse. Une guerre victorieuse contre la France mettrait fin aux ambitions territoriales de Napoléon III en Europe, écraserait l'opposition de la France à l'unification de l'Allemagne et amènerait les États catholiques du sud de l'Allemagne à se joindre à la Confédération de l'Allemagne du Nord à majorité protestante, sous le contrôle de la Prusse, dans une alliance militaire qui servirait de prélude à une union politique. En 1870, Bismarck incita Napoléon III à déclarer la guerre à la Prusse. Il le fit en rendant publiques ses conditions pour une compensation au Luxembourg ou en Belgique en contrepartie d'une expansion de la Prusse en Allemagne, en faisant la promotion d'un membre de la famille des Hohenzollern au trône d'Espagne et en arrangeant un télégramme de Guillaume Ier à Ems, de sorte que le roi de Prusse semble avoir insulté l'ambassadeur français. Le télégramme arriva le 13 juillet 1870, alors que Bismarck dînait avec les chefs de son armée, Moltke et Roon. Ils étaient tous abattus à l'idée qu'avec les plans d'invasion de la France fin prêts, les français semblaient ne pas vouloir leur accorder la déclaration de guerre souhaitée. Selon Bismarck:

En présence de mes deux hôtes, sans ajouter ni changer un mot, je fis quelques suppressions ... La différence dans l'effet que devait produire le texte abrégé de la dépêche d'Ems, comparé à celui qu'eût produit l'original, ne provenait pas de l'emploi d'expressions plus fortes. Il tenait seulement à la forme qui donnait à cette déclaration le caractère d'un règlement définitif de la question...

Je lus à mes deux hôtes la nouvelle dépêche. Moltke dit alors: «Voilà qui sonne tout autrement; auparavant on eût cru entendre battre la chamade; à présent c'est comme une fanfare en réponse à une provocation.»

J'ajoutai: «Si, exécutant le mandat de Sa Majesté, je communique aussitôt ce texte aux journaux, et si je le télégraphie à toutes nos ambassades, il sera connu à Paris avant minuit. Non seulement par ce qu'il dit, mais aussi par la façon dont il aura été répandu, il produira l'effet du drapeau rouge sur le taureau gaulois...»

L'explication que je venais de donner provoqua chez les deux généraux un brusque changement d'état d'esprit. De morose qu'il était, il passa à une gaieté dont la vivacité me surprit. Ils avaient retrouvé tout à coup l'envie de manger et de boire (...).[2]

Cette manipulation experte de l'opinion publique fit descendre des foules assoiffées de guerre dans les rues de Paris et de Berlin. Les Français déclarèrent la guerre; les Allemands du Sud mirent leurs armées à la disposition des Prussiens; en trois mois, les principales armées françaises étaient défaites et Napoléon était capturé. Après avoir organisé des armées de fortune dans les provinces, un nouveau gouvernement républicain à Paris, établi le 4 septembre 1870, réussit à prolonger la guerre jusqu'en janvier 1871. La paix arriva finalement, mais seulement après que les Allemands eurent bombardé Paris et tué des centaines de civils. Par le traité de mai 1871, la France cédait l'Alsace et la Lorraine à l'Allemagne et acceptait de payer une indemnité de cinq milliards de francs.

Cependant en janvier, Bismarck avait convaincu les États d'Allemagne du Sud de se joindre à la Confédération d'Allemagne du Nord et d'en accepter la constitution sans modification importante. Il avait ainsi créé un État allemand unifié sous la monarchie prussienne traditionnelle. Même là, il avait eu de la difficulté à persuader le roi à accepter tout compromis en échange de la victoire. Guillaume s'était violemment objecté au titre d'«Empereur allemand» que les princes allemands lui avaient décerné dans la galerie des Glaces du palais de Versailles; et, puisqu'il blâmait Bismarck de ne pas avoir pu obtenir leur accord pour le titre plus fort d'«Empereur d'Allemagne», il le bouda lors de la cérémonie. Malgré ces tensions personnelles, Bismarck s'assura que la cérémonie ait la grandeur requise pour la renaissance de l'Empire germanique. Il se réjouit du symbolisme apporté par l'utilisation du palais des rois de France, ainsi que par la reconnaissance de l'empereur par les maisons royales d'Allemagne plutôt que par une assemblée parlementaire, il savoura surtout la présence de l'armée, qui envoya des officiers de chacune des soixante unités encerclant Paris. Le nouvel empereur revint à Berlin le 16 juin 1871, salué par un accueil chaleureux des foules à son passage sous la porte de Brandebourg pavoisée de guirlandes. Berlin, la capitale de l'empire, était sur le point de vivre du boom économique exaltant des *Gründerjahre* («les années de la révolution industrielle») du nouvel empire.

---

2 Otto von Bismarck, *Pensées et souvenirs*, Calmann-Lévy, p. 262-263.

BERLIN PENDANT LA RÉVOLUTION INDUSTRIELLE : LA CRÉATION D'UNE CAPITALE IMPÉRIALE

«Un État doit avoir une capitale, afin qu'elle agisse comme pivot de sa culture,» avait déclaré Heinrich von Treitschke, un historien qui s'était attribué la mission de guider la nouvelle nation jusqu'à sa place dans l'histoire. «Aucune grande nation ne peut durer longtemps sans un centre où elle peut concentrer sa vie politique, intellectuelle et matérielle et où ses habitants peuvent se sentir unis.» Ce centre ne pouvait être que Berlin. Certaines villes, comme Leipzig et Francfort, étaient mieux situées; d'autres comme Munich et Dresde étaient plus belles et plus cultivées. Mais puisque la Prusse s'était réunie à l'Allemagne, la capitale de la Prusse devait être transformée en capitale digne du Reich.

Des préparatifs avaient déjà été effectués durant les années 1860 en vue de la replanification de Berlin. Jusque-là, la ville avait été entourée d'un mur haut de dix-huit pieds, érigé pendant les guerres napoléoniennes et utilisé pour percevoir le péage local. Sa démolition rendit possible l'expansion de la ville aux villages voisins. Plusieurs grandes avenues existaient déjà, elles pouvaient devenir les axes du futur développement. On pensait surtout à la Kurfürstendamm, qui menait du superbe parc de Tiergarten, aux abords de la vieille ville, aux jolis bois du Grunewald, et à la Charlottenburger-strasse, qui prolongeait Unter den Linden vers le château de Charlotten-bourg, conçu comme résidence d'été de la famille Hohenzollern. En 1863, on dota même Berlin d'un plan d'urbanisme plus général, qui allait être le dernier pour plus d'un demi-siècle. C'est à ce plan d'urbanisme que les nouveaux secteurs doivent leurs grandes avenues bordées d'arbres.

Berlin, capitale impériale

Il est étonnant de constater la retenue dont l'empereur et l'administration impériale firent preuve quant aux constructions monumentales. L'immeuble le plus grandiose qui fut érigé fut le nouveau siège du Parlement impérial, le Reichstag, sur les bords de Königsplatz, qui est un vaste immeuble de facture néo-classique terminé en 1894. Guillaume Ier ne tenta pas de rehausser le prestige d'un titre qu'il n'avait jamais demandé; mais son petit-fils Guillaume II essaya à sa façon particulière de donner un peu d'éclat monumental au cadre sobre que lui léguaient ses ancêtres. Il fit tracer une nouvelle avenue jusqu'à la colonne de la Victoire. Il encadra ensuite cette avenue, l'avenue de la Victoire, de trente-deux statues en marbre représentant les principaux dirigeants de la maison des Hohenzol-lern, d'Albert l'Ours à Guillaume Ier. Même si Guillaume fit cadeau à son peuple de cette galerie qu'il paya de ses propres deniers, et même s'il pensait qu'elle faisait de Berlin la plus belle ville du monde, la majorité des Berlinois y voyait une œuvre du plus mauvais goût. Les deux immenses églises qu'il érigea furent un peu mieux réussies. La cathédrale, construite près du palais sur le site de la cathédrale Frédéric le Grand qui avait été démolie, devait dépasser la basilique Saint-Pierre de Michel-Ange en dimension, en couleur et en décoration. Ce fut un échec, sauf en ce qui a

Unter den Linden, Berlin
Cette magnifique avenue, appelée «Sous les Tilleuls», était flanquée de palais et d'églises de style baroque à la fin du XVIIIᵉ siècle. (Gracieuseté du Centre allemand de l'Information)

trait aux dimensions. L'église commémorative du kaiser Guillaume, construite en l'honneur de son grand-père à l'une des extrémités de la Kurfürstendamm, était un édifice massif de style néo-roman. En ruines depuis 1945, elle est, selon bien des avis, beaucoup plus pittoresque. Seuls les nouveaux musées ajoutés à l'île des Musées réussirent à s'harmoniser avec les vieux immeubles de Schinkel. Wilhelm Bode, le directeur des galeries de Berlin, y accumula une des plus grandes collections d'art international. Elle comprenait les trouvailles des grands archéologues allemands qui, à cette époque, mettaient à jour les cités ensevelies du Proche-Orient. Ces trésors incluaient l'autel de Pergame, la voie des Processions et la porte d'Ishtar de Babylone ainsi que la porte du marché de Milet. Le kaiser, qui était un amateur d'archéologie éclairé, appuya personnellement l'acquisition de ces pièces.

L'expansion économique et commerciale

Mais ce fut l'expansion économique et commerciale qui, après l'unification de l'Allemagne, causa les changements majeurs dans la ville de Berlin. Sa population grimpa en flèche. Ayant atteint le million en 1875, elle passa à un million et demi en 1889 et à deux millions en 1910. Comme toutes les grandes villes de la fin du XIXᵉ siècle, une séparation physique des classes se produisit. Les nouveaux ouvriers s'installèrent dans des logements surpeuplés au nord de la Spree, d'abord dans les taudis du district

Les statues de l'avenue de la Victoire à Berlin
Guillaume II voulait que l'avenue de la Victoire célèbre la gloire de la famille Hohenzollern; il paya personnellement pour les statues. Parmi celles qui ont survécu à la Deuxième Guerre mondiale, on trouve de gauche à droite, l'empereur Guillaume Iᵉʳ, l'électeur Frédéric II et l'électeur Jean Georges. (Gracieuseté du Centre allemand de l'Information)

de Moabit, puis dans les districts extérieurs de l'est du nord, lorsque les grosses usines déménagèrent à la campagne. C'est dans ces régions, où le mécontentement ouvrier était répandu, que le Parti socialiste trouva son appui. La plupart des aristocrates ne venaient à Berlin que pour aller à la cour, préférant demeurer dans leurs domaines de campagne, où ils pouvaient cultiver les vieilles vertus prussiennes de discipline et de frugalité; à Berlin, ils ne constituaient qu'un petit pourcentage de la population. La classe moyenne comprenait la *Bildungsbürgertum* (classe moyenne intellectuelle) et la *Besitzbürgertum* (classe moyenne foncière), ces deux classes étant elles-mêmes divisées en une multitude de sous-classes, selon le prestige social et la profession. On retrouvait les professeurs d'université, les bureaucrates et les autres professionnels dans la première de ces classes. Un grand nombre d'entre eux aimaient vivre dans ce que l'on appelait le Vieil ouest, un lieu tranquille et charmant sur les bords du parc Tiergarten. Ils étaient ainsi séparés de la classe moyenne des affaires, dont les membres les plus prospères s'achetaient des terrains dans les banlieues boisées du Grunewald et se faisaient ériger des manoirs de style gothique ou renaissance. La plupart des gens d'affaires habitaient des appartements dans de nouveaux immeubles recouverts de stuc près de Kurfürstendamm, dans un quartier qu'un industriel avait surnommé «Chicago sur la Spree».

Un grand nombre de bureaux et d'usines furent bâtis par cette classe moyenne durant les *Gründerjahre*. Après l'unification, le centre financier de l'Allemagne passa de Francfort à Berlin. Cela était dû en partie au fait que l'indemnité de cinq milliards de francs payée par la France transitait par Berlin, où une grande partie y demeurait. C'était aussi dû au fait que les sociétés industrielles qui étaient déjà établies à Berlin fondèrent de nouvelles banques et que les banques de l'extérieur transférèrent leur siège social là où se concentraient la puissance politique et la nouvelle banque impériale (la Reichsbank). Berlin devint ainsi le centre de la vague spéculative qui s'empara du peuple allemand pendant l'euphorie de l'unification et qui les mena à sortir leur capital des banques pour le placer à la Bourse, dans l'immobilier et dans les chemins de fer, pour le perdre ensuite lors du krach de 1873. Berlin devenait aussi la plus grande ville manufacturière d'Allemagne et, lors de la grande exposition industrielle de 1886, elle produisait 7 pour cent de la production industrielle de la nation. L'économie de Berlin était centrée sur l'industrie de l'ingénierie lourde qui fabriquait d'énormes turbines à vapeur, des locomotives et des machines-outils; sur l'industrie des appareils électriques et sur l'industrie chimique. Mais l'économie berlinoise dépendait aussi d'autres industries, comme le textile, le caoutchouc, l'édition et la transformation des aliments. Berlin devint ainsi une grande ville industrielle, dont la majorité des habitants n'avait aucun lien avec sa fonction de capitale.

Les nouvelles usines employaient surtout des hommes dont un grand nombre venaient de la campagne. Ils vivaient dans des dortoirs pendant la semaine et visitaient leur famille seulement le dimanche. Les emplois les plus durs dans la construction de canaux, de routes, de chemins de fer et de nouveaux immeubles employaient aussi une majorité d'hommes. Le tiers de la main-d'œuvre de Berlin était composé de femmes, mais elles travaillaient surtout comme domestiques, vendeuses, femmes de ménage et lavandières. Berlin était exceptionnelle parmi les villes allemandes parce que sa vaste industrie du vêtement fournissait du travail à un grand nombre de femmes qui travaillaient comme couturières sur des machines à coudre à la maison. Ce travail mal rémunéré permit à des femmes mariées de demeurer à la maison, où elles pouvaient continuer à accomplir au moins deux des trois devoirs familiaux qui, pour la plupart des Allemands, hommes ou femmes, incombaient aux femmes, soit *Kinder, Küche, Kirche* (les enfants, la cuisine, l'église).

L'augmentation des possibilités d'éducation pour les femmes offrit aux filles de la classe moyenne un plus grand choix d'emplois de bureau. En 1850, l'enseignement primaire était déjà obligatoire pour les enfants des deux sexes et l'on ouvrit un grand nombre d'écoles secondaires pour filles après l'unification allemande. Les femmes furent admises à l'université dans tous les États allemands durant les années 1900, la Prusse étant le dernier État à accepter ce changement. En conséquence, les femmes commencèrent à travailler dans le domaine des soins de la santé, des soins aux enfants et surtout dans le secteur de l'enseignement. La Prusse avait presque 15 000 enseignantes à la fin du siècle et un grand nombre de meneuses du mouvement féministe allemand étaient issues de leurs rangs.

Leur engagement résultait en partie de l'inégalité salariale et du manque d'égalité dans les chances d'avancement comparativement aux enseignants masculins.

L'expansion économique de Berlin ne fut rendue possible que grâce à l'énorme boom économique ressenti partout en Allemagne pendant le IIᵉ Reich. En 1914, l'Allemagne était devenue la plus grande puissance industrielle d'Europe. Le pays était riche en ressources naturelles; on pense surtout au charbon du bassin de la Ruhr et au minerai de fer de ses nouveaux territoires d'Alsace-Lorraine. On y trouvait un réseau de transport superbe: des rivières faciles à naviguer, de bons canaux et un système de chemins de fer qui reliait l'est agricole à l'ouest industriel. Il y avait une bonne réserve de travailleurs instruits, même que l'augmentation de la population qui passa de 40 à 68 millions entre 1870 et 1914, força plusieurs Allemands à émigrer outre-Atlantique pour trouver de l'emploi. Le système bancaire allemand avait été conçu pour favoriser la croissance industrielle. Les banques mettaient un peu d'argent dans les obligations du gouvernement, mais elles investissaient surtout dans des opérations à long terme qu'elles pouvaient superviser elles-mêmes. Les petites banques fusionnèrent pour former des banques plus importantes dans les années 1890, ce qui permit la fondation de plusieurs banques géantes, dont les quatre «Banques D» (Deutsche Bank, Diskonto Gesellschaft, Dresdener Bank et Darmstädter Bank). Les banquiers purent alors encourager la formation de trusts en production industrielle, surtout dans les opérations à grande échelle comme l'industrie minière ou l'ingénierie, qui exigeaient de gros investissements en capitaux. Les grands cartels qui prétendaient maintenir la stabilité de la production et de l'emploi grâce à leur supervision rigide des prix et des machés complétaient les trusts. Entre 1871 et la Première Guerre mondiale, la production en charbon augmenta de 30 millions de tonnes à 191 millions de tonnes et la production d'acier passa de presque rien à 13 millions de tonnes. De plus, l'Allemand moyen put bénéficier personnellement de cette croissance. Le revenu réel par habitant passa de 352 à 728 marks par année, un exploit remarquable quand on tient compte de l'augmentation de population. Cette grande croissance économique fut à la base du développement de Berlin et c'est la conscience de cette nouvelle richesse qui inspira une grande partie du discours, officiel et non officiel, de Berlin dans les années qui précédèrent la guerre.

Le pouvoir économique gravite naturellement vers le pouvoir politique et Bismarck avait décidé que le pouvoir politique serait concentré à Berlin. Il avait été forcé de faire de nombreuses concessions afin de persuader les dirigeants du sud de l'Allemagne de se joindre à l'Allemagne unifiée de leur plein gré. Les États de l'union fédérale avaient tous leurs propres tribunaux, leurs propres forces de police, leur système d'éducation et leurs régimes fiscaux et, en temps de paix, les États de l'Allemagne du Sud commandaient leurs propres armées. Mais le gouvernement central dirigeait les affaires extérieures, la marine et l'armée de guerre, les douanes,

Bismarck et la création d'une capitale politique

et les colonies. De plus, Bismarck s'était bien assuré que la Prusse, c'est-à-dire son roi et son chancelier, dirigerait le gouvernement central. Le roi de Prusse était l'empereur héréditaire. À la Chambre haute, ou Bundesrat, la Prusse avait dix-sept des cinquante-huit sièges. La Chambre basse, ou Reichstag, élue au suffrage masculin universel, semblait être un corps législatif authentique, mais elle n'avait aucun pouvoir sur la politique extérieure, elle ne pouvait pas forcer le chancelier à donner sa démission et sa seule influence sur les militaires se situait au niveau du budget. La majeure partie du pouvoir se trouvait entre les mains du chancelier impérial, nommé par l'empereur et que seul l'empereur pouvait renvoyer. Bismarck avait ainsi créé une structure constitutionnelle dans laquelle il semblait lui-même indispensable et inamovible, la probabilité de son renvoi sur un caprice de l'empereur étant tellement faible.

Bismarck souhaitait diriger son système constitutionnel en jouant un élément du Reichstag contre l'autre. Dans le Reichstag élu en 1871, il s'allia aux conservateurs libres, qui étaient appuyés par les industriels, les financiers et les grands propriétaires terriens non prussiens, et aux nationaux-libéraux, qui représentaient les intérêts de la classe moyenne professionnelle et industrielle. Pour leur plaire, il introduisit un programme de mesures conçu pour l'unification économique du nouvel État allemand, incluant le libre-échange intérieur et une monnaie commune, et il débuta une campagne, connue sous le nom de *Kulturkampf* («le combat culturel»), qui visait à réduire les pouvoirs de l'Église catholique en Allemagne. Les mesures répressives qu'il employait ne réussirent qu'à créer une vaste opposition dans le sud catholique et le nombre de députés du Centre catholique (Zentrum) augmenta de soixante-trois en 1871 à cent six en 1890. Bismarck changea alors brusquement de cap, s'alliant avec le Centre catholique et avec les conservateurs, qui représentaient les propriétaires fonciers de Prusse. En 1875, il délaissa les concepts économiques libéraux qu'il avait embrassés auparavant et s'engagea dans une politique de protectionnisme en haussant les tarifs douaniers sur les biens industriels et agricoles. Craignant que les hauts prix qui en résulteraient ne poussent les classes ouvrières dans les bras du Parti social-démocrate, il décida d'utiliser la force et la persuasion pour se gagner les ouvriers. Après les élections de 1877, dans lesquelles les socialistes reçurent presque un demi-million de votes et firent élire douze députés au Reichstag, Bismarck saisit alors le prétexte de deux tentatives d'assassinat sur l'empereur (même si aucune d'entre elles n'avait été commise par un socialiste) pour interdire le parti. La plupart de ses dirigeants s'exilèrent, ses journaux furent supprimés et toutes les réunions socialistes furent interdites. Malgré cela, les socialistes gardèrent le droit de se présenter aux élections du Reichstag et le vote socialiste ne cessa d'augmenter pendant les années 1880. Le chancelier tenta donc de gagner les ouvriers à son État paternaliste en faisant passer un programme de socialisme d'État. Entre 1883 et 1889, il donna à l'Allemagne une des législations sociales les plus avancées au monde, incluant l'assurance-maladie, l'assurance-accident et les pensions de vieillesse et d'invalidité. Malgré cela, lorsque le Reichstag accepta un relâchement de la loi antisocialiste en 1890, le Parti social-démocrate reçut 1,4 million de votes. En 1903, avec 3 millions de votes, il récolta près de deux fois plus de suffrages que le second parti, le Centre, même s'il obtint moins de sièges au Reichstag. Finalement, en 1912, avec un vote populaire de 4,2 millions de voix, le Parti social-démocrate devint le parti principal au Reichstag avec cent dix sièges.

Les dirigeantes les plus impatientes des mouvements féministes gravitèrent naturellement vers le Parti social-démocrate, qu'elles voyaient comme l'organisation qui représentait les ouvrières. Pendant les premières années de l'empire pourtant, la plupart des organisations féminines tendaient à s'associer aux libéraux en politique. Il est possible que le premier manifeste féministe allemand ait été *De l'Amélioration civile des femmes*, écrit par Theodor Gottlieb von Hippel en 1794. Hippel y expliquait que dans une époque de libéralisme, la réalisation de l'égalité des femmes était une des facettes importantes de l'abolition du despotisme. Les femmes libérales, comme Louise Otto-Peters, s'étaient battues durant la révolution de 1848 pour l'égalité des droits, incluant le droit de vote.[3] Mais Otto-Peters avait perdu beaucoup de son radicalisme lorsqu'elle prit la tête de la principale organisation féminine des années 1870 et 1880, la très libérale Association générale des femmes allemandes. Elle se contenta alors de faire des pressions pour qu'on améliore l'éducation des femmes et qu'on permette leur entrée à l'école médicale. L'association prit garde de ne pas s'impliquer en faveur du suffrage féminin, parce que la loi sur les associations de 1851 défendait aux femmes d'assister à des réunions politiques ou de devenir membres d'associations politiques. Ce n'est qu'en 1894, avec la création de la Fédération des associations de femmes allemandes, sous la direction de Marie Stritt, que les Allemandes de la classe moyenne prirent l'initiative de proposer un programme complet de revendications radicales. Elles exigeaient un salaire égal pour un travail égal, l'égalité des possibilités d'éducation, l'égalité du suffrage et enfin, en 1908, la légalisation de l'avortement. Toutefois, cette dernière demande allait plus loin que ce que la majorité des membres de la Fédération acceptait d'appuyer et l'assemblée générale rejeta la proposition. Deux ans plus tard, Stritt perdit son poste à la tête de la Fédération. En fait, les conservatrices dominaient alors le mouvement féministe pour une raison paradoxale : l'abolition, en 1908, de la loi qui empêchait les femmes de prendre part à la vie politique, avait amené beaucoup de femmes nationalistes de droite en politique pour la première fois. C'est ainsi que, à partir de 1912, elles appuyèrent la nouvelle Ligue germanique pour la prévention de l'émancipation de la femme!

Les mouvements féministes

3 Richard J. Evans, *The Feminists: Women's Emancipation Movements in Europe, Africa and Australasia 1840-1920*, New York, Barnes & Noble, 1977, p. 103.

La diplomatie de Bismarck, 1871-1890

Après la défaite de la France, Bismarck devint le défenseur principal du maintien du statu quo en Europe. Ses principes de direction de la diplomatie européenne, fondés sur la Realpolitik, c'est-à-dire le calcul lucide des positions relatives de puissance, étaient simples et réalistes. L'Allemagne, annonçait-il aux gouvernements craintifs d'Europe, était une puissance «rassasiée». Le nouvel État allemand, laissait-il entendre, n'avait aucunement l'intention de chercher à incorporer les Allemands qui vivaient dans les autres États européens. Le rôle de l'Allemagne, en tant que plus grande puissance économique et militaire du continent, était de dominer la structure des alliances qui permettaient aux principaux États de s'assurer un soutien militaire en cas de guerre. Il n'y avait que cinq puissances que Bismarck considérait comme importantes : l'Allemagne, la Russie, l'Autriche-Hongrie, la France et la Grande-Bretagne. L'Allemagne devait donc toujours être «l'une de trois puissances sur l'échiquier européen» et son but secondaire devait être de prévenir l'alliance des deux autres. L'une de ces deux puissances serait inévitablement la France, irritée non seulement par sa défaite, mais aussi par l'annexion de l'Alsace-Lorraine, que Bismarck commençait peu à peu à considérer comme une erreur. La France devait donc être isolée à tout prix.

L'alliance la plus naturelle semblait être celle entre les trois empereurs autoritaires d'Europe centrale et orientale. En 1872, le tsar, méfiant, fit savoir à Bismarck qu'il aimerait être invité à Berlin durant la visite officielle de l'empereur François-Joseph d'Autriche. La ville put ainsi donner une première démonstration de sa nouvelle fonction honorifique d'arbitre d'Europe. Les monarques festoyèrent au palais royal, apprécièrent un ballet à l'opéra et entendirent un concert en plein air sur Unter den Linden. Les parades militaires dominèrent. Certaines étaient assez théâtrales, l'empereur allemand portait un uniforme autrichien avec une écharpe russe et son fils, un uniforme russe avec une médaille autrichienne. Mais cette rencontre fut surtout une démonstration de la puissance allemande, en particulier lors de la parade des régiments qui avaient défait l'Autriche en 1866. La Ligue des trois empereurs fut dûment créée l'année suivante dans le but de mettre fin à la subversion interne et d'encourager la consultation sur les problèmes européens.

Le congrès de Berlin de 1878 fut une démonstration plus efficace du nouveau prestige de l'Allemagne en affaires internationales. Pendant l'année précédente, sous prétexte d'appuyer les États slaves indépendants de Serbie et de Monténégro, et les Bulgares grecs orthodoxes qui étaient sous domination ottomane, les Russes avaient défait les Turcs. Même si les Russes furent arrêtés avant de pouvoir prendre Constantinople, ce qui semblait être leur but principal, ils imposèrent des conditions de paix écrasantes qui forcèrent les Turcs à reconnaître la création d'un grand État bulgare et à céder d'autres territoires à la Russie ainsi qu'à ses alliés. Pour l'Autriche-Hongrie, ce règlement menaçait ses propres ambitions d'expansion dans la péninsule balkanique et pour la Grande-Bretagne c'était une dangereuse perturbation de l'équilibre des forces. Craignant une guerre entre l'Autriche-Hongrie et la Russie, et convaincu, disait-il, que les Balkans ne valaient pas les os d'un seul grenadier poméranien, Bismarck invita les puissances à se rencontrer à Berlin où le chancelier lui-même jouerait le rôle d'un «honnête courtier».

Le congrès de 1878 permit à Berlin de se distinguer, comme Vienne et Paris l'avaient fait en accueillant respectivement le Congrès de 1815 et celui de 1856, qui avait mit fin à la guerre de Crimée. Ce congrès affirmait la position centrale de l'Allemagne dans le système international. Bismarck domina les négociations et, à bien des égards, dicta les termes du règlement final. D'humeur changeante, malade et bouffi, il apparut à plusieurs comme un homme plus pétulant et franc que nécessaire; il provoqua des ressentiments considérables, surtout chez les Russes, qu'il força à abandonner plusieurs de leurs acquisitions récentes et à accepter un État bulgare beaucoup plus petit. On apaisa un peu les Autrichiens en leur donnant l'administration de la Bosnie et de l'Herzégovine que la Serbie avait espéré annexer. Les Britanniques reçurent Chypre parce qu'elle était sur le chemin du canal de Suez. Les Français, que Bismarck courtisa ouvertement lors du congrès, furent encouragés à pénétrer en Tunisie, ce qui les mettrait en conflit avec les Italiens tout en les détournant de l'Europe.

À partir de 1878, alors que Bismarck atteignait l'apogée de son influence diplomatique, sa stratégie déclina rapidement. Même s'il continua de rechercher une alliance avec les Russes, par le traité «de réassurance» de 1887 par exemple, il décida de baser la sécurité de l'Allemagne sur une alliance secrète avec l'Autriche, signée en 1879 et sur la puissance de l'armée allemande qui fut augmentée en 1873, en 1880 et surtout en 1887, alors que l'armée active passa à presque un demi-million d'hommes. Avec sa politique, fondée sur un conflit possible avec la Russie et une confrontation assurée avec la France, il fit l'erreur d'accepter les exigences de certains secteurs de la classe marchande qui désiraient se tailler une part du monde colonisé. Inévitablement, cette pénétration en Afrique et dans le Pacifique sud allait créer un conflit entre l'Allemagne et la Grande-Bretagne, et elle amènerait le gouvernement allemand à défier la Grande-Bretagne sur les mers. Bismarck provoqua ainsi la formation de l'alliance antiallemande qu'il redoutait le plus — la France, la Russie et la Grande-Bretagne — qui naquit en 1907.

Bismarck s'attendait depuis longtemps à ce que le fils de Guillaume Ier, le prince royal Frédéric, nomme un chancelier d'une caste politique différente de la sienne. Mais lorsque Guillaume Ier mourut en 1888, son fils était déjà atteint du cancer et il ne régna que quatre-vingt-onze jours. Ce fut donc le fils de ce dernier, Guillaume II, qui hérita de la couronne. Le nouvel empereur avait une confiance, grandement exagérée, en ses propres capacités. C'est ce qui lui donna le courage de renvoyer Bismarck en mars 1890. Ce soir-là, au dîner, Bismarck déclara que Guillaume II était «l'homme qui détruirait certainement l'Empire».

LE BERLIN SCHIZOÏDE DE GUILLAUME II

Sous le règne du nouveau kaiser, Berlin souffrit d'un dédoublement de personnalité qui reflétait, en l'amplifiant, le caractère du Reich allemand. Ce fut une époque où la vie intellectuelle et culturelle de Berlin n'avait rien à envier en qualité et en originalité à celle des autres grandes capitales occidentales. Mais, en même temps, le gouvernement du Reich demeurait sous l'emprise des militaires dont les forces imposantes étaient placées à la disposition d'un empereur irresponsable et de politiciens médiocres. Cette schizophrénie était presque inexistante sous Bismarck, alors que Berlin était restée la ville sombre, travailleuse et disciplinée qu'elle avait été en tant que capitale de la Prusse. Ce n'était pas sa dignité impériale qui avait amélioré la qualité de sa vie intellectuelle. Sous Guillaume II toutefois, on pouvait se poser sérieusement la question : quel était le vrai Berlin? Était-ce le Berlin d'Albert Einstein et de Max Planck, de Gerhart Hauptmann et de Stefan George, de Max Reinhardt et d'Oskar Kokoschka? Ou celui de l'amiral von Tirpitz, du comte von Schlieffen et du général von Moltke?

La libération intellectuelle de Berlin

Le gouvernement ne peut pas s'attribuer beaucoup de mérite pour les grandes réalisations intellectuelles de Berlin après 1890. Guillaume II lui-même avait des opinions fortes et vraiment peu éclairées sur la culture. Il se voyait comme l'arbitre du bon goût, comme il l'expliquait lors de l'inauguration des statues des Hohenzollern du Siegesallee :

Pour nous, peuple allemand, les idéaux sont devenus des possessions permanentes, alors que chez les autres peuples ils ont plus ou moins disparu. Il ne reste que la nation allemande et nous sommes appelés à conserver, cultiver et continuer ces grands idéaux. Parmi ces idéaux, il y a le devoir d'offrir aux classes ouvrières la possibilité de s'élever à la beauté et de se hisser au-dessus de leurs pensées quotidiennes. Si l'art, comme cela arrive fréquemment maintenant, ne fait rien de plus que dépeindre leur misère comme plus laide qu'elle ne l'est, il pèche contre le peuple allemand.[4]

Pour cette raison, lorsque les juges voulurent donner à Gerhart Hauptmann le prix Schiller pour sa pièce *La Cloche engloutie*, qui dépeignait impitoyablement la misère de la classe ouvrière, le kaiser ordonna que le prix soit plutôt accordé à un écrivain obscur, auteur d'une pièce historique. D'après lui, les pièces historiques permettaient à la classe ouvrière de s'élever, elles étaient capables de lui «inculquer le respect pour les plus grandes traditions de la patrie allemande». Il pensait la même chose de la sculpture, comme le prouve la Siegesallee. En matière d'art, il était un adversaire de toute tendance moderne et il ne s'en cachait pas. La Galerie nationale, le musée qui devait commanditer les artistes contemporains, était si démodée que les artistes avant-gardistes s'en séparèrent en 1898 et

4 Masur, *Imperial Berlin*, p. 211.

formèrent le groupe *Sezession*. Leurs peintures impressionnistes furent qualifiées d'«art de bas-fonds» par le kaiser. La rupture était donc officielle; les artistes et les écrivains qui refusaient les normes conservatrices et restrictives de l'art officiel ne pouvaient s'attendre à aucune commandite de la part de la cour ou du gouvernement.

L'interférence de la cour était moins efficace en musique parce que le charismatique Richard Wagner y était le meneur de la révolution contre la tradition. Wagner était certainement en harmonie avec l'esprit du IIe Reich; il désirait amener le peuple allemand à une renaissance spirituelle et culturelle fondée sur la reprise des légendes médiévales germaniques. Mais il demeurait l'homme qui avait pris part à la révolution de 1849 à Dresde, il se voyait comme le prophète qui voulait violer tous les tabous de la société. À la fin de sa plus grande œuvre, *L'Anneau des Nibelungen*, il écrivit quelques lignes qu'il ne mit jamais en musique et qui exprimaient toute sa philosophie: «Ni la richesse, ni l'or, ni la grandeur des dieux, ni maison, ni domaine, ni splendeur du rang suprême, ni les liens trompeurs de tristes conventions, ni la rigoureuse loi d'un monde hypocrite n'ont aucune valeur — dans la douleur comme dans la joie, seul nous libère l'Amour.» Ses opéras devaient continuer à célébrer la puissance de rédemption de l'amour qui dédaigne toute convention, en particulier *Tristan et Isolde*. Mais le message d'anarchie du musicien était trop étrange et la monarchie Hohenzollern ne pouvait l'accepter, surtout que Wagner avait mis ses idées en pratique en persuadant Cosima, la fille du compositeur Franz Liszt et femme du chef d'orchestre Hans von Bülow, de quitter son mari pour l'épouser.

Le style musical de Wagner était encore moins conventionnel. Il écrivit tout d'abord deux opéras (*Rienz* et *Le Vaisseau fantôme*) dans la grande tradition des opéras italiens, suivis de *Tannhaüser* en 1845 et de *Lohengrin* en 1848, composés selon le style de l'opéra romantique allemand. Puis, il inventa une nouvelle forme d'art, le *Gesamtkunstwerk* («l'œuvre d'art totale») qui combinait la musique, le drame, la poésie et les arts visuels en une seule et unique expérience qui était censée régénérer irrésistiblement l'auditoire. Dans les quatre opéras qui composent *La Tétralogie (L'Anneau des Nibelungen)*, les personnages de la légende populaire germanique, Wotan, Siegfried, Brunehilde et les Walkyries, deviennent pour lui d'étranges créatures cosmiques qui s'élèvent contre sa propre époque. Dans *La Tétralogie* les dieux sont dirigés par le chaos lui-même. «Ce que je déteste profondément je te le donne, à toi mon héritier, la futile splendeur du divin: que ton envie la ronge avidement,» hurle Wotan aux Walkyries. La technique de Wagner était tout aussi révolutionnaire; il explora de nouvelles harmonies et de nouveaux rythmes, refusant de donner libre cours à son don pour la mélodie et le forçant plutôt à répondre aux exigences du drame musical. En 1864, Wagner trouva la gloire et la fortune qu'il estimait lui être dues, lorsque le roi de Bavière devint son mécène. Le roi finança la construction d'un opéra pour Wagner à Bayreuth,

Richard Wagner (1813-1883)
Même si Wagner n'habita jamais Berlin, les compositeurs et chefs d'orchestre Giacomo Meyerbeer et Richard Strauss produisirent ses opéras à l'Opéra royal. (Gracieuseté du Centre allemand de l'Information)

et ce théâtre devint vite le haut lieu d'un culte pour Wagner, qui se répandit rapidement à toute l'Europe.

Berlin mit du temps à accepter Wagner. Les auditoires huèrent son opéra *Les Maîtres-chanteurs* en 1870. Mais les partisans de Wagner triomphèrent finalement de ceux de Brahms, dans la bataille qui bouleversa le monde musical de Berlin. L'acceptation de Wagner ouvrit la voie à Richard Strauss, même si le kaiser désapprouvait profondément le style musical et les sujets des opéras de Strauss. En tant que directeur de l'orchestre de l'Opéra royal, Strauss put moderniser le programme; il y fit entrer la musique de Mahler et de Berlioz et il put même y présenter ses propres opéras après les avoir essayés dans l'atmosphère plus libérale de Dresde. Malgré cela, il dut faire des compromis pour satisfaire aux exigences du kaiser. Pour produire les scènes sensuelles, sinon érotiques, de *Salomé*, avec sa danse des sept voiles et l'air final que Salomé chante à la tête tranchée de saint Jean Baptiste, il dut permettre à l'étoile de Bethléem d'illuminer le ciel nocturne afin de rassurer la femme du kaiser. Le kaiser lui-même fit cette remarque après la représentation : «C'est tout un serpent que j'ai réchauffé dans mon sein.» De même, le charmant *Cavalier à la rose* dut lui aussi être modifié afin de rendre la bouffonnerie du baron Ochs plus acceptable à la cour.

Max Reinhardt et le Théâtre libre

Au théâtre, Berlin put avancer plus rapidement parce que l'interférence du kaiser y était minimale. Les classes moyennes et surtout la population juive de Berlin, qui était très nombreuse, sentaient le besoin de présenter du théâtre moderne de la plus haute qualité, et ils en virent l'occasion lors de l'allégement des lois sur la censure et la licence qui suivirent l'unification. Le résultat fut le mouvement du Théâtre libre, qui construisit son propre théâtre et présenta une nouvelle forme de drame naturaliste, dont les pièces de Gerhart Hauptmann donnent le meilleur exemple. Sa pièce *Les Tisserands*, avec sa dure représentation des conditions des pauvres en Silésie, amena les ouvriers socialistes dans l'auditoire et choqua tellement le kaiser qu'il fit retirer les armoiries impériales du théâtre après qu'on eut fait l'effronterie d'y présenter la pièce. La nomination d'un jeune directeur talentueux, Max Reinhardt, accéléra l'impétuosité du Théâtre libre. Reinhardt donna à Berlin le *Salomé* de Wilde, *Les Revenants* d'Ibsen et quantité d'autres pièces écrites par des dramaturges modernes tels que Wedekind, Gogol et Schnitzler. Reinhardt donna le ton et, en 1900, on avait créé près de trente théâtres afin de satisfaire l'appétit des Berlinois pour le théâtre sérieux. Les dirigeants sociaux-démocrates, craignant que les ouvriers ne puissent pas payer le prix d'entrée aux théâtres réguliers, fondèrent le Théâtre libre populaire, où l'entrée était gratuite et qui compta bientôt près de 150 000 membres à Berlin seulement. Ainsi, même avant 1914, Berlin était devenu l'un des centres du théâtre les plus créatifs d'Europe. Après les quatre années de folie de la guerre mondiale, Berlin allait attirer immanquablement les plus brillants esprits d'Allemagne.

L'expressionnisme

La capitale impériale exerçait la même attirance sur les peintres et les poètes. Le mouvement artistique le plus remarquable de cette époque fut l'expressionnisme. On donna ce nom à la forme d'art qui essayait d'aller au-delà de la surface explorée par les impressionnistes et les naturalistes, vers une réalité psychologique plus profonde. En un sens, les grands poètes allemands comme Stefan George et Rainer Maria Rilke faisaient partie de ce mouvement, mais ils ne visitaient Berlin que rarement, préférant Paris ou Munich. D'autres artistes, pourtant, trouvaient que l'austère ville nordique était un site propice à l'angoisse que la société contemporaine leur inspirait et qu'ils essayaient d'exprimer.

Les peintres aussi mettaient l'accent sur l'aliénation de l'artiste citadin et cherchaient de nouveaux moyens de montrer la souffrance des pauvres de la ville, la solitude des rues nocturnes et la sauvagerie de la nouvelle société industrielle. Déjà, en 1914, Berlin voyait les premières œuvres de ceux qui seraient les meneurs de l'avant-garde de l'entre-deux-guerres. On retrouvait parmi eux Oskar Kokoschka et Käthe Kollwitz, dont l'illustration *Les Tisserands* se vit refuser la médaille d'or que le jury lui avait accordée parce que son style déplaisait à la cour du kaiser.

L'université de Berlin

Très traditionnelle, hiérarchique et conservatrice, l'université de Berlin fit néanmoins une grande contribution à la vie intellectuelle de Berlin. En physique, particulièrement, avec Planck et Einstein, elle pouvait prétendre être à la tête de la recherche moderne. En économie, elle possédait en Werner Sombart un franc critique du capitalisme moderne dont la conscience sociale n'avait pu garder le pas avec l'évolution de ses recherches. En philosophie, il y avait Wilhelm Dilthey, qui enseignait que les idées devaient être étudiées en tant qu'expression d'une situation historique plutôt que dans l'abstrait. Il était, cependant, l'historien le plus responsable de la germanophilie qui voyait en l'État germanique la plus haute réalisation possible des efforts combinés des Allemands. Le grand historien Leopold von Ranke, professeur d'histoire européenne à Berlin à partir de 1825, avait déjà enseigné l'importance de l'État, qu'il présentait comme «un être vivant, un individu, une entité unique», alors que la politique était «le domaine de la puissance et des affaires extérieures.» De là, ses nombreux disciples avaient continué de faire valoir la puissance de l'État, afin de justifier l'extension des contrôles de l'État prussien. Ils avaient cru qu'il était de leur devoir d'historiens de tenter d'influencer le cheminement du processus politique dans cette direction. Le cours de politique d'Heinrich von Treitschke proclamait la nécessité pour l'État d'augmenter sa puissance, au moyen d'action militaire si nécessaire. L'expression ultime de cette vision vint pendant la guerre mondiale, lorsqu'Otto von Gierke, l'un des plus éminents historiens berlinois écrivit dans *L'Esprit populaire allemand pendant la guerre*: «Si nous atteignons le but de cette guerre, le triomphe de nos armes amènera le triomphe de la vérité. Car, dans l'histoire du monde, c'est le succès qui a le dernier mot. Même ceux qui auparavant ne pouvaient comprendre cela, réaliseront alors que le succès à la guerre n'est pas un accident, mais plutôt le résultat de lois éternelles, dans lesquelles l'autorité de Dieu se révèle.» De cette façon les intellectuels donnèrent une justification idéologique à la prédominance dans la nouvelle Allemagne de la tradition militaire prussienne et de ses gardiens, les junkers. Cette explication, d'abord acceptée par la classe moyenne, le fut en 1914 par la classe ouvrière.

LA FOLLE CHEVAUCHÉE DU KAISER VERS LA FIN DU MONDE

Le rôle de l'Allemagne dans le système des États européens après 1871

Un grand nombre de forces internes poussaient le gouvernement de Berlin à jouer un rôle plus actif en politique internationale. L'influence de l'armée sur la politique, résultat direct de la constitution, avait été renforcée par le grand intérêt que le kaiser lui-même portait aux choses militaires. Le Reichstag n'exerçait ses contrôles financiers qu'une fois tous les sept ans jusqu'à 1893 et une fois tous les cinq ans après cela. À partir de 1898, lorsque le Reichstag eut passé la première loi navale créant une flotte de guerre, un nouveau groupe de pression fut créé à Berlin. Sous le ministre de la marine Alfred von Tirpitz, le ministère de la Marine, appuyé par des groupes de pression nationalistes, comme la Ligue maritime, commença à exiger un rôle plus actif outre-mer. L'appui populaire fut considérable, surtout que la classe moyenne considérait que la marine était plus démocratique que l'armée. Cet enthousiasme était attisé par un important programme de relations publiques, établi par Tirpitz, qui commanditait des discours, organisait des visites guidées sur les nouveaux vaisseaux, envoyait gratuitement des brochures aux écoles et payait même pour la rédaction de romans favorables à la marine. Le programme amena la prospérité aux constructeurs de navires des grandes villes portuaires comme Hambourg et Brême et fut le bienvenu chez les travailleurs des chantiers maritimes. Ses plus grands appuis lui venaient du kaiser. «L'avenir de l'Allemagne est sur les mers», déclarait-il. Le programme était évidemment un défi direct à la Grande-Bretagne — la deuxième loi maritime de 1900 envisageait une flotte de trente-huit cuirassés qui, selon la «théorie du risque» de Tirpitz, serait assez puissante pour infliger des dégâts si sérieux à la flotte britannique, qui lui était pourtant supérieure, qu'elle ne serait jamais attaquée.

La flotte semblait aussi être un ajout nécessaire à la grande marine marchande qui était en chantier afin de permettre à l'Allemagne de trouver des marchés d'exportation pour ses nouvelles industries. Entre 1887 et 1912, les exportations allemandes augmentèrent de 185 pour cent, les importations allemandes de 243 pour cent. La balance commerciale était défavorable et il fallait la rectifier. De plus, pour les grandes banques allemandes et les nouveaux trusts, l'expansion de leurs perspectives au-delà des mers et au sein des régions en développement d'Europe était d'un intérêt primordial. Ces forces économiques formaient un groupe de pression de plus à Berlin qui insistait pour obtenir du gouvernement des actions plus efficaces à l'étranger. Les buts des industriels et des politiciens se rejoignirent en 1900. La construction du chemin de fer entre Berlin et Bagdad, commencée en 1899 et appuyée avec beaucoup d'enthousiasme par le kaiser, amplifia encore les tensions avec la Grande-Bretagne et la Russie, lorsque les Allemands s'en servirent pour exercer un fort contrôle politique sur l'Empire turc.

La course aux colonies réussit à isoler l'Allemagne encore plus. L'Allemagne s'était emparée de certaines parties de l'est et du sud-ouest de l'Afrique pendant les années 1880. Durant les années 1890, elle s'était tournée vers le Pacifique sud et avait acquis quelques îles des Samoa, et avait même tenté d'établir une base dans les Philippines. Lorsque les Allemands prirent finalement un port chinois en 1897, le kaiser marqua l'occasion par un de ses discours les plus fanfarons, car le «péril jaune» était une de ses peurs constantes. «Des milliers de chrétiens allemands vont pouvoir respirer de nouveau lorsqu'ils verront les navires de la marine allemande dans les environs,» dit-il. «Des centaines de marchands allemands vont crier de joie en sachant que l'Empire germanique a enfin pris pied fermement en Asie, des centaines de milliers de Chinois vont trembler s'ils sentent la main de fer de l'Empire germanique leur écraser le dos.»

Il y avait donc une coalition tacite entre le kaiser, les officiels de l'armée et de la marine, de même que les banques et les grandes sociétés, soutenus par les classes moyennes et certains secteurs de la classe ouvrière. On se disait que la résolution de presque toutes les crises internationales importantes touchait aux intérêts matériels de l'Allemagne. Cela ne signifie pas que l'Allemagne a organisé la Première guerre mondiale, ou qu'elle était seule responsable de son déclenchement. Ce que cela suggère, c'est que l'Allemagne n'avait pas l'intention de rester inactive lorsque les crises éclateraient.

Les difficultés politiques de la IIIᵉ République en France

La plus grande peur de Bismarck avait été la conclusion d'une alliance franco-russe, qui avait finalement eu lieu en 1894. Toutefois, les problèmes de politique interne de la France et de la Russie pendant le demi-siècle précédant 1914 semblaient rendre improbable les possibilités d'une action internationale significative par l'un ou l'autre de ces deux pays.

La IIIᵉ République en France était très instable. Une série de lois constitutionnelles accordées au compte-gouttes lui avait lentement donné une constitution durant la décennie de 1870. En mars 1871, une révolte à Paris défia l'autorité du nouveau gouvernement. La ville fut prise par une coalition d'extrémistes radicaux, de socialistes et d'anarchistes qui déclarèrent que Paris était maintenant gouvernée par son conseil municipal, la Commune. La plupart des travailleurs de la ville ainsi que plusieurs centaines de réfugiés appuyèrent le nouveau régime; mais le gouvernement républicain retira l'armée de la ville et se prépara, après la fuite de plusieurs habitants de la classe moyenne, à reconquérir Paris par la force. Après des combats cruels en mai et la perpétration de plusieurs atrocités par des membres des deux camps, la ville fut reprise. On estime à 20 000 le nombre de défenseurs qui furent fusillés et, plus tard, 40 000 furent arrêtés. Ainsi la IIIᵉ République commençait, de façon inquiétante, par un assujettissement militaire de la classe ouvrière de sa capitale à une armée qui représentait largement la bourgeoisie.

Il est probable que seule l'incapacité des monarchistes à s'entendre sur un candidat pour le trône restauré sauva la république dans les années 1870. Des querelles continues entre les partisans des prétendants bourbon, orléaniste et bonapartiste paralysèrent la monarchie et donnèrent la victoire à la république par défaut. Le système de partis qui se développa après 1875 avait cependant plusieurs défauts. À l'extrême-droite, il restait un groupe de conservateurs toujours opposés à l'existence même de la république. Dans les années 1880, alors que leurs espoirs monarchiques faiblissaient à cause du manque de prétendants valables, ils se tournèrent, en désespoir de cause, vers un soldat qui semblait incarner leur idéal. Mais le candidat qu'ils voulaient porter au pouvoir par un coup d'État, le général Boulanger, s'avéra être un aventurier sans panache. Une fois que le bref mouvement d'appui que les forces de droite avaient réussi à lui créer entre 1887 et 1889 eut pris fin, Boulanger s'enfuit du pays, par peur de représailles de la part du gouvernement. Une coalition des partis du centre, connue dans les années 1880 sous le nom des *opportunistes* et dans les années 1890 sous le nom des *modérés*, prit le pouvoir. Ces groupes ne réussirent pas à obtenir la stabilité gouvernementale; les changements de personnel continuels dans les ministères et les fréquents renversements de gouvernements empêchèrent d'établir des réformes à long terme. En effet, ils consacrèrent trop d'efforts à attaquer l'Église catholique, entre autres, avec la Loi de séparation des Églises et de l'État en 1905, et trop peu d'efforts à s'occuper des réformes sociales nécessaires. Des révélations fréquentes d'inconvenances financières de la part de fonctionnaires haut placés ternirent leur réputation. Cela eut pour résultat de renforcer les groupes de gauche et quelques réformes sociales furent adoptées. En 1903, une loi imposant des normes de sécurité dans les usines fut finalement passée; en 1906, les employeurs furent obligés de donner une journée de congé par semaine à leurs employés et, en 1911, les pensions de vieillesse firent leur apparition. Cette législation tardive était due en partie aux succès du Parti socialiste français, et aux discours cinglants de son chef, Jean Jaurès. Même si les socialistes ne firent pas partie du Cabinet avant 1936, leur pression fut ressentie de façon salutaire pendant le premier tiers du XXe siècle.

Toutefois, le scandale le plus troublant de la IIIe République fut l'affaire Dreyfus, qui divisa toute la société française en deux factions irréconciliables pendant presque vingt ans. Dreyfus, le seul officier juif de l'état-major, fut accusé d'avoir vendu des secrets militaires français aux Allemands et déporté à l'île du Diable malgré toutes ses protestations d'innocence. Les preuves amenées par le frère de Dreyfus et quelques officiers finirent par convaincre des intellectuels renommés que Dreyfus avait été condamné sur de fausses preuves et que l'armée avait étouffé l'affaire par antisémitisme. Finalement, une coalition de forces politiques de centre et de gauche forcèrent une réévaluation de l'enquête et, en 1906, Dreyfus fut proclamé innocent. Mais le mal était fait dans toutes les sphères de la société française. Les peintres Monet et Degas se querellèrent et ne se reparlèrent plus jamais. Des écrivains comme Barrès prirent parti publiquement contre Zola et Anatole France. Une vague d'anticléricalisme se déchaîna contre l'Église à cause des Pères Assomptionnistes qui avaient pris part à l'accusation de Dreyfus. La confiance en l'armée fut empoisonnée lorsqu'on connut les détails de l'affaire.

Étant donné cette discorde interne, il n'est pas surprenant que la France n'ait pas eu de politique étrangère harmonieuse en Europe. Le seul facteur constant était le désir du retour de l'Alsace et de la Lorraine, mais pour bien des Français, même cela ne valait plus une guerre contre l'Allemagne. Certains politiciens allèrent jusqu'à suggérer que les intérêts de la France, qui s'embarquait alors dans l'expansion en Afrique, en Indochine et dans le Pacifique, (une politique qui marquerait le nouvel impérialisme des années 1870 et 1880), seraient mieux servis par une réconciliation avec l'Allemagne. Ce n'est qu'en 1894 que la France conclut une alliance militaire avec la Russie et pendant des années on douta que l'une des deux puissances prenne des engagements sérieux afin de soutenir l'autre en cas de guerre. Même l'accord militaire avec la Grande-Bretagne, connu sous le nom d'Entente cordiale de 1904, avait une valeur stratégique incertaine pour la France, puisque tout le monde savait que la Grande-Bretagne ne tenait pas à intervenir militairement en Europe continentale. Ce n'est qu'après 1905, lorsque les Allemands contrarièrent la première tentative française de mettre le Maroc sous son autorité, que les Français admirent qu'ils devaient se préparer militairement à la confrontation militaire en Europe qui devait les opposer à la Triple Alliance.

La faiblesse de la Russie impériale

Il devint vite évident, après les défaites de la guerre de Crimée (1853-1856), que la Russie n'avait pas réussi à égaler les programmes de modernisation rapide des autres puissances européennes du XIXᵉ siècle. Le tsar Alexandre II (1855-1881) s'embarqua donc dans un vaste programme de réformes. On organisa des assemblées locales élues. On modernisa les tribunaux. L'armée fut réorganisée. Enfin, en 1861, la Proclamation d'émancipation libéra les paysans russes du servage à leurs propriétaires. Même s'ils demeuraient rattachés à leur communauté, ils reçurent à peu près la moitié de la terre en propriété commune. Ils n'étaient pas satisfaits cependant, à cause du manque de droits personnels, du fardeau que leur imposait le paiement de la terre, et du fait qu'on ne leur permettait pas de s'instruire et d'obtenir de l'aide financière. Même si certains paysans devinrent prospères, la plupart étaient arriérés, il leur arrivait d'être au bord de la famine et ils étaient souvent impliqués dans des incendies ou des meutres contre les riches propriétaires terriens. Leur condition amena certains groupes populistes comme «Terre et Liberté» dans les années 1870 à «aller vers le peuple», pour les aider au niveau local, alors que des groupes révolutionnaires impatients, comme «Volonté populaire», se tournèrent vers la violence. Après plusieurs tentatives, ils réussirent finalement à assassiner Alexandre II en 1881. Son successeur Alexandre III (1881-1894) revint à une politique de répression. On assista de nouveau à une censure stricte, à l'arrestation et à l'exécution des révolutionnaires et à la réduction des pouvoirs des assemblées locales. Les minorités nationales et religieuses, telles que les Polonais catholiques et les Juifs, furent persécutées. Le seul progrès que le nouveau tsar entreprit fut le début de l'industrialisation à l'aide de capitaux étrangers qui, de 1892 à 1903, sous la direction du ministre des finances Sergei Witte, produisit une forte croissance de la construction des chemins de fer russes et de la production de charbon et d'acier. Cependant, l'industrialisation et l'urbanisation eurent pour effet de créer un autre groupe d'insatisfaits, le prolétariat urbain.

L'opposition à la répression continue sous le tsar Nicolas (1894-1917) atteint son apogée lorsque les défaites russes, lors de la guerre avec le Japon en 1904-1905, démontrèrent que l'industrialisation russe était loin d'être suffisamment avancée pour permettre à la Russie de vaincre un pays bien plus petit, aux confins lointains de ses territoires asiatiques. Les libertés constitutionnelles cédées de mauvaise grâce en 1905, en réponse aux pressions des ouvriers, des paysans, des marins et de la classe moyenne, étaient loin de satisfaire la masse du peuple; des groupes comme les Révolutionnaires Sociaux, un nouveau parti de paysans populistes voués au terrorisme et les deux ailes du Parti social-démocrate, les *mencheviks* et les *bolcheviks*, continuèrent à s'agiter afin d'obtenir des changements radicaux. La Russie était donc loin d'être un allié sûr pour la France en dépit des renforcements, en 1899, de leur pacte militaire de 1894. Les Britanniques attendirent jusqu'en 1907 avant d'accepter un accord précaire avec le gouvernement tsariste. Néanmoins, les Russes avaient entraîné les Français dans leur plus importante querelle en Europe, où ils luttaient pour les intérêts des États slaves indépendants de la péninsule balkanique, en particulier pour la Serbie, contre les empires turcs et austro-hongrois.

Les liens entre l'Allemagne et l'empire austro-hongrois allaient transformer une crise politique dans les Balkans en une guerre européenne. Les demandes continues des libéraux qui voulaient plus d'indépendance, et les pressions grandissantes des nationalités non germaniques de l'empire pour une plus grande autonomie, constituaient les principales difficultés que dut affronter le gouvernement de l'Empire autrichien après la répression des soulèvements révolutionnaires de 1848. Par son tempérament et son éducation, l'empereur François-Joseph (1848-1917) était nettement opposé aux compromis avec les libéraux et les nationalistes. Dans les années 1850, il permit au cabinet impérial, dominé par le ministre de l'intérieur Alexander Bach, d'appliquer une politique rigide de centralisation. La Bohême et la Hongrie furent punies pour leurs activités révolutionnaires en étant soumises à l'autorité directe des bureaucrates viennois, connus sous le nom de «hussards de Bach». Elles perdirent toutes deux le droit à l'autonomie dont elles avaient joui avant 1848. Mais ce système de suppression du libéralisme et du nationalisme fut secoué par la défaite militaire. En 1859, l'armée autrichienne fut battue par les armées françaises et du Piémont-Sardaigne en Lombardie. L'empereur fut obligé de reconnaître la perte de la Lombardie au Piémont-Sardaigne. Pour gagner l'appui des libéraux, il accorda un «Diplôme» impérial qui établissait un Parlement impérial, le *Reichsrat* dont les membres étaient choisis par les diètes provinciales qui furent de nouveau permises. Cependant, le Diplôme fut modifié en 1861 pour restreindre le pouvoir dans le Reichsrat aux riches propriétaires terriens et aux classes urbaines les plus riches. Les Hongrois refusèrent de collaborer à ce système et demandèrent plutôt l'autonomie; leur exemple fut rapidement suivi par les Polonais et les Tchèques. Le résultat fut que la population aisée, d'origine germanique, obtint une grande partie du pouvoir minime que le Reichsrat exerçait sur la législation (le Reichsrat n'avait pas de contrôle sur les pouvoirs exécutifs de l'empire). En 1866, à la bataille de Sadowa, la Prusse et ses alliés firent subir une défaite militaire désastreuse à l'empire qui dut acquiescer à l'annexion de la plus grande partie de l'Allemagne du centre et du nord par la Prusse. Dans sa situation affaiblie, le gouvernement impérial trouva nécessaire de parvenir à un accord avec la plus grande minorité de son empire, les Magyars de Hongrie.

Par l'*Ausgleich*, ou Compromis de 1867, l'Empire autrichien fut séparé en deux parties et prit le nom de Double Monarchie d'Autriche-Hongrie. François-Joseph serait désormais empereur d'Autriche et roi de Hongrie et, avec l'aide de trois ministres impériaux, contrôlerait les affaires

La chute de l'empire multinational d'Autriche-Hongrie

extérieures, les forces armées et les finances des deux sections de l'empire. Vienne serait la capitale de la partie autrichienne et Budapest, celle de la partie hongroise. Dans chacune des deux villes il y aurait un parlement à deux chambres et un gouvernement du Cabinet, qui contrôlerait les affaires internes. En fait, le droit de vote était si restreint qu'en Autriche le tiers allemand de la population dirigeait les deux autres tiers, composés surtout de Polonais, de Tchèques, de Ruthéniens, d'Italiens et de Slovènes tandis qu'en Hongrie, la moitié magyare de la population gouvernait les minorités slaves du sud (Croates, Serbes et Slovènes) de plus en plus turbulentes, les Roumains et les Ruthéniens.

L'Ausgleich n'eut pas de succès en Hongrie, ni en Autriche. En Hongrie, plusieurs Magyars demeuraient insatisfaits. Les derniers partisans de Louis Kossuth voulaient une indépendance totale au sein d'une république. Les paysans et les ouvriers de nationalité magyare ne se sentaient pas représentés par le Parti libéral qui domina le Parlement hongrois pendant les trente dernières années du XIXe siècle. Les manipulations de votes, la domination des Magyars dans la fonction publique et dans les professions, et l'influence magyare dans les écoles élémentaires et secondaires outragèrent les groupes non magyars. Les Slaves du Sud, en particulier, cherchaient de plus en plus le soutien de leurs compatriotes de l'extérieur de l'empire, voyant un allié potentiel dans l'État indépendant de Serbie.

En Autriche, l'Ausgleich fonctionna relativement bien jusqu'en 1879. François-Joseph permit aux libéraux allemands d'apporter des réformes constitutionnelles modérées, confirmant des droits civils plus importants, restreignant les pouvoirs de l'Église catholique et réformant l'armée. Il tenta même de régler la question tchèque, en 1871, en donnant plus d'autonomie à la Bohême mais laissa tomber ce plan devant l'opposition des Allemands. En 1879, il nomma le comte Édouard Taaffe comme premier ministre après que les libéraux se furent opposés à sa politique extérieure. Taaffe s'avéra extrêmement habile pour équilibrer les concessions faites aux différents groupes nationaux. En particulier, il apaisa les Tchèques en augmentant l'utilisation de la langue tchèque et en autorisant une université tchèque à Prague. Toutefois, après la démission de Taaffe en 1893, le système fut attaqué par des groupes allemands qui cherchaient à se rapprocher des Allemands de l'extérieur de l'Autriche et qui désiraient obtenir plus de pouvoir à l'intérieur de l'Autriche, par le mouvement des Jeunes Tchèques qui demandaient l'autonomie de la Bohême et par le Parti social-démocrate, créé en 1888, qui voulait de vraies réformes sociales pour les classes ouvrières. Le gouvernement parlementaire s'écroula entre 1893 et 1900, et François-Joseph répliqua en légiférant par décret et en nommant des fonctionnaires au cabinet. L'adoption du suffrage universel en 1907 donna aux non-Allemands la majorité au Reichsrat, divisa la Chambre entre les partis conservateurs et le Parti social-démocrate réformateur et ne fit qu'augmenter la confusion parlementaire.

Ainsi, alors que François-Joseph s'accrochait avec détermination à ce qu'il pouvait sauver des pouvoirs traditionnels et des politiques de son empire, la Double Monarchie se décomposait de plus en plus. Elle finit par s'écrouler sous le poids des grandes crises européennes de 1905 à 1914.

L'alliance franco-russe en 1894 fut le principal échec de Bismarck. Même si le kaiser avait refusé de renouveler le traité de Réassurance avec la Russie en 1890, il avait prévenu son cousin Nicolas II de Russie des dangers d'une alliance avec la France: «Crois-moi, Nicky… la malédiction de Dieu pèse sur cette nation. Le ciel nous a imposé un devoir sacré… à nous les rois et empereurs chrétiens — de maintenir le droit divin des rois.»

Les crises internationales et le système des alliances

Avec la conclusion, en 1904, de l'Entente cordiale entre la France et la Grande-Bretagne et le pacte de 1907 entre la Grande-Bretagne et la Russie, il existait en Europe deux systèmes d'alliance rivaux. Le système allemand semblait le plus faible, puisque l'Italie avait annoncé clairement qu'elle ne se battrait pas contre la France. L'empire austro-hongrois, même s'il était un allié fiable, risquait d'être une source de provocation plutôt qu'un facteur de paix. Mais la force de l'armée et de l'économie allemande semblait compenser ces faiblesses aux yeux du gouvernement allemand. En fait, la plupart des hommes d'État européens en concluaient qu'ils avaient créé un véritable équilibre qui réussirait à garantir la paix dont dépendait la structure sociale existante.

Le système fut testé en deux endroits importants. Les Français, ayant suivi l'invitation de Bismarck, avaient continué à progresser à l'est de l'Algérie, pénétrant en Tunisie en 1881 et avaient commencé, dans les années 1900, à regarder vers l'ouest, au Maroc. Les Britanniques avaient accepté de leur laisser le champ libre mais, en 1905, le kaiser débarqua à Tanger et insista sur le fait qu'il reconnaissait le sultan comme «chef d'État indépendant», pendant que le gouvernement allemand exigeait que les Français abandonnent leurs plans au Maroc. L'intervention allemande força la conférence internationale d'Algésiras en 1906, où seuls l'Autriche-Hongrie et le Maroc se rangèrent du côté de l'Allemagne, et où les Français reçurent la permission de prendre le contrôle de la police marocaine et de la banque de l'État. Ces mesures étaient des préliminaires évidents à la transformation du Maroc en protectorat français. La crise renforça l'entente franco-britannique sans rien apporter à l'Allemagne. En 1911, les Allemands précipitèrent la deuxième crise marocaine en envoyant une de leurs canonnières, la *Panther*, dans le port d'Agadir sur l'Atlantique, afin de protester contre l'occupation française de Fez, la capitale du Maroc. On réussit à calmer les Allemands en leur donnant des petits morceaux du Congo et le Maroc devint un protectorat français. Pendant la crise, toutefois, les diplomates avaient été consternés de réaliser qu'ils semblaient tous se diriger vers une guerre qu'aucun d'entre eux ne souhaitait. Pour éviter qu'une telle situation ne se répète, toutes les puissances décidèrent d'augmenter leurs armements et de renforcer la coordination entre les armées alliées.

Pendant ce temps, dans les Balkans, l'Autriche et la Russie se dirigeaient vers un conflit. Depuis le congrès de Berlin en 1878, les Bulgares qui désiraient devenir complètement indépendants des Turcs avaient demandé l'aide des Russes et les Serbes espéraient aussi l'aide des Russes pour obtenir le contrôle de la Bosnie-Herzégovine, alors que les Autrichiens venaient d'en obtenir l'administration. L'Autriche, d'un autre côté, craignait tous les mouvements nationalistes dans cette région, en partie parce qu'elle y voyait la seule région ouverte à son expansion territoriale; mais, surtout, elle avait peur du succès de la tentative des Slaves du Sud à créer un grand État-nation sous l'égide de la Serbie, qui ne ferait qu'encourager les nationalités sujettes de l'empire austro-hongrois à chercher leur indépendance. Non seulement la Bosnie-Herzégovine et la Slovénie rejoindraient-elles un État slave du sud, mais les Polonais tenteraient de recréer la Pologne, les Tchèques et les Ruthéniens chercheraient à former un ou plusieurs États indépendants, et toute la fragile structure de l'Empire austro-hongrois s'écroulerait. La Russie et l'Autriche étaient toutes deux d'accord qu'il fallait agir vite car, en 1908, la révolution des Jeunes Turcs menaçait de moderniser la Turquie et de renforcer sa puissance. Cette même année, le ministre russe des Affaires étrangères accepta de permettra à l'Autriche d'annexer la Bosnie-Herzégovine de façon permanente, en retour d'un accord qui permettrait aux vaisseaux russes d'utiliser les détroits de Turquie de la mer Noire à la mer Méditerranée. L'Autriche annexa les provinces sans avertissement et les protestations internationales qui s'ensuivirent furent si fortes que le ministre russe des Affaires étrangères nia tout accord et laissa tomber sa demande de passage par les détroits. Les Serbes firent appel à l'aide russe pour les aider dans une guerre immédiate contre l'Autriche, mais on leur dit de patienter: «Votre heure viendra.» Mais le facteur décisif dans cette crise fut peut-être la décision allemande d'appuyer l'Autriche, peu importe l'opinion mondiale.

Les guerres balkaniques

En 1912, une nouvelle crise éclata dans les Balkans lorsque la Serbie, le Monténégro, la Bulgarie et la Grèce attaquèrent la Turquie afin de saisir la plupart des possessions qui lui restaient en Europe. Ils eurent tant de succès qu'il fallut l'intervention des grandes puissances pour les empêcher de prendre Constantinople. Les vainqueurs se querellèrent sur le partage du butin et le grand gagnant, la Bulgarie, fut attaquée dans la seconde guerre des Balkans par la Serbie, la Grèce, la Roumanie et la Turquie. En 1913, après la défaite décisive de la Bulgarie, la Serbie et la Grèce se partagèrent la Macédoine; la Roumanie s'étendit vers le sud le long de la côte de la mer Noire et l'Albanie fut reconnue comme un État indépendant. Les guerres des Balkans avaient causé de nouvelles tensions entre la Russie et l'Autriche. Les Allemands avaient pourtant persuadé l'Autriche de ne pas venir à l'aide de la Bulgarie, alors que la Grande-Bretagne avait fait pression sur les Russes afin qu'ils ne permettent pas aux Serbes de devenir trop ambitieux. Mais une telle retenue ne fut atteinte qu'avec beaucoup de

difficulté et, à partir de 1912, le sentiment que la guerre était inévitable dans un proche avenir se communiqua à tous les diplomates des grandes puissances. Le kaiser était particulièrement pessimiste à propos de «la guerre à finir entre les Slaves et les Allemands», puisque les «Gaulois» et les «Anglo-Saxons» aideraient les Slaves. Les présages de guerre forcèrent les mêmes puissances qui avaient demandé de la retenue à leurs alliés, à faire de grandes déclarations de soutien, de peur que les vieilles alliances ne s'écroulent à la veille de la catastrophe. Ainsi, lorsque la crise finale arriva en juin 1914 — le meurtre de l'héritier du trône autrichien, à Sarajevo, par un terroriste entraîné en Serbie — les diplomates étaient plus soucieux de rassurer leurs alliés que d'apaiser les tensions avec leurs ennemis.

L'assassinat donna une excuse à l'Autriche pour commencer la guerre préventive contre la Serbie qu'elle cherchait depuis longtemps. Elle soupçonnait, avec raison apprit-on plus tard, que le meurtre ait été préparé par des gens haut placés dans le gouvernement serbe, qui craignaient que le réformateur François-Ferdinand ne gagne la fidélité des Slaves du Sud qui vivaient dans l'Empire autrichien. Les militaires l'emportèrent à Vienne, en persuadant le gouvernement d'envoyer un ultimatum si dur au gouvernement serbe qu'il ne puisse l'accepter sans perdre son indépendance. Lorsque l'ultimatum fut rejeté, l'Autriche bombarda Belgrade, certaine que le kaiser, avec l'accord de son chancelier, reconnaissait que la guerre contre la Serbie était inévitable et qu'il promettait le soutien de l'Allemagne si la Russie venait à l'aide de la Serbie.

Pendant les jours cruciaux qui suivirent, la guerre entre les grandes puissances devint elle aussi inévitable parce qu'aucun gouvernement, ni

La crise de Sarajevo

monarchique, ni civil, n'osa refuser les ordres de mobilisation de ses états-majors. Le gouvernement russe ordonna la mobilisation générale le 30 juillet 1914, ce qui aux yeux des Allemands était l'équivalent d'une déclaration de guerre puisque cela signifiait une mobilisation le long de la frontière russo-allemande autant que le long de la frontière russo-autrichienne. Le gouvernement allemand exigea que les Russes annulent leur mobilisation et, faute de réponse, il déclara la guerre à la Russie le 1er août. Les Allemands envoyèrent aussi un ultimatum à la France, exigeant que les Français garantissent leur neutralité dans les combats à venir et les sommant de leur remettre plusieurs forteresses frontalières à l'Allemagne, ce que la France refusa. Le gouvernement belge causa une surprise encore plus grande en refusant de donner la permission aux troupes allemandes de passer par son territoire. Néanmoins, le 3 août, l'Allemagne déclara la guerre à la France et envahit la Belgique en suivant l'échéancier précis du plan Schlieffen. La Grande-Bretagne, qui hésitait, trouva que la violation de la neutralité belge était une raison suffisante pour déclarer la guerre à l'Allemagne.

Ainsi l'Allemagne se trouva impliquée dans une guerre dont les vainqueurs allaient lui imputer la responsabilité. Ce débat a préoccupé les historiens depuis 1914; mais plusieurs facteurs ressortent. Le système international, basé sur le maintien d'un équilibre de la puissance entre le système des alliances en compétition, était beaucoup moins stable que ses créateurs ne l'avaient cru. Une des raisons de l'instabilité était le manque de compréhension de la nature de la guerre moderne, dans laquelle les armées sont ravitaillées et transportées par les produits de l'industrie; peu de diplomates et de planificateurs militaires auraient cru que la guerre durerait plus que quelques mois. Donc, toute la planification militaire était basée sur un calendrier d'attaque court et strictement organisé. Mais la décision d'un pays de mobiliser était, à toutes fins utiles, équivalente à une déclaration de guerre et était perçue comme telle par ses voisins. Il y avait même des dirigeants qui argumentaient que la guerre était bonne d'un point de vue social, qu'elle ravivait les esprits des nations sclérosées, et qu'elle était un instrument nécessaire dans la lutte pour l'existence entre nations, l'équivalent du concept darwinien de l'évolution. Certains diplomates, surtout en Angleterre, ont peut-être perdu la maîtrise des événements; mais des résultats récents semblent démontrer qu'en 1914, la plupart des diplomates civils étaient d'accord avec les chefs militaires, que seule la guerre pouvait leur permettre d'atteindre leurs buts. À cet égard, tous les belligérants peuvent s'en partager la responsabilité.

La guerre fut accueillie avec joie, ou peut-être soulagement, du fait que la lutte tant attendue était arrivée. La réaction joyeuse des foules à Berlin le 31 juillet, lorsque le kaiser déclara de son balcon «on nous met l'épée entre les mains», n'était nullement différente de celle des foules excitées dans les rues de Paris ou de Londres. L'ordre de mobilisation du lendemain fit descendre des foules en délire dans Unter den Linden qui acclamaient de fiers officiers debout dans leurs voitures et le kaiser lorsqu'il leur dit: «Je ne vois plus de partis. Seulement des Allemands.» Les sociaux-démocrates, qui avaient déjà été déclarés «ennemis de l'empire et de la patrie» par le kaiser, répondirent en votant des crédits à l'armée. Les Berlinois d'âge militaire se rapportèrent à leurs unités et, en quelques heures, ils se retrouvèrent dans des trains en direction du front occidental. Dans l'immeuble de l'état-major, la machine bien huilée fonctionnait efficacement, même si son chef Moltke avait brièvement fondu en larmes lorsque le kaiser lui avait dit joyeusement d'abandonner son attaque sur la France et de transférer plutôt ses troupes contre la Russie, avant de révoquer cet ordre peu après. Le kaiser, toutefois, était loin d'être optimiste. Pâle, hagard et fatigué, il voyait que l'Allemagne était encerclée. «Le monde sera impliqué dans la plus terrible des guerres» se lamentait-il «dont le but ultime est la ruine de l'Allemagne.» Deux semaines plus tard, il quitta Berlin pour le quartier général de l'armée à Coblence. «Le kaiser ne traversera jamais la porte de Brandebourg en conquérant du monde sur un cheval blanc entouré de ses paladins» observa l'industriel Walther Rathenau. «Si cela se produisait, l'histoire aurait perdu tout son sens.»

LA PREMIÈRE GUERRE MONDIALE

Après plus d'un mois de combats, même les généraux qui avaient déclenché les premières campagnes se rendaient déjà compte de deux choses: une victoire rapide était impossible, et les pertes humaines et matérielles provoquées par l'industrialisation des moyens de guerre prenaient des proportions jamais vues auparavant. Le plan Schlieffen avait semblé fonctionner comme prévu au début. Même si les Belges avaient déclaré la guerre plutôt que de permettre aux Allemands de franchir leurs frontières, leurs grandes forteresses n'avaient pas vraiment été un obstacle. L'aile droite avait viré le long de la côte de la Manche pour pénétrer en France le 27 août et s'était approchée à un certain moment à soixante-cinq kilomètres de Paris. Mais les Britanniques avaient fourni une force expéditionnaire d'une taille inattendue qui aida à renforcer le centre français. Les Russes pénétrèrent en Prusse orientale et forcèrent les Allemands à détacher une partie de leurs forces du front français afin de renforcer le front russe et le mauvais commandement de Moltke fit perdre contact à deux armées sur le front belge. Joffre, le commandant français, saisit l'occasion de contre-attaquer et lança ses forces de réserve contre la ligne allemande qui s'étendait dangereusement à l'est de Paris. Lors de la première bataille de la Marne, les Allemands durent retraiter jusqu'à l'Aisne, où ils purent établir une forte ligne de défense. En novembre, lorsque les pluies hivernales débutèrent et que les opérations s'enlisèrent littéralement, la guerre de

Échec du plan Schlieffen

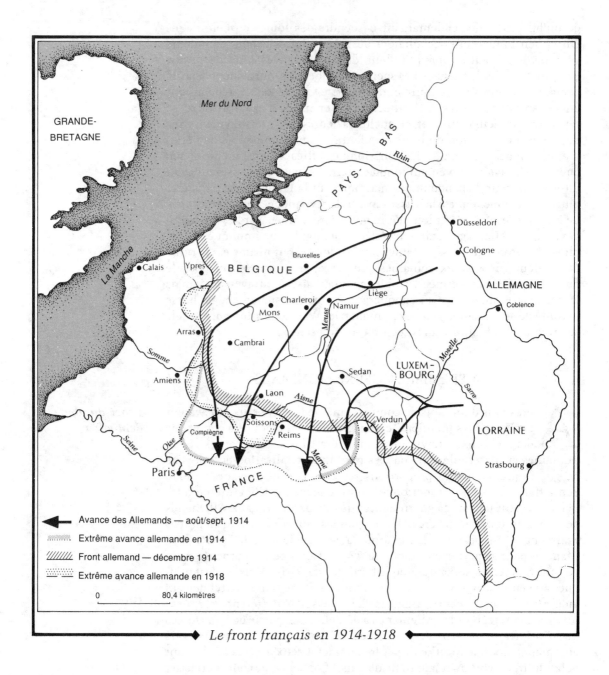

GRANDE-
BRETAGNE

Mer du Nord

PAYS-BAS

Rhin

Düsseldorf

Cologne

ALLEMAGNE

Coblence

La Manche

Calais

Ypres

BELGIQUE

Bruxelles

Charleroi

Liège

Namur

Mons

Meuse

Arras

Cambrai

Somme

Sedan

LUXEM-
BOURG

Moselle

Amiens

Laon

Aisne

Sarre

Soissons

Verdun

Compiègne

Reims

LORRAINE

Seine

Oise

Marne

Paris

FRANCE

Strasbourg

Avance des Allemands — août/sept. 1914

Extrême avance allemande en 1914

Front allemand — décembre 1914

Extrême avance allemande en 1918

0   80,4 kilomètres

◆ *Le front français en 1914-1918* ◆

mouvement rapide planifiée au début par les généraux était devenue un
match éreintant entre deux armées retranchées, disposées en deux lignes
de tranchées, derrière des barrières de barbelés, le long d'un front qui
s'étirait de la côte de la Manche à la Suisse. Les lignes ne bougeraient que
de quelques kilomètres pendant les quatre années suivantes.

Le front russe en 1914-1918

En 1916, même si les Britanniques avaient échoué dans leur tentative de prendre les Dardanelles et Constantinople, afin d'ouvrir une route directe jusqu'à Moscou, les Russes mirent sur pied une gigantesque armée qui leur permit de reprendre une grande partie des territoires qu'ils avaient perdus. Mais le coût en hommes et en matériel de la campagne de 1916 amena les Russes à la révolution au mois de mars de l'année

La guerre à l'est

suivante. Si la Russie n'arrêta pas de se battre officiellement jusqu'à la révolution bolchévique de novembre, elle ne contribua que faiblement aux efforts des Alliés en 1917. En mars 1918, à la conclusion du traité de Brest-Litovsk avec le nouveau gouvernement de Russie, les Allemands semblaient avoir gagné une victoire éclatante en forçant les Russes à leur céder la Pologne, les pays baltes, la Finlande et l'Ukraine, qui devinrent tous des États satellites de l'Allemagne.

La guerre de l'arrière

Dès que les fronts se stabilisèrent, les gouvernements belligérants furent obligés d'entreprendre des programmes de mobilisation économique de longue portée, pour pouvoir ravitailler leurs armées en équipement militaire, en munitions, en nourriture et surtout en soldats que la guerre avalait en quantités sans cesse grandissantes. Par conséquent, la Première Guerre mondiale eut plus d'effet que tout autre conflit auparavant sur les civils, qui menèrent ce que l'on appela la guerre de l'arrière.

L'Allemagne faisait face à une pénurie immédiate de matières premières parce que l'efficacité de la marine britannique en empêchait l'importation d'outre-mer. En août 1914, on établit l'Office des matières premières de guerre à Berlin, afin de contrôler l'utilisation des denrées rares. Il devait donner la priorité à la production de guerre et chercher des remplacements aux sources de provisions. Parce que l'approvisionnement en vivres de l'Allemagne était aussi vulnérable, de grands efforts furent faits afin d'augmenter la production domestique. Après des efforts considérables, des chercheurs réussirent à développer des engrais chimiques pour remplacer les nitrates importés. On inventa des substituts alimentaires, on fabriqua par exemple des côtelettes d'agneau avec du riz et l'on fit des imitations d'œufs avec de la farine de maïs et de pomme de terre. Le rationnement de nourriture devint universel en 1916. La Grande-Bretagne et la France bougèrent plus lentement, mais durent aussi avoir recours à des contrôles d'État. Les Britanniques avaient été obligés d'exercer un contrôle des industries de munitions en 1915, lorsqu'on créa un secrétariat d'État aux Munitions sous David Lloyd George. En 1916, la Loi sur la défense du royaume lui donna le droit d'acheter les matières premières à des prix fixes. Peu après, le gouvernement prit en charge les chemins de fer et les mines, et imposa des contrôles stricts dans plusieurs secteurs de l'économie, comme la Bourse et les échanges avec l'étranger.

Toutes les puissances continentales avaient des programmes traditionnels de conscription militaire et n'eurent donc pas besoin d'entreprendre de campagne de propagande comme en Grande-Bretagne, pour recruter un nombre suffisant de soldats pour leurs forces armées. Mais avec les grandes boucheries des campagnes de 1915 et 1916, il devint nécessaire de faire appel aux ouvriers des usines de guerre et des mines, qui avaient été exemptés parce qu'ils étaient essentiels à la production de guerre. En décembre 1916, le gouvernement allemand

Le maréchal Paul von Hindenburg (1847-1934)
Hindenburg devint le chef de l'état-major en 1916 et fut mis en charge du commandement suprême des forces de l'Allemagne et de ses alliés. (Gracieuseté du Centre d'information allemand)

introduisit la Loi sur le service auxiliaire qui obligeait tous les hommes de dix-sept à soixante ans n'appartenant pas aux forces armées à prendre un emploi utile à l'économie nationale en agriculture, dans l'industrie ou au service du gouvernement. Jusqu'en février 1917, alors qu'on mit fin au programme à cause des protestations des neutres, on déportait des travailleurs des pays occupés pour travailler en Allemagne. Les Français avaient envoyé tellement de travailleurs au front, qu'ils ne purent éviter l'effondrement de leur production agricole qu'en relâchant un certain nombre de conscrits plus âgés, pour leur permettre de retourner aux fermes et aux mines sous la direction de comités économiques en contact direct avec les autorités militaires.

La réaction évidente au manque de main-d'œuvre fut le recrutement des femmes pour combler toutes les places laissées vacantes par les hommes. Dès le début de la guerre, le gouvernement allemand s'assura l'aide du Dr Gertrud Bäumer et de sa Fédération des associations de femmes allemandes, et en un mois des femmes bénévoles fabriquaient des cartouchières et des sacs de nourriture, alors que des milliers d'autres étaient employées dans les fermes et dans les usines d'équipement militaire. Alors que les restrictions sur l'emploi des femmes étaient levées, les Allemandes occupèrent des postes dans les bureaux et dans les usines. Mais elles furent aussi employées à des travaux plus durs dans les fonderies et dans la construction de routes et de chemins de fer, et même dans les mines à ciel ouvert. Les Françaises prenaient aussi une portion de plus en plus visible du marché du travail. Comme en Allemagne, elles conduisaient des autobus et percevaient les billets, livraient le courrier, travaillaient dans les usines d'armement et surtout géraient les fermes. En 1916, le gouvernement publia une liste étendue des emplois que les hommes n'avaient plus le droit d'occuper parce que les femmes pouvaient s'en charger. On sanctionnait ainsi l'apparition des femmes dans plusieurs emplois auxquels elles n'avaient pas eu accès auparavant. La seule sphère où l'emploi des femmes déclinait rapidement était le travail domestique. En Grande-Bretagne, par exemple, le nombre de domestiques féminines chuta du quart, soit presque de 400 000. La Loi sur la conscription militaire de mai 1916 transforma les possibilités d'emploi des femmes en Grande-Bretagne. Le gouvernement dut commencer à faire un sérieux effort pour trouver des femmes qui prendraient les emplois laissés vacants par les nouveaux conscrits. Par exemple, l'emploi de femmes dans les usines de munitions augmenta de 256 000 en 1915 à presque un million à la fin de la guerre, alors que près de trois millions de femmes travaillaient dans les industries. Cependant, une conséquence encore plus importante pour l'avenir fut que des femmes avaient trouvé des emplois dans le commerce, l'enseignement et le gouvernement, et ces emplois allaient continuer quand le travail de munitions prendrait fin. Le nombre de femmes britanniques qui travaillaient au gouvernement et à l'éducation augmenta à 460 000; dans les banques il atteint 67 000, et dans le commerce 934 000. La reconnaissance la plus immédiate de la contribution des femmes à la victoire fut qu'on leur donna le droit de vote. En février 1918, le Parlement britannique étendit le droit de vote aux femmes de trente ans et plus ayant un peu de propriété (et aux hommes de vingt et un ans). L'année suivante, la loi qui mettait fin à la discrimination sexuelle disait que «une personne ne peut être disqualifiée à cause de son sexe ou de son état civil de l'exercice d'une fonction publique ni être empêchée d'être nommée à tout poste civil ou judiciaire».[5] De cette façon, les femmes firent leur entrée dans la profession juridique, dans les universités et, en partie, dans la fonction publique supérieure. Toutefois, il n'y eut pas de gains similaires en France où les femmes durent attendre 1944 pour obtenir le droit de vote. Les Allemandes reçurent le droit de vote de la législature dominée par les socialistes en novembre 1918 et elles votèrent pour la première fois dans les élections nationales qui eurent lieu deux mois plus tard. Les femmes furent, néanmoins, amèrement déçues lorsque, avec le retour des soldats, elles se trouvèrent de nouveau devant un marché de l'emploi restreint. On hésitait à croire que leur participation à la guerre de l'arrière ait permis de changer leur statut de façon durable.

La guerre s'élargit

Les combattants du début pressaient continuellement les autres puissances à se joindre à eux, afin de briser l'équilibre de force entre eux. Le Japon entra en guerre contre l'Allemagne en 1914 dans le seul but de ravir aux Allemands leurs possessions en Chine et dans le Pacifique. La Turquie entra en guerre aux côtés de l'Allemagne à la fin de 1914, à cause de la grande influence économique que l'Allemagne avait fini par y exercer avant la guerre. L'Italie, qui avait nié que l'attaque de la Serbie par l'Autriche l'obligeait à entrer en guerre aux côtés de la Triple Alliance, avait succombé aux offres secrètes de compensation territoriale que les Britanniques lui avaient faites aux dépens de l'Autriche. En 1915, elle entra en guerre aux côtés de l'Entente, mais ce ne fut que pour subir d'énormes pertes dans les batailles dans les neiges des Alpes italiennes. Les Bulgares se joignirent à l'Allemagne et à l'Autriche en septembre 1915, afin de prendre part à la désintégration de la Serbie. Les Roumains se joignirent à l'Entente en 1916 dans l'espoir d'obtenir une partie de la Hongrie. Mais le plus important des nouveaux belligérants furent les États-Unis qui déclarèrent la guerre à l'Allemagne en avril 1917, après que les Allemands eurent débuté une guerre sous-marine illimitée contre les navires des pays neutres entrant dans la zone militaire autour de la Grande-Bretagne. Les ravitaillements américains et, en 1918, les soldats américains, allaient être les facteurs décisifs qui émousseraient les dernières offensives allemandes dans l'Ouest.

---

5 Cité par Arthur Marwick, *Britain in the Century of Total War: War, Peace and Social Change, 1900-1967*, Boston, Little, Brown, 1968, p. 111.

Lors des derniers mois de la guerre en 1918, l'impasse à l'Ouest fut brisée et une guerre de mouvement redevint possible. L'introduction du char d'assaut par les Britanniques leur permit finalement de franchir les tranchées. L'utilisation de l'aviation rendit possible non seulement de petits bombardements mais permit aussi d'obtenir des informations beaucoup plus précises. Des troupes de choc, employées par le haut commandement allemand, furent souvent capables de traverser les lignes occidentales et causer des dommages dans des endroits choisis à l'arrière. Mais le principal facteur fut la décision de Ludendorff, au printemps de 1918, de jeter toutes les forces qui lui restaient dans un immense effort pour vaincre la France. Pendant quatre mois, de mars à juin 1918, Ludendorff frappa sans répit sur différents secteurs du front, mais les coups furent parés l'un après l'autre — par les Français, les Britanniques et les Américains. Lorsqu'en juin, les Allemands essayèrent de marcher de la Marne à Paris, ils furent repoussés et tous leurs fronts s'écroulèrent en même temps, en Bulgarie, en Turquie, en Servie, en Italie et tout le long du front occidental.

On ne vit pas beaucoup le kaiser à Berlin pendant la guerre, puisqu'il préférait se promener, en train royal, d'un quartier général à l'autre, rarement consulté par les militaires et largement isolé des réalités du front.

Les dernières campagnes

Chars d'assaut sur le front français en septembre 1918
Les chars d'assaut furent employés pour la première fois par les Britanniques en 1916. En un an, ils avaient transformé l'aspect de la guerre mécanisée en ramenant leur mobilité aux armées. Le massacre inutile de la guerre des tranchées, causé par l'équilibre de la puissance, prenait fin. (H. Roger-Viollet)

Pour les photographies de propagande qu'on prenait de lui, il posait dans une tranchée creusée pour lui dans le parc de sa villa réquisitionnée de Spa. Il continuait à faire montre de son goût pour les discours belliqueux qui contenaient des phrases comme: «Ne faites pas de prisonniers» et: «Nous connaissons notre but, nos fusils sont prêts et les traîtres sont au poteau.» Mais il était devenu un être de plus en plus irréel pour les Berlinois, qui se souciaient plus de rester en vie pendant les années de disette généralisée. Des produits tels que le thé, le café et le sucre disparurent peu à peu. Des ersatz, ou substituts, étaient produits avec beaucoup d'ingéniosité — des saucisses faites de noix, du café d'orge, du savon de sable. Durant le dur hiver des navets de 1916, même les pommes de terre furent difficiles à obtenir et un grand nombre de personnes durent survivre en mangeant des navets. Les vêtements devaient être constamment réparés parce qu'on ne pouvait plus obtenir de la laine et du coton. À partir de 1916, le moral commença à baisser, alors que les rapports des souffrances subies au front, des combats apparemment incessants et des pertes incroyables devenaient de plus en plus connus malgré la censure stricte. En réaction, les groupes conservateurs, chez les militaires et dans le milieu des affaires, exigèrent l'unité nationale afin d'éviter la démocratisation du pouvoir. Au Reichstag, le Parti socialiste s'était séparé en deux parties en 1915. La majorité sociale-démocrate était en faveur de continuer la guerre mais sans buts annexionnistes et les sociaux-démocrates indépendants étaient opposés à la guerre. Pendant l'été de 1917, la majorité sociale-démocrate se joignit aux libéraux modérés du Parti progressiste et du Parti national-libéral ainsi qu'au Centre catholique afin de demander un réexamen des buts de la guerre et une réforme constitutionnelle. Une majorité du Reichstag vota une résolution pour la paix demandant une paix sans annexion. Ces demandes furent ignorées jusqu'à l'échec coûteux de la dernière grande offensive en France en 1918. Les chefs militaires allemands reconnurent alors que la guerre était perdue. Le 3 octobre, Ludendorff informa le kaiser que l'armée allemande ne pouvait plus se battre et qu'elle devait demander la paix. Il recommanda aussi qu'un nouveau gouvernement, représentant la majorité au Reichstag, soit formé. Un aristocrate libéral, le prince Max de Bade, accepta d'établir le nouveau gouvernement qui comprenait le Parti progressiste, le Parti du Centre et la majorité sociale-démocrate et durant les dernières semaines d'octobre, on accepta un nombre de changements constitutionnels qui augmentèrent les pouvoirs du Reichstag. Des négociations en vue d'un armistice débutèrent avec les alliés. Le 11 novembre, l'armistice était signé.

Cependant le 30 octobre, des soulèvements spontanés avaient eu lieu dans la marine allemande et dans les villes portuaires. La cause immédiate de ces révoltes fut la décision d'officiers de marine insubordonnés d'utiliser la flotte pour une attaque suicide contre la marine britannique, sans aucune instruction du gouvernement central. Les membres d'équipage, mécontents, et déjà contrariés par la dure discipline et les mauvaises conditions de vie, se mutinèrent et furent appuyés par les ouvriers des villes. Des comités révolutionnaires de soldats et d'ouvriers furent formés à Kiel et Wilhelmshaven et plusieurs villes importantes du nord de l'Allemagne suivirent leur exemple. Le 8 novembre, des révolutionnaires de gauche s'emparèrent de Munich et la Bavière fut déclarée république distincte. En deux semaines, tous les petits princes d'Allemagne étaient déposés et des foules de travailleurs et de soldats commencèrent à envahir les rues de Berlin même. Des officiers furent assaillis et leurs épaulettes furent arrachées. Des drapeaux rouges apparurent sur certains immeubles. Le 9 novembre, le kaiser fut forcé d'abdiquer. La majorité sociale-démocrate et les sociaux-démocrates indépendants formèrent un nouveau gouvernement. L'abdication élimina une source importante de griefs pour plusieurs ouvriers et la proclamation de la république allemande sous un chancelier social-démocrate, Friedrich Ebert, laissait entrevoir un nouveau début. Lorsqu'une révolte communiste éclata à Berlin en janvier 1919, elle fut écrasée de façon sanglante par le ministre social-démocrate de l'armée, Gustav Noske.

En un épilogue ironique aux jours du Berlin impérial, ce fut un socialiste plutôt que le kaiser qui souhaita la bienvenue aux divisions berlinoises, le 11 décembre, alors qu'elles traversaient la porte de Brandebourg pour garantir Berlin contre la révolution sociale. «Camarades,» cria le chancelier Ebert à l'armée vaincue, «aucun ennemi ne vous a vaincus.» C'était une remarque digne du kaiser lui-même.

22

MOSCOU SOUS LA DOMINATION DE LÉNINE ET DE STALINE

«Entre la rue qui s'agite et bruit constamment derrière nos murs et l'âme moderne, la correspondance est aussi étroite qu'entre l'ouverture que l'on commence à jouer et le rideau du théâtre, plein de mystère et de ténèbres, encore baissé, mais déjà embrasé par les feux de la rampe. Moscou qui grouille et gronde sans arrêt de l'autre côté des portes et des fenêtres est une immense introduction à la vie de chacun de nous. C'est précisément sous ces traits que je voudrais décrire la ville.» Extrait des notes posthumes de Iouri Andrélévitch Jivago. D'après Boris Pasternak, Le Docteur Jivago, *Le livre de poche, Gallimard, 1958, p. 629.*

Pendant la nuit du 9 au 10 mars 1918, Vladimir Ilyich Lénine, président du Conseil des commissaires du peuple, qui avait pris le pouvoir au mois de novembre de l'année précédente, décide de redonner à Moscou le titre de capitale que Saint-Pétersbourg lui avait ravi, suite à une décision d'importance considérable de Pierre le Grand. Craignant de se faire assassiner par leurs ennemis politiques du Parti social-révolutionnaire, le gouvernement au complet prend le train en secret et quitte l'avant-poste occidental des bords de la Neva pour le cœur de la vieille Moscovie. En quelques semaines, Lénine et ses ministres s'établissent dans leurs quartiers exigus et inconfortables du vieil immeuble de la chancellerie au Kremlin où, dans une austérité symbolique, ils élaborent leur stratégie pour remporter la guerre civile qui fait rage et transformer la société russe.

(Page de gauche) Cathédrale Basile-le-Bienheureux *(Inge Morath/Magnum Photos)*; (en mortaise) Lénine et Staline *(Radio Times Hulton Picture Library)*

Il y a plusieurs raisons de retourner à Moscou. Petrograd, qui avait porté le nom de Saint-Pétersbourg jusqu'à 1914, est vulnérable aux attaques venant de Finlande ou d'Estonie[1]. Les dirigeants communistes ont besoin d'occuper une position centrale afin d'organiser la défense du territoire qu'ils contrôlent contre les Blancs, qui sont les forces contre-révolutionnaires. Lénine sait aussi que, pour la grande majorité des Russes, Moscou n'a jamais cessé d'être la vraie capitale du pays. Saint-Pétersbourg représente le mode de vie étranger, occidental, qui distinguait les classes possédantes de la masse. Lénine leur avait dit: «Nous sommes de bons révolutionnaires, mais je ne sais pas pourquoi nous devrions nous sentir obligés de prouver que nous sommes aussi des maîtres de la culture étrangère.»[2] Les immeubles de Moscou et surtout le Kremlin évoquent une Russie plus ancienne et plus authentique, «la petite mère Moscou, blanche et brillante»; il est essentiel que Moscou se retrouve à la tête du pays et devienne le meilleur exemple des changements révolutionnaires que les nouveaux dirigeants voudraient amener à la société russe.

1 Petrograd prendra le nom de Leningrad à la mort de Lénine en 1924. Elle reprendra son nom originel de Saint-Pétersbourg en 1991, à la suite de la chute du régime communiste.
2 David Shub, *Lenin*, Baltimore, Penguin, 1976, p. 377.

◆ *Moscou sous la domination de Lénine et de Staline* ◆

Période étudiée	De la révolution de mars 1917 à la Seconde Guerre mondiale
Population	1,7 million (1917); 3,9 millions (1935); 4,1 millions (1939)
Superficie	78,8 kilomètres carrés (1901); 225,3 kilomètres carrés 1917); 864,5 kilomètres carrés (1939)
Forme de gouvernement	Communisme. Moscou est la capitale d'une union fédérale (l'Union des républiques socialistes soviétiques) et le siège du Conseil suprême de l'U.R.S.S. et du Præsidium. Elle est aussi la capitale de la plus importante des républiques de l'union. Le Parti communiste, dont le Comité central siège au Kremlin, décide de la politique. Le Conseil de ville de Moscou constitue le gouvernement local.
Dirigeants politiques	Lénine, Staline, Trotski, Kamenev, Zinoviev, Jdanov, Kollontaï
Base économique	Bureaucratie nationale. Industrie textile; ingénierie légère et lourde; industrie électrique; transports
Vie intellectuelle	Mise en scène de théâtre (Meyerhold); cinéma (Eisenstein); roman (Alekseï Tolstoï, Ehrenbourg, Pilniak, Paoustovski, Cholokhov); poésie (Pasternak, Maïakovski)
Principaux immeubles	Avant 1917: Le Kremlin; les monastères (Novodievitchi, Donskoï); la cathédrale Basile-le-Bienheureux; le théâtre Bolchoï Après 1917: Édifices coopératifs de Moscou; le mausolée de Lénine; le métro; l'édifice du Conseil des ministres; la bibliothèque Lénine
Divertissements publics	Théâtre (ballet, opéra, symphonie, théâtre, cirque); Sports (natation, patinage, ski, marche, athlétisme, soccer)
Religion	Interdite officiellement. Église orthodoxe russe, judaïsme

La fascination que l'on ressent pour l'histoire de Moscou au XXᵉ siècle ne se limite pas seulement la naissance d'une nouvelle capitale, luttant avec les problèmes amenés par l'industrialisation, la croissance effrénée et les changements technologiques. On est aussi captivé par l'expérience d'une grande ville imprégnée de culture traditionnelle, faisant face aux exigences d'une expérience politique et sociale d'une intensité sans pareille. L'étude de Moscou permet d'observer la révolution communiste sous tous ses angles.

LÉNINE ET LA RÉVOLUTION DE NOVEMBRE

Le Parti ouvrier social-démocrate de Russie est créé en 1898, suivant des principes marxistes stricts, en grande partie parce que la répression politique existant en Russie rend ridicule l'idée d'un parti socialiste réformateur qui travaillerait en obéissant aux structures du système politique existant. Ses dirigeants doivent vivre en exil en Suisse,

Lénine et le mouvement bolchevique

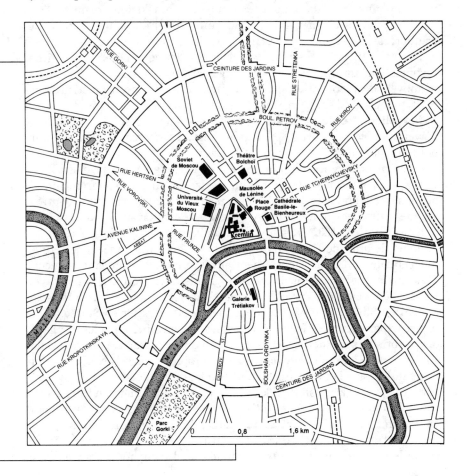

d'où ils font passer clandestinement leur propagande en Russie. Lorsque le parti organise son deuxième congrès en 1903, d'abord dans un misérable moulin à farine de Bruxelles, puis dans les locaux étouffants de syndicats londoniens, de longues disputes sur la doctrine et les tactiques secouent l'harmonie du parti de façon inattendue. Un jeune avocat brillant et sûr de lui, Vladimir Ilitch Oulianov (1870-1924), qui a pris le pseudonyme de Lénine, défie les opinions de plusieurs dirigeants du parti plus expérimentés. Ceux-là estiment que la Russie doit traverser une longue phase de capitalisme pendant laquelle les socialistes collaboreront avec les bourgeois et ils pensent que le Parti socialiste devrait recruter le plus de membres possible en prévision de cette phase. Lénine croit que le parti doit abréger la phase bourgeoise de la révolution et que, pour cela, il doit devenir un parti de révolutionnaires disciplinés. Lors du vote crucial qui doit décider s'il faut limiter l'appartenance au parti aux membres actifs de ses organisations, comme le propose Lénine, ou au contraire l'étendre à ceux qui «donnent une contribution personnelle régulière sous la direction d'une de ses organisations,» Lénine l'emporte par une majorité de deux voix. Il donne immédiatement le nom de bolcheviks (ou «majorité» à sa faction) et celui de mencheviks (ou «minorité») à ses adversaires. Ces étiquettes lui seront très utiles politiquement, même lorsqu'elles cesseront d'être exactes. Ainsi, le congrès donne à Lénine la maîtrise incontestée d'un minuscule parti dirigé par des exilés; mais il découvrira le moyen de prendre le pouvoir à partir de cette position d'influence politique. Ce qu'il souhaite, comme le remarqua plus tard Trotski, ce n'est pas la «dictature du prolétariat», mais la «dictature sur le prolétariat». L'avenir de la révolution en Russie verra l'émergence d'un dirigeant politique de génie.

Lénine était le fils d'un inspecteur de l'enseignement primaire d'une ville sur les bords de la Volga. Lénine a seize ans lorsque son frère aîné est pendu pour avoir tenté d'assassiner le tsar. La rancœur de Lénine contre le régime naît à ce moment-là. À l'université de Kazan, il adhère à une organisation terroriste. Renvoyé de l'université, il réussit à obtenir son diplôme de droit de l'université de Saint-Pétersbourg, grâce à des études indépendantes. Le marxisme théorique l'intéresse cependant beaucoup plus que le droit et moins de quatre ans plus tard, il est arrêté pour avoir tenté de convertir des travailleurs russes au socialisme. Il passe trois ans en exil en Sibérie et en 1900, on lui permet de s'exiler en Suisse. De sa propre expérience avec la police russe, il sort convaincu que les méthodes des terroristes sont inefficaces et il conclut de ses tentatives de propagande sur les masses que «en ne se fiant qu'à ses propres efforts, la classe ouvrière ne peut dépasser la mentalité syndicale.» En tant qu'éditeur du journal du parti, l'*Iskra*, il a la possibilité de diffuser ces opinions mais, en 1902, il écrit son meilleur ouvrage *Que faire?* dans lequel il verse toute sa philosophie en un flot d'idées amères, sarcastiques et visionnaires. Il refuse la démocratie, qui n'est qu'un étendard sous lequel on exploite les travailleurs et qui permet aux prédateurs de déclencher leurs guerres. Il fustige ceux qui donnent des conseils aux révolutionnaires mais qui s'abstiennent de se joindre à eux. Il donne une idée de son concept d'une petite élite révolutionnaire qui infiltrerait la société à tous les niveaux, du service des postes à la police en passant par la cour impériale. Mais surtout, il proclame que la révolution prolétarienne commencera en Russie : «La destruction du rempart le plus puissant de la réaction en Europe et (on peut aussi ajouter) en Asie, va sûrement faire du prolétariat russe l'avant-garde de la révolution prolétaire internationale.»

Lénine a pu passer pour un rêveur lorsqu'il fit cette prédiction. La Russie était, de loin, la plus arriérée de toutes les grandes nations européennes. L'occidentalisation sous Pierre le Grand n'incluait pas le partage des responsabilités politiques, et à la fin du XIXᵉ siècle, les partis politiques sont toujours interdits, la Russie ne possédant pas encore d'organe central de représentation. Les *zemstvos*, des organismes gouvernementaux locaux, sont les seules institutions auxquelles on accorde une certaine autonomie. Créés en 1864, c'est là que les aristocrates et les membres de la classe moyenne les plus libéraux se battent pour améliorer les conditions économiques locales. (Les femmes ayant des biens qui les qualifient pour faire partie du *zemstvos* peuvent voter pour la première fois en Russie, mais elles ne peuvent voter que par l'intermédiaire d'un parent masculin.)

Toute tentative de sortir de ces bornes étroitement définies amène une intervention immédiate de la vaste force de police, qui a ses informateurs partout. L'immobilité politique est renforcée par la résistance d'une bureaucratie bien ancrée de même que par un système de droits acquis opposé à tout changement dans le système absolutiste et surtout, hostile à toute forme de demande de justifications de ses actions de la part des citoyens. Soixante-quinze pour cent de la population vit encore du travail agricole en 1914, vivant et travaillant dans des conditions déplorables que la proclamation d'émancipation de 1861 n'a améliorées qu'imparfaitement. En dépit de ce fait, les paysans n'ont pas réagi à l'idéalisme du mouvement «Terre et Liberté» ou au terrorisme pratiqué par la «Volonté du Peuple» pendant les années 1880 et par les sociaux-révolutionnaires des années 1900.

Le début de l'industrialisation en Russie dans les années 1890 a favorisé et augmenté de beaucoup le besoin de changements politiques. La construction des chemins de fer à partir des années 1870 a fourni un premier stimulant à la sidérurgie, surtout dans le bassin du Donetz. Pendant les années 1890, soucieux de pouvoir transporter rapidement les militaires vers l'ouest, le gouvernement a doublé le nombre de kilomètres de voies ferrées. La production de textile, qui constitue le tiers de la production industrielle russe à la fin du siècle, est encouragée, tout comme l'ingénierie, par l'imposition de lourds tarifs à l'importation. On accueille avec bonheur les capitaux et l'industrie de l'étranger, surtout entre 1892 et 1903, alors que le comte Witte est ministre des Finances. Le gouvernement de France et les investisseurs français versent de l'argent à

Le début de l'industrialisation de la Russie

la Russie à partir des années 1890, finançant entre autres la construction du chemin de fer Transsibérien; plus de deux cents compagnies étrangères s'installent sur le marché. Le gouvernement tente aussi de fournir une main-d'œuvre aux usines, dont les deux cinquièmes emploient plus de mille personnes, en facilitant le départ des paysans pour la ville. Même si beaucoup d'entre eux retournent à la ferme pour les semaines de moissons, un grand nombre de paysans déménagent dans les villes industrielles, où ils habitent souvent dans l'usine ou dans des baraques non loin de là.

Les propriétaires emploient un grand nombre d'enfants jusqu'à ce qu'en 1882, une première loi sur les usines ne restreigne fortement leurs heures et ne régisse leurs conditions de travail. Le salaire des femmes varie entre la moitié et les deux tiers du salaire des hommes pour un travail égal. Elles prennent une part grandissante du marché du travail, surtout dans l'industrie du textile, où elles occupent entre le quart et la moitié des emplois. Même dans certaines autres industries, comme celle du verre ou du ciment, le nombre d'ouvrières augmente; elles remplacent souvent des hommes. La Russie vit donc une montée du prolétariat et une expansion non réglementée de ses centres urbains. Les bolcheviks tendent à recruter leurs membres dans les industries telles que la métallurgie ou les chemins de fer, où la majorité de la main-d'œuvre est masculine, alors que leurs rivaux, les mencheviks, vont chercher leur appui dans les industries qui comptent beaucoup d'employés, peu importe que ce soit des hommes ou des femmes. Alexandra Kollontaï (1872-1952) prend la tête du mouvement d'organisation des ouvrières dans les années 1900. Elle s'oppose farouchement aux efforts des féministes de la classe moyenne qui veulent résoudre les problèmes des femmes en tentant d'obtenir une égalité sociale plutôt que politique. Kollontaï propose plutôt, dans un livre important, *Les fondements sociaux de la question féminine* (1908), que la femme ne pourra retrouver ses droits que par une transformation complète de la société, qui verra l'abolition de la famille bourgeoise.

Moscou, ville capitaliste

En 1900, on trouve la plupart des industries russes dans les bassins houillers du Donetz, dans la région du pétrole de Bakou sur la mer Caspienne, dans les nouvelles villes comme Rostov-sur-le-Don et surtout dans les banlieues de Saint-Pétersbourg et de Moscou. La croissance de l'industrie à Moscou compense pour la perte de son importance politique qu'elle a subi au profit de Saint-Pétersbourg. Pendant la seconde moitié du XIXe siècle, la croissance industrielle de Moscou équivaut à celle de sa rivale. Moscou n'a que 360 000 habitants en 1860, mais ce nombre augmente à 1,7 million en 1917. Alors que Saint-Pétersbourg est le port de mer et le cœur de la construction navale, Moscou est le centre ferroviaire et le centre principal de la construction de chemins de fer. Saint-Pétersbourg se concentre sur le commerce extérieur, Moscou sur le marché domestique. Saint-Pétersbourg file le coton, Moscou produit le tissu. La position centrale de Moscou dans une région vouée à l'industrie textile est comparable à celle de Manchester, et Lénine lui-même fait remarquer que

Moscou avant la reconstruction des années 1930
On aperçoit au haut de l'image, les tourelles ouvragées des murs du Kremlin. Au-delà des murs se trouvent les dômes bulbeux des quatres cathédrales du Kremlin. (Archives Nationales)

«s'il fallait comparer la Russie aux pays d'Europe occidentale (comme nous le faisons souvent ici), alors ces pays ne devraient être comparés qu'à cette région, puisque c'est la seule qui ait des conditions similaires à celles des pays capitalistes industrialisés.» Les usines et les baraques des travailleurs sont situées dans les banlieues extérieures, loin des limites officielles de la ville au mur du Kamer-Collegium. C'est là qu'en octobre 1905, un demi-million de travailleurs déclenchent une grève qui culmine en décembre avec la prise de la plus grosse usine textile de Moscou.

La révolution de 1905 à Saint-Pétersbourg et à Moscou

Le soulèvement de 1905 avait débuté en janvier à Saint-Pétersbourg, lorsque des grévistes furent abattus par centaines sur la place devant le palais d'Hiver alors qu'ils essayaient de présenter leurs doléances au tsar. Une grève générale proclamée par les ouvriers de Saint-Pétersbourg est bientôt respectée par les autres grandes villes industrielles de Russie, incluant Moscou, et suivie par des soulèvements de paysans, qui font plusieurs victimes parmi les propriétaires terriens. L'équipage du cuirassé *Potemkine* se mutine en juin, et plusieurs marins et soldats se joignent spontanément aux ouvriers en comités d'action politique appelés *soviets*. Le tsar ne fait que des concessions partielles, à contrecœur. Il accorde tout d'abord une assemblée consultative, puis il permet l'élection au suffrage restreint. Il élargit ensuite sa compétence avec un ministère responsable devant le Parlement et accorde finalement le suffrage masculin universel. Ayant obtenu un gouvernement constitutionnel, la plupart des réformateurs de la classe moyenne et des paysans se déclarent satisfaits, de sorte que lorsque les principaux dirigeants bolcheviques arrivent en

Russie au mois de novembre, c'est pour assister à la répression finale de la révolte des travailleurs plutôt que pour prendre les commandes d'une révolution. Le Soviet des députés de travailleurs de Saint-Pétersbourg qui s'était formé en octobre, est supprimé en moins de cinquante jours et ses meneurs sont arrêtés. On intimide les paysans par des fusillades et des incendies. Mais la plus grande répression a lieu à Moscou, où environ huit mille travailleurs ont érigé des barricades et échangé des coups de feu avec les troupes. Après neuf jours, les gardes Semionovski et l'artillerie sont envoyés de Saint-Pétersbourg. Les nouvelles troupes soumettent les ouvriers en les bombardant et tuent plus de mille hommes, femmes et enfants.

Effondrement du système tsariste 1906-1917

La révolution de 1905 n'apporte qu'une constitution vague mais, comme disait Lénine, stimule l'«éducation révolutionnaire» du peuple russe. Le tsar pourrait profiter des changements constitutionnels en s'alliant aux éléments modérés du nouveau parlement, la Douma. Mais c'est un homme faible et têtu, incapable de s'apercevoir que la fin de l'autocratie approche et profondément influencé par les fausses réprimandes de sa femme insensible, Alexandra. Il se tourne de plus en plus vers des réactionnaires de droite comme les «Cent-Noirs», un groupe antisémite, et permet à Raspoutine, un moine débauché qui avait conquis la dévotion de la tsarine grâce au pouvoir qu'il avait d'arrêter le sang de son fils hémophile, de nommer des ministres incapables au gouvernement. Les pouvoirs des deux premières doumas sont très circonscrits et le vote pour le troisième

Le tsar Nicolas II (qui régna de 1904 à 1917) et sa famille.
(Brown Brothers)

sévèrement restreint. Il en résulte que le Parlement devient un organe essentiellement consultatif, dont on ignore en grande partie les recommandations. L'autocratie tsariste s'appuie à nouveau sur ses anciens piliers — la bureaucratie, l'aristocratie, l'Église et surtout l'armée. Elle ne se rend pas compte que l'industrialisation de la Russie, qui se poursuit à une allure fébrile pendant la dernière décennie avant la Première Guerre mondiale, augmente la puissance de la classe moyenne qui cherche un pouvoir parlementaire, et celle du prolétariat industriel qui exige une amélioration rapide de ses conditions de vie.

L'entrée en guerre de la Russie contre l'Allemagne, l'Autriche-Hongrie et la Turquie en 1914, sape le pouvoir du tsar. Le gouvernement mobilise seize millions d'hommes, qu'il lance dans la bataille sans armes convenables, sans munitions, sans uniformes, sans nourriture, sans équipement médical, sans transport et sans chefs contre les forces aguerries de l'Allemagne. Le tsar lui-même prend la tête de l'armée au front en 1915, et ne fait qu'ajouter à l'incompétence du commandement militaire tandis que le gouvernement de Petrograd tombe entre les mains maladroites de la tsarine et de Raspoutine. En 1916, l'aristocratie elle-même se brouille avec le tsar; à tel point que deux nobles assassinent Raspoutine et que d'autres aristocrates parlent de renverser le tsar. L'incompétence et l'inconsistance des ministères qui se succèdent démoralisent les bureaucrates. Le tsar et ses ministres refusent de donner plus de pouvoir aux autorités locales comme les zemstvos, qui essaient sincèrement de continuer l'effort de guerre. En 1915, ils prorogent la Douma, qui avait appuyé la mobilisation, parce que selon elle, on ne peut gagner la guerre qu'en instituant la responsabilité parlementaire. Mais surtout, le tsar perd le soutien de l'armée, qui durant près de trois ans s'est battue avec une bravoure extraordinaire, encourant des pertes terribles contre des forces allemandes supérieures. Pendant l'année 1916, l'armée commence lentement à se désintégrer, avec plus d'un million et demi de déserteurs. Pour les paysans, la guerre est un désastre sans pareil. Ceux-ci constituent la majorité des victimes, la ruine menace leurs fermes à cause du manque de main-d'œuvre, de semences et d'engrais, et leurs animaux leur ont été enlevés pour nourrir les armées. Mais c'est parmi les ouvriers de la ville que l'on trouve le plus de souffrance et de mécontentement.

Puisque la plus grande partie de l'industrie a été transformée pour fournir l'effort de guerre, la fabrication de biens de consommation a presque cessé. La nourriture est rare à cause du désordre qui règne dans le système de transport ferroviaire et du délabrement des fermes. Il est presque impossible d'obtenir du combustible pour se chauffer pendant les longs hivers. De plus, les villes grossissent alors que l'on force les ouvriers à travailler dans les usines de munitions et que les nouvelles recrues s'empilent dans les casernes de l'armée. Le travail des femmes, à la ferme comme à l'usine, devient essentiel à la guerre de l'arrière, peut-être même plus que dans les pays d'Europe occidentale, à cause de la proportion d'hommes recrutés dans l'armée et du grand nombre de victimes. En 1917, les femmes constituent quarante pour cent de la force ouvrière dans l'industrie et soixante pour cent de la main-d'œuvre dans le textile. Obligées de se battre pour nourrir leurs familles avec des salaires inadéquats et des pensions dévaluées, les femmes dans les villes comme Petrograd commencent à s'agiter. En mars 1917, des femmes en furie attaquent des boulangeries et des magasins de nourriture pour avoir du pain et lors de la Journée internationale des femmes, les ouvrières du textile de la capitale lancent un appel à la grève générale.[1] Les hommes des usines de munitions se joignent à elles, un peu à contrecœur, et en peu de temps toutes les usines sont fermées. Le troisième jour de l'émeute, certaines unités de l'armée refusent d'appuyer la police contre la foule. Le cinquième jour, le 12 mars, le régiment des gardes Volinski, désobéissant à ses officiers, marche vers les casernes avoisinantes au son de la Marseillaise. Persuadant les autres troupes de se joindre à la révolte, ils sont bientôt rejoints par la plupart des régiments de la capitale. En même temps, les travailleurs d'usine forment un nouveau Soviet des députés des travailleurs, qui s'établit dans une aile du palais de Tauride, où les parlementaires de la Douma se constituent en un gouvernement alternatif à celui du tsar. L'exécutif de la Douma collabore avec le Soviet assez longtemps pour ramener Petrograd à l'ordre le lendemain. Puis le 14 mars, les représentants de la Douma déclarent qu'ils forment le gouvernement provisoire de Russie et le tsar, obéissant à leurs exigences, abdique le 15 mars. Il est fait prisonnier et amené à son palais à l'extérieur de Petrograd et plus tard à Iékaterinenbourg (aujourd'hui Sverdlovsk), où il sera exécuté avec toute sa famille par des gardes communistes en juillet 1918.

De la révolution de mars à la révolution de novembre 1917

Après la révolution de mars, les Russes jouissent d'une liberté complète mais anarchique. Le pouvoir juridique se trouve entre les mains du gouvernement provisoire qui représente la Douma élue constitutionnellement. Mais, même s'ils accordent certains des droits traditionnels des démocraties parlementaires comme la liberté de parole, la liberté de réunion et le suffrage à tous, hommes et femmes, les dirigeants de la classe moyenne qui dirigent le gouvernement provisoire ne réussissent pas à donner au peuple la paix et les terres qu'il exige. Le gouvernement continue d'agir avec lenteur et manque de réalisme même si, à partir de juillet, il est dirigé par un homme fougueux et charismatique, Alexandre Kerenski du Parti social-révolutionnaire. Kerenski croit qu'une offensive lancée contre les Allemands unira le peuple derrière lui. Au lieu de cela, le nombre de désertions augmente à plus de deux millions. Un comité est créé pour étudier la question de la terre, mais les paysans, impatients, se mettent à saisir les terres eux-mêmes et à assassiner les propriétaires. Incapable d'avoir l'appui des soldats et des paysans, le gouvernement

---

1 Les bolcheviks adopteront le calendrier grégorien le 14 février 1918, qui aurait dû être le 1er février selon le calendrier julien. Ainsi, selon le calendrier julien, la révolution de mars commence réellement le 27 février et la révolution de novembre débute le 25 octobre. C'est pourquoi on appelle fréquemment ces deux révolutions, les révolutions de février et d'octobre.

provisoire a encore moins de chance de gagner la confiance des travailleurs, qui forment au même moment leurs propres comités partout dans le pays sur le modèle du Soviet de Petrograd. Les Soviets s'emparent peu à peu du vrai pouvoir dans les villes, contrôlant l'administration locale et interférant constamment avec l'exécution des ordres du gouvernement provisoire. Le désordre est compensé cependant par le fait que, pendant les semaines qui suivent la révolution de mars, les meneurs des Soviets, qui sont pour la plupart des mencheviks et des sociaux-révolutionnaires, ne visent pas le pouvoir. Ils collaborent avec le gouvernement provisoire ce qui dégoûte leurs propres partisans qui se révoltent contre eux dans les rues de Petrograd, en juillet. La route du pouvoir est donc ouverte aux bolcheviks, la seule faction qui ait assez d'assurance pour effectuer un changement de société révolutionnaire.

Lénine avait vécu dans la pauvreté en Suisse pendant les premières années de la guerre, survivant grâce à des emplois littéraires. Il fulminait contre la classe ouvrière qui avait permis aux capitalistes de les utiliser comme chair à canon dans une guerre sans intérêt pour la lutte des classes. Lorsqu'il reçoit des nouvelles de la révolution de mars, Lénine essaie désespérément de trouver une façon de retourner en Russie. À sa grande surprise, le gouvernement allemand lui permet de traverser l'Allemagne confortablement installé dans un wagon plombé. Les Allemands sont convaincus que les bolcheviks tenteraient de sortir la Russie de la guerre. Lorsque Lénine arrive à la gare de Finlande à Petrograd le 16 avril, une foule immense l'y attend.

Néanmoins, il faut des mois d'organisation avant que les bolcheviks ne puissent se gagner les ouvriers de la ville. Lénine, pourvu généreusement de fonds par le gouvernement allemand, peut répandre ses idées grâce à la Pravda et à un grand nombre de pamphlets. Il met aussi sur pied une armée de travailleurs, appelés les Gardes rouges. Ses partisans obtiennent des postes de commande au sein des comités d'usines et des soviets de districts, alors que les gens commencent à être dégoûtés des dirigeants modérés. Se rendant compte que la révolution de mars a ravivé les groupes de femmes de toutes les tendances politiques, Lénine décide d'attirer autant de femmes qu'il le peut dans le Parti bolchevik en fondant un deuxième journal pour les femmes, des sections spéciales pour les femmes dans les organisations de district du parti et un département des Femmes (*Zhenotdel*) au sein même du Comité central.

Lorsque les troupes du général cosaque Kornilov, attaquent Petrograd dans l'espoir de détruire le gouvernement provisoire, les bolcheviks dirigent l'organisation de la défense de la ville. À ce moment, Lénine annonce que le temps est venu de prendre le pouvoir. L'exécution du coup d'État est laissée à Trotski, qui est alors président du Soviet de Petrograd. Le 6 novembre, dans une opération parfaitement organisée, un détachement de Gardes rouges et l'armée régulière s'emparent des principaux édifices du gouvernement. La seule effusion de sang a lieu pendant l'attaque du palais d'Hiver, où quelques troupes loyales essaient de défendre le gouvernement provisoire. Le matin suivant, Lénine annonce la formation d'un nouveau gouvernement, le Conseil des commissaires du peuple, dont il sera lui-même président. Trotski est responsable des affaires extérieures, Staline s'occupera de la question des nationalités et Kollontaï qui s'est jointe aux bolcheviks en 1915, sera responsable de l'assistance sociale. Le premier décret du conseil annonce l'expropriation de toutes les terres et leur redistribution à ceux qui les travaillent, et exige une paix immédiate sans annexions. Chose étonnante, il y a peu d'opposition à cette prise de pouvoir au début. Kerenski, qui s'est échappé sous un déguisement, est incapable de rallier l'armée derrière lui. La plupart des grandes villes reconnaissent le gouvernement dans le mois qui suit et les membres des autres partis, les mencheviks et le sociaux-révolutionnaires, essaient de s'opposer aux bolcheviks en boycottant les réunions du Congrès des soviets. Ce n'est qu'à Moscou que l'on assiste à un affrontement dramatique.

MOSCOU SOUS LÉNINE

Lorsque Lénine transféra le gouvernement à Moscou en mars 1918, les gens de la ville avaient déjà commencé à constater l'allure à laquelle les bolcheviks «avaient commencé à arracher des pans entiers d'un mode de vie et», comme l'écrivait Pavustovski, «à s'en débarrasser pour poser les fondations d'une vie nouvelle. Il était encore difficile d'imaginer ce que serait cette nouvelle vie. Le changement fut si inattendu que notre existence même perdait sa réalité et semblait aussi instable qu'un mirage.»[2]

Le décret sur la propriété terrienne a remis les terres aux paysans et déjà à l'été de 1918, on les oblige à remettre une part de leur production afin de nourrir les villes. Durant les premières semaines, même les membres du Conseil des commissaires du peuple vivent de soupe au chou et de pain noir. Toutes les banques sont nationalisées, même si l'on permet aux citoyens d'effectuer de petits retraits. La direction des usines est remise aux comités d'ouvriers et l'on institue la journée de huit heures. On tente délibérément d'encourager l'émergence d'un nouveau type de femme soviétique, en lui donnant l'égalité devant la loi, en légalisant le divorce et l'avortement ainsi que l'égalité en éducation. Pour permettre aux femmes d'accéder en plus grand nombre au marché du travail, on leur accorde des congés de maternité et des périodes d'allaitement, et l'on décrète le salaire égal pour un travail égal. Un nouveau code familial abolit la propriété commune, donne à la femme le contrôle de son propre salaire au sein du couple, et lui permet de garder son nom et d'avoir son propre domicile.

Les dirigeants bolcheviques détruisent tous leurs adversaires potentiels. L'assemblée constituante, élue par le peuple le 25 novembre, ne

---

2 Pavustovsky, *Story of a Life*, p. 506.

Jeune femme s'adressant
aux travailleurs pendant la
révolution de novembre
1917
*Les travailleuses des usines
jouèrent un rôle important
dans les manifestations de
mars 1917 qui renversèrent
le gouvernement du tsar.
Elles contribuèrent ensuite
au renversement du gouvernement provisoire en
novembre 1917.*
(H. Roger-Viollet)

peut se rencontrer qu'une fois, parce que les révolutionnaires sociaux y possèdent la majorité des sièges. On abolit les doumas de la ville et les zemstvos locales. Les journaux d'opposition sont interdits. On supprime tous les partis à part le Parti bolchevique, le Parti social-révolutionnaire et le Parti menchevik. L'Église est séparée de l'État et ses fonctions sont sévèrement réduites. Ses terres ont déjà été confisquées et ses autres possessions passent rapidement aux mains de l'État. «Pensez-vous vraiment que nous serons victorieux», demande Lénine, «sans utiliser la plus cruelle des terreurs?» Le 20 décembre, la Tcheka, la Commission extraordinaire de lutte contre le sabotage et la contre-révolution, est créée et placée sous les ordres de Félix Dzerjinski. La Tcheka est une police politique secrète, ayant des pouvoirs d'arrestation et de châtiment immédiats. Finalement, six jours seulement après le déménagement à Moscou, les représentants bolcheviques signent le traité de Brest-Litovsk avec l'Allemagne. Ils achètent la paix à un prix très élevé — cédant à l'Allemagne le quart du territoire russe et presque soixante millions de citoyens. Lénine croit cependant avoir sauvé la révolution; les gains de l'Allemagne seront éphémères, prédit-il.

La terreur et l'isolement semblaient être une protection nécessaire pour les dirigeants engagés dans une gigantesque expérience sociale au beau milieu d'une guerre civile. Les changements les plus importants seront amenés par une politique connue sous le nom de communisme de guerre. Lénine espère que cette politique permettra d'obtenir un contrôle

***Le communisme
de guerre***

total de la vie économique de chaque individu en Russie. Après que les paysans aient pu jouir librement de leurs terres nouvellement acquises pendant quelques mois, on les force à remettre une grande partie des produits de leurs fermes à l'État, qui devient le seul distributeur et l'unique entreposeur de nourriture. Les fermes que les paysans croyaient posséder sont décrétées «propriété d'État». Les comités de travailleurs cessent de gérer les usines et le Parti communiste nationalise les compagnies sous les instructions d'un Comité économique central siégeant au Kremlin. Tout le commerce interne et externe passe sous le contrôle de l'État et un système de travail inspiré de la discipline militaire est mis sur pied. Les travailleurs doivent posséder un passeport. Ceux qui ne travaillent pas, ne reçoivent pas de carte de rationnement pour la nourriture. Les travailleurs peuvent être enrôlés pour remplir des emplois où l'on juge qu'ils sont nécessaires, même si les travaux les plus ingrats sont réservés à la bourgeoisie. Les richesses personnelles sont restreintes: on confisque les objets de luxe comme les peintures et les fourrures et l'on interdit les héritages. Tous les immeubles d'habitation sont nationalisés et «l'espace vital» est assigné selon les besoins de chacun.

La guerre civile et la nouvelle politique économique

Lorsque les classes possédantes et les paysans réalisent l'importance de ces mesures, ils déclenchent une guerre civile. Les alliés occidentaux interviennent et fournissent une base à la contre-révolution sous prétexte de protéger les grandes quantités de fournitures qu'ils ont envoyées en

Marché de rue à Moscou
La vente de biens privés continue pendant les années 1930 dans les marchés en plein air, malgré les contrôles de l'État sur le commerce de détail. (Archives nationales)

Russie. En réalité, les Alliés veulent renverser le régime communiste afin que la Russie reprenne la guerre contre l'Allemagne. Les Britanniques entrent dans les ports de l'Arctique et occupent Bakou, les Français débarquent à Odessa, les Japonais et plus tard les Américains entrent dans Vladivostok. On encourage les régimes des «Blancs», antibolcheviques, dans ces régions. Mais plusieurs autres groupes d'opposition sont organisés dans la périphérie de la grande région centrale que les bolcheviks tiennent solidement. Les minorités nationales comme les Ukrainiens se joignent aux Blancs dans le sud. En Oural et en Sibérie, une deuxième armée se forme sous le commandement de l'amiral Koltchak. Dans les États baltes, les forces blanches sont appuyées après 1918 par des soldats allemands démobilisés appelés «Corps francs». La guerre civile menace sérieusement le pouvoir des bolcheviks. À un certain moment, les armées du général Denikine, partant d'Ukraine, s'approchent à moins de quatre cents kilomètres de Moscou et celles de Ioudenitch venant d'Estonie pénètrent dans les banlieues de Petrograd. Les conditions de vie dans les villes sous contrôle bolchevique sont effarantes. La famine, le typhus, les émeutes et le pillage y rendent la vie précaire pour tous. Les fournitures médicales manquent, même dans la polyclinique du Kremlin. En avril 1918, Trotski, en tant que commissaire à la Guerre, persuade le gouvernement d'instituer le service militaire universel pour les travailleurs et les paysans, et d'utiliser les officiers tsaristes, sous supervision politique serrée, pour les commander. À partir de ce moment de jeunes travailleurs du parti de Moscou partent pour le front avec Trotski, afin d'affermir la détermination des troupes. Ils sont rapidement suivis de milliers de travailleurs des banlieues industrielles. Lentement, l'armée grandit en nombre et en efficacité, atteignant le chiffre de 800 000 soldats à la fin de l'année et de trois millions avant la fin de 1920. Les Blancs se querellent entre eux et rendent leur cause impopulaire en rendant les terres à leurs anciens propriétaires et en commettant des exécutions atroces. Trotski profite de sa position centrale, fait transporter ses armées par chemin de fer avec un grand génie logistique et, en deux ans, brise les trois armées blanches. Les dernières troupes blanches et étrangères évacuent le sol russe en 1922. À ce moment, les tenants du vieux régime russe ont capitulé. Deux millions de Russes s'exilent. L'opposition politique est brisée, mais le chaos économique est complet. La seule vraie opposition qui reste est la résistance passive que les paysans et les travailleurs opposent à l'État nationaliste qui exige du travail sans récompense. La moitié des travailleurs de Moscou sont retournés à la campagne, où ils peuvent trouver de la nourriture. La production industrielle de l'ensemble du pays a chuté à quatorze pour cent de ce qu'elle était avant la guerre. Mais la révolte des marins de la base maritime de Kronstadt, en mars 1921, est le coup final qui convainc Lénine qu'il serait plus réaliste d'oublier la socialisation massive pour quelque temps.

La nouvelle politique économique, de 1921 à 1928, permet aux paysans de vendre leurs produits au prix qu'ils pourront en obtenir. Ainsi, les

Léon Trotski (1879-1940)
Ce portrait fut pris en 1920, alors que Trotski dirigeait l'organisation et la stratégie des forces communistes pendant la guerre civile. (Archives nationales)

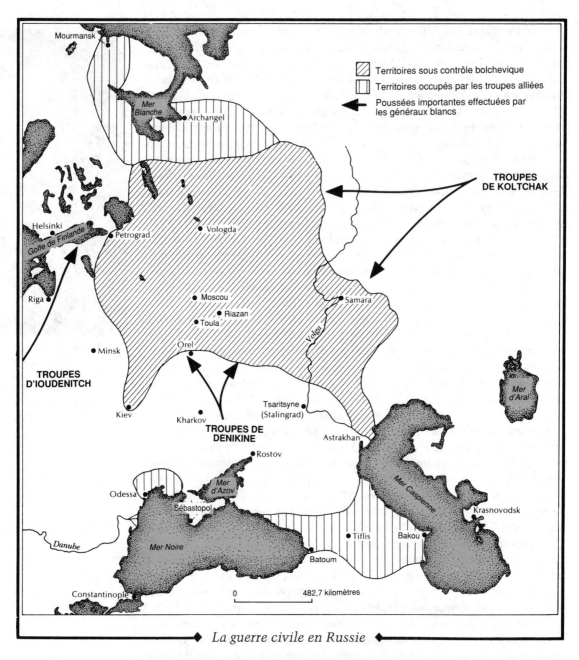

**TROUPES
DE KOLTCHAK**

Légende de la carte :
- Territoires sous contrôle bolchevique
- Territoires occupés par les troupes alliées
- Poussées importantes effectuées par les généraux blancs

Mourmansk

Mer
Blanche

Archangel

Helsinki

Golfe de Finlande

Petrograd

Vologda

Riga

Moscou

Samara

Riazan

Toula

Volga

Minsk

Orel

**TROUPES
D'IOUDENITCH**

Kiev

Kharkov

Tsaritsyne
(Stalingrad)

Astrakhan

Mer
d'Aral

**TROUPES DE
DENIKINE**

Rostov

Odessa

Mer
d'Azov

Sébastopol

Mer Caspienne

Krasnovodsk

Danube

Mer Noire

Tiflis

Bakou

Batoum

Constantinople

0   482,7 kilomètres

La guerre civile en Russie

négociants privés, bientôt connus sous le nom d'hommes de la NEP,
peuvent se procurer certains biens de consommation qu'ils vont vendre en
ville. Les biens offerts encouragent les ouvriers à travailler de longues
heures dans les usines, restaurant ainsi la productivité de l'industrie. Mais
l'État dirige encore l'industrie, aucune des sociétés nationalisées n'est
privatisée. La politique fonctionne. La famine de 1920-1921 est résorbée

mais fait plus de cinq millions de victimes. Lentement la production agricole et la production industrielle retournent aux niveaux des années qui précédèrent la guerre et la popularité du gouvernement communiste croît avec la production.

Cependant, Lénine a souffert en 1922 d'une attaque de paralysie qui le rendra incapable de commander pendant les deux dernières années de sa vie, même s'il demeure conscient de tout ce qui se passe. Il assiste avec déception à l'ascension d'un Géorgien dur et manipulateur du nom de Joseph Vissarionovitch Djougachvili, qui a pris le nom de Staline («l'homme d'acier»), en se joignant au mouvement révolutionnaire. Staline utilisera son rôle de secrétaire général du parti pour prendre la place de Trotski comme héritier de Lénine. En annexe du testament politique qu'il écrit afin de guider les membres du parti après sa mort, Lénine essaie de les prévenir à propos de Staline. Le 24 décembre 1923, il les avertit que «le camarade Staline, en devenant secrétaire général, a concentré dans ses mains un pouvoir démesuré et je ne suis pas certain qu'il sache toujours en user avec suffisamment de prudence.» Le 4 janvier 1924, deux semaines avant sa mort, Lénine ajoute un post-scriptum: «Staline est trop brutal, et ce défaut, parfaitement tolérable dans notre milieu et dans les relations entre nous, communistes, ne l'est plus dans les fonctions de secrétaire général. Je propose donc aux camarades d'étudier un moyen pour démettre Staline de ce poste et pour nommer à sa place une autre personne qui n'aurait en toutes choses sur le camarade Staline qu'un seul avantage, celui d'être plus tolérant, plus loyal, plus poli et plus attentif envers les camarades, d'humeur moins capricieuse, etc.» Ayant créé une dictature, Lénine prend conscience, à la toute fin, des abus qu'elle peut entraîner. Après sa mort, le 21 janvier 1924, son corps est embaumé et placé dans un mausolée sur la place Rouge. En 1930, on inaugure le mausolée actuel fait de granit et de porphyre. Lénine est devenu l'objet d'un culte religieux, sa tombe étant visitée par des millions de personnes chaque année. Cependant, le Comité central du parti supprime le testament dommageable et Staline domine les cérémonies funéraires.

En quatre ans, Staline a détruit toute opposition et est devenu le chef incontesté de la Russie. Staline avait eu du succès comme dirigeant révolutionnaire, mais il n'avait rien fait de remarquable avant 1917. Éduqué dans un séminaire, il est devenu un organisateur bolchevique professionnel, travaillant dans la clandestinité et souvent arrêté. Il joue un rôle mineur dans la révolution de novembre et obtient le poste périphérique de commissaire aux Nationalités lors du premier Conseil des commissaires du peuple. Mais son habileté à s'occuper de divers détails administratifs le rend peu à peu indispensable au parti et, sans que Lénine ne réalise ses intentions au départ, il se sert de son pouvoir de secrétaire général pour placer des hommes à lui dans tous les postes provinciaux et dans plusieurs postes du centre. Alors que Lénine se meurt, Staline forge une alliance avec Zinoviev et Kamenev, les chefs du Parti de Petrograd et

L'ascension de Staline

de Moscou, afin d'isoler Trotski. Il réussit ensuite à persuader le parti de renvoyer Trotski du poste de commissaire à la Guerre en 1925, puis il le fait renvoyer du Comité central en 1927, avant de le faire expulser du parti en 1929. Trotski s'exile. Mais il fulmine contre le régime de Staline jusqu'à ce qu'il soit brutalement assassiné en 1940 sur les ordres de Staline. Débarrassé de Trotski, Staline se retourne contre ses alliés. Kamenev et Zinoviev sont expulsés du parti en 1927 et ils sont bientôt suivis de tous les anciens associés de Lénine. En 1928, Staline se sent prêt à changer la direction de la politique du parti; avec le premier plan quinquennal, il précipitera la Russie dans l'âge de fer.

L'ÂGE DE FER DE STALINE

Premier plan quinquennal, 1928-1932

On avait discuté pendant trois ans du premier plan quinquennal et lorsqu'on le présenta au Congrès du parti, il avait été élaboré dans les moindres détails. Staline revient aux plans originaux de 1917 pour une complète socialisation de l'économie russe, mais il la lie à un nouveau concept qui est peut-être plus important : l'État communiste doit devenir une machine totalitaire dont le but sera l'industrialisation forcée d'un pays sous-développé. L'accent est mis sur une croissance accélérée de l'industrie lourde, axée surtout sur le charbon et le fer, l'ingénierie et l'électrification. De nouveaux grands centres industriels sont créés, surtout en Oural et en Sibérie. On transfère un grand nombre d'ouvriers dans de nouvelles villes comme Magnitogorsk dans l'Oural, tandis que d'autres travailleurs, auxquels s'ajoutent des prisonniers des camps de travail dirigés par la police secrète, doivent construire des routes, des voies ferrées et des canaux. On emploie de plus en plus de femmes et on assigne des quotas aux écoles qui doivent les former et aux usines qui doivent les engager. Même si certains emplois, surtout sur les lignes d'assemblages, sont spécialement désignés pour les femmes, on leur confie aussi des emplois plus difficiles dans la construction. Des buts précis pour chaque étape de la production doivent être atteints si les gérants veulent garder leur place ou même éviter la prison et si les travailleurs veulent manger. Des récompenses, le plus souvent verbales, sont données à ceux qui dépassent les normes. On a conçu l'industrialisation de l'agriculture comme accompagnement nécessaire à la croissance de l'industrie lourde. Des tracteurs sont construits afin de mécaniser le travail de la terre. On remplace le labyrinthe inefficace de fermes individuelles par de grandes fermes collectives («kolkhozes»), où les paysans deviennent des employés salariés. Chaque ferme collective se voit assigner des quotas et on ne lui permet de consommer que ce qui excède ces quotas. La production accrue de la campagne doit permettre de nourrir la population grandissante des centres industriels et libérer un grand nombre de paysans qui pourront alors devenir des travailleurs industriels. Puisqu'il n'y a presque pas de motivation pour l'employé parce que l'on maintient la production de biens

Le réalisme socialiste en art
Pendant les années 1930, Staline insiste pour que l'art et la littérature glorifient le rôle du travailleur dans la reconstruction économique de la Russie entreprise par le plan quinquennal. Les travailleuses que l'on voit ici donnent leur opinion aux architectes qui préparent les plans d'une nouvelle usine; un buste de Staline regarde la scène de façon bienveillante. On revient au réalisme dans le but de rendre l'art compréhensible aux masses, toute forme d'expérimentation étant bannie. (Tass de Sovfoto)

de consommation à un minimum, un vaste effort de propagande sera entrepris dans le but de persuader les ouvriers qu'ils bâtissent pour l'avenir. En subordonnant leur propre bien-être aux besoins de l'industrialisation de l'État, les citoyens soviétiques peuvent non seulement créer une nouvelle civilisation mais ils peuvent aussi transformer leur propre personnalité. Le plan quinquennal aidera à créer une nouvelle mentalité soviétique.

Le plan quinquennal accélérera l'urbanisation de la Russie de façon phénoménale. La population de Moscou atteint 3,9 millions en 1935 et son industrie autrefois basée sur l'industrie légère, principalement l'industrie textile, est maintenant fondée sur l'ingénierie, surtout la production de pièces d'automobiles, de tracteurs, d'outils mécaniques et d'instruments de précision. Ceux qui émigrent à Moscou sont d'habitude des paysans déracinés, arrachés à leurs fermes par les programmes de collectivisation. Souvent, ils n'ont pas de formation professionnelle compatible avec les métiers industriels et ils ne sont pas habitués à la discipline monotone de la vie d'usine. Ils trouvent les logements rudimentaires, même dans la capitale où il n'est pas rare que plusieurs familles vivent entassées dans un appartement d'une pièce. L'excès de boisson, l'indiscipline au travail et l'absentéisme sont des réactions courantes à cet état de fait. Cependant, c'est en Oural et au-delà, plutôt qu'à Moscou, que se jouent les scènes les plus dramatiques de la grande urbanisation. Dans ces endroits, la

La croissance urbaine pendant le plan quinquennal

population paysanne mécontente fait connaissance avec les nouveaux aristocrates du travail, pour la plupart de jeunes travailleurs que la propagande gouvernementale a persuadés d'aller fonder de nouveaux villages dans le pays. «Les komsomols (jeunes communistes), pleins d'enthousiasme, partaient pour Magnitogorsk ou Kouznetsk,» écrira Ehrenbourg. «Ils croyaient qu'il suffisait de construire d'énormes usines pour créer un paradis sur terre. En janvier, le métal gelé leur brûlait les mains. Les gens semblaient transis jusqu'à la moelle; il n'y avait pas de chansons, pas de drapeaux, pas de discours. Le mot «enthousiasme», comme tant d'autres, a perdu tout son sens, mais aucun autre mot ne peut décrire aussi bien les jours du premier plan quinquennal; c'était de l'enthousiasme à l'état pur qui avait inspiré les jeunes à produire quotidiennement des exploits de cet ordre.»[3] Il y a évidemment des milliers de travailleurs «spéciaux», les anciens koulaks (paysans aisés) qui sont engagés de force dans les usines et supervisés par la police secrète, mais il y a peu de différence entre leurs conditions de travail et celles du travailleur moyen.

Les organisateurs n'avaient pas prévu qu'autant de femmes se précipiteraient pour travailler dans les usines. En 1932, l'emploi féminin a doublé, de trois millions à six millions et lors du deuxième plan quinquennal, de 1933 à 1937, un autre 3,7 millions de femmes trouvent un emploi dans l'industrie. En 1940, elles occupent quarante et un pour cent des emplois industriels et dans certains autres secteurs leur participation est encore plus grande. En éducation et en science, elles détiennent cinquante-huit pour cent des postes et dans les services de santé, elles y sont à soixante-seize pour cent.

Même si Magnitogorsk est l'une des nouvelles villes les plus peuplées, ce n'est qu'une ville parmi d'autres. On fonde de nouvelles villes partout en Oural et en Sibérie — Krivoï-Rog et Gornaia-Shorii autour des mines de fer; Krasnoïarsk, Irkoutsk et Novossibirsk pour l'acier et l'ingénierie lourde, Frounzé, Pavlodar et Omsk pour la machinerie agricole. De grands barrages comme celui de Dnieprostroï sur la Dniepr, en plus de produire de l'énergie hydro-électrique, servent aussi de noyaux autour desquels on regroupe la production d'acier, de produits chimiques et d'aluminium. Le deuxième plan quinquennal, de 1933 à 1937, continue cette expansion des nouveaux centres, surtout des villes productrices de fer et d'acier, et met l'accent sur les machines-outils, les métaux non ferreux et le transport. On étend grandement le réseau de chemin de fer et on le dote d'une deuxième voie; de plus, les rivières sont élargies, de nouveaux canaux comme le canal Moscou-Volga sont bâtis, et un réseau d'autoroute est construit. Un troisième plan, en 1938, vise des buts similaires mais il doit être laissé de côté à cause de la Seconde Guerre mondiale. Il est incontestable que ces plans ont réussi à transformer la Russie en un État fortement industrialisé et à transférer le centre de l'industrie russe de l'ouest vers l'Oural et la Sibérie. La production d'acier, par exemple, atteint 17 millions de tonnes

3 Ilya Ehrenburg, *Truce 1921-33*, London, MacGibbon and Kee, 1963, p. 221.

Paysans sur une ferme collective dans les années 1930
En dépit d'une opposition désespérée, presque toute la population agricole de Russie se retrouvait dans des fermes collectives en 1938. (Archives nationales)

en 1937, comparativement aux 4 millions de tonnes de 1928 et la production de charbon est passée de 31 millions de tonnes à 128 millions de tonnes.

Cependant, la collectivisation de l'agriculture que l'on voit comme nécessaire à l'accomplissement de ses changements industriels ne réussit qu'au prix d'une guerre des classes à la campagne, de la mort de cinq à dix millions de paysans et d'une famine généralisée en 1930-1931. Afin de forcer les paysans à amener leur bétail, leur machinerie et leurs terres aux fermes collectives, Staline regroupe les paysans les plus pauvres dans une lutte contre les «koulaks», qui ne sont qu'un million. Puis il s'aperçoit qu'il doit utiliser l'Armée rouge pour ramener la plus grande partie des petits propriétaires dans les fermes collectives. Les paysans récalcitrants sont menacés à coups de mitraillette et envoyés par millions en Sibérie ou dans les camps de travaux forcés. Les paysans répliquent en brûlant leurs propres maisons et en tuant (ou en mangeant) leur bétail. La collectivisation continue cependant, et en 1930, plus de la moitié des terres russes sont collectivisées. En 1938, le travail est presque achevé. Mais les conséquences économiques en ont été désastreuses. La moitié des chevaux et du bétail de Russie ainsi que les deux tiers des cochons et des moutons ont été abattus. Cette fois, ce ne sont pas les travailleurs urbains mais les paysans qui meurent de faim, puisque les quotas de livraison imposés par le gouvernement doivent être respectés afin de nourrir les villes. Les paysans se précipitent sur les villes, comme le gouvernement le souhaitait, fournissant ainsi la main-d'œuvre non spécialisée nécessaire à la construction de nouvelles usines. En dépit des mauvais résultats de la production alimentaire, Staline a atteint son but principal. Il a réussi à prendre la maîtrise du secteur de l'économie et de la population qui résistait au contrôle direct de l'État. Les villes socialisées et les fermes individualistes ne pouvaient exister côte à côte.

La collectivisation de l'agriculture

En résumé, on a dû mobiliser tous les aspects de la vie pour renforcer l'économie russe. «Non, camarades, il ne faut pas ralentir l'allure,» avait déclaré Staline en 1931.

MOSCOU PENDANT L'ÂGE DE FER

En 1931, le Comité central du parti définit le rôle de Moscou dans le nouvel État. Cela confirme sa détermination à appuyer l'industrialisation de l'est de la Russie et à restreindre la croissance des villes de la Russie européenne. Afin «d'éviter de créer des villes énormes et des grosses agglomérations d'entreprises dans les centres urbains» et surtout afin d'interrompre la création de nouvelles entreprises industrielles à Moscou même, la population de la ville ne doit pas dépasser cinq millions. Pour atteindre ce but, on empêche non seulement la construction de nouvelles usines à Moscou mais on déménage les vieilles usines insalubres à cinquante ou cent kilomètres de la capitale. On exige des passeports spéciaux pour habiter à Moscou et il arrive souvent qu'après le nettoyage des bas quartiers, on envoie les habitants des quartiers nettoyés hors de Moscou. Moscou doit devenir le modèle de la nouvelle société des travailleurs, surtout parce qu'elle sera le centre principal des visites des délégations étrangères, des touristes et des journalistes. C'est à Moscou qu'il faut démontrer la supériorité de la société socialiste et ce, de façon tangible.

Le plan décennal pour Moscou

Le contrôle de l'État sur les droits de propriété facilite la planification urbaine à une échelle jamais vue auparavant. Un décret annexe toutes les banlieues à la ville centrale en tant que «terres de réserve pour la ville.» Les codes de construction de la ville s'y appliqueront. Il faudra préserver une zone verte de forêts et de parcs, large de dix kilomètres autour du territoire construit, qui «servira d'air frais pour la ville et d'endroit de récréation pour ses habitants.» On construit des berges de granite le long des rivières ainsi que de larges avenues qui doivent servir de rues principales. Le long de ces avenues on érige des immeubles d'habitation et des édifices à bureaux. Un nouveau quartier au-delà des monts Lénine doit être annexé et développé en complexe résidentiel afin d'assurer une meilleure circulation dans la ville. Des édifices publics doivent être construits sur les places publiques, devant les gares, aux principales intersections et aux points de vue qui surplombent la Moskova. Un système de chauffage central pour la ville utilisera la vapeur produite par les turbines des nouvelles usines d'électricité. Un système de tuyauterie et de câbles souterrains combinera les câbles de téléphone, de télégraphe et d'électricité aux tuyaux de gaz et d'eau afin d'en faciliter l'accès. Finalement, on prévoit améliorer grandement les conditions de vie des travailleurs. Les écoles, les cliniques, les salles à manger, les écoles maternelles, les garderies, les théâtres, les cinémas, les clubs, les hôpitaux et les stades seront centrés autour des immeubles à logement. Ce plan est très ambitieux et ne sera réalisé qu'en partie, comme tout ce que l'on imaginera à l'âge de fer.

La plus grande partie de la construction se déroule comme prévue. Les rues sont élargies et asphaltées, et l'on construit les berges des rivières. Plusieurs des nouveaux édifices publics bâtis durant les années 1920-1935 sont construits dans les styles les plus avant-gardistes, que l'Europe occidentale n'adopte que sur une petite échelle. On consulte Le Corbusier, par exemple, pour la replanification de Moscou. Il dessine plusieurs édifices, dont le Tsentrosoïouz pour les coopératives de Moscou, un édifice à façade de verre, d'aspect très léger. Les architectes soviétiques eux-mêmes s'inspirent des idées de l'architecte Gropius et de son Bauhaus, un institut d'art et de design de Weimar en Allemagne, et de nouveaux édifices en béton et en verre sont conçus comme des palais du travail, tels que les bureaux du journal *Pravda*, le planétarium de Moscou et des appartements pour les travailleurs. Dans la planification des banlieues, les urbanistes s'engagent dans des débats fructueux entre ceux qui favorisent la concentration de la population et ceux qui veulent disséminer les tours à

Le réalisme socialiste en architecture

Hôtel Kotelnitscheskaïa (1949-1953)
La plupart des gratte-ciel de Moscou, construits dans le style «gâteau de mariage», incorporaient des motifs décoratifs traditionnels pour embellir leurs dures façades de béton. Ils furent construits pendant les huit dernières années de la vie de Staline, entre 1945 et 1953.   (H. Roger-Viollet)

logements dans les forêts. Pour un certain temps, les partisans du concept de la «ville verte» peuvent donner libre cours à l'idée de transporter les ouvriers et leurs automobiles (qu'ils n'ont pas encore) vers l'air frais de la ceinture de verdure qui entoure Moscou.

Entre 1931 et 1935 cependant, ces idées créatives sur l'architecture urbaine sont muselées. Le «réalisme socialiste» est déclaré politique officielle de l'État dans tous les arts. La définition en est quelque peu obscure: «En architecture, le réalisme socialiste est l'union intime de l'expression idéologique et de la vérité de l'expression artistique auxquelles s'ajoutent les efforts d'adapter chaque édifice aux demandes techniques, culturelles ou utilitaires qui lui sont propres.» En pratique, sous le contrôle culturel de Staline et de son collaborateur Jdanov, le style architectural revient à un style monumental basé sur un amalgame de styles réunissant les périodes précédentes. Au début, les architectes «réalistes» se tournent vers les modèles sûrs et peu démonstratifs de la Renaissance italienne, surtout les villas aérés de Palladio dans le nord de l'Italie. Curieusement, des pilastres sans fonction, des balcons lourds et des balustrades, à l'intérieur comme à l'extérieur, sont censés exprimer les désirs artistiques de l'ouvrier russe. Le style de Palladio est suivi d'un grand mélange d'autres styles, grec, romain, florentin, néo-moscovite et baroque, tous caractérisés par de hauts plafonds, des fontaines sculptées, des colonnes incrustées et d'immenses chandeliers scintillants. La compétition pour la construction d'un grand «Palais des Soviets» consacre la victoire des réalistes sur leurs adversaires. Ces derniers, condamnés comme «formalistes» sont désormais perçus comme peu fiables du point de vue politique et architectural. Le formaliste Guinzbourg a conçu une composition ascétique d'angles aigus en simple béton blanc, surmonté d'un immense dôme vitré. Les réalistes qui remportent la compétition présentent une série de tambours empilés, placés sur une vaste colonnade ressemblant à un temple funéraire égyptien, le tout surmonté d'une gigantesque statue de Lénine. Plus haut que l'Empire State Building et que la tour Eiffel, l'édifice doit devenir le point central de l'horizon moscovite. La Seconde Guerre mondiale en interrompt la construction et ses fondations deviendront la plus grande piscine de Moscou. Mais la victoire des réalistes est assurée et jusqu'à la mort de Staline en 1953, l'architecture de Moscou se tourne vers des réalisations de plus en plus grandioses du style «gâteau de mariage» inventé pendant les années 1930.

Le métro de Moscou   L'exception la plus remarquable au nouveau style réaliste se trouve dans les principales stations du métro de Moscou. Conçu en 1931, le métro doit être la démonstration suprême des préoccupations urbaines de l'État socialiste. Le parti ordonne l'achèvement de la première section du métro pour le dix-septième anniversaire de la révolution, en novembre 1934. Aucune dépense, aucun effort, aucun risque ne doivent être ménagés afin d'atteindre ce but. La première section coûtera un demi-million de roubles, alors que le plan quinquennal accorde annuellement une somme inférieure aux industries qui produisent les biens de consommation. Le chef du projet est Nikita Khrouchtchev, un ancien mineur d'Ukraine.

Khrouchtchev prévient les ouvriers, qui ont pris du retard malgré leurs efforts pour creuser les tunnels dans la boue brune et dense, sous les maisons qui souvent s'effondrent : «Sur les chantiers comme partout ailleurs, les mots ne suffisent pas. Nous avons besoin d'un système organisé à la bolchevique, d'objectifs clairs, d'une connaissance des choses et de l'habileté à exécuter sans faute le plan que le parti et le gouvernement nous ont assigné... Sous l'influence d'opportunistes qui ont envahi nos chantiers de construction, certains ouvriers ont commencé à penser ainsi : pourquoi ne pas faire abaisser nos normes? Des aspirations pernicieuses et désorganisatrices de la sorte doivent être réprimées sévèrement.»[4] Krouchtchev plonge lui-même dans les puits remplis d'eau, inspectant le travail, haussant les normes, menaçant ou récompensant selon les efforts entrepris.

En dépit de ses efforts et de ceux des milliers de Jeunes Communistes utilisés pour le travail non spécialisé, la première section est complétée avec un an de retard. Mais elle devient rapidement une des attractions de la nouvelle ville, parce qu'il n'y avait jamais eu auparavant de stations de métro décorées avec du porphyre, du granite, du bronze, du marbre, des mosaïques, des statues, des bas-reliefs et des chandeliers de cristal.

Pendant les années 1920, plusieurs dirigeants communistes croient que l'on devrait permettre aux écrivains de se diriger lentement vers la nouvelle société en «compagnons de route», comme disait Trotski. N'étant pas entravée par un contrôle strict de leur style, les écrivains soviétiques réussissent à produire ds œuvres littéraires d'une qualité considérable. Vladimir Maïakovski, le poète-héros de la révolution, déclame à des foules immenses des vers comme «J'aime la grandeur de nos plans, l'audace de nos foulées d'un mille.» Isaak Babel a retrouvé le style des romanciers du XIXᵉ siècle dans son *Cavalerie Rouge* de 1926. On permet à Ivanovitch Zamiatine de lire sa fantaisie satirique *Nous autres* et de publier des nouvelles moins accablantes. Boris Pilniak s'inspire du style des symbolistes parisiens dans son roman *L'Année nue* paru en 1922. Le Comité central réprimande même la très militante Association des écrivains prolétariens qui veut forcer les auteurs les plus indépendants à revenir aux thèmes prolétaires.

En 1930, cependant, tout change. Maïakovski, se trouvant sévèrement critiqué et désespéré des nouveaux contrôles politiques, se suicide après avoir écrit un dernier poème :

J'en ai aussi assez
De l'agit-prop [le département d'agitation et de propagande];
Je pourrais aussi composer
Des ballades à votre sujet-

Le réalisme socialiste en art et en littérature

4 Cité dans Lazar Pistrak, *The Grand Tactician : Krushchev's Rise to Power*, New York, Præger, 1961, p. 82-83.

C'est plus plaisant et plus payant-
Mais je me suis forcé
En plantant mon pied sur la gorge de ma propre chanson.[5]

Le Comité central se retourne contre Pilniak et Zamiatine en les accusant d'avoir publié à l'extérieur du pays et ceux-ci deviennent des boucs émissaires pour servir d'exemples aux autres écrivains. Staline lui-même prend part au débat littéraire en réprimandant les écrivains qui n'ont pas la bonne attitude propagandiste. Il écrit même une lettre à un poète dont les vers critiques sur les mineurs ukrainiens ont été publiés dans la Pravda. «Vous dites au monde entier que la Russie du passé n'était que saleté et indifférence,» rage Staline, «et que la Russie contemporaine n'est pas meilleure, que la paresse et le désir de «s'asseoir sur le poêle» sont en fait des caractéristiques nationales du peuple russe — et donc du travaileur russe — qui après avoir accompli la révolution d'octobre n'a pas cessé d'être russe. Et vous appelez ça de la critique bolchevique! Non, mon honoré camarade Demiane, ce n'est pas de la critique bolchevique, mais la diffamation de notre peuple. C'est la dégradation de l'U.R.S.S., la dégradation du prolétariat de l'U.R.S.S., la dégradation du prolétariat russe. Et vous vous attendez à ce que le Comité central se taise! Pour qui nous prenez-vous?»[6]

Tous les écrivains sont regroupés en une organisation, l'Organisation des associations des écrivains prolétaires, dirigée par le beau-frère du chef de la police secrète. Il fallait «enrôler des troupes de choc en littérature.» Les écrivains doivent chanter les vertus des buts des plans quinquennaux. Plusieurs acceptent, publiant des romans comme *Le Ciment, Énergie, La grande chaîne d'assemblage* et *L'Hydrocentrale*. De temps en temps un grand roman est créé dans ces conditions difficiles, comme *Terres défrichées* de Mikhaïl Cholokhov. Mais presque toute expérimentation est condamnée et, à la fin des années 1930, certains des meilleurs écrivains soviétiques du début, comme Isaak Babel et Boris Pilniak, meurent en captivité. Le réalisme socialiste efface toute trace de créativité en peinture et en sculpture, ne laissant qu'un monumentalisme gigantesque de travailleurs à la musculature exubérante, exaltant ainsi l'accomplissement de tâches industrielles ou agricoles surhumaines.

LE SENS DE LA RÉVOLUTION

Quel a donc été le sens de l'expérience soviétique pendant les deux décennies qui suivirent la révolution? Les apologistes communistes et les observateurs occidentaux sont d'accord qu'une vaste révolution sociale et politique a eu lieu et qu'elle a permis l'une des plus grandes expériences de remodelage de société qui ait jamais été tenté. Mais qu'est-il donc arrivé?

5 Marc L. Slomim, *Soviet Russian Literature: Writers and Problems. 1917-1977.* Copyright © 1977, Oxford University Press, Inc., 1977. Reproduit avec la permission de l'éditeur.

6 Max Hayward et Leopold Labedz, éditeurs, *Literature and Revolution in Soviet Russia, 1917-1962,* New York, Oxford University Press, 1963, p. 56.

Pour beaucoup de gens, le retour à la tyrannie d'un homme possédant une emprise beaucoup plus forte sur le citoyen, à cause des moyens de contrôle physique à sa disposition au XXe siècle, constitue l'essentiel de cette expérience. Pour certains, Staline fut la réincarnation des tyrans historiques de la Russie, un nouveau Ivan le Terrible; pour d'autres, il fut le produit inévitable de l'importance accordée par les communistes à l'autorité de l'élite sur la dictature du prolétariat, principe dont Lénine lui-même avait fait l'idée maîtresse du bolchevisme — le cochon qui se transforme en fermier exploiteur, comme dans la fable d'Orwell intitulée *La Guerre des Animaux*.

Pour un grand nombre d'observateurs, la caractéristique la plus importante de ces deux décennies est l'industrialisation d'un pays sous-développé. Encore là, on peut interpréter l'industrialisation de plusieurs façons. Pour les apologistes officiels en Russie soviétique, l'industrialisation apportée par les plans quinquennaux a réussi de façon remarquable à accélérer la transition, décrite par Marx, du capitalisme au stade ultime du communisme, en passant par une période intermédiaire de socialisme. En 1936, on se disait que la Russie n'avait plus besoin de la dictature du prolétariat puisque l'antagonisme entre les classes avait disparu et que la Russie était sur le point de réussir la société communiste définitive. Les observateurs soviétiques et occidentaux pensaient que cette industrialisation forcée, réussie par l'entremise du contrôle politique du Parti communiste, servirait de leçon aux autres pays sous-développés. Le régime soviétique prétendait que le succès de ses expériences prouvait que le communisme n'était pas seulement l'instrument nécessaire pour en terminer avec l'exploitation au sein des sociétés industrialisées, comme celles d'Europe de l'Ouest, mais un outil qui permettrait aux régions sous-développées du monde, l'Asie, l'Afrique et l'Amérique du Sud, d'accéder à une société plus juste et de progresser dans leur développement économique.

Finalement, il y avait des gens qui examinaient surtout l'impact humain de la révolution. Pour certains, ce fut une énorme tragédie dans laquelle des vies humaines avaient été perdues en nombres terrifiants pour satisfaire les caprices d'un autocrate cynique qui fondait son pouvoir sur une pseudo-idéologie. Pour d'autres, ce fut une expérience de fraternité humaine, de création d'un nouveau type d'être humain qui allait vivre sans avarice, sans égoïsme et sans le caractère impitoyable inculqué par la lutte pour la survie dans la société capitaliste. Le seul espoir que cela pût être vrai attira des millions de visiteurs à Moscou dans les années 1930 et, pendant les jours les plus sombres des purges, donna au Russe moyen une petite lueur d'espoir qu'une société meilleure était en chantier. N'eût été cet espoir — et l'attachement profond qui liait les Russes à leur patrie — l'expérience bolchévique s'avérait désastreuse, prête à être balayée par le torrent de souffrance que la Seconde Guerre mondiale était sur le point d'infliger aux Russes.

23

D'UNE GUERRE À L'AUTRE 1919-1945

Pendant les années 1920, Paris reprend sa place à la tête du monde politique et culturel occidental. Elle mérite bien sa prééminence intellectuelle. Ses artistes et ses penseurs poursuivent le grand épanouissement débuté avant la guerre, pendant la Belle Époque. De plus, Paris est devenue le refuge des intellectuels des centres urbains de l'étranger, incapables de rivaliser avec la Ville lumière dont l'atmosphère est si propice à l'activité créatrice. Ces étrangers sont des membres de l'intelligentsia russe qui fuient la révolution bolchevique; des Autrichiens et des Hongrois qui délaissent Vienne et Budapest, que la perte de leur statut de capitales impériales a transformées en villes provinciales; des Italiens qui fuient le fascisme de Mussolini; des Américains déçus par le matérialisme de la société américaine des années folles ou simplement incapables d'abandonner la ville qui les a ensorcelés pendant la guerre. Mais l'hégémonie de Paris est bien superficielle. Elle ne la doit qu'à la déchéance temporaire de l'Allemagne et à l'isolement volontaire des deux grandes puissances mondiales. Les États-Unis, écœurés, ne veulent plus se mêler à de coûteuses aventures européennes, et l'Union soviétique s'est fermée au reste du monde afin de se remettre de sa guerre civile et de bâtir le socialisme.

La grande dépression, de 1929 à 1933, révèle la fausse hégémonie de la France face aux autres puissances. La dépression convainc la France et son alliée principale, la Grande-Bretagne, de leur faiblesse économique et de leur incapacité militaire. Elles sont, par conséquent, plus enclines à accepter les promesses de sincérité d'éventuels agresseurs militaires. De

Libération de Paris, 1944   *(Robert Capal / Magnum Photos)*

391

plus, à cause de la crise économique, un engagement militaire envers les puissances européennes semble plus risqué pour les États-Unis. Finalement la crise amène le Parti nazi au pouvoir en Allemagne. Sous Adolf Hitler, les Nazis utiliseront les vastes ressources économiques et militaires de l'Allemagne pour assurer leurs agressions préméditées. Ainsi dans les années 1930, le centre de la domination politique occidentale passe de Paris à Berlin — de la capitale de la IIIe République à la capitale du IIIe Reich. La société berlinoise est alors l'antithèse de tout ce que la société occidentale a créé depuis deux mille ans : un État totalitaire fondé sur les doctrines racistes et perverties d'un fou sadique.

LA DERNIÈRE HÉGÉMONIE DE PARIS

La conférence de paix de Paris en 1919

Lorsque les accords de l'armistice du 11 novembre 1918 mettent fin aux combats de la Première Guerre mondiale, les citoyens des nations victorieuses réagissent avec joie et soulagement. Ce soir-là, c'est le délire dans les foules qui fêtent la fin du massacre en envahissant Trafalgar Square à Londres, les Champs-Élysées à Paris et Times Square à New York. Seize millions de personnes sont mortes pendant la guerre et vingt millions de gens ont été blessés. L'armée française a mobilisé plus de huit millions d'hommes dont les trois quarts ont été tués ou blessés, un vingtième de la population française a péri. La Grande-Bretagne a perdu environ 900 000 soldats, l'Italie à peu près 650 000 et les États-Unis, qui n'ont participé aux combats que pendant un peu plus d'un an, ont perdu 126 000 soldats. Les victimes sont surtout les jeunes hommes des puissances belligérantes. En Grande-Bretagne, par exemple, neuf pour cent de tous les hommes de moins de 45 ans ont été tués et dix-neuf pour cent ont été blessés. Par conséquent, la proportion de femmes dans la population a augmenté. Le nombre de femmes de plus de quatorze ans est passé de 595 par mille à 638 par mille augmentant ainsi la proportion de femmes qui ne pourront jamais se marier. Le nombre de veuves a augmenté de 38 par mille à 43,25 par mille.[1] La guerre a coûté 156 milliards de dollars aux Alliés victorieux tandis que les puissances vaincues ont dépensé 63 milliards de dollars. Clémenceau, «le Tigre», le premier ministre français dont les discours cinglants ont poussé les Français vers la victoire finale, en vient tranquillement à dominer les débats de la conférence de paix qui ont débuté à Paris en janvier. Lord Keynes donne un portrait dur mais essentiellement exact du «Tigre» dans *The Economic Consequences of Peace* (1919). Clémenceau y apparaît comme l'exemple parfait de l'homme d'État cynique et machiavélique de l'ancien monde, qui a comme préoccupation principale d'empêcher les scrupules insensés et irréalistes du président américain Woodrow Wilson de mettre fin à l'affaiblissement permanent de l'Allemagne. Dans un passage classique, Keynes résume Clémenceau et sa vision de la France :

Georges Clémenceau par Auguste Rodin
Rodin, dans ce bronze qui semble taillé à la hache, capture parfaitement la férocité de Clémenceau que l'on surnommait «le Tigre». (Musée Rodin : Don de Jules E. Masbaum)

---

1 Arthur Marwick, *Britain in the Century of Total War : War, Peace and Social Change, 1900-1967*, Boston, Little, Brown, 1968, p. 62.

Il ressentait pour la France ce que Périclès ressentait pour Athènes — elle seule était digne de valeur, rien d'autre n'importait; mais ses théories politiques tenaient de Bismarck. Il n'avait qu'une illusion — la France, et qu'une désillusion — l'humanité, ce qui comprenait tous les Français sans oublier ses collègues. On peut résumer assez simplement ses principes pour la paix. D'abord, il croyait fermement que l'Allemand ne comprend qu'une chose, l'intimidation, qu'il n'a ni générosité, ni remords lorsqu'il négocie, qu'il profitera de tout avantage qu'il peut déceler et qu'il n'hésitera pas à s'abaisser s'il y voit son profit. Il n'a ni honneur, ni fierté, ni pitié. Il ne faut donc jamais négocier avec un Allemand ou chercher à se le concilier, il faut lui dicter. Il ne vous respectera jamais autrement et rien d'autre ne l'empêchera de vous tromper. Mais il n'est pas certain qu'il croyait que ces caractéristiques ne s'appliquaient qu'aux Allemands ou que sa vision des autres nations était fondamentalement différente.[2]

En se basant sur ces hypothèses, on peut facilement justifier le démembrement du territoire allemand et les exactions économiques que l'on impose à l'Allemagne. L'Alsace et la Lorraine retournent donc à la France qui prend aussi le contrôle des régions minières de la Sarre pour quinze ans. La Pologne, que la Russie, la Prusse et l'Autriche s'étaient séparée lors des trois partages de 1772, 1793 et 1795, et que l'on a reconstituée le 9 novembre 1918, reçoit le corridor polonais, une large bande de territoire qui sépare la Prusse orientale du reste de l'Allemagne. Les Alliés se partagent l'empire colonial de l'Allemagne ainsi que sa flotte marchande en guise de réparations. Pendant les deux années qui suivront, l'Allemagne paiera 5 milliards de dollars en réparations, on règlera plus tard le montant total à 31 milliards de dollars. Pour s'assurer de la faiblesse militaire de l'Allemagne, son armée est réduite à 100 000 hommes, la rive gauche du Rhin et une bande de cinquante kilomètres sur la rive droite devront être dimilitarisées de façon permanente pendant que des troupes d'occupation, venant surtout de France, seront postées en Rhénanie pour quinze ans. Ce traité qui leur est dicté révolte les Allemands qui le baptisent de *Diktat*, mais ils sont forcés de l'accepter sans modification sous peine d'une invasion alliée. Leurs représentants arrivent au palais de Versailles le 28 juin 1919, offrant ainsi symboliquement leurs excuses aux Français pour le choix de cette même galerie des Glaces par Bismarck pour la proclamation de l'Empire allemand en janvier 1871.

Des changements tout aussi importants sont ratifiés dans d'autres palais en banlieue de Paris. La conférence de paix a aussi sanctionné le démembrement des empires austro-hongrois et turc. Elle donne au nouvel État tchécoslovaque, les provinces tchèques de Bohême et de Moravie, la Slovaquie et l'Ukraine subcarpatique ou Ruthénie, mais aussi la région frontalière des Sudètes, où vivent près de trois millions d'Allemands. La Serbie prend de l'expansion et devient la Yougoslavie, l'État des Slaves du Sud. Les Hongrois affligés se retrouvent avec un petit État de seulement huit millions d'habitants. La Pologne, en plus des

2 John Maynard Keynes, *The Economic Consequences of the Peace*, New York, Harper Torchbook, 1971, p. 32-33.

Signature du traité de Versailles dans la galerie des Glaces, le 28 juin 1919
(Archives nationales)

anciens territoires allemands qui forment le corridor polonais, reçoit le droit, après quatre ans de combat avec la Russie, d'annexer une large bande de territoire en Russie Blanche et suite au plébiscite de 1921, elle annexe une section industrielle importante de la province allemande de Silésie. Les Turcs perdent les provinces arabes du Moyen-Orient, la France recevant le mandat du Liban et de la Syrie, et la Grande-Bretagne celui de la Palestine, de l'Iraq et de la Jordanie. Finalement, la Finlande, l'Estonie, la Lettonie et la Lituanie conservent l'indépendance que le traité de Brest-Litovsk leur avait accordée.

Ainsi une bande d'États nouveaux ou remodelés s'étend de l'Arctique à la Méditerranée, remplaçant les trois empires qui se sont écroulés pendant la guerre. Mais même si ces États possèdent des constitutions très bien écrites, ils sont arriérés économiquement, divisés socialement et instables politiquement. L'Europe de l'Est est dans un vide politique qui risque de provoquer l'intervention de l'Allemagne à l'ouest ou de la Russie à l'est. Ces divisions sociales donnent aux États fascistes des alliés dans l'aristocratie terrienne et dans la bourgeoisie aisée, et procure à la Russie communiste des appuis dans certaines sections du prolétariat industriel et de la population agricole. L'Europe de l'Est est devenue la plus grande menace au maintien de l'équilibre des forces pendant l'entre-deux-guerres.

La France impose le respect du traité de Versailles

Les Français se rendent vite compte qu'ils vont être les principaux gardiens du traité dont ils sont les principaux bénéficiaires. Le Sénat américain refuse de signer le traité de Versailles et les États-Unis ne se joignent même pas à la Société des Nations. Les Français essaient donc de construire un système d'alliance avec la Pologne, la Tchécoslovaquie, la Roumanie et la Yougoslavie. Tant que l'Allemagne se tient tranquille, ces alliances avec des États dont la puissance militaire est extrêmement surestimée semblent donner à la France la capacité de menacer l'Allemagne sur deux fronts. La France se sentira donc assez forte, pendant

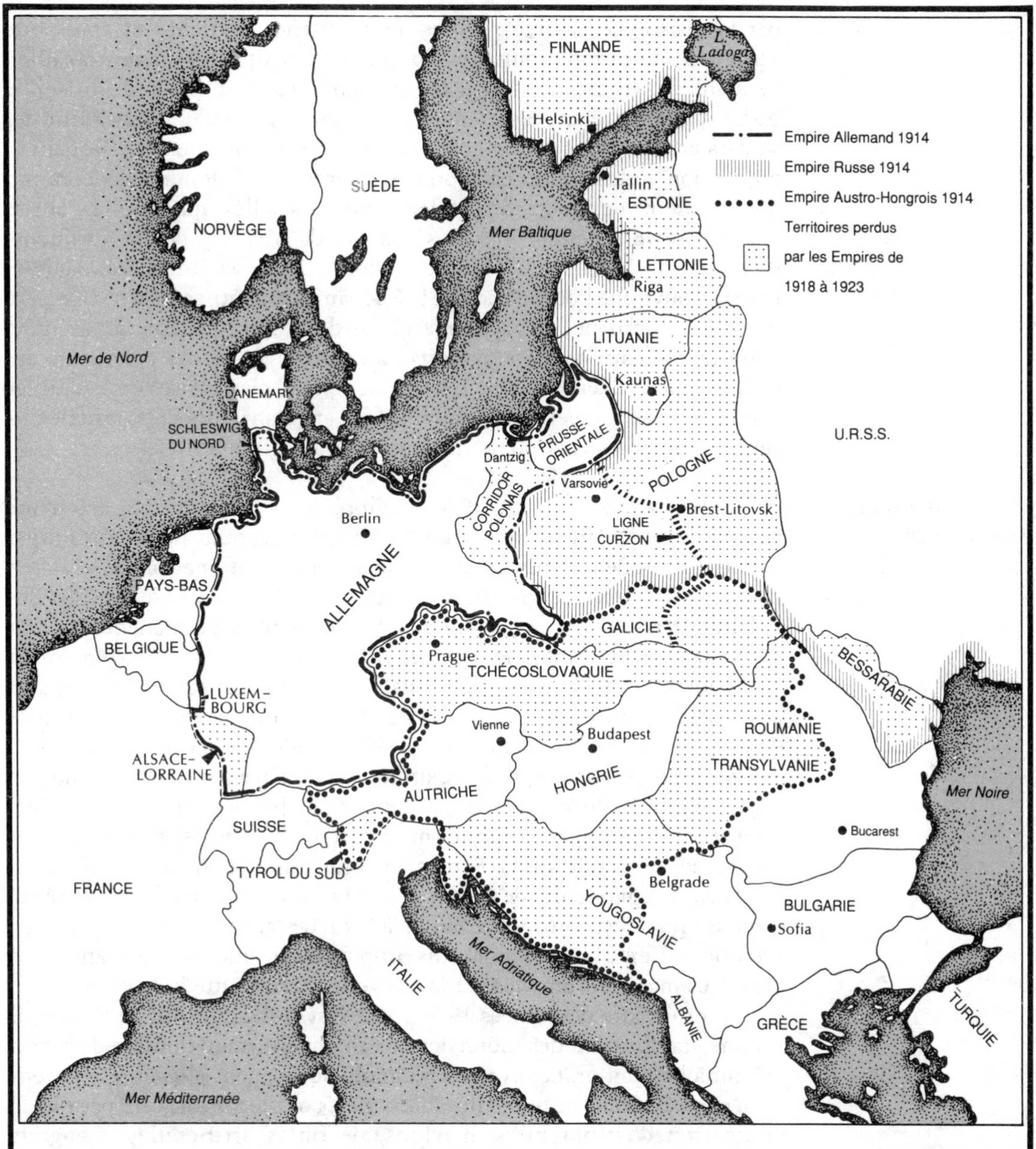
FINLANDE
L. Ladoga
Helsinki
Tallin
ESTONIE
SUÈDE
NORVÈGE
Mer Baltique
LETTONIE
Riga
LITUANIE
Kaunas
Mer de Nord
DANEMARK
SCHLESWIG DU NORD
PRUSSE-ORIENTALE
Dantzig
U.R.S.S.
CORRIDOR POLONAIS
Varsovie
POLOGNE
Brest-Litovsk
LIGNE CURZON
Berlin
ALLEMAGNE
PAYS-BAS
BELGIQUE
GALICIE
Prague
TCHÉCOSLOVAQUIE
BESSARABIE
LUXEM-BOURG
Vienne
Budapest
ROUMANIE
ALSACE-LORRAINE
TRANSYLVANIE
HONGRIE
AUTRICHE
Mer Noire
SUISSE
Bucarest
TYROL DU SUD
Belgrade
FRANCE
YOUGOSLAVIE
BULGARIE
Sofia
ITALIE
Mer Adriatique
ALBANIE
GRÈCE
TURQUIE
Mer Méditerranée
Empire Allemand 1914
Empire Russe 1914
Empire Austro-Hongrois 1914
Territoires perdus par les Empires de 1918 à 1923

L'Europe centrale de l'entre-deux-guerres

de longues années, pour s'assurer que l'Allemagne respecte les obligations que le traité de Versailles lui impose.

En réaction à ce qu'ils perçoivent comme un manquement délibéré aux paiements de réparations, les Français saisissent les douanes allemandes et s'emparent de plusieurs villes de Rhénanie, et en 1923, ils occupent la vaste région industrielle de la Ruhr. Les Allemands répondent par la résistance passive. Toutes les industries ferment; les transports s'arrêtent et les fonctionnaires du gouvernement refusent de travailler. Pendant des mois, les Français essaient désespérément de briser la résistance en arrêtant les meneurs de la grève générale, en utilisant des soldats pour faire fonctionner les services essentiels et en confisquant la production industrielle. La monnaie allemande s'effondre; les communistes tentent des coups d'État dans plusieurs villes industrielles; Hitler essaie pour la première fois de s'emparer de Munich; des mouvements séparatistes cherchent à obtenir l'autonomie de la Rhénanie. Mais la France trouve que l'occupation de la Rhénanie lui coûte trop cher. Sa propre monnaie commence à vaciller à cause des coûts que lui imposent le maintien de l'armée d'occupation et à cause de l'arrêt des paiements des réparations. Finalement, en 1924, elle accepte le plan Dawes qui réduit les paiements des compensations allemandes et garantit des prêts américains généreux pour soutenir la monnaie et la relance industrielle.

Les années d'espoir,
de 1924 à 1929

Après la crise de 1923-1924, l'Europe jouit pendant cinq ans d'une période de prospérité pendant laquelle l'hégémonie française s'exprime par l'organisation de différents plans de coopération internationale. C'est en grande partie grâce au travail d'Aristide Briand, le ministre français des Affaires étrangères, que les Allemands acceptent la permanence de leur nouvelle frontière avec la France, lors d'une rencontre extrêmement harmonieuse qui a lieu en 1925 dans la ville de Locarno, sur les bords du lac Majeur, entre les ministres des Affaires étrangères de France, de Grande-Bretagne et d'Allemagne. Les Allemands sont acceptés à la Société des Nations; ils signent, comme presque toutes les nations du monde, le pacte Briand-Kellogg pour la paix en 1928, par lequel les signataires s'engagent à renoncer à la guerre pour régler leurs disputes et ils envisagent même de se joindre à la France en une union européenne fédérale. Cependant, la poursuite de cet «esprit de Locarno» dépend de la prospérité économique. Cette prospérité fait qu'à la fin des années 1920, les pertes de territoires semblent bien moins importantes que la jouissance des bénéfices matériels amenés par la nouvelle productivité industrielle.

La prospérité des années 1924 à 1929 est réelle. Partout en Europe, il y a une stabilisation des monnaies qui amène un grand nombre de pays à revenir à l'étalon-or. Les avances technologiques, dont plusieurs résultent de la guerre, créent de nouvelles industries, dont le raffinage du pétrole, la fabrication d'automobiles, d'avions, de fibres artificielles, d'engrais chimiques et d'appareils électriques. Les nouvelles méthodes d'organisation revitalisent les industries plus anciennes. Le nombre de cartels augmente énormément, surtout en Allemagne où, parmi les nouveaux géants, on trouve le grand trust de produits chimiques I.G. Farben et le plus grand trust sidérurgique d'Europe, Vereinigte Stahlwerke. On assiste à la naissance d'un grand nombre de conglomérats. L'«américanisation» de la production comprend l'utilisation de firmes de consultants en gestion, l'introduction d'études de cadence, et les tentatives répandues de normalisation des pièces et d'utilisation de tapis roulants pour la production de masse. L'argent dépensé dans les projets de travaux publics et pour les logements sociaux donne un élan à l'industrie de la construction, et encourage la production de béton, de bois, de briques et de peinture. L'augmentation des salaires stimule les industries de consommation; la transformation de nourriture et la fabrication d'articles comme les cosmétiques prennent de l'importance.

Cependant, la situation reste fragile dans certains domaines malgré cette prospérité. Les régions agricoles ne connaîtront jamais l'aisance des villes. Même dans la population industrielle, le chômage reste élevé pendant les meilleures années. En Angleterre par exemple, il n'y a jamais moins d'un million de chômeurs, soit approximativement un dixième de la population. Un grand nombre de cartels ont des structures instables et ils s'écrouleront en période de récession détruisant de petites compagnies qui auraient pu survivre si elles avaient été indépendantes. Et surtout, l'Europe risque gros en dépendant autant des Américains, que ce soit pour les prêts, dont plusieurs sont des prêts à court terme, ou pour l'exportation. L'économie américaine, en particulier la spéculation boursière, est basée sur un crédit trop étendu. L'écroulement de la structure de crédit aura inévitablement des répercussions en Europe alors que l'on exigera le paiement des prêts à court terme, que les nouveaux prêts seront diminués et que le marché pour les exportations européennes sera grandement restreint.

Les emplois féminins

Les femmes ne s'attendent pas à ce qu'elles puissent conserver leur position dans les secteurs traditionnels d'emplois masculins, comme les produits chimiques et l'ingénierie, lorsque les soldats démobilisés reviendront à la maison. À la fin des années 1920, les femmes occupent entre le quart et le tiers des emplois; dans la plupart des pays européens, c'est moins qu'en 1913. Cependant, il se produit des modifications extrêmement importantes dans le genre d'emplois que les femmes occupent. Plusieurs jeunes femmes quittent les fermes afin de se chercher un emploi en ville. En 1933, un tiers de million d'Allemandes et plus d'un million de Françaises avaient quitté l'agriculture. Abandonnées par leurs filles et incapables d'engager de l'aide féminine, les fermières trouvent la vie encore plus difficile qu'avant la guerre. Plusieurs femmes ne veulent pas retourner aux emplois de domestiques qu'elles ont abandonnés pendant la guerre, même si le manque d'occasions en force beaucoup à faire ce choix. Dans les usines, les femmes se dirigent vers les chaînes d'assemblage des nouvelles industries, comme l'électronique, le papier et la métallurgie légère. L'hostilité des travailleurs masculins envers les femmes, qui prennent de tels emplois à des salaires au moins trente pour cent moins élevés que ceux de leurs collègues masculins, est une source fréquente de frictions dans les usines et de conflits au sein des syndicats.

Les années 1920 voient la naissance du stéréotype de la femme secrétaire ou vendeuse. Les femmes se voient de plus en plus assignées aux

Foules à l'extérieur de la Bourse de Wall Street après le krach d'octobre 1929
En une semaine de vente de panique qui suivit le krach de Wall Street le 24 octobre 1929, les actions des principales sociétés industrielles ne valaient plus que deux cinquièmes de leur sommet de l'année. (Archives nationales)

machines à écrire ou aux machines à calculer. En Allemagne, par exemple, quatorze pour cent des cols blancs en 1907 sont des femmes, ce pourcentage augmente à vingt-quatre pour cent en 1925 et à trente et un pour cent en 1933. En 1929, le quart des employés de la fonction publique britannique sont des femmes. Mais on préfère les femmes de moins de trente ans pour les emplois de secrétaires et de vendeuses, ce qui tend à faire disparaître les femmes plus âgées du marché. Finalement, en dépit de meilleures chances en éducation, les femmes ne font pas de grands progrès dans les emplois professionnels, sauf en Union soviétique. En Allemagne, trente pour cent des enseignants, cinq pour cent des docteurs et seulement un et demi pour cent des avocats sont des femmes.

La grande dépression, de 1929 à 1933

Le krach d'octobre 1929 à Wall Street précipite la dépression. En quelques semaines certaines actions américaines perdent la moitié de leur valeur. Cinq mille banques américaines font faillite, les prix agricoles dégringolent, les industries doivent réduire leurs effectifs, ce qui réduit la demande de biens. En trois ans, les États-Unis comptent douze millions de chômeurs. En Europe, les zones industrielles sont les premières à ressentir les effets du krach américain, surtout celles qui avaient beaucoup emprunté aux banques américaines. En mai 1931, la plus grande banque d'Autriche, la Credit-Anstalt, qui détient les deux tiers des actifs autrichiens s'effondre. La panique se répand immédiatement dans toute l'Europe de l'Est dont le

Credit-Anstalt était le banquier. Des déposants pris de panique retirent leurs économies, ce qui précipite d'autres faillites de banques. Les industries réduisent la production et mettent à pied des travailleurs, et les gouvernements désespérés empirent les choses en décrétant des mesures économiques et des hausses de taxes qui augmentent la récession. L'importante banque allemande, la Darmstädter National, fait faillite peu après la Credit-Anstalt et l'Allemagne aussi entre dans une spirale dépressionnaire. Le chômage augmente sans interruption jusqu'à ce qu'il atteigne six millions en 1932. En Grande-Bretagne, où la Banque d'Angleterre paie 12 millions de dollars en or chaque jour, le gouvernement travailliste démissionne et le gouvernement national qui le remplace abandonne l'étalon-or. Les mesures économiques ne réussissent pas à arrêter la récession et le chômage en Angleterre dépasse les 2,5 millions. Pour des millions de familles en Europe et aux États-Unis, les effets de la dépression sont écrasants, produisant une sorte de psychose de la dépression, un désespoir qui fait perdre tout espoir d'avenir aux gens et leur enlève toute confiance dans les institutions établies. Cet état d'esprit rend possible la prise de pouvoir par les gouvernements fascistes d'Allemagne et d'Europe de l'Est et empêche les gouvernements démocratiques de secouer la torpeur de leurs citoyens afin qu'ils agissent contre le fascisme.

Au tout début, la France échappe aux pires conséquences de la dépression. Son agriculture a fourni de l'emploi à un grand nombre d'ouvriers en chômage qui sont retournés à la ferme familiale et l'on a réduit l'impact du chômage en renvoyant chez eux des milliers de travailleurs étrangers. Mais, en 1932, la France ressent à son tour le choc de la dépression: les touristes, en particulier les touristes américains, sont beaucoup moins nombreux; les marchés d'exportation, surtout celui des produits de luxe, sont fermés; les prix des produits agricoles chutent et les salaires dégringolent. Le surplus budgétaire habituel a fait place à un déficit de 6 milliards de francs. Les gouvernements se mettent à tomber comme des mouches; la France a six gouvernements différents de 1932 à 1934. Le pays en vient à douter de sa force économique et de son importance militaire, les deux atouts qui lui avaient donné la confiance nécessaire pour tenter de mener l'Europe durant les années 1920. Elle se renferme alors sur elle-même, essayant de relancer son économie et se préoccupant de son instabilité politique. La France donne un exemple de son insécurité grandissante en construisant, en 1930, la ligne Maginot, le long de sa frontière avec l'Allemagne. Cette ligne de fortifications, construite en béton et en acier, s'étend du sud de la Belgique à la Suisse et est censée stopper toute invasion allemande.

L'ÂGE D'OR DES ANNÉES VINGT À BERLIN ET À PARIS

Dans l'Europe prospère des années 1920, Berlin et Paris se démarquent brillamment des autres centres du monde intellectuel et artistique. La formation en Allemagne de la république de Weimar (ainsi nommée, parce que l'Assemblée nationale qui a rédigé la nouvelle consti-

Berlin durant la république de Weimar

tution s'est réunie à Weimar, la ville de Gœthe, afin de symboliser la rupture avec le militarisme prussien), libère toute l'énergie créatrice de Berlin, retenue durant le règne de Guillaume II. Une nouvelle liberté d'expression voit le jour, perceptible surtout dans l'ironie des Berlinois, reconnue dans toute l'Allemagne pour son caractère sardonique. On observe aussi un relâchement des inhibitions sociales, qui s'exprime par le jazz, les cabarets de luxe, la drogue et l'ivrognerie : «Berlin se transforma en une Babylone» écrit Stefan Zweig. La multiplicité des partis politiques donne plus de vigueur aux débats politiques qui ont fait preuve d'un triste manque de réalisme lors du IIᵉ Reich. L'université de Berlin entre dans sa période la plus faste; on retrouve parmi ses professeurs l'historien Friedrich Meinecke et les physiciens Einstein et Planck. L'institut psychanalytique de Berlin est l'une des principales écoles du nouvel art de la psychanalyse. Cet établissement produit un grand nombre des plus éminents psychologues de la décennie. Mais c'est surtout dans le domaine des arts que Berlin excelle. Avec quarante théâtres, deux grands orchestres, trois opéras, cent vingt journaux et la plupart des grandes maisons d'édition, elle centralise la culture allemande sans pour autant l'étouffer. Bertolt Brecht, le dramaturge innovateur de gauche, déménage à Berlin en 1925, où sa collaboration avec Kurt Weill engendrera *L'Opéra de quat'sous*, trois ans plus tard. Les illustrations sobres et déchirantes de George Grosz et de

Travailleurs, par George Grosz (1893-1959) de *Im Schatten*
Pendant les années 1920, Grosz satirise la société bourgeoise allemande dans une série d'illustrations cinglantes, où les capitalistes apparaissent sous les traits de monstres grotesques, alors que les ouvriers sont déshumanisés. (Fogg Art Museum, Université Harhard. Acquisition des amis du Fogg Art Museum. Reproduit avec la permission de la succession de George Grosz, Princeton, New Jersey)

Trois Musiciens, par Pablo Picasso (1881-1973)
Dans cette peinture cubiste de 1921, Picasso force le spectateur à recréer le sujet original pendant que l'artiste stimule la compréhension de sa signification interne. *(Musée d'art de Philadelphie : Collection A. E. Gallatin)*

Käthe Kollwitz révèlent les souffrances des pauvres gens et, contrairement à ce qui s'était passé dans le Berlin du kaiser, leurs œuvres sont maintenant acceptées officiellement. Käthe Kollwitz devient la première femme à être élue à l'Académie prussienne des arts en 1919. Elle devient ensuite directrice du département des arts graphiques de l'Académie de 1928 à 1933. Les peintres expressionnistes, parmi lesquels se trouvent les illustres immigrants Vassilly Kandinsky et Paul Klee, essaient de représenter la compréhension intuitive plutôt qu'intellectuelle, en expérimentant la couleur par l'abstraction. Mais c'est surtout le cinéma qui explore de nouvelles voies, allant de la sombre cruauté du *Cabinet du docteur Caligari* (1920) au pacifisme d'*À l'Ouest rien de nouveau* (1930). On sent toutefois un désespoir sous-jacent dans l'Allemagne de Weimar, sentiment qui est inconnu à Paris. À cause des crises économiques à répétition, en particulier la grande inflation de 1923, les gens ne savent plus quoi attendre de l'avenir et ils ne font plus confiance aux politiciens républicains. L'auteur anglais Christopher Isherwood, qui survit de peine et de misère dans les taudis de Berlin, a capturé, dans *M. Norris change de train* (1935) et *Adieu à Berlin* (1939), l'atmosphère des dernières années qui précèdent l'arrivée d'Hitler. Visitant Isherwood dans son quartier misérable, le poète Stephen Spender trouve que «les rues de Berlin étaient imprégnées de désespoir.»

[Nous] étions devenus encore plus conscients que les vies insouciantes de nos amis n'étaient que des façades masquant de vastes troubles sociaux. On sentait de plus en plus que cette vie serait balayée. Lors de nos vacances à Insel Ruegen, où des centaines de baigneurs étaient étendus au soleil, il nous arrivait d'entendre crier des ordres et l'on entendait même quelquefois des coups de feu venant de la forêt dont les abords longeaient le rivage, là où les sections d'assaut nazies s'entraînaient comme des bourreaux attendant de martyriser leurs victimes armées ou désarmées.[3]

Le retour de la Belle Époque à Paris

À Paris, on ne sent pas à quel point la vie excitante, qui y attire des admirateurs de tous les coins du monde, peut être fragile. Pour Paris, les années vingt sont le retour, en mieux, de la Belle Époque. Les intellectuels et les artistes s'aperçoivent que beaucoup d'innovations, négligées ou méprisées lors de leur conception pendant les dernières années qui précèdent la Grande Guerre, sont maintenant acceptées et admirées par les membres du public instruit. Ils suivent Picasso, alors qu'il passe du cubisme à la peinture figurative et ensuite au surréalisme, qui présente les

3 Stephen Spender, *World Within World*, Londres, Hamish Hamilton, 1951, p. 129-131.

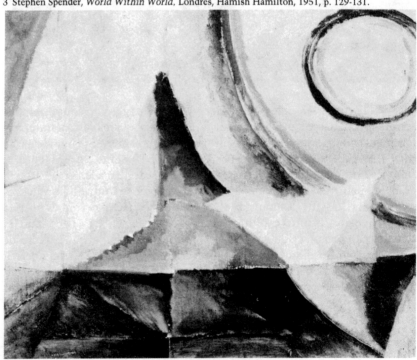

Contrastes simultanés, par Sonia Delaunay (1885-1979)
Cette peinture est un exemple des efforts de Delaunay pour arriver à un équilibre dynamique entre la lumière et la couleur en utilisant des formes abstraites circulaires. (Lauros-Giraudon)

images déformées du subconscient. Ils paient des prix de plus en plus élevés pour les œuvres plus facilement acceptables d'Utrillo et de Bonnard, et démontrent une nouvelle appréciation des expériences cubistes que Braque et Léger continuent à produire. Même le dadaïsme, le culte du non-sens inventé par le Roumain expatrié Tristan Tzara, trouve des défenseurs. Le mouvement dada appelle au rejet des styles établis, à l'abandon de la raison, au renversement de l'autorité, à l'expression des impulsions, des pensées ou des émotions immédiates. En littérature aussi, les innovations sont bien reçues. Même si Proust est mort en 1922, les volumes restants d'*À la recherche du temps perdu* continuent de paraître jusqu'en 1927, avec un succès constant. André Gide (1869-1951), louangé par les écrivains dadaïstes et surréalistes, est reconnu comme le maître écrivain de sa génération. Dans son *Journal* et surtout dans son roman *Les Faux-monnayeurs* (1926), il emploie un style classique à la discipline rigide où il expose le problème de réconcilier ses pulsions cachées avec les exigences de la société. Pour lui, la conscience individuelle a des droits que les conventions sociales rigides lui nient, des droits qu'il justifie en révélant lentement au public ses propres déviations intérieures. Gide est suivi par un groupe de jeunes auteurs, tous voués à l'expérimentation. On trouve parmi eux des surréalistes comme Paul Éluard et Louis Aragon, dont les explorations littéraires prennent finalement une forme politique qui les mène au Parti communiste. En musique, Stravinski a triomphé; le scandale de la première représentation du *Sacre du printemps* est oublié. Il travaille encore avec Diaghilev et les Ballets russes, qui, rassemblés dans le Paris d'après-guerre, se tournent vers un style encore plus innovateur, explorant l'inconscient dans la danse et rejetant la beauté conventionnelle pour des effets de lumière et de chorégraphie.

Parmi les peintres qui collaborent avec Diaghilev se trouvent deux émigrées russes, Natalia Gontcharova (1881-1962) et Sonia Delaunay (1885-1979). Gontcharova, fascinée par le problème de représenter l'impact de l'industrialisation et surtout de la lumière électrique, trouve tout naturel de se tourner vers la création de décors pour des ballets de Diaghilev comme l'*Oiseau de feu* de Stravinski. Delaunay peint non seulement des formes abstraites mais elle travaille comme styliste de livres, de tapisseries et de meubles. Elle conçoit les costumes pour la production du ballet *Cléopâtre* par Diaghilev et, plus tard, collaborera avec le couturier Jacques Heim à la conception de ses tissus «simultanés» qui amèneront les motifs abstraits et les couleurs primaires à la mode parisienne.

Paris devient le port d'attache d'un groupe de jeunes expatriés américains qui allient une détermination de profiter de Paris au maximum à la discipline nécessaire dans la maîtrise d'une bonne écriture. Ils se recréent presque un monde à eux sur la Rive gauche, habitant sous les toits dans des logements froids et inconfortables, vivant de ce qu'ils peuvent tirer de la vente occasionnelle d'un reportage journalistique ou d'une nouvelle, conscients de recréer la vie de bohème avec une vivacité qui excède celle de la fin de siècle. F. Scott Fitzgerald dans des livres comme

Ernest Hemingway (1898-1961)
Dans Le soleil se lève aussi *(1926), Hemingway représente les écrivains et les artistes américains de la «génération perdue» qui se sont établis à Paris après le Première Guerre mondiale pour vivre la vie de bohème de la Rive gauche. (Archives nationales)*

Gatsby le Magnifique et Ernest Hemingway dans *Le soleil se lève aussi* ont capturé la conscience aiguë de la nature précaire de leur bonheur, de la brutalité encore inexplicable de la guerre qui vient de les quitter et de l'incertitude de l'avenir politique. Cette conscience est une présence constante dans leur vie quotidienne, comme le décrit Hemingway dans *Paris est une fête*, un superbe petit recueil de souvenirs. «Mais Paris était une très vieille ville, nous étions jeunes et rien n'y était simple,» écrit Hemingway «ni même la pauvreté, ni la richesse soudaine, ni le clair de lune, ni le bien, ni le mal, ni le souffle d'un être endormi à vos côtés dans le clair de lune.» La cacophonie sauvage de leur vie apparaît dans chacune des œuvres des écrivains de cette génération d'Américains à Paris — dans les phrases décousues des poèmes de e e cummings, dans les séquences cinématographiques de John Dos Passos et surtout dans les nombreux thèmes d'*Ulysse*, le chef-d'œuvre de l'Irlandais James Joyce, que toute la colonie américaine reconnaît comme un chef de file incontesté.

À Berlin, cet âge frénétique de création littéraire et artistique prend fin abruptement lorsque Adolf Hitler est nommé chancelier en janvier 1933. À Paris, dans les années 1930, la dépression économique se combine à la peur que la transformation de l'Allemagne par les Nazis ne menace directement la France. La politique prend une place de plus en plus importante, même chez les personnalités littéraires et artistiques qui essaient vigoureusement de s'y soustraire. Pendant les années 1930, tous les groupes de la société française s'aperçoivent qu'ils doivent apprendre à vivre avec le phénomène du fascisme, à la fois dans ses manifestations internes alors que la droite menace les institutions démocratiques de France et en tant que danger venant de l'extérieur, incarné par le IIIᵉ Reich de Hitler. Entre 1930 et 1933, la majorité des expatriés littéraires de Paris retournent chez eux. Leur départ symbolise la fin de la deuxième Belle Époque.

Suppression du soulèvement spartakiste à Berlin en janvier 1919
Les troupes allemandes, utilisant un char d'assaut emprunté aux Britanniques, traversent un quartier ouvrier de Berlin. (Avec l'autorisation de la division de presse et d'information de l'ambassade de France)

LE FASCISME EN ITALIE

En 1919, la plupart des dirigeants européens croient que le régime bolchevique de Russie qui donne un dangereux exemple et qui encourage directement la révolte des classes ouvrières mécontentes dans toute l'Europe, est la principale menace pour la stabilité de leurs institutions politiques et sociales. Les gouvernements britanniques de l'après-guerre par exemple, craignent beaucoup que les travailleurs britanniques des mines et des quais ne soient devenus «révolutionnaires». À la suite d'émeutes chez les soldats qui exigent une démobilisation plus rapide, il y a eu un appel à la grève générale par les dirigeants ouvriers sur les quais écossais, forçant ainsi le gouvernement à envoyer des troupes armées de mitrailleuses et de chars d'assaut à Glasgow. Pour contenir une grève des policiers à Liverpool, des cuirassés jettent l'ancre au large et des chars d'assaut sont envoyés dans la ville. Pendant la seule année de 1919, on compte 100 000 grévistes tous les jours. Les grèves les plus violentes ont lieu dans les mines; elles durent un mois en 1920 et trois mois en 1921. Si la Grande-Bretagne, dont la population ouvrière est tout de même relativement docile, se sent obligée d'utiliser les forces armées contre sa propre population, le gouvernement allemand est encore plus nerveux à cause des communistes qui ont pris plusieurs grandes villes à la toute fin de la guerre. Presque tous les gouvernements du continent partagent son anxiété. Cependant, en 1923, toutes les tentatives de prises de pouvoir par les communistes avaient échoué.

Mussolini parlant à Rome
Mussolini était un pacifiste lorsque la Première Guerre mondiale fut déclarée. En tant que dirigeant du Parti fasciste, et après 1922 comme chef du gouvernement italien, il prit une allure beaucoup plus militariste et déclara à maintes reprises que la destinée de l'Italie était de recréer la grandeur de l'Empire romain. (United Press International, Inc.)

Le soulèvement spartakiste, organisé par les communistes allemands en janvier 1919, a été écrasé avec une violence sanglante par des bandes de soldats démobilisés appelés *Freikorps*. Le régime communiste installé en Hongrie sous Béla Kun est renversé par une armée monarchiste roumaine en novembre 1919, après seulement six mois de pouvoir. L'armée régulière réprime de nombreux soulèvements que les communistes organisent sporadiquement dans les villes industrielles d'Allemagne entre 1920 et 1923. Il est devenu évident en 1923, que l'espoir d'une révolution prolétarienne englobant toute l'Europe, en laquelle Lénine et Trotski avaient cru pour l'après-guerre, a été brisé. Néanmoins, alors que le communisme cesse d'être une menace immédiate pour les gouvernements démocratiques, il est remplacé par le fascisme. Ce mouvement totalitaire de droite prend le pouvoir en Italie en 1922 et de 1933 à 1939, différents gouvernements d'inspiration fasciste s'installent dans la plupart des pays de l'Europe centrale et de l'Est.

La prise du pouvoir par les fascistes en 1922

Benito Mussolini (1883-1945) avait été un agitateur socialiste avant la Première Guerre mondiale. Il emploie ses talents considérables de journaliste et d'orateur à l'organisation des travailleurs saisonniers et à l'opposition à la guerre que l'Italie a entreprise afin de s'emparer de la Libye en 1911. Cependant, pendant la Première Guerre mondiale, il change complètement de discours, exigeant l'intervention de l'Italie, servant lui-même dans l'armée et glorifiant les bienfaits moraux de la guerre, qui augmente l'envergure spirituelle de la nation. En 1922, Mussolini possède les slogans de propagande qui le mèneront au pouvoir. L'homme existe pour l'État et il ne vit pas vraiment s'il ne fait pas partie de l'État. L'homme doit se sacrifier à l'État; la forme la plus élevée de sacrifice est la guerre. La démocratie est une forme de dictature de la majorité et doit être remplacée par le règne d'une élite dirigée par un guide, le *Duce*. Le Duce incarne la volonté de la nation et ne peut donc jamais se tromper. Il fera inscrire plus tard le slogan: «*Il Duce ha sempre ragione*» («Le Duce a toujours raison») sur les immeubles de toute l'Italie. La nation est un être qui existe à travers les époques, liant les générations passées et à venir; l'Italie d'aujourd'hui doit recréer la gloire de l'Empire romain. La nouvelle Italie doit transformer la mer Adriatique en lac italien et la mer Méditerranée doit devenir «notre mer»; et elle doit gagner «soleil et terre» dans les territoires coloniaux d'Afrique.

Les troubles sociaux de 1919 à 1922 en Italie donnent sa chance à Mussolini. Le gouvernement parlementaire est incapable d'agir fermement. Les sociaux-démocrates qui constituent le plus grand parti en Chambre, refusent de collaborer avec un gouvernement bourgeois. Le nouveau parti catholique, le *Popolari*, même s'il est modérément réformiste, ne peut collaborer avec les socialistes anticléricaux. Les partis conservateurs, qui détiennent la majorité, manquent de vrais chefs et se querellent souvent. Les premiers ministres sont habituellement des vieillards qui ont perdu tout contact avec la réalité de l'après-guerre. Ce régime instable fait face à trois défis. Premièrement, les travailleurs des régions du Nord, appuyés par un grand nombre de soldats démobilisés qui ne peuvent trouver de travail, sont engagés dans une dure dispute salariale avec les propriétaires d'usines. En 1920, ils commencent à s'emparer des usines en un mouvement qui s'étend à cinquante-neuf villes italiennes. Ces troubles ouvriers empruntent leurs stratégies aux mouvements ouvriers de Russie. On les désamorcera éventuellement en leur accordant de meilleurs salaires mais les classes possédantes demeurent craintives de ce que les syndicats pourraient faire par la suite. Deuxièmement, après que le gouvernement ait renié ses promesses de redistribuer des terres aux paysans et aux soldats qui reviennent, les travailleurs sans terre se mettent à s'emparer des terres non travaillées partout en Italie. Troisièmement, des nationalistes extrémistes sont insultés que l'Italie ait obtenu si peu à la conférence de paix, surtout sur les terres côtières de l'Adriatique, que près de 8 000 anciens combattants suivent le poète Gabriele D'Annunzio en s'emparant du port de Fiume revendiqué par le nouvel État yougoslave. Lorsque le gouvernement italien décide d'en expulser D'Annunzio, plusieurs nationalistes partent à la recherche d'un parti d'extrême-droite qui réaffirmerait les demandes légitimes de l'Italie.

Afin de profiter des craintes de la classe moyenne qui a peur d'une révolution sociale et pour enrôler les nationalistes dans son mouvement, Mussolini se pose en défenseur de l'Italie contre la subversion interne et la trahison de l'étranger. En mars 1919, il forme des bandes d'ex-soldats appelés *fasci di combattimento* («faisceaux de combats»). Lâchés sur les socialistes et sur les catholiques de gauche, ces fiers-à-bras les battent, détruisent leurs bureaux et leurs presses et dérangent leurs réunions. Un nombre sans cesse grandissant d'activistes de droite se joignent à lui, et en 1922, le mouvement fasciste compte 300 000 membres. Le chômage continue d'augmenter. Aucun politicien n'arrive à obtenir une majorité cohérente en Chambre. Des centaines de petites villes sont saisies par les groupes fascistes. Finalement, en octobre 1922, Mussolini se sent assez fort pour demander à tous les fascistes d'Italie d'effectuer une «marche sur Rome». Seulement 10 000 de ses partisans à chemises noires parviennent finalement à la capitale, mais le gouvernement, terrorisé, démissionne. Le roi Victor-Emmanuel III invite alors Mussolini à former un gouvernement, toutes les apparences légales ayant été respectées scrupuleusement.

Durant les sept années qui suivront, Mussolini s'appliquera à faire disparaître toute opposition. Les bureaux des partis politiques sont saccagés et leurs chefs se font battre dans la rue ou arrêter. Un socialiste important est brutalement assassiné et son corps est jeté dans le Tibre. Grâce à une nouvelle loi électorale, le parti qui reçoit le plus de votes obtient une majorité de sièges au Parlement. Le gouvernement contrôlé par les fascistes qui résulte de cette loi abolit tous les autres partis politiques. Tous les juges sont remplacés par de fidèles partisans du fascisme, les syndicats sont transformés en corporations fascistes et tous les

La politique interne des fascistes

gouvernements locaux deviennent responsables envers le gouvernement central. Les opposants récalcitrants sont exilés dans des prisons sur des îles au large des côtes italiennes ou envoyés dans des villages reculés du sud de l'Italie. Le plus grand succès de Mussolini est le concordat avec la papauté qui, depuis l'unification de l'Italie en 1871, a refusé de discuter avec le nouvel État italien. L'Église obtient des concessions financières considérables; on lui permet de continuer son influence sur l'éducation italienne et l'on reconnaît l'indépendance formelle de la minuscule cité du Vatican comme État indépendant. En échange, le pape accepte d'établir des relations diplomatiques avec le gouvernement fasciste.

Mussolini, avec son opportunisme politique habituel, a courtisé les groupes de femmes avant 1922, leur promettant des droits que les régimes parlementaires ne leur avaient pas accordés. Le mouvement féministe italien, qui a débuté sur une petite échelle dans les villes industrielles du Nord entre 1890 et 1914, avait comme buts principaux le suffrage pour les femmes et l'égalité d'accès aux professions. Même si la Chambre basse du Parlement a voté en faveur du suffrage féminin en 1919, la Chambre haute y a apposé son veto et la loi qui promet plus d'accès aux professions est devenue lettre morte. Déçu par les partis politiques traditionnels, le Conseil national des femmes d'Italie appuie donc la prise de pouvoir fasciste dans l'espoir que Mussolini tiendra ses promesses. Mussolini se révèle rapidement être un phallocrate. Déclarant que les femmes sont «incorrigiblement frivoles, sans talents créatif ou intellectuel», il dicte des lois qui contrôlent des frivolités comme les costumes de bain indécents, les robes trop courtes et les danses inspirées du jazz. Obsédé par le désir de faire passer la population italienne de 40 à 60 millions en 25 ans, il ordonne des sanctions pénales contre les partisans du contrôle des naissances et augmente les peines contre l'avortement. Au début, il préconise douze enfants par famille, mais il augmentera ce nombre à un maximum de vingt. À sa grande surprise, le taux de naissances continue de chuter même s'il honore publiquement chaque année quatre-vingt-quinze des mères les plus prolifiques. En 1937, il fulmine que l'Italie a «perdu» l'équivalent de quinze divisions armées parce que les Italiennes n'ont pas les enfants qu'il exige.[4] Il tente de restaurer l'autorité patriarcale du mari sur sa femme et ses enfants, et pour s'assurer que la femme reste à la maison pour élever les enfants, il ordonne d'engager de préférence les hommes mariés, plutôt que les femmes ou les hommes célibataires. Malgré ses restrictions, les femmes constituent vingt-sept pour cent de la main-d'œuvre pendant les décennies 1920 et 1930.

Pendant les années 1920, Mussolini connaît une grande popularité en Italie sans causer beaucoup d'opposition à l'étranger. Ses politiques de travaux publics, qui incluent l'assèchement des marais, la construction de nouvelles routes et de plusieurs édifices, aident à conserver des emplois. Les grosses compagnies apprécient le gouvernement fasciste, toujours prêt

4 Denis Mack Smith, *Mussolini : A Biography*, New York, Random House Vintage Books, p. 159-160, 210.

à leur donner un coup de main dans la planification industrielle et à les aider à maintenir la discipline chez les ouvriers. Les discours grandiloquents restaurent la fierté nationale à très peu de frais. Mussolini semble avoir rendu la dictature respectable, et pour plusieurs conservateurs européens, son régime, et celui de Primo de Rivera, dictateur militaire d'Espagne de 1923 à 1930, celui du président Antonio de Oliveira Salazar, établi en 1926 au Portugal et soutenu par l'armée, sont des modèles de gouvernements anticommunistes fermes.

LA RÉPUBLIQUE DE WEIMAR ET LA MONTÉE DU NAZISME

Adolf Hitler

Le mouvement national-socialiste (nazi) en Allemagne a une vigueur plus brutale et une direction plus sinistre que le fascisme italien, même si les deux mouvements partagent la même philosophie à bien des égards. Toutefois, le gouvernement de la république de Weimar est plus résistant que celui de l'État italien. Alors que Mussolini a réussi à prendre le contrôle de l'Italie trois ans seulement après la création du mouvement fasciste, il faut quatorze ans à Hitler pour prendre le pouvoir en Allemagne.

Le mouvement nazi en Allemagne est l'œuvre d'un jeune Autrichien pâle aux yeux foncés possédant une maîtrise des discours enflammés dont le ton est rempli de haines névrotiques. Adolf Hitler a probablement acquis son obsession maîtresse, la haine des Juifs, lors de son séjour à Vienne avant la guerre. C'est là, dit-il, qu'on lui refuse l'entrée à l'Académie des Beaux-Arts, et qu'il est forcé de vivre maigrement de petits travaux et de la vente de cartes postales des immeubles de Vienne, qu'il peint. Les Juifs finissent par représenter pour lui «les mauvais esprits qui menaient notre peuple à la perdition,» ce sont les inspirateurs de l'art et de la musique modernes qu'il faut mépriser puisqu'ils forment l'élite bourgeoise dominante de la vie viennoise. En 1913, lorsqu'il déménage à Munich pour éviter la conscription autrichienne, il considère que les Juifs sont la lie qui empoisonne le sang pur des Aryens.

En 1914, il s'enrôle dans un régiment bavarois et en quatre ans de service au front français, il acquiert une admiration pour la guerre, où «les intérêts individuels — les intérêts de l'ego — pouvaient se subordonner aux intérêts communs.» Lorsqu'il revient à Munich, son but est de créer une idéologie appuyée d'une force militaire impitoyable. En 1919, il se joint à un petit groupe de politiciens amateurs antisémites, qu'il rebaptise Parti national-socialiste allemand des travailleurs et se fait nommer au pouvoir en tant que *Führer*. En 1923, il a déjà regroupé autour de lui la plupart de ceux qui seront les principaux organisateurs du parti, comme Ernst Röhm, qui met sur pied les sections d'assauts à chemises brunes de la Sturn-Abteilung (S.A.), Rudolf Hess et Hermann Göring. À cette époque, il juge que la succession de crises politiques et économiques auxquelles le gouvernement de la république de Weimar et ses états constituants, comme la Bavière, ont été soumis depuis 1918, ont amené l'Allemagne à un point où un mouvement déterminé comme le sien peut prendre le pouvoir de force.

La république de Weimar est sans contredit extrêmement instable. L'influence du Komintern ravive la pression des communistes et des socialistes de gauche qui ont été temporairement repoussés par les soldats démobilisés des corps francs en janvier 1919, lors de la suppression de la révolte spartakiste de Berlin. En 1923, on doit employer l'armée pour repousser les communistes de plusieurs villes industrielles importantes qu'ils ont saisies dans la vallée du Rhin. L'opposition des forces d'extrême-droite au nouvel État est encore puissante. En 1920, l'armée a refusé d'agir lorsque des groupes de corps francs ont pris Berlin lors du «putsch de Kapp». Kapp (le meneur du coup d'État) et ses partisans ne sont chassés que grâce à une grève générale menée par les syndicats socialistes. Les exigences françaises que sont l'extradition des criminels de guerre et le paiement des réparations en raison du traité de Versailles, font tomber beaucoup de chanceliers qui n'ont pas le courage d'accepter les responsabilités de la défaite. Selon certains, les gouvernements allemands ont encouragé l'inflation qui sévit alors afin de réduire les paiements de la dette nationale et de faciliter le paiement des réparations. L'invasion de la Ruhr par la France et la déclaration de résistance passive du gouvernement allemand porte l'inflation à des niveaux désastreux. En novembre 1923, Hitler décide d'utiliser ses troupes d'assaut afin de prendre le contrôle de la Bavière. Avec une force d'environ trois mille hommes, il capture le gouvernement bavarois pendant un rassemblement politique dans une brasserie de Munich, mais doit s'enfuir le lendemain, lorsque la détermination de la police provoque la débandade de ses troupes. Arrêté et emprisonné par la suite pour huit mois, il emploie son séjour en prison à l'écriture de ses mémoires, *Mein Kampf*.

Lorsque Hitler sort de prison en 1924, l'Allemagne ressent les premières joies du retour à la prospérité et les nazis ont de la difficulté à se trouver des appuis. C'est entre 1924 et 1929 que la république de Weimar connaît le plus de succès. Il devient évident que la nouvelle constitution se gagne des appuis, grâce à ses garanties de droits civiques, à son équilibre prudent entre les pouvoirs du gouvernement central et ceux des États, et à ses encouragements à la participation politique à l'aide d'une forme modifiée de représentation proportionnelle. À première vue, il semblerait que la nouvelle république a accordé aux Allemandes tout ce que les féministes exigeaient avant la guerre. La constitution déclare que «les femmes et les hommes ont fondamentalement les mêmes droits et les mêmes devoirs» (sans toutefois affecter l'inégalité des droits familiaux ou des droits de propriété établis dans le code civil). Ayant obtenu le droit de vote, près de quatre-vingts pour cent des femmes éligibles s'en prévalent lors des élections de 1919 et presque dix pour cent des élus sont des femmes. Une coalition formée de sociaux-démocrates, de députés du Parti du centre, de démocrates et d'élus du Parti du peuple prend le pouvoir. Gustav Stresemann, le ministre des Affaires étrangères de 1924 à 1929, procure une continuité à la politique étrangère allemande, ramenant le pays à une pleine participation aux affaires internationales grâce à la conférence de Locarno, à l'adhésion à la Société des Nations et à la signature du pacte Briand-Kellogg. Cependant, il y a plusieurs faiblesses politiques dans le régime de Weimar qui deviennent plus évidentes à mesure que la prospérité disparaît. La coalition, qui s'étend des représentants ouvriers du Parti social-démocrate aux représentants du monde des affaires du Parti du peuple, a de la difficulté à se mettre d'accord sur les principes sociaux et économiques.

À l'extrême-droite, on note une augmentation de la popularité du Parti nationaliste, soutenu par des groupes de pression non parlementaires importants comme le groupe militariste Stahlhelm, alors que même au plus fort de la prospérité en 1928 le Parti communiste, à l'extrême-gauche, ne reçoit que trois millions de voix aux élections du Reichstag. De plus, la constitution accorde des pouvoirs importants au président qui peut facilement en abuser. C'est lui qui choisit le chancelier, qui dissout le Reichstag et il peut autoriser le chancelier à gouverner par décret en cas d'urgence. À la mort du premier président, Ebert, en 1925, le maréchal Hindenburg, alors âgé de 78 ans, est élu président. La sympathie de Hindenburg pour les militaires et les aristocrates conservateurs de l'est de l'Allemagne, combinée à sa sénilité grandissante, en font une victime potentielle des machinations de politiciens sans scrupules, pendant la crise de 1930 à 1933, alors que la dépression frappe l'Allemagne.

Pendant les années 1920, Hitler forme soigneusement son parti afin de favoriser une conquête semi-légale du pouvoir. Il démontre un grand talent dans le développement d'outils de propagande comme les bannières, la croix gammée, les brassards, les hordes d'hommes bottés et disciplinés scandant d'innombrables slogans haineux. Son idéologie prend la forme d'une doctrine politique uniforme et facile à comprendre pour un public simple. Toutes les nations font partie d'une hiérarchie raciale, dit-il, dans laquelle la supériorité dépend de la qualité du sang. Les Juifs appartiennent à une race impure qui doit être éliminée du sang allemand, les Slaves sont des sous-hommes (*Untermenschen*) et leur avenir consiste à travailler pour les Allemands. Tous les Allemands doivent vivre dans la patrie allemande, surtout ceux qui en ont été séparés de force par les annexions territoriales du traité de Versailles. L'Allemagne elle-même est trop petite pour le peuple allemand qui a besoin d'espace vital *(Lebensraum)* et qui le trouvera en reprenant possession de l'Empire allemand et surtout en s'étendant dans les vastes plaines occupées par les Slaves et les Russes. Dans le nouveau *Volksgemeinsschaft* (Communauté populaire), les femmes et les hommes seront «équivalents mais de nature différente» *(gleichwertig aber nicht gleichartig)* et les femmes reprendront leurs rôles traditionnels de mère, de femme au foyer ainsi que leur «travail de femme.»[5] L'Allemagne doit être gouvernée par une élite, le parti nazi dirigé par un Führer. Elle reconnaîtra alors ces qualités qui sont nécessaires à sa grandeur. Comme l'écrit son

---

5 Jill Stephenson, *Women in Nazi Society*, Londres, Croom Helm, 1975, p. 9.

Extraction de la tourbe en Netzebruch, en Prusse occidentale, dans les années 1920

Les fermière de l'Europe de l'Est gagnaient un revenu supplémentaire en s'épuisant à extraire la tourbe dans les marais des deltas. Lorsque ces terres furent reprises pour l'agriculture, on mit fin à cette pratique en de nombreux endroits. Netzebruch faisait partie des territoires allemands incorporés dans le corridor polonais en 1919. (Avec l'autorisation du Centre d'information allemand)

chef de la propagande, Joseph Gœbbels, être un national-socialiste ne signifie rien de moins que «*Kampf, Glaube, Arbeit, Obfer*» («la lutte, la foi, le travail et le sacrifice»), les qualités idéales pour servir un État totalitaire.

La dépression de 1929 à 1933 permet aux nazis de profiter du mécontentement des six millions de chômeurs, des cols blancs qui ont perdu leurs économies, des conservateurs fatigués par l'indécision du régime de Weimar et des femmes à l'esprit traditionnel, dérangées par la décadence d'une société matérialiste qui semblent menacer l'institution de la famille. Même si Hindenburg permet à Heinrich Brüning, le chancelier du parti du Centre, de gouverner par décret de 1930 à 1932, la situation économique va de mal en pis. Les nationaux-socialistes, qui n'ont reçu que 800 000 votes dans les élections au Reichstag en 1928, en obtiennent plus de six millions en 1930. Lors de ces élections, Hitler courtise l'électorat féminin pour la première fois, promettant un mari à toutes les Allemandes (même s'il y a deux millions de femmes de plus que d'hommes). En 1931, la Ligue des femmes nationales-socialistes réunit les nombreux groupes de femmes nazies sous la présidence d'Elizabeth Zander, une féministe nazie de longue date. En moins d'un an, les femmes votent pour les nazis dans la même proportion que les hommes, même si à peine cinq pour cent des membres du Parti nazi sont des femmes.

Grâce à l'appui financier des groupes d'hommes d'affaires et de la classe moyenne inférieure, les nazis montent une campagne massive pendant les élections de 1932 et obtiennent plus de treize millions de votes. Avec 230 membres, ils forment le parti le plus puissant au Reichstag. Toutefois, Hitler n'a pu vaincre Hindenburg aux élections présidentielles d'avril-mai 1932. Après plusieurs mois tendus, passés à comploter avec les plus proches conseillers de Hindenburg, Hitler réussit à être nommé chancelier. Après que Hindenburg ait congédié Brüning en mai 1932, il nomme l'aristocrate conservateur Franz von Papen au poste de chancelier avec un gouvernement composé de représentants des classes industrielles et terriennes. Déçu par les élections de juin 1932, Papen persuade Hindenburg de dissoudre le Reichstag et d'appeler de nouvelles élections où le vote nazi tombe à onze millions de voix. Même si les nazis forment le parti le plus puissant au Reichstag, Hindenburg préfère choisir comme chancelier, un autre de ses favoris militaires, le général Kurt von Schleicher, ce qui provoque l'union d'Hitler et de Papen. Papen croyant pouvoir manipuler Hitler en coulisses, réussit à persuader Hindenburg de nommer Hitler chancelier, avec Papen comme vice-chancelier. C'est ainsi que, grâce à une série de tractations louches de la part des politiciens conservateurs qui entourent Hindenburg, Hitler réussit à s'emparer légalement du pouvoir.

L'ALLEMAGNE D'HITLER DE 1933 À 1939

Les nazis transforment l'atmosphère de Berlin en quelques semaines. Au début, la vie se déroule comme avant. Plusieurs personnes s'attendent à ce que les nazis, une fois au pouvoir, modèrent leurs attaques de propagande contre les Juifs et les autres groupes qu'ils ont pris pour cible. Mais, en février, le Reichstag est incendié, probablement par un communiste simple d'esprit qui y a été poussé par les troupes d'assaut nazies. Cet incident sert d'excuse aux nazis pour suspendre les garanties de libertés individuelles et interdire le Parti communiste. En mars, Hitler force le Reichstag à passer la loi des pleins pouvoirs qui lui donne le droit de gouverner par décrets pour les quatre prochaines années. Il l'utilise rapidement pour interdire tout parti politique autre que le Parti nazi, pour détruire les syndicats et pour mettre les cours sous contrôle nazi. En juin 1934, il purge son propre parti de toute opposition potentielle en assassinant plusieurs centaines de dirigeants des troupes d'assaut pendant la «nuit des longs couteaux.» Finalement, lorsqu'Hindenburg meurt en août 1934, Hitler ajoute le poste de président à son rôle de chancelier. En dix-huit mois, il a accumulé des pouvoirs supérieurs à ceux que Mussolini a réussi à obtenir en douze ans.

Il est évident à Berlin que les nazis prennent leur travail de rénovation au sérieux. On se rend vite compte qu'ils n'ont pas le sens de l'humour et qu'ils ont l'intention de se débarrasser au plus tôt des perversions culturelles juives de la période de Weimar. Pendant les six années qui suivent, on assiste au départ de plusieurs meneurs de la vie intellectuelle et artistique allemande, dont Heinrich et Thomas Mann, Gropius, Grosz, Kandinsky, Zweig, Zuckmayer, Einstein et des milliers d'autres. Les nazis se réjouissent de cet exode et se mettent à l'œuvre pour créer une

Berlin sous les nazis

Le chancelier du Reich, Adolf Hitler
Après sa nomination au poste de chancelier, Hitler porte son uniforme nazi et la croix de fer sur ces cartes postales en vente partout en Allemagne.
(Hoover Institution)

culture qui soit typiquement nazie. La musique atonale, la peinture abstraite et la littérature de méditation intérieure sont interdites. Käthe Kollwitz, qui ne s'est pas jointe à l'exode, doit démissionner de son poste de directrice à l'Académie prussienne des arts et les expositions de ses œuvres sont désormais interdites.

Les goûts musicaux d'Hitler sont surtout concentrés sur Wagner et quelques opéras légers, même si Wilhelm Furtwängler et l'orchestre philharmonique de Berlin continuent à donner des représentations superbes des pièces classiques connues. En 1937, on présente à Munich une exposition d'art allemand approuvant le naturalisme, semblable au réalisme socialiste d'Union soviétique de la même époque, en parallèle avec une exposition d'«art dégénéré», incluant les œuvres de peintres postimpressionnistes et abstraits. En architecture, des monstruosités de style néo-baroque, auquel Hitler, l'architecte manqué, s'intéresse, remplacent les structures d'acier et de béton de Gropius et de ses disciples.

Hitler a des plans grandioses pour faire de Berlin une capitale digne du vaste empire qu'il se propose de gagner à l'Allemagne, même si les nazis n'ont jamais récolté de grands succès lors des élections à Berlin et même si Munich demeure la «capitale du mouvement national-socialiste». Il admire la replanification de Vienne dans les années 1860, mais Haussmann, qui a reconstruit Paris pour l'empereur Napoléon III, est son urbaniste préféré. À certains moments, il pense créer une nouvelle grande capitale dans une partie inhabitée d'Allemagne pour se hisser au niveau de Pierre le Grand, mais il décide rapidement que seule Berlin convient aux monuments qu'il a en tête. Albert Speer, son architecte des années 1930,

Rassemblement nazi à Nuremberg
Ce rassemblement annuel de plusieurs centaines de milliers de membres du parti était soigneusement préparé afin d'impressionner les spectateurs par la puissance irrésistible du mouvement nazi.
(Archives nationales)

affirme que le désir qu'avait Hitler de créer des édifices qui surpassent tous les autres immeubles existants — un arc de triomphe encore plus grand, des Champs-Élysées plus larges et plus aérés, une statue plus haute que la statue de la Liberté et même un pont suspendu plus élancé que le Golden Gate de San Francisco — est plus que de la mégalomanie, c'est une question de politique. Il veut «communiquer à la postérité son âme et son époque», parce que ses édifices représenteront le retour à une ère de grandeur nationale après une période de déclin. Il commence avec les scènes théâtrales des grands rassemblements à Nuremberg, puis il fait refaire la chancellerie et pendant toute la décennie, il fait travailler Speer sur des maquettes de la plus grande replanification urbaine jamais entreprise. «Berlin est une grande ville,» dit-il à Speer, «mais ce n'est pas une vraie métropole. Regardez Paris, la plus belle ville du monde. Ou même Vienne. Ce sont des villes qui ont du style. Berlin n'est rien qu'une accumulation désordonnée d'immeubles. Nous devons surpasser Paris et Vienne.»[6] Ses plans prévoient une avenue longue de cinq kilomètres avec un immense bâtiment surmonté d'un dôme, plusieurs fois plus grand que la cathédrale Saint-Pierre de Rome à un bout et un arc de triomphe haut de cent vingt mètres à l'autre bout. En plus du grand dôme, on doit bâtir l'Adolf Hitler Platz et les principaux édifices du IIIe Reich: une nouvelle chancellerie, le quartier général des forces armées et le Reichstag.

Pour la plupart des Allemands, les six premières années de pouvoir d'Hitler sont excitantes et revalorisantes. Les industriels, heureux d'être laissés en charge d'un programme de concentration de la propriété, prospèrent grâce aux gros contrats d'armements que l'État leur accorde. En trois ans, la plupart des six millions de chômeurs ont trouvé de l'emploi, en partie grâce à la campagne nazie qui force les femmes à quitter le marché du travail pour retourner à la maison afin d'avoir des enfants et de les élever. En 1933, par exemple, le gouvernement ordonne le renvoi de toutes les femmes dont le mari est un employé de l'État, pour en finir avec ce qu'ils appellent le «double revenu». En 1936, la main-d'œuvre féminine est passée de trente à vingt-cinq pour cent de la force ouvrière. Hitler se gagne des appuis avec le programme de réarmement, les projets de travaux publics dont l'Autobahn, le célèbre réseau d'autoroutes, la conscription d'ouvriers dans des bataillons de travail, les programmes de vacances économiques en plein air et l'impression générale que le nouveau régime a des objectifs et la force qui permettra de les atteindre. Un programme massif de propagande mettant en relief des slogans comme «La vie d'affaires n'est pas pour vous, il vaut mieux apprendre à être une épouse,» lui rallie aussi un grand nombre de femmes de la classe moyenne inférieure. Le taux de naissance grimpe de 14,7 à 18,0 par mille en seulement un an après que l'on ait interdit les contraceptifs et l'information sur le contrôle des naissances, que l'on ait accordé un important prêt pour les mariages

La politique interne nationale-socialiste

6 André François-Poncet, *The Fateful Years*. New York: Harcourt Brace, 1949.

avec une réduction du capital à la naissance de chaque enfant et que des médailles aient été octroyées aux mères de familles nombreuses. Le plan de prêt à lui seul aurait été responsable de la naissance de 200 000 bébés en trois ans. Ayant presque atteint le plein emploi pour les hommes au commencement des préparatifs de guerre, les nazis renversent leur politique sur l'emploi féminin. À partir de 1936, ils commencent à encourager les femmes à retourner au travail. On met de côté les quotas sur la présence des femmes dans les universités que l'on avait instaurés en 1933. Un service de travail volontaire pour les jeunes filles est créé; il comptera 200 000 membres en 1940, et en janvier 1939, toutes les femmes de moins de 25 ans doivent travailler un an pour la production nationale. Toutefois, beaucoup d'entre elles deviennent de la main-d'œuvre domestique sous-payée. De plus, le salaire féminin ne doit pas dépasser soixante-quinze pour cent du salaire masculin. Pour encourager les femmes à accepter sans discussion les vues des nazis sur les relations entre les sexes et sur les questions d'intérêt national, le parti enrôle les filles dans une organisation très bien financée, la *Bunddeutscher Mädel* (Ligue des filles allemandes). Plus d'onze millions de femmes se joignent à la *Frauenschaft* nationale-socialiste, dont les dirigeantes originales, trop indépendantes, sont rapidement remplacées par des femmes totalement coopératives comme Gertrud Scholtz-Klink. Même si Scholtz-Klink, une veuve, mère de quatre enfants d'origine purement «aryenne», deviendra la directrice de toutes les organisations féminines d'Allemagne, Hitler ne la consultera jamais sur un seul aspect de sa politique envers les femmes.

L'Holocauste

Hitler était devenu populaire en faisant des Juifs des boucs émissaires, responsables des difficultés économiques, de la décadence culturelle et de la dégradation raciale de l'Allemagne. Avant 1939, la plupart des Allemands ont réussi à se persuader que les Juifs peuvent émigrer sans problème même si l'on a créé des camps de concentration et que la police secrète, la Gestapo, est partout. La politique d'Hitler avance pas à pas vers «la solution finale» selon la décision prise en 1942 que tous les Juifs doivent être exterminés. Les lois de Nuremberg de 1935 interdisent aux Allemands d'épouser une personne d'origine juive. Les Juifs sont expulsés de la fonction civile et souvent aussi de leur profession. Un boycottage des magasins leur appartenant est organisé alors que ceux-ci perdent leur citoyenneté allemande. Ce n'est qu'en 1938, qu'un programme étendu de violence débute, avec l'incendie des synagogues lors de la «nuit de cristal». En 1939, 300 000 personnes, soit près de la moitié de la population juive d'Allemagne, ont réussi à émigrer. Après l'union avec l'Autriche en 1938, Adolf Eichmann met sur pied un programme qui lui permet de vendre des papiers d'émigration aux Juifs fortunés afin de financer l'expulsion des autres. Avec la conquête de la Pologne en 1939, Hitler prend le contrôle de la plus importante population juive d'Europe de l'Est et il établit les premiers ghettos et les premiers camps de concentration, surtout au centre de la Pologne. Là, dans des camps comme Auschwitz, on accélère tellement les procédés d'extermination, qu'en 1944, on assassine jusqu'à 6 000 Juifs et autres «indésirables» par jour. À la fin de la guerre, les nazis auront tué 6 millions de Juifs, ou presque les deux tiers de la population juive d'avant-guerre en Europe, dans ce que l'on a appelé l'Holocauste.

Toutefois, pour la majorité des Allemands, les six premières années du règne d'Hitler semblent bénéfiques. Mais ce n'est pas de gaieté de cœur qu'ils le suivent à la guerre et lorsqu'il devient évident en 1938-1939 qu'il est décidé à s'engager dans des aventures militaires, sa popularité diminue tellement que les autorités nazies ont de la difficulté à trouver des foules enthousiastes lorsqu'Hitler apparaît en public. À ce moment, toute opposition interne a été désarmée et les Allemands ne peuvent que le suivre de mauvaise grâce vers la guerre. Heureusement pour eux, le désarroi chez les futurs vainqueurs de l'Allemagne facilitera ses premières victoires.

L'AVÈNEMENT DE LA SECONDE GUERRE MONDIALE

Le but premier d'Hitler est de se débarrasser du traité de Versailles. Il s'emploie donc à retirer l'Allemagne de la Société des Nations et suspend ses conférences sur le désarmement, à ramener la Sarre à l'Allemagne, à remilitariser la Rhénanie, à reprendre les territoires incorporés au nouvel État polonais et à réarmer sur une grande échelle. Mais le retour à la position de l'Allemagne d'avant-guerre n'est qu'un préliminaire à la réunification du sang allemand avec la terre allemande *(Blut und Boden)* au sein du IIIe Reich. Le but immédiat, en plus de la restauration des Allemands de Pologne et de la cité libre de Dantzig, est l'annexion à l'Allemagne des Sudètes de Tchécoslovaquie et de toute l'Autriche; mais le «germanisme» de l'Alsace-Lorraine, du Luxembourg et de la Slovénie nécessitera aussi, tôt ou tard, leur retour à l'Allemagne. Finalement, Hitler considère que l'Allemagne aura besoin de *Lebensraum* («espace vital»), qu'elle trouvera aux dépens des races prétendument inférieures de l'Europe de l'Est, les Slaves de Pologne et de Russie.

La politique étrangère de Hitler

Seule une action concertée des démocraties occidentales — la France, la Grande-Bretagne, et les États-Unis — alliées à l'Union soviétique aurait pu bloquer les ambitions expansionnistes d'Hitler. Mais les démocraties occidentales sont désemparées. À eux seuls, les États-Unis possèdent des ressources économiques et une population suffisantes pour relever le défi de l'Allemagne; en 1919, ils ont une population de 105 millions en comparaison avec les 59 millions d'Allemands. Mais l'expérience de la Première Guerre mondiale a transformé les Américains en isolationnistes et, même en 1937, le président Franklin D. Roosevelt ne peut toujours pas susciter un appui du public pour des mesures qui mettraient les agresseurs européens en «quarantaine». La France et la Grande-Bretagne demeurent

La politique d'apaisement

donc les seuls remparts contre Hitler à l'Ouest. Les Britanniques, luttant pour surmonter leurs problèmes économiques domestiques, se sentent incapables de tout effort militaire en Europe. La Première Guerre mondiale leur a coûté un quart de leur trésor national, les grèves générales de 1926 ont amené le pays au bord de la guerre civile et aucun gouvernement n'ose prendre l'initiative qui ferait augmenter le taux de chômage. Les dirigeants britanniques, des socialistes insipides comme Ramsay Macdonald et des hommes d'affaires insensibles comme Stanley Baldwin, sont incapables de fournir l'inspiration qui aurait pu persuader le peuple britannique de la nécessité de nouveaux sacrifices pour faire face à la montée de la menace allemande en Europe. De plus, le fait que le traité de Versailles ait nié aux Allemands le droit à l'autodétermination dérange profondément les Britanniques qui, comme les Américains, avaient cru défendre ce principe lors de la Première Guerre mondiale. Enfin, un certain nombre de membres de la classe supérieure en Grande-Bretagne ne cachent pas leur sympathie pour le genre de direction offerte par les nazis.

Les Français doivent faire face à de grands désordres politiques intérieurs. Des groupes de droite, dont certains sont favorables à l'Allemagne nazie, attaquent la structure démocratique défaillante ainsi que ses praticiens salis par les scandales. À gauche, les communistes ont réussi à s'emparer des syndicats et à gagner des appuis électoraux. Avec un système politique instable, une économie en dépression et des dirigeants militaires peu préparés, la France se fie à la supposée imperméabilité de la ligne Maginot.

Staline est tout à fait conscient qu'Hitler a l'intention de s'attaquer un jour à l'Union soviétique. Il transfère la plupart de ses industries de guerre en Oural et au-delà, et l'on accorde la plus haute priorité aux besoins de l'armée. L'Union soviétique se joint à la Société des Nations en 1934 et tente de négocier un pacte de sécurité pour la plupart des nations de l'Europe de l'Est. Les gouvernements français et britannique n'ont toujours pas confiance en Staline et les purges à Moscou, surtout celles qui visent les échelons les plus élevés de la hiérarchie militaire, semblent enlever de la valeur à une alliance militaire avec l'U.R.S.S. Il n'existe donc pas de grande alliance qui puisse arrêter Hitler.

L'agression par étapes 1933-1939

Hitler commet ses premières infractions au traité de Versailles en mars 1935 lorsqu'il annonce que l'Allemagne va se réarmer. Il choisit le jour de la commémoration des héros, qui rappelle le souvenir des deux millions de soldats morts pendant la Première Guerre mondiale, pour faire son annonce. Par une cérémonie pittoresque à l'opéra, il fait jouer la marche funèbre de Beethoven et réussit à créer une atmosphère d'euphorie à Berlin. À ce moment, il est certain que l'on n'agira pas contre l'Allemagne. En 1931, lorsque les Japonais ont envahi la province chinoise de Mandchourie, la seule réaction de la Société des Nations a été un vote de censure. La Pologne, la clé du système d'alliance de la France en Europe de l'Est, a signé un pacte de non-agression de dix ans avec Hitler qui, déjà en 1934, entretenait de bonnes relations avec les régimes de droite de Roumanie, de Bulgarie et de Hongrie.

L'année suivante le monde entier a les yeux rivés sur l'agression italienne de l'invasion de l'Éthiopie, un pauvre État africain sans défense. Mussolini y emploie des chars d'assaut, des bombardiers et des gaz. La Société des Nations est choquée et, émue par le cri de détresse passionné de l'empereur Hailé Sélassié, elle accepte d'imposer des sanctions économiques à l'Italie. Parce qu'il n'y a pas d'embargo sur le pétrole et parce que le canal de Suez reste ouvert aux navires italiens qui transportent des troupes et du ravitaillement militaire, l'embargo se révèle être une vraie farce. En huit mois, l'Italie contrôle toute l'Éthiopie.

Juste avant la fin de la guerre d'Éthiopie, Hitler viole avec audace le traité de Versailles. Pendant la nuit du 7 mars 1936, alors qu'il n'a encore que le noyau de l'armée allemande, il envoie une division dans la zone démilitarisée de Rhénanie contre les conseils de son état-major. Défiant directement la France, il stationne trois brigades à proximité de ses frontières. La Pologne exige une réaction de la part de la France; à eux deux, ils peuvent lever quatre-vingt-dix divisions. Hitler lui-même admettra plus tard que «les quarante-huit heures après l'entrée en Rhénanie ont été les plus dures de ma vie. Si les Français avaient fait mine de réagir, j'aurais été obligé de me retirer, la queue entre les jambes.»[7] Les Français, incapables de persuader les Britanniques de bouger, se contentent de protestations diplomatiques.

En juillet, les débuts de la guerre civile espagnole (1936-1939) donnent aux forces armées d'Hitler la chance d'essayer leurs nouvelles techniques. L'Espagne est au bord de l'insurrection militaire depuis qu'elle est devenue une république en 1931, parce que les républicains comptent en plus des libéraux modérés de la classe moyenne, une grande variété d'extrémistes, y compris des communistes, des trotskistes et des anarchistes, dont plusieurs veulent utiliser le nouveau gouvernement pour attaquer les grands propriétaires terriens et l'Église. Lorsqu'en février 1936, un gouvernement de Front populaire (le *Frente Popular*) fait de républicains modérés, de socialistes, de communistes et d'anarchistes remporte les élections par une petite majorité, l'armée espagnole au Maroc, sous le commandement du général Francisco Franco, décide de se révolter. En juillet, les forces armées se saisissent de la majorité du sud et de l'ouest de l'Espagne. Les républicains ne conservent que le triangle industrialisé de l'est, incluant les grandes villes comme Madrid, Valence et Barcelone, et une armée constituée en majeure partie d'ouvriers. Mussolini intervient aussitôt aux côtés de Franco, lui envoyant un grand nombre d'avions et de camions de même que soixante-dix mille hommes. Peu après, Hitler aussi décide que les opinions politiques de Franco sont assez proches des siennes pour justifier qu'il lui envoie de l'aide, surtout sous la forme d'avions, de pilotes, de chars d'assaut et de techniciens. En octobre, Staline décide

---

7 Allan Bullock, *Hitler, A study in Tyranny,* New York, Harper Torchbook, 1964, p. 345.

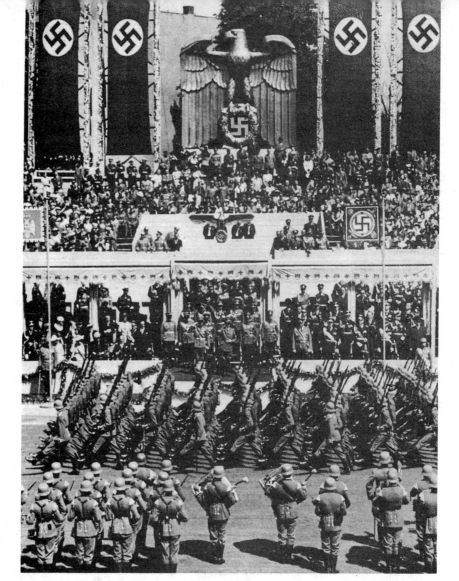

Parade nazie pour le prince Paul de Yougoslavie à Berlin le 2 juin 1939

Paul, le régent de Yougoslavie, cherchait à raffermir les relations avec l'Allemagne nazie mais il fut renversé en 1941 lorsqu'il tenta d'allier la Yougoslavie aux forces de l'Axe. (Archives nationales)

d'aider les républicains, transformant ainsi la guerre civile en guerre idéologique internationale. Les fournitures militaires, les experts et les commissaires politiques envoyés par les Russes atteignent l'Espagne en grand nombre à la fin de l'année, des volontaires de toute l'Europe et de l'Amérique sont organisés en Brigades internationales par les communistes. Une fois de plus les Français et les Britanniques ne se décident pas à agir. Les républicains sont incapables de tenir contre les forces de Franco et de ses alliés italiens et allemands. Madrid tombe en mars 1939 après une défense héroïque. Franco met aussitôt sur pied un régime autoritaire rigide où il accorde les plus hautes positions aux fascistes espagnols.

Pendant que la guerre espagnole distrait les Français et les Britanniques, Hitler débute la seconde partie de son programme, soit la récupération par l'Allemagne de tous les gens de sang allemand. En 1938, il convoque le chancelier autrichien Kurt von Schuschnigg à sa retraite montagnarde dans les Alpes bavaroises et exige qu'il modifie son gouvernement afin d'y inclure trois nazis autrichiens. Schuschnigg le surprend en ordonnant un plébiscite à son retour à Vienne afin que les Autrichiens démontrent qu'ils ne veulent pas être réunis à l'Allemagne. Hitler ordonne alors à l'armée allemande d'envahir l'Autriche. Schuschnigg doit démissionner, un nazi autrichien devient chancelier et le 14 mars, Hitler entre dans Vienne en conquérant. Pour lui, les acclamations de la foule qui emplit le Ring et son accueil à la Hofburg, le palais de la dynastie des Habsbourg, sont une revanche personnelle qui venge tous les affronts qu'il a subis avant la Première Guerre mondiale. Les nazis organisent un plébiscite en Allemagne et en Autriche. L'union des deux pays est approuvée à quatre-vingt-dix-neuf pour cent. Même si le traité de Versailles interdit expressément une telle fusion, la France et la Grande-Bretagne, encore une fois, ne peuvent pas intervenir. Les Français sont en plein milieu d'une crise ministérielle alors que le premier ministre britannique dit au Parlement avec une candeur surprenante que «rien n'aurait pu empêcher ce qui est arrivé — à moins que notre pays et d'autres pays aient été prêts à employer la force.» Chamberlain accepte l'affirmation d'Hitler qui lui dit qu'il ne veut que permettre aux Allemands de retourner dans leur patrie. En septembre, à la conférence de Munich, Chamberlain et le premier ministre français acceptent qu'Hitler prenne la région des Sudètes à la Tchécoslovaquie, sous le prétexte que la majorité de sa population est allemande, même si la région contient la plupart des forteresses frontalières du pays. Les troupes allemandes entrent en Tchécoslovaquie le 1er octobre 1938, sans rencontrer de résistance de la part des Tchèques. Chamberlain dit aux Britanniques qu'il a gagné la «paix pour notre temps». On s'apercevra de son erreur au mois de mars suivant, lorsque l'armée allemande envahit le reste de la Tchécoslovaquie. En avril, Mussolini suit l'exemple d'Hitler en annexant l'Albanie. Finalement forcés d'agir, les Français et les Britanniques garantissent qu'ils apporteront leur aide militaire à la Pologne si, comme il semble évident, elle doit être attaquée par l'Allemagne. La lâche trahison de la Tchécoslovaquie par les Français et les Britanniques convainc Staline qu'il doit protéger les intérêts de l'Union soviétique, aux dépens de la France et de la Grande-Bretagne s'il le faut. Il entreprend donc des négociations avec les Allemands, qui se soldent en août 1939 par la signature du pacte nazi-soviétique de non-agression. Pour obtenir que les Soviétiques restent neutres pendant son attaque de la Pologne, Hitler accepte d'ajouter au pacte «un protocole secret additionnel», qui, tel qu'amendé en octobre, donne à l'U.R.S.S. le droit d'établir une «sphère d'intérêt» qui comprend le tiers oriental de la Pologne, en plus de l'Estonie, de la Lettonie, de la Lituanie, de la Finlande et de la province roumaine de Bessarabie. Hitler ordonne ensuite que l'attaque de la Pologne débute le 1er septembre. À sa grande surprise, le 3 septembre, les gouvernements français et britanniques déclarent la guerre à l'Allemagne afin de défendre la Pologne.

Tout le monde se rend compte qu'une nouvelle guerre mondiale est sur le point d'éclater et cela ne cause de joie à personne — même pas à Berlin. Les villes occidentales sont vulnérables comme elles ne l'ont jamais été auparavant. Il est difficile de prédire, en 1939, si le fléau de la guerre aérienne en épargnera d'un côté comme de l'autre.

LA SECONDE GUERRE MONDIALE

L'attaque allemande de 1939 à 1941

Varsovie est la première ville à souffrir de la puissance destructrice des bombardements aériens et de l'artillerie. La rapidité d'attaque des Allemands leur permet de détruire la majorité des cinq cents avions polonais au sol. Les *stukas*, des bombardiers en piqué, appuient les chars d'assaut contre la cavalerie impeccable mais inefficace de l'armée polonaise, mitraillent les civils en fuite et frappent le cœur de la capitale polonaise. En une semaine, il ne reste presque plus rien de l'armée polonaise; Cracovie, la deuxième ville polonaise, tombe le 6 septembre et Varsovie se défend héroïquement jusqu'au 27 septembre lorsqu'elle doit se rendre. Les Soviétiques entrent en Pologne le 17 septembre et annexent le tiers oriental du pays. La Pologne est tombée avant que les troupes françaises ou britanniques ne puissent lui venir en aide. À l'ouest, où un petit corps expéditionnaire britannique a été envoyé en France, l'inactivité règne. Les Français donneront à cet hiver tranquille, pendant lequel ils jouent aux cartes dans les vastes greniers des forteresses de la ligne Maginot, le nom de «drôle de guerre», alors que les Allemands l'appelleront la *Sitzkrieg* («la guerre assise»), une guerre très différente de la *Blitzkrieg* contre la Pologne.

Comme la France et la Grande-Bretagne ne demandent pas la paix, Hitler ordonne de préparer une invasion majeure à l'ouest pour le printemps de 1940. Comme préliminaire à cette attaque, il décide toutefois d'occuper le Danemark et la Norvège rapidement et sans trop de pertes, pour protéger ses importations de minerais de la Suède et pour empêcher les Britanniques de fermer la Baltique. Les troupes allemandes ne rencontrent pas d'opposition au Danemark dont les terrains plats et les villes ouvertes sont indéfendables tandis que la résistance norvégienne est débordée en cinq semaines. Hitler est alors capable de pousser plus à l'ouest le 10 mai.

Avec une armée de 136 divisions, Hitler lance des attaques simultanées sur les pays neutres, les Pays-Bas, la Belgique et le Luxembourg. Les Néerlandais, dont la neutralité n'a pas été violée depuis 1815, se défendent sauvagement contre des forces supérieures et les nazis jurent le 14 mai, de prendre la ville de Rotterdam. Les bombardiers allemands frappent le cœur de la vieille ville, tuant huit cents civils, jetant 78 000 personnes à la rue et détruisant des trésors historiques, entre autres la demeure du philosophe Érasme. Le cinquième jour de combat, l'armée des Pays-Bas capitule. Une deuxième force allemande, plus puissante, pénètre en Belgique et capture Bruxelles. Malgré les conseils de son gouvernement, le roi des Belges, Léopold III, ordonne à ses troupes de cesser les combats après dix-huit jours

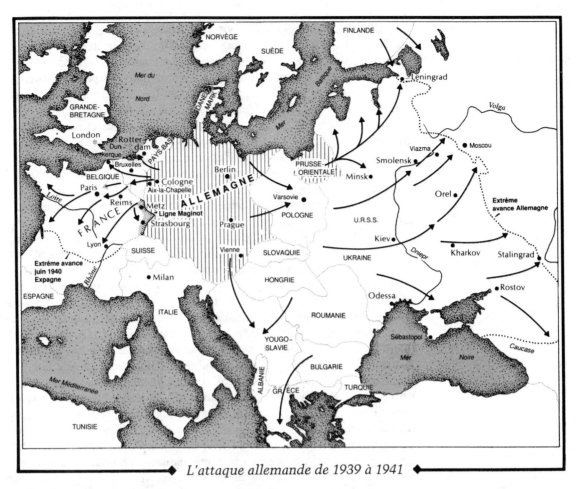

L'attaque allemande de 1939 à 1941

Hitler à la tour Eiffel à Paris en juin 1940
Paris a déçu Hitler. Il jugeait que son architecture était inférieure à celle de Vienne et des villes italiennes. (Brown Brothers)

423

de résistance. Les principales divisions blindées allemandes encerclent les armées françaises et britanniques qui s'étaient précipitées à l'aide de la Belgique. Ils se retirent sur les plages du port français de Dunkerque où ils sont sauvés du désastre par une étrange armada de petits voiliers, de remorqueurs et de bateaux de pêche arrivant d'Angleterre pour les évacuer vers les navires de guerre qui les attendent au large. Environ 300 000 soldats sont ramenés en Angleterre mais le tiers de la flotte est détruite. C'est une grande défaite bien que l'Angleterre ait sauvé ses seuls soldats entraînés.

L'attaque allemande recommence le 5 juin. Les Français acceptent la défaite avec résignation. Les chefs de l'armée au sein du Cabinet demandent la capitulation. Les sympathisants nazis accueillent les envahisseurs. Paris, laissée sans défense et abandonnée par le gouvernement, est occupée le 14 juin. Le 16 juin, le maréchal Pétain, héros de la Première Guerre mondiale et maintenant le principal partisan du défaitisme, devient premier ministre et demande un cessez-le-feu. C'est l'un des plus grands triomphes d'Hitler. Il force le gouvernement français à signer l'accord d'armistice — qui ne laisse au gouvernement de Pétain que le tiers méridional de la France — dans la clairière de Compiègne, dans le même wagon où le maréchal Foch avait présenté les conditions de l'armistice aux Allemands le 11 novembre 1918. À la fin du mois, Hitler visite Paris pour la première fois. Il trouve une ville silencieuse, désertée par la moitié de sa population. Des croix gammées géantes flottent au-dessus de la Chambre des députés.

Hitler se montre étrangement réticent à autoriser une invasion de l'Angleterre après la chute de la France. Il craint que les gains prévus ne vaillent pas le coût de la traversée de la Manche et il ne veut pas retarder son attaque imminente sur l'Union soviétique. Il autorise donc une invasion à la seule condition qu'un assaut aérien préliminaire s'avère efficace. Mais les Britanniques sont bien préparés pour repousser les avions allemands. Ils ont plusieurs centaines d'avions supérieurs aux Allemands et ils viennent d'inventer le radar qui les prévient du nombre et de la position des avions allemands. De plus, les effectifs britanniques augmentent tous les jours. Leur moral a augmenté de façon phénoménale depuis la nomination de Winston Churchill au poste de premier ministre en mai.

À la fin d'août et en septembre, les forces aériennes allemandes subissent de nombreuses pertes mais un grand nombre d'avions traversent les défenses britanniques, surtout après qu'Hitler ait ordonné de bombarder les grandes villes anglaises en représailles pour les bombardements de Berlin. Les morts de civils augmentent et une grande partie des taudis de l'est de Londres, des quais du *Pool* aux vieux immeubles autour de la cathédrale Saint-Paul, sont détruits. Dans le nord, les villes industrielles sont lourdement endommagées. Mais l'attaque échoue. En octobre, Hitler commence à transférer ses troupes à l'est. L'Union soviétique doit être liquidée au printemps 1941. «Il faut l'écraser, et le plus tôt sera mieux,» ordonne-t-il.

Malheureusement pour Hitler, il doit venir en aide à son allié Mussolini dont les troupes ont envahi la Grèce en octobre 1940, ce qui retarde l'invasion de l'U.R.S.S. Lorsque les Yougoslaves refusent aux Allemands de traverser leur territoire, Hitler décide imprudemment d'étendre ses opérations dans les Balkans pour inclure «l'opération châtiment» contre la Yougoslavie. En avril 1941, la Yougoslavie et la Grèce sont défaites. Les troupes attemandes attaquent l'U.R.S.S. le long de toute sa frontière, de la Finlande à la mer Noire, à l'aube du 22 juin 1941, un mois plus tard que prévu.

Staline est peu préparé pour cette invasion bien qu'il ait adopté certaines positions stratégiques : il a pris l'Estonie, la Lettonie, la Lituanie et la province roumaine de Bessarabie en 1940; il a annexé la province finlandaise de Carélie, qui a suivi la guerre d'hiver contre la Finlande (novembre 1939 — mars 1940); il a légèrement augmenté le nombre de ses divisions le long de la frontière avec la Pologne. Mais il a tout fait pour éviter de provoquer les Allemands, leur fournissant de la nourriture et des matières premières et interdisant à son état-major de préparer toute stratégie défensive qui viserait à repousser une attaque des Allemands. L'industrie soviétique n'est même pas sur un pied de guerre. Même si Staline affirmera plus tard qu'il a gagné deux ans en signant le pacte de non-agression de 1939, les Allemands n'ont besoin que de quelques jours pour traverser les territoires nouvellement acquis. En décembre, les forces allemandes entrent dans les faubourgs de Leningrad et de Moscou puis une troisième armée allemande traverse l'Ukraine en direction des champs pétrolifères du Caucase. Or l'arrivée de l'hiver russe arrête les troupes allemandes non loin de leurs objectifs. Les mois perdus dans les Balkans se révèlent être cruciaux en empêchant les Allemands de s'installer jusqu'au printemps dans des abris fortifiés, comme ils l'avaient souhaité. Staline monte une contre-attaque massive à l'aide des forces qu'il a regroupé à Moscou et fait reculer les Allemands de trois cents kilomètres. On entrevoit soudainement la possibilité d'une défaite allemande surtout que le même mois, les États-Unis, dont la flotte du Pacifique a été lourdement endommagée par l'attaque-surprise des Japonais sur Pearl Harbor dans les îles Hawaii, ont déclaré la guerre au Japon, et que l'Allemagne et l'Italie, en accord avec le pacte qu'ils ont signé avec le Japon en septembre 1940, ont déclaré la guerre aux États-Unis.

Comme durant la Première Guerre mondiale, le recrutement par les forces armées d'une forte proportion de la population masculine provoque des pénuries de main-d'œuvre en agriculture et dans l'industrie chez tous les combattants. Hitler, qui hésite encore à abandonner complètement l'image de la femme allemande comme femme au foyer et mère de famille, attend jusqu'en 1943 avant d'obliger les femmes à s'inscrire pour le travail de guerre et, même à ce moment, plusieurs d'entre elles pourront facilement se soustraire à leurs obligations légales. Néanmoins avec le lent abandon du concept du «travail de femmes», les femmes s'occupent de plus en plus dans les chantiers navals et les fonderies en plus de se voir confier des travaux lourds à la ferme. Mais les nazis sont déterminés à exploiter

La guerre de l'arrière

leurs territoires conquis avant d'imposer des sacrifices à la population allemande. On déporte jusqu'à 8,5 millions de travailleurs étrangers vers l'Allemagne. Ceux d'Europe de l'Est sont traités de façon inhumaine, puisqu'Hitler les considère comme des sous-hommes. Plusieurs prisonniers des camps de concentration sont remis aux grosses compagnies où ils servent de main-d'œuvre non rémunérée, tandis que d'autres sont forcés de travailler jusqu'à la mort dans les camps eux-mêmes. Ainsi la main-d'œuvre féminine en Allemagne n'atteint jamais les niveaux de la Première Guerre mondiale. La Grande-Bretagne par contre, devient en 1941, le premier pays à instituer la conscription féminine. Les femmes ont le choix entre s'enrôler dans les forces armées, dans des branches auxiliaires et habituellement non combattantes comme les auxiliaires féminines de l'armée de l'air, ou dans des emplois civils approuvés. Vers la fin de la guerre, un grand nombre de femmes britanniques dont plusieurs n'ont jamais eu d'emplois rémunérés de leur vie, travaillent — 260 000 dans les usines de munitions, 200 000 sur les fermes et 670 000 dans la fonction publique.

Les civils partagent encore plus les difficultés de la guerre que pendant la Première Guerre mondiale car les bombardements aériens amènent la guerre directement aux populations civiles. La Grande-Bretagne, épargnée par les combats sur son territoire, perd 60 000 civils aux bombardements aériens — qui vont des attaques à grande échelle de la bataille d'Angleterre en 1940, alors que de villes comme Coventry voient leurs centres complètement détruits, aux attaques sporadiques mais plus dures psychologiquement des fusées de la fin de la guerre. Les Allemands subissent leurs pertes les plus lourdes lors des bombardements de 1944-1945, alors que cinquante pour cent des édifices de toutes les villes allemandes ayant plus de 100 000 habitants sont endommagés. Les bombardements tuent 50 000 civils à Berlin seulement, et 30 000 civils sont tués à Hambourg lors de raids qui ne durent que neuf jours. Là où les lignes de combat se déplacent dans un pays, comme lors de l'invasion et de la retraite allemande en Union soviétique, les civils souffrent directement des combats et indirectement de la destruction de leurs maisons et de leurs gagne-pain. On estime que douze millions de civils soviétiques ont péri pendant la guerre. Finalement, les populations de tous les pays belligérants, à l'exception de l'Allemagne du début de la guerre, ont souffert de différentes façons de la fatigue du surmenage et de la tension, et du manque de nourriture. En 1945, on estime que 100 millions d'Européens sont au bord de la famine. Il est donc probable que la reprise de l'après-guerre sera encore plus difficile à atteindre qu'après la Première Guerre mondiale.

Le début de la contre-offensive alliée 1942-1943

En novembre 1942, les Américains et les Britanniques lancent une attaque en trois points sur l'Afrique du Nord française, qui est gouvernée par le gouvernement de Pétain à partir de sa nouvelle capitale de Vichy au centre de la France, depuis la défaite de 1940. Cependant, l'invasion détériore la situation politique en France de plusieurs façons. Les troupes allemandes occupent le sud de la France, qui a été assigné au gouvernement de Pétain lors de l'armistice même si l'on permet au régime de Vichy de continuer à fonctionner. L'Afrique du Nord française est sans gouvernement légal et Roosevelt de même que Churchill ne s'entendent pas sur le choix d'un chef de gouvernement. Roosevelt est en faveur du général Giraud, un soldat professionnel sans ambition politique. Churchill préfère le général Charles de Gaulle, un chef brillant et ambitieux qui s'est fait remarquer comme théoricien de la guerre de blindés. En juin 1940, de Gaulle a fui à Londres où il s'est proclamé chef de la résistance française aux Allemands, à l'aide d'un mouvement appelé les «Forces françaises libres». De Gaulle se voit comme le seul candidat pour diriger l'Afrique du Nord française et éventuellement la France elle-même. «J'étais la France,» expliquera-t-il plus tard. En dépit de l'antipathie profonde de Roosevelt à son égard, de Gaulle se révèle peu à peu comme un des plus grands dirigeants politiques du XXe siècle et l'un des plus clairvoyants. À la conférence de Casablanca en janvier 1943, Roosevelt et Churchill s'entendent pour que Giraud et de Gaulle soient coprésidents d'un comité qui dirigera l'Afrique du Nord française ainsi que l'armée française, mais de Gaulle prend rapidement le contrôle à lui seul. On s'entend aussi pour que la prochaine opération alliée soit une invasion amphibie de la Sicile à partir de l'Afrique du Nord. Elle débutera en juillet 1943.

Le général Charles de Gaulle en 1945
De Gaulle devient «l'homme du 18 juin» après son appel en 1940 à la radio de Londres, alors qu'il demande la création des «Forces françaises libres» qui seront placées sous sa direction afin de continuer le combat contre l'Allemagne. (Hoover Institution)

Les Allemands se retirent vers le sud de l'Italie où ils préparent une ligne de défense au nord de Naples, utilisant le monastère du Mont-Cassin comme principale ligne de défense pour barrer la route de Rome. L'invasion de l'Italie conduit le Grand Conseil fasciste à voter la déposition de Mussolini le 25 juillet. Il est arrêté le lendemain et remplacé au poste de premier ministre par un vieux soldat conservateur, le maréchal Pietro Badoglio. En quelques heures, le fascisme Italien est démantelé. Cependant, Badoglio ne signe pas l'armistice avec les Alliés avant septembre. À ce moment, les troupes d'Hitler ont occupé tout le nord de l'Italie. Mussolini, libéré par les parachutistes allemands, est réinstallé dans le nord de l'Italie comme dirigeant fantoche d'une république socialiste italienne commandée par les Allemands. Les Alliés ne traversent pas la ligne de Mont-Cassin avant mai 1944 et ils sont retenus au nord de Florence jusqu'en avril 1945. Ainsi, l'Italie souffre plus durement après l'armistice qu'avant. Les Italiens du Nord doivent se battre contre les Italiens du Sud, de lourdes représailles sont prises par les Allemands contre les mouvements de résistance et de vastes destructions de routes, de ponts, de voies ferrées, d'usines, de maisons et de trésors artistiques ont lieu pendant les bombardements lors de l'avance des Alliés vers le nord.

Sur le front soviétique, Hitler a monté de nouvelles offensives en 1942, afin de capturer les champs pétrolifères du Caucase, les centres de communication de Stalingrad sur la Volga et le bassin industriel du Donetz. Cependant, Staline a décidé de ne pas abandonner la ville qui porte son nom pour des raisons de prestige et Hitler est déterminé à la prendre pour les mêmes raisons. Ainsi les deux camps jettent leurs plus grosses ressources dans la bataille de Stalingrad (de septembre 1942 à février 1943); on assiste à des corps à corps à chaque coin de rue alors que les Allemands entrent dans la ville. Les forces soviétiques réussissent à encercler 200 000 soldats allemands dans une ville en ruine. Après des semaines de bombardements, d'engelures et de famine, privés de médicaments, les Allemands capitulent malgré les ordres formels d'Hitler; il n'en reste plus que 91 000. La victoire soviétique sera le point tournant de la guerre. Après Stalingrad, les attaques soviétiques ont pris leur élan; d'après plusieurs historiens ce sera la principale raison de la défaite d'Hitler. En juillet 1943, l'Armée rouge a repris Kharkov et Kiev puis en janvier 1944, elle pénètre dans les États baltes au Nord et dans Odessa au Sud. La «Forteresse Europe» d'Hitler s'effondre.

Le 6 juin 1944, le «jour J», une vaste force navale et aéroportée, composée de troupes américaines, britanniques, canadiennes et françaises commandées par le général Dwight D. Eisenhower, envahit les plages de Normandie et, en dépit d'une forte résistance, réussit à débarquer 130 000 hommes avant la nuit. Pendant la semaine, les armées alliées prennent le contrôle de quatre-vingts kilomètres de rivages et débarquent plus de 300 000 hommes. En août, une deuxième force d'invasion débarque dans le sud de la France et se dirige à grande vitesse vers le nord, remontant la vallée du Rhône pour établir la jonction avec l'armée qui avance rapidement

L'assaut contre la «Forteresse Europe» d'Hitler en 1944

Femmes quittant un abri antibombes à Stalingrad, en 1942
Une armée allemande d'un demi-million de soldats se battit pour pénétrer dans Stalingrad en de furieux corps à corps mais dut faire face à une contre-attaque soviétique. Lorsque les derniers survivants de l'armée allemande se rendirent en février 1943, la ville était totalement détruite. (Sovfoto / Eastfoto)

depuis la Normandie dans le but de créer un front commun. Les forces de la Résistance à Paris se soulèvent spontanément le 19 août et en une semaine de combats de rue, ils prennent possession d'une grande partie de la ville, perdant ainsi 3 000 hommes. Le 25 août, les détachements blindés français et américains se fraient un passage dans la ville. Ce même après-midi, de Gaulle dont l'autorité a été universellement reconnue alors que chaque département de France était libéré, marche le long des Champs-Élysées acclamé par des millions de gens dans une apothéose triomphante. À la fin de septembre 1944, la majorité de la France est entre les mains des Alliés et les frontières allemandes ont été franchies en plusieurs endroits.

Les Soviétiques ont aussi coordonné leurs attaques avec les invasions du jour J et, en juillet, ils ont éliminé la Finlande de la guerre puis se sont établis au cœur de la Pologne. Mais ils agiront de façon très controversée pendant le reste de l'année 1944. Le 1er août 1944, les forces clandestines de Varsovie, favorables au gouvernement anticommuniste en exil à Londres, se soulèvent contre les nazis afin de prendre possession de la capitale avant que l'Armée rouge ne puisse y installer un régime procommuniste. En trois jours, la résistance contrôle la majorité de Varsovie mais les Allemands contre-attaquent en utilisant des bombardiers en piqué et de l'artillerie lourde. Les Soviétiques refusent d'aider la

Sous le feu de francs-tireurs sur la Place de la Concorde à Paris, le 26 août 1944
(Service de presse et d'information françaises)

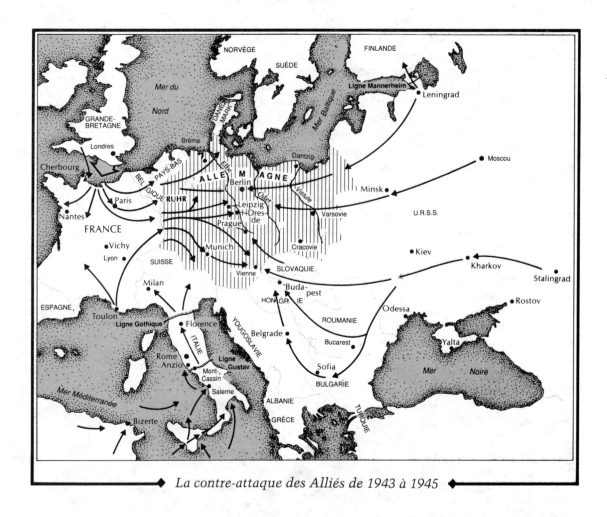

◆ *La contre-attaque des Alliés de 1943 à 1945* ◆

résistance polonaise (qui, ironiquement, avait elle-même refusé d'aider les Juifs du ghetto de Varsovie lorsqu'ils s'étaient soulevés contre les nazis en 1943). Après soixante-trois jours de combats, les pauvres survivants de la résistance de Varsovie se rendent aux Allemands dans une ville complètement dévastée. Ce n'est qu'en janvier 1945 que l'Armée rouge prend Varsovie. Pendant ce temps, Staline détache de vastes armées à la conquête des Balkans. Le 9 septembre, la Roumanie et la Bulgarie ont été prises. Les chars soviétiques avancent en Yougoslavie pour y rencontrer les partisans communistes du maréchal Tito qui se sont battus dans les montagnes de l'Ouest. En décembre 1944, l'Armée rouge se bat dans les faubourgs de Budapest, qui tombe au mois de février suivant.

La conférence de Yalta   Lorsque Churchill et Roosevelt rencontrent Staline à la conférence de Yalta en Crimée (en février 1945), ils se rendent compte qu'il n'y a presque rien à faire pour empêcher l'invasion du communisme en Europe de l'Est.

Le maréchal Tito a un énorme appui populaire en Yougoslavie et son mouvement de partisans l'aidera à imposer un régime communiste. L'Albanie est déjà entre les mains de forces dominées par les communistes qui, après avoir expulsé les Italiens et les Allemands, ont mis sur pied un gouvernement provisoire dirigé par un communiste de longue date, Enver Hoxha. Des gouvernements de coalition, dans lesquels les communistes occupent des ministères importants, sont au pouvoir en Roumanie et en Bulgarie, toutes deux occupées par l'Armée rouge, qui refuse toutes relations avec le gouvernement polonais à Londres. Ce n'est qu'en Grèce, où Churchill a utilisé des troupes britanniques pour briser les armées de la résistance communiste en décembre, qu'un gouvernement prooccidental est au pouvoir. De plus, Roosevelt veut deux concessions principales de Staline — un accord aux derniers détails d'une Organisation des Nations unies qui sera établie après la guerre et une participation des Russes aux derniers stades de la guerre contre le Japon. On a dit à Roosevelt que cette guerre pourrait faire jusqu'à un million de victimes américaines. Staline accepte les deux propositions de Roosevelt et obtient en retour la promesse que l'Union soviétique recevra les territoires japonais du sud de l'île Sakhaline et des îles Kouriles de même que la concession de la ville chinoise de Lü-Shun (Port-Arthur). En Europe de l'Est, Staline ne fait aucune concession de valeur, ne promettant que des élections libres et la représentation des Polonais de Londres dans le gouvernement polonais.

Les trois grands à Yalta en février 1945
Le président Franklin D. Roosevelt, assis entre le premier ministre britannique Winston S. Churchill et le premier ministre russe Joseph Staline, reviendra épuisé de Yalta et mourra deux mois plus tard. (Archives nationales)

Götterdämmerung[10]
en Allemagne,
en 1945

Peu après la conférence, les affrontements sur les fronts de l'Est et de l'Ouest reprennent avec vigueur. Les Allemands offrent une dernière résistance désespérée sous l'impulsion des S.S. et pendant que Hitler échappe de justesse, en juillet 1944, à une bombe à retardement placée par un groupe de conspirateurs civils et militaires cherchant à renverser le régime nazi. En 1945, Hitler n'est plus qu'une loque humaine, ses seules forces lui viennent d'injections que lui donne un charlatan. Il est prêt à sacrifier le peu de main-d'œuvre et de potentiel économique qui restent à l'Allemagne pour retarder la défaite inévitable de quelques semaines de plus. L'Allemagne a été soumise à des bombardements continus depuis 1942, alors que l'aviation britannique a décidé de briser le moral du peuple allemand en forçant la population civile à fuir ses foyers. En 1943, les Britanniques jettent des bombes incendiaires sur Hambourg toutes les nuits pendant une semaine, détruisant la plus grande partie de la ville et forçant un million d'habitants à fuir. Des avions américains lâchent des quantités encore plus considérables de bombes sur les raffineries, les voies ferrées et les usines, mais lors des derniers mois ils se mettent à bombarder à peu près n'importe quoi. Des petites villes baroques comme Würzburg, sans grande valeur militaire, sont détruites en quelques minutes. En dépit de ce pilonnage, le moral des Allemands n'est pas vraiment affecté et ce qui est plus important, l'économie allemande continue à produire du matériel de guerre. En 1945, Hitler a encore des forces armées de sept millions d'hommes et il commence à déployer des fusées à longue portée contre l'Angleterre. Mais les forces alignées contre l'Allemagne sont écrasantes. En avril, les troupes d'Eisenhower ont envahi les grands centres industriels de la Ruhr et ont atteint l'Elbe. Elles se déplacent ensuite vers le sud-ouest afin d'empêcher que les nazis ne s'établissent dans les Alpes, laissant aux Soviétiques l'assaut final sur Berlin.

L'Armée rouge, pendant ce temps, a finalement capturé Varsovie et Budapest en février. Les armées du Nord traversent les défenses de Dantzig et se dirigent vers Berlin. Les Soviétiques montent leur attaque finale contre Berlin le 16 avril. En neuf jours, la ville est encerclée et Hitler vit ses derniers moments avec les survivants de sa hiérarchie dans un bunker souterrain sous les ruines de sa chancellerie, prêt à entraîner les derniers habitants de Berlin à la mort avec lui. «Si la guerre est perdue, la nation périra aussi,» déclara Hitler. «Ce destin est inévitable. Il n'y a pas à considérer même une existence des plus primitives. Au contraire, il est mieux de détruire même cela et de le détruire nous-mêmes. De toute façon, ceux qui demeurent après le combat ne valent pas grand chose, puisque les meilleurs sont tombés.»[11] À l'aide de raids aériens incessants et de bombardements d'artillerie, les forces soviétiques prennent la ville rue par rue jusqu'à ce qu'ils soient assez proches pour pouvoir bombarder la

---

10 *Götterdämmerung*, «le Crépuscule des Dieux» représente l'holocauste final qui détruit les dieux ainsi que leur palais, le Walhalla, selon la vieille légende germanique de l'Anneau des Niebelungen. L'opéra de Wagner, *Götterdämmerung*, était l'une des pièces musicales favorites de Hitler.
11 Bullock, *Hitler*, p. 775.

Le bombardement de Berlin en juin 1944
On peut comparer cette photo, prise par un équipage de bombardier américain, avec le plan des rues de Berlin à la page 317. On distingue le centre de Berlin, avec l'île des musées et Unter den Linden, dans le coin en bas à gauche. (Archives nationales)

chancellerie elle-même. Hitler dicte son testament, épouse sa maîtresse Eva Braun et, le 30 avril, se suicide avec elle. Leurs corps sont ensuite incinérés dans les jardins de la chancellerie. Gœbbels empoisonne ses six enfants et abat sa femme avant de se donner la mort. Le 2 mai, les Soviétiques prennent la chancellerie et à l'autre bout d'Unter den Linden, hissent le drapeau rouge au-dessus de la porte de Brandebourg. La capitulation allemande est signée lors de cérémonies à Reims le 8 mai et à Berlin le 9 mai.

Au faîte de sa puissance, le Japon contrôle un empire de presque quatre millions de kilomètres carrés de territoire. Il comprend la plus grande partie de la Chine, Hong-Kong, Bornéo, les Indes orientales, la Malaisie, la Birmanie, Guam, l'île de Wake et les Philippines. La contre-attaque américaine a commencé pendant l'été de 1942. Les campagnes sont lentes et meurtrières, les petites îles du Pacifique que les commandos-suicides (kamikazes) japonais gardent obstinément ne sont prises qu'au prix de batailles sanglantes. Mais la capture des îles Mariannes en juin 1944 amène les bombardiers américains à la portée des îles du Japon et les Philippines sont reconquises au printemps de 1945. Néanmoins, la résistance acharnée

La défaite du Japon

des Japonais sur l'atoll d'Iwo Jima, à 1 200 kilomètres du Japon, fait 27 000 victimes chez les attaquants américains, les prévenant des pertes formidables qu'entraînerait une invasion du Japon. Pour cette raison, le président Roosevelt pense que la promesse d'une intervention soviétique contre le Japon qu'il a obtenue à Yalta est cruciale. Mais, en juillet 1945, l'équipe qui tente depuis quatre ans de développer une bombe atomique, informe Harry S. Truman, qui est devenu président à la mort de Roosevelt en avril, qu'ils ont réussi. Même s'il est prévenu que les États-Unis possèdent une arme d'une puissance terrible, le gouvernement japonais refuse de capituler. Truman ordonne de lâcher la première bombe atomique sur la ville portuaire de Hiroshima le 6 août 1945. L'explosion tue plus de 70 000 personnes instantanément, en blesse 100 000 et détruit quatre-vingt-dix pour cent de la ville de 200 000 habitants. La première utilisation d'armes atomiques, ordonnée par un président américain, a engendré beaucoup de controverses depuis. Des historiens révisionnistes, connus sous le nom de la «nouvelle gauche», ont accusé Truman d'avoir utilisé la bombe surtout pour des fins politiques afin qu'elle serve d'avertissement aux Soviétiques, à une époque où la confrontation soviéto-américaine en Europe et en Asie se transformait en «guerre froide», et pour obtenir une capitulation rapide des Japonais avant que l'Union soviétique ne se gagne une part de l'occupation des îles japonaises. On a aussi suggéré que, parce que les attaques aux bombes incendiaires sur Tokyo avaient déjà tué 125 000 personnes en une nuit, les concepteurs de la politique militaire ne voyaient pas l'utilisation de la bombe atomique comme une escalade massive de l'utilisation de la force et l'on pouvait donc mettre de côté les conséquences morales de cette modification de la nature de la guerre. Toutefois, l'explication la plus plausible, reste que Truman était prêt à tout pour sauver le million de vies humaines qu'une invasion des îles japonaises aurait coûtées.

Deux jours après la destruction de Hiroshima, l'Union soviétique déclare la guerre et envahit la Mandchourie. Même alors, les militaires japonais refusent de capituler et la deuxième bombe atomique est lâchée sur Nagasaki, tuant 36 000 personnes. À ce moment, l'empereur Hiro-Hito intervient enfin, ordonnant à son gouvernement de demander une armistice, qui est signée sur un cuirassé dans la baie de Tokyo, le 28 août 1945. Après presque six ans de combat, les canons se taisent enfin.

La destruction causée par la Seconde Guerre mondiale

La destruction causée par la Seconde Guerre mondiale dépasse même celle de la Première Guerre mondiale. Dix-sept millions de soldats et au moins autant de civils ont été tués. Les tueries des camps de concentration allemands comme Dachau et Auschwitz, que l'on découvre dans toute l'Europe occupée, ont causé la mort d'au moins six millions de Juifs et de centaines de milliers d'autres victimes — des membres, ou de supposés membres, de mouvements de résistance, une grande partie de l'intelligentsia européenne, des tziganes, des malades chroniques. Des populations ont été déracinées sur une échelle gigantesque. Onze millions de prisonniers de guerre et de travailleurs forcés ont été déportés vers l'Allemagne. Six millions d'Allemands ont été expulsés des territoires d'Oder-Neisse que l'Union soviétique a donnés à la Pologne et jusqu'à deux millions d'autres ont été chassés des autres États européens. Ces vastes mouvements de population ont lieu dans un continent en ruine. Les bombardements aériens, les bombardements d'artillerie et les combats de rue ont infligé des dommages équivalents seulement à ceux de la guerre de Trente Ans. Quatre-vingt-dix pour cent des immeubles de certaines villes, comme Varsovie, Budapest et Berlin ont été détruits et plusieurs magnifiques petites villes surtout en Allemagne, en Pologne et en Union soviétique ont été complètement dévastées. De plus, la structure économique est en ruine. Les canaux sont bloqués, les ponts sont détruits et les voies ferrées sont inutilisables. Une politique de terre brûlée, adoptée à la fois par les Allemands et par les Soviétiques, a ruiné la plupart des usines d'Ukraine, un grand nombre des installations pétrolières du Caucase et de grandes zones agricoles. Même lorsque les usines n'ont pas été détruites, elles fonctionnent avec des équipements vétustes et usés. Les égouts sont inondés, les barrages sont détruits, l'électricité et le téléphone sont coupés. À la fin de la guerre, cent millions d'Européens sont au bord de la famine, la production agricole a diminué d'au moins les deux tiers de son niveau d'avant la guerre et la production industrielle a diminué de moitié dans certaines régions. Seuls les États-Unis semblent avoir émergé de la guerre avec des ressources accrues et une vigueur intacte alors que plusieurs Européens commencent à se demander, avec une certaine réticence, si l'avenir de la civilisation occidentale ne repose pas sur les épaules du colosse d'outre-Atlantique, héritier d'une Europe qui s'est suicidée.

La libération de prisonniers au camp de concentration de Wöbbelin près de Berlin (*Archives nationales*)

435

24

L'ÈRE CONTEMPORAINE

Pour beaucoup d'occidentaux, la Deuxième Guerre mondiale semble avoir laissé un héritage de désolation autant spirituelle que matérielle. Le conflit a non seulement détruit la capacité de production, bâtie avec tant de difficulté pendant un siècle d'industrialisation, et saccagé un héritage culturel encore plus ancien, il a de plus donné naissance à un malaise qui s'enfonce profondément dans la conscience occidentale, marquée par un sentiment de participation personnelle à la vaste inhumanité de la décennie précédente.

Le problème de la reconstruction a donc plusieurs dimensions. Il faut réparer les dommages physiques et moderniser l'économie. On doit modifier les formes traditionnelles de la société, que ce soit à l'aide de changements démocratiques ou par des renversements révolutionnaires afin de satisfaire les exigences des populations mécontentes. Mais il faut aussi faire le point spirituellement, accepter le passé et se donner une nouvelle identité culturelle. De plus, il faut relever ce défi en une époque de tensions internationales sans précédent. Il ne faut donc pas se surprendre si, en dépit de la restauration de son bien-être économique, le malaise spirituel de l'Occident semble condamné à s'intensifier pendant les décennies de l'après-guerre. Pendant les années 1980, la civilisation occidentale est incertaine quant au chemin à suivre et elle doute même de sa survie.

Centre national d'art et de culture Georges Pompidou, Paris   *(H. Roger-Viollet)*

LA CULTURE À UNE ÉPOQUE D'AGITATION

Les réexamens de l'après-guerre

Dès la fin de la Deuxième Guerre mondiale, un grand nombre d'écrivains essaient d'accepter les énormes souffrances infligées par la guerre, en particulier la culpabilité et le sentiment de nihilisme. Il faut tout d'abord exprimer ce qui s'est passé, comme dans *Les Armes de la Nuit* (1946) de Vercors, l'écrivain de la Résistance, qui décrit comment les camps de concentration ont servi aux Allemands pour briser la capacité d'agir chez leurs victimes en plus de détruire leurs corps. Dans ce roman, les amis d'un dirigeant de la Résistance, récemment libéré d'un camp allemand, ne comprennent pas pourquoi il les évite car il ne semble pas avoir beaucoup souffert physiquement. Mais on se rend compte peu à peu que les Allemands l'ont employé comme assistant aux incinérateurs, qu'il aidait à mettre les Juifs dans les fours crématoires, et que ses bourreaux l'ont détruit psychologiquement, ce qui est beaucoup plus efficace que la torture physique.

Porte de Brandebourg, Berlin-Est
La frontière entre la zone soviétique et Berlin-Ouest, traverse Unter den Linden derrière la porte de Brandebourg, laissant le centre historique de Berlin sous contrôle communiste. (Avec l'autorisation du Centre d'information allemand)

Toutefois, le vrai problème pour les écrivains est d'expliquer les raisons d'une telle cruauté. Pour le dramaturge allemand Bertolt Brecht, converti au communiste pendant les années 1930, il faut blâmer la société matérialiste pour cette corruption. Brecht développe ce thème dans sa pièce *Mère Courage et ses enfants* qu'il produit à son retour à Berlin-Est, la section communiste de Berlin, en 1949. Cependant, pour l'écrivain britannique George Orwell, l'inhumanité est un produit du totalitarisme, qu'il soit fasciste ou communiste. Orwell a été volontaire lors de la Guerre civile espagnole et il a perdu toutes ses illusions lorsqu'il a vu les communistes tenter de détruire leurs propres alliés non communistes chez les républicains. Dans son court roman allégorique, *La Femme des Animaux* (1946), les animaux renversent la tyrannie du fermier afin de créer leur propre ferme démocratique; mais tranquillement les cochons commencent à prendre le contrôle, et à la fin du roman, rien ne les distingue plus de l'oppresseur que les animaux ont renversé. Pour Orwell, le slogan des cochons, «Tous les animaux sont égaux, mais certains animaux sont plus égaux que les autres,» illustre les abus de langage que l'on utilise pour implanter la tyrannie sur l'esprit. Dans son dernier roman *1984*, publié en 1949, Orwell s'attaque à l'absolutisme qui exige de ses sujets non seulement l'obéissance, mais l'adoration. Il s'en prend aux groupes politiques qui ont créé le phénomène du «Big Brother». Son héros, Winston Smith, qui a tenté d'échapper au monde de la manipulation de la pensée par des slogans («La guerre, c'est la paix; la liberté, c'est l'esclavage; l'ignorance, c'est la force»), est capturé par la police secrète qui emploie la terreur pour lui faire subir un lavage de cerveau dans la terrible Salle 101. Dans le dernier paragraphe du roman, il est devenu le parfait sujet:

Il regarda l'énorme face. Il lui avait fallu quarante ans pour savoir quelle sorte de sourire se cachait sous la moustache noire. O cruelle, inutile incompréhension! Obstiné! Volontairement exilé de la poitrine aimante! Deux larmes empestées de gin lui coulèrent de chaque côté du nez. Mais il allait bien, tout allait bien.
La lutte était terminée.
Il avait remporté la victoire sur lui-même.
Il aimait Big Brother.[1]

Pour beaucoup de gens, la guerre ne peut s'expliquer qu'en termes moraux ou religieux. Dans *La Peste* (1947), Albert Camus donne une image horrible de la ville d'Oran en Algérie française pendant une épidémie de peste due à des rats infectés. La ville est isolée du reste du monde et vit, en une sorte d'allégorie, toute la gamme des réactions humaines aux différentes intensités de souffrance. Au début, Camus décrit le sentiment d'exil qui s'empare des gens emprisonnés dans la ville envahie par la peste, «ce creux que nous portions constamment en nous, cette émotion précise, le désir déraisonnable de revenir en arrière ou au contraire de presser la marche du temps, ces flèches brûlantes de la mémoire.» Il s'ensuit un

---

1 George Orwell, *1984*, traduction d'Amélie Audiberti, 1950, NRF, Gallimard, p. 354-355.

sentiment de panique lorsqu'on réalise tout le danger provoqué par l'horreur de la maladie, suivi d'un sentiment que les destins individuels ont été remplacés par une «histoire collective qui était la peste et des sentiments partagés par tous.» Lorsque les portes de la ville s'ouvrent à la fin de la peste, Camus voit, dans ce microcosme, l'expérience de toute l'Europe à la fin de la guerre:

Parmi ces amoncellements de morts, les timbres des ambulances, les avertissements de ce qu'il est convenu d'appeler le destin, le piétinement obstiné de la peur et la terrible révolte de leur cœur, une grande rumeur n'avait cessé de courir et d'alerter ces êtres épouvantés, leur disant qu'il fallait retrouver leur vraie patrie. Pour eux tous, la vraie patrie se trouvait au-delà des murs de cette ville étouffée. Elle était dans ces broussailles odorantes sur les collines, dans la mer, les pays libres et le poids de l'amour. Et c'était vers elle, c'était vers le bonheur qu'ils voulaient revenir, se détournant du reste avec dégoût...

Mais il savait cependant que cette chronique ne pouvait pas être celle de la victoire définitive. Elle ne pouvait être que le témoignage de ce qu'il avait fallu accomplir et que, sans doute, [les médecins] devraient accomplir encore, contre la terreur et son arme inlassable. [Il savait] que le bacille de la peste ne meurt ni ne disparaît jamais, qu'il peut rester pendant des dizaines d'années endormi dans les meubles et le linge, qu'il attend patiemment dans les chambres, les caves, les malles, les mouchoirs et les paperasses, et que, peut-être, le jour viendrait où, pour le malheur et l'enseignement des hommes, la peste réveillerait ses rats et les enverrait mourir dans une ville heureuse.[2]

La philosophie existentialiste

Ce sont les philosophes existentialistes, dont Jean-Paul Sartre est le plus influent, qui donnent la réponse la plus populaire à la question de la responsabilité individuelle. Pendant plusieurs années, la cour de Sartre se réunit dans les cafés de la rive gauche de Paris, où le maître enseigne à son groupe de jeunes disciples que tout le monde a la liberté de choix dans ses actions et qu'en agissant ainsi, on donne non seulement un sens à sa vie mais on crée son propre être. Dans un monde absurde, incompréhensible et sans signification, l'action est essentielle même dans les circonstances les plus déconcertantes. Les idées de Sartre connaissent une grande vogue jusqu'au milieu des années 1950 lorsqu'il perd de nombreux disciples à la suite d'une défense en faveur du communisme. La revendication du libre arbitre résonne même faiblement, avec un petit accent religieux, dans la pièce *The Cocktail Party* de T.S. Eliot, où les bavardages inutiles d'une réunion chez les Chamberlayne, dont le mariage est en péril, se terminent pour chacun des invités par l'acceptation de choix personnels difficiles. L'une d'elles part pour l'Afrique où elle meurt crucifiée, ce qui amène le psychiatre, qui représente la sagesse de Dieu, à dire:

2 Albert Camus, *La Peste*, Le livre de poche, Gallimard, 1947, p. 58, 134, 240, 247.

...il était évident
que cette femme était condamnée à mort.
C'était son destin. La seule question
Était alors: «Quelle sorte de mort?» Je ne pouvais le savoir;
Parce que c'était à elle de choisir le mode de vie
Qui la mènerait à la mort et, sans connaître sa fin,
Choisir tout de même la forme de mort...
Julia: *Tout le monde choisit, d'une façon ou d'une autre.*
Et doit ensuite en subir les conséquences. Célia a fait un choix
Dont la conséquence était la crucifixion;
Et maintenant la conséquence du choix des Chamberlayne
Est un cocktail.[3]

L'inconséquence même du choix des Chamberlayne lui donne la signification que leur vie mérite.

Durant les années 1950 et les années 1960, le sentiment d'inquiétude demeure même si l'on en dirige l'expression vers d'autres cibles. La popularité en Angleterre de la pièce *La Paix du dimanche* (1956) de John Osborne est l'un des premiers signes d'une nouvelle ère de révoltes alors que les souvenirs des souffrances de la Deuxième Guerre mondiale s'effacent. L'auteur y exprime la déception de la classe ouvrière britannique envers le gouvernement travailliste qui n'a pas réussi, de 1945 à 1951, à briser l'emprise que les classes supérieures établies ont sur la société britannique. Osborne établit aussi le thème qui sera repris par le groupe d'auteurs qui seront connus sous le nom de «jeunes gens en colère» — soit la désillusion avec la nature même de la classe ouvrière dont la plupart de ces écrivains proviennent. La contribution de la romancière Doris Lessing à la collection d'essais intitulée *Declaration* (1957) résume leur état d'esprit:

> *La vie britannique en ce moment est frustrante et insignifiante. Les gens de ces îles sont gentils, plaisants, tolérants; ils semblent satisfaits de s'enfoncer de plus en plus dans une misère décente... La classe ouvrière reçoit une vision de la vie filtrée par la publicité; des journaux remplis de sexe, des films sur la débauche et une télévision aux images lascives; la classe moyenne s'inspire d'une presse... rendue débile par son accoutumance au conformisme languissant qui attaque la Grande-Bretagne comme une véritable pourriture.*[4]

Le roman de John Braine *Une pièce au soleil* (1957), cependant, blâme carrément les classes dirigeantes britanniques. Il y décrit comment un homme de la classe ouvrière, qui a reçu une bonne éducation grâce à l'aide financière du gouvernement, se rend compte qu'il n'y a pas de place pour lui au sommet de la société où il travaille jusqu'à ce qu'il séduise la fille du patron.

Les protestations renouvelées: les années 1950 et les années 1960

3 Tiré de T.S. Eliot, *The Cocktail Party*, 1950. Reproduit avec la permission de Harcourt Brace Jovanovich, Inc. et de Faber and Faber Ltd.

4 Cité dans Arthur Marwick, *British Society Since 1945*, Harmondsworth, Angleterre, Penguin, 1982, p. 130.

En France, les protestations contre la classe moyenne et la classe fortunée de la société française, que Sartre a exigé de façon impérieuse, prennent la forme d'une absurdité délibérément outrageuse. Dans *En attendant Godot* (1952) de Samuel Beckett, deux clochards sur une scène presque vide se disputent sur la venue de Godot, qui n'existe peut-être même pas. La satire est plus directe dans la pièce de Jean Genet, *Le Balcon* (1956). La pièce se passe dans un bordel appelé «Le Balcon» alors qu'une révolution a lieu dans la rue. Trois personnages se sont travestis en évêque, en juge et en général — les symboles de la religion, du droit et de l'armée. On apprend que les révolutionnaires ont tué les vrais évêque, juge et général et que le gouvernement désire les remplacer par les trois imposteurs. Ils obéissent et la révolution échoue. Pour Genet, la pièce est une démonstration sauvage que les symboles de l'autorité dans la société ne sont fondés sur aucune valeur vraie mais qu'ils sont plutôt fabriqués avec autant de facilité que les trois personnages de fantaisie sont transformés en «vraies» autorités.

Les romanciers français, malheureusement peut-être, décident de protester contre les formes traditionnelles du roman. Sous la direction d'Alain Robbe-Grillet et de Nathalie Sarraute, ils créent le «nouveau roman» qui ne contient ni action, ni récit, ni personnage. Ils proposent plutôt de décrire les objets ou les sentiments personnels de façon extrêmement détaillée. Toutefois, l'auteur décrit les objets sans réaction émotive afin d'arriver au chosisme. Pour cette raison, ces romans sont extrêmement difficiles à lire, n'évoquent aucune émotion et surtout manquent — délibérément — de drame. Contrairement à Robbe-Grillet, qui connaît son plus gros succès en appliquant sa technique au cinéma dans le film *L'Année dernière à Marienbad*, Sarraute réussit à unir les techniques de Proust au style de monologue intérieur pour évoquer des variations infinies de sentiments humains. Dans *Le planétarium* (1959), par exemple, l'installation d'une nouvelle porte en chêne dans la salle à manger de la narratrice n'a aucune importance en soi, mais elle évoque néanmoins une grande variété de réactions émotives chez celle-ci:

Ils l'ont dégagée doucement et elle est apparue, plus belle qu'elle ne l'avait imaginée, sans un défaut, toute neuve, intacte... les médaillons bombés à l'arrondi parfait, découpés dans l'épaisseur du chêne, faisaient jouer ses fines moirures... on aurait dit de la moire tant il était soyeux, brillant... C'était stupide d'avoir eu si peur, cette porte n'avait rien de commun... absolument rien, avec ces portes arrondies qu'elle avait vues dans des pavillons de banlieue, dans des villas, des hôtels, même chez son coiffeur... Non, elle n'avait pas besoin de s'inquiéter, c'est un ensemble d'un goût parfait, sobre, élégant... on dirait qu'un fluide sort de vous qui agit à distance sur les choses et sur les gens, un univers docile, peuplé de génies propices, s'ordonne harmonieusement autour de vous.[5]

Les protestations des romanciers contre le roman deviennent encore plus évidentes dans les années 1960, lorsqu'un groupe d'écrivains associés à

---

5 Nathalie Sarraute, *Le planétarium*, Folio, Gallimard, 1959, p. 10-11.

la revue *Tel Quel* met l'accent sur le langage lui-même dans le but de saisir les niveaux de conscience qui s'y joue. *La Prise de Constantinople* de Jean Ricardou force le lecteur à se concentrer sur le langage plutôt qu'à chercher une intrigue, parce qu'il n'y a pas de numéro de page ou de chapitre et que le roman ne contient aucun personnage important. En bref, l'expérimentation est allée si loin qu'un observateur se demande si les nouveaux romanciers n'ont pas «tué le roman français» par leur «terrorisme d'avant-garde et ses expérimentations techniques sur le langage et la forme.»[6]

Dans le bloc soviétique où Staline ajoute la répression des libertés individuelles aux souffrances de l'après-guerre, deux des plus grands écrivains russes emploient leurs romans comme outil de protestation. Le grand poète Boris Pasternak fait publier à l'extérieur de l'Union soviétique un magnifique roman semi-autobiographique sur la révolution russe, *Le Docteur Jivago* (1956), qui lui vaut le prix Nobel de littérature. Mais à cause de ses critiques indirectes contre le régime soviétique, il est pratiquement condamné à l'exil dans sa maison de campagne. Alexandre Soljenitsyne profite d'un bref relâchement de la censure en 1962 pour publier son court roman, *Une journée dans la vie d'Ivan Denissovitch*, où il donne les détails des expériences qu'il a lui-même vécues dans les camps de travail de Staline. Mais parce que ses romans subséquents, comme *Le Pavillon des cancéreux* (1966), critiquent de plus en plus la société communiste, la condamnation de son œuvre par le gouvernement soviétique augmente et, en 1974, il est déporté de Russie.

Aux États-Unis, le mouvement féministe, grandement stimulé par des ouvrages documentaires et des œuvres de fiction, connaît un regain de vie dans les années 1960. En 1963, Betty Friedan publie *La femme mystifiée*, une polémique bien argumentée contre le «mythe» du sacrifice et de l'épanouissement domestique que les femmes de banlieue vivaient pendant les années de l'après-guerre. Friedan utilise les droits d'auteur de ce livre qui connaît une immense popularité dans une population où déjà la moitié des femmes adultes ont un emploi, pour fonder l'organisation nationale des femmes (National Organization for Women (NOW)) que l'on a appelée la «première vraie organisation féministe» à être fondée aux États-Unis en un demi-siècle.[7] *La politique du mâle* (1969) de Kate Millett, une autre étude qui fut aussi influente, part d'une analyse sur l'importance du pouvoir et de la domination des hommes dans les œuvres littéraires et se dirige vers une théorie plus large du patriarcat pour ensuite devenir l'étude essentielle des relations entre hommes et femmes. Même si beaucoup d'autres études ont développé cette analyse des relations historiques et contemporaines entre les hommes et les femmes, on assiste à un véritable déluge de romans écrits par des femmes, souvent plus près de l'autobiographie, qui présentent les problèmes auxquels les femmes sont confrontés sous le couvert de la fiction.

Hero Construction, de Richard Hunt (1935- *(Gracieuseté de The Art Institute of Chicago)*

6 John Ardagh, *France in the 1980s*, Harmondsworth, Angleterre, Penguin, 1982, p. 540.

7 Carl Degler, *At Odds: Women and the Family in America from the Revolution to the Present*, New York, Oxford University Press, 1980, p. 444.

La cloche de détresse (1962) de Sylvia Plath est l'un des plus émouvants. Plath termine ce roman pendant l'année qui précède son suicide : elle y décrit une dépression nerveuse qu'elle a subi alors qu'elle était au collège. *Le carnet d'or* (1962) de Doris Lessing est aussi l'exploration intérieure d'une femme qui cherche à mieux se connaître. Même si ce roman est long et prolixe, il emploie avec succès la formule de la narratrice qui tient quatre carnets différents : un carnet noir où elle enregistre sa vie d'auteur, un rouge qui parle de politique, un jaune où elle inscrit ses expériences, et un bleu rédigé comme un journal. À l'aide de ces cahiers, Lessing crée un monde cauchemardesque dans lequel les attentes irréalistes de son héroïne dans ses relations avec les autres, et surtout avec les hommes, la détruisent en tant que personne.

Le mouvement de libération de la femme aux États-Unis emprunte délibérément une grande partie de son vocabulaire et de ses stratégies au mouvement des droits civils noirs dont la littérature fermente aussi pendant les décennies des années 1950 et 1960. La recherche d'une identité noire, qui déjà en 1940 avait été puissamment dramatisée dans *Un enfant du pays* de Richard Wright, prend de nouvelles dimensions dans *Homme invisible, pour qui chantes-tu!* (1952) de Ralph Ellison qui montre que, même dans les contacts personnels, l'homme noir reste invisible pour l'homme blanc. James Baldwin, le fils d'un prédicateur de Harlem, est l'un de ceux qui fait le plus pour rendre le problème noir compréhensible en termes humains. Il décrit sa propre jeunesse au milieu de la communauté noire dans *Les Élus du Seigneur* (1953).

La consolidation des années 1970 et des années 1980

En 1970, les techniques d'expérimentation et les arènes de la protestation sociale sont bien établies. Il en découle que les années 1970 sont une période de consolidation et d'enrichissement. En Grande-Bretagne, la publication en 1970 de *La femme eunuque* de Germaine Greer marque les débuts littéraires du mouvement féministe. Greer y soutient que les relations entre les hommes et les femmes sont basées sur un stéréotype de la femme, accepté à la fois par les hommes et les femmes, puis fondé sur la «haine des femmes.» Pour quelle autre raison, demande-t-elle, est-ce qu'une femme entreprendrait une «lutte quotidienne pour une beauté surhumaine» sans se plaindre des lacunes physiques de son partenaire? Donc, ce qu'il faut, c'est un changement fondamental du rôle de la femme en relation avec l'homme. La romancière Catherine Storr présente une telle métamorphose dans un roman amusant intitulé *Unnatural Fathers* (1976), qui joue avec la notion que les hommes et non les femmes donneraient naissance aux bébés. Pour Doris Lessing, la nécessité du changement de rôle peut être explorée par une descente aux enfers littéraire comme dans *La cité promise* (1972), où des portes menent à des maisons qui représentent les cercles de *l'Enfer* de Dante. Dans l'une d'elles, l'héroïne fait un mariage ennuyant; dans la deuxième, il y a la réalité frustrante du pouvoir politique; dans la troisième, on entraîne des prostituées; dans la quatrième, on rassemble les handicapés psychologiques et sexuels. Il en résulte une société dans laquelle «personne ne se tient debout sans utiliser quelqu'un d'autre comme béquille; personne n'est malade ou en santé sans influencer la maladie ou la santé de quelqu'un d'autre. Et ces relations ne sont pas du genre à construire un tout ou à unifier un groupe qui peut se tenir; elles sont une infection, une gangrène qui s'étend lentement à toute la société.»[8]

Aux États-Unis, on réalise la jonction entre le féminisme et le mouvement noir pendant les années 1970 et les années 1980, dans des œuvres comme *Tar Baby* (1981) de Toni Morrison et *The Color Purple (Cher bon Dieu)* (1982) d'Alice Walker. *Tar Baby* n'est pas seulement une exploration évocatrice des légendes surnaturelles que les esclaves noirs ont amenées des Antilles, mais aussi une observation minutieuse des relations noir-blanc et homme-femme pris aux pièges créés par la société ou qu'ils se sont créés eux-mêmes.

Les «nouveaux romanciers» sont toujours actifs en France; Nathalie Sarraute, à l'âge de quatre-vingts ans, publie *Pour un oui ou pour un non* en 1982. Mais le public en général semble retourner au roman plus traditionnel, recherchant surtout le charme de romans historiques bien structurés, une préférence qui reçoit l'appui de l'Académie française elle-même. En 1981, Marguerite Yourcenar, auteure renommée de livres comme *L'Œuvre au Noir* et *Mémoires d'Hadrien*, devient la première femme à être élue à la prestigieuse Académie française qui avait toujours été un bastion masculin depuis sa création en 1635.

Ainsi en 1980, il y a une cœxistence sinon une réconciliation entre les forces traditionnelles en littérature, qui représentent la continuité, et la poussée innovatrice du changement. Les deux représentent, en un sens, les produits d'une époque d'agitation.

LES DÉBUTS DE LA GUERRE FROIDE

L a confrontation entre les blocs communiste et non communiste est responsable de la menace continuelle d'une dévastation universelle qui provoque en partie le malaise exprimé par les écrivains et les artistes de cette période.

L'ère de l'État-continent

Un équilibre des forces totalement nouveau existe en Occident depuis 1945. L'Union soviétique et les États-Unis tirent tous deux leur prédominance du contrôle de vastes territoires continentaux contenant de riches ressources naturelles et habités par des populations nombreuses. Ces deux nations semblent avoir des réserves inépuisables de charbon, de minerai de fer, de pétrole, de gaz naturel, de plomb, de cuivre, de zinc, de souffre et de potasse. Elles possèdent toutes deux d'immenses forêts et de vastes terres agricoles situées dans des zones climatiques allant de l'Arctique aux régions subtropicales. Toutes deux ont fait des investissements considérables dans la

---

8 Frederick R. Karl, «*Doris Lessing in the Sixties: The New Anatomy of Melancholy*,» in Patricia Meyer Spacks, ed., *Contemporary Women Novelists*, Englewood Cliffs, Prentice Hall, 1977, p. 74.

technologie la plus avancée pour leurs industries et dans l'éducation scientifique de leurs administrateurs et de leurs ingénieurs. L'économie intérieure de chacune de ces deux nations est intégrée; il n'y existe aucune barrière pour empêcher le libre mouvement de biens, de capitaux ou de main-d'œuvre à l'intérieur du pays. La population de chacune est trois fois plus nombreuse que celle de l'État européen le plus peuplé, l'Allemagne, dont la population atteint environ soixante millions d'habitants. Au même moment, le continent européen est divisé en vingt-neuf États, dont les frontières traversent des unités économiques naturelles comme des gisements de charbon et même des villes, en plus de couper des lignes de communication naturelles. Ainsi les puissances européennes gravitent inévitablement vers l'une ou l'autre des deux superpuissances pendant l'après-guerre immédiat.

Les origines de la guerre froide

Les historiens ne peuvent se mettre d'accord quant à la responsabilité de l'antagonisme entre les deux blocs de puissances. Les écrivains de la «nouvelle gauche» ont affirmé que le gouvernement des États-Unis, surtout sous la présidence de Harry S. Truman entre 1945 et 1953, a tenté de repousser l'influence russe en Europe et en Asie. Ils suggèrent que le largage des bombes atomiques sur le Japon avait pour but d'empêcher la Russie de prendre part à l'occupation du Japon; que les Américains ont tenté d'exercer un chantage économique en refusant de continuer à envoyer les réparations de l'Allemagne de l'Ouest à la Russie tout en mettant fin au prêt-bail, et que l'offre d'aide à tous les États européens par le plan Marshall était formulée de telle façon que la Russie ne puisse l'accepter. Par dessus tout, ils soutiennent que les puissances occidentales ont formé un bloc militaire avant les Russes : la création de l'Organisation du traité de l'Atlantique Nord (OTAN), en 1949, a eu lieu six ans avant la formation du pacte de Varsovie par les puissances communistes. La plupart des historiens révisionnistes voient, derrière ces actions du gouvernement américain, l'influence de groupes d'intérêt actifs dans l'économie capitaliste du pays. Ils soutiennent qu'une nouvelle forme d'impérialisme économique a remplacé le colonialisme de la fin du XIXe et du début du XXe siècle: les nouveaux impérialistes tentent d'amener les régions sous-développées du monde sous la dépendance directe des États-Unis ou essaient d'exercer des pressions sur les pays plus développés afin qu'ils adoptent des systèmes de financement que le capitalisme américain pourra contrôler facilement.

Même si l'on refuse la condamnation générale des motifs sous-jacents du gouvernement américain, on peut accepter, à l'instar de nombreux historiens non révisionnistes, que le gouvernement américain a commis des erreurs de jugement dans son traitement de l'Union soviétique pendant les premières années de l'après-guerre — par exemple, en coupant les réparations de l'Allemagne, il a renforcé la paranoïa de Staline quant à l'agressivité des décideurs américains. Néanmoins, les actions de Staline, en Russie et en Europe de l'Est, montrent qu'il était déterminé à renforcer la puissance du Parti communiste soviétique et à créer une zone de sécurité en Europe de l'Est. En Russie, Staline réimpose des contrôles stricts à l'intérieur du parti à la fin de la guerre afin d'imposer son programme de reconstruction de l'industrie lourde, fortement endommagée par la guerre, et pour moderniser sa machine militaire. Les soldats qui ont été influencés par les idées occidentales lors des campagnes en Europe sont transférés en Sibérie. Plusieurs citoyens, issus des nationalités minoritaires d'Union soviétique soupçonnées d'avoir eu des sympathies pour les Allemands, sont déportés de leurs foyers vers les nouvelles terres colonisées à l'Est. Andreï Jdanov, le principal assistant de Staline, oblige une fois de plus les intellectuels à se soumettre. Sa *jdanovchtchina* punit toute personne coupable d'avoir trahi les idéaux du régime socialiste, d'avoir exprimé son admiration pour l'Occident ou de ne pas avoir mis l'accent sur la supériorité écrasante de la Russie dans tous les domaines culturels et techniques. On retrouve la tyrannie grandissante de Staline derrière tout ce programme qui vise à isoler le peuple russe des influences extérieures. Une fois encore, comme lors des purges de 1930, il attaque ses plus proches collaborateurs. Comme Khrouchtchev l'a fait remarquer lors de son rapport secret au Congrès du Parti de 1956, «Staline devint encore plus capricieux, irritable et brutal; ses soupçons grandirent. Sa manie de la persécution atteignit des dimensions incroyables. Plusieurs travailleurs devinrent des ennemis à ses yeux. Après la guerre, Staline se sépara encore plus de la collectivité. Il était seul à décider de tout, sans considération pour quiconque ou quoi que ce soit.»[9] La police secrète, rebaptisée MVD, se lance dans une vague d'arrestations, de déportations et d'exécutions sous les ordres de son sinistre directeur, Lavrenti Beria. Il se peut que jusqu'à cinq millions de personnes aient été envoyées dans les camps de travail dans l'Arctique et en Sibérie. Staline réussit donc à mener les affaires extérieures à partir d'une position de force en faisant payer un prix énorme au peuple russe.

L'avance de l'Armée rouge a déterminé l'allégeance politique de l'Europe de l'Est. En 1944, la Russie avait déjà annexé de nouveau l'Estonie, la Lettonie, la Lituanie et la province roumaine de Bessarabie; puis en 1945, elle avait pris le nord de la Prusse orientale et la province tchécoslovaque de Ruthénie. Ces territoires feront partie intégrale de l'Union soviétique. Cependant, au-delà de cette frontière, le gouvernement soviétique est déterminé à créer une ligne de gouvernements amicaux, à la fois pour protéger sa propre sécurité et pour étendre la révolution communiste.

En Yougoslavie et en Albanie, les chefs communistes autochtones, Tito et Hoxha, sont capables d'organiser de vrais mouvements révolutionnaires populaires qui combinent la résistance aux Allemands et aux Italiens à des attaques sur les représentants des anciennes classes possédantes. L'armée russe traverse rapidement l'est de la Yougoslavie mais sans y établir aucune forme de contrôle politique russe, puisque la conversion au communisme y est déjà assurée. Cependant, dans les autres États de l'Europe de l'Est, les

La progression du communisme en Europe de l'Est

9 Cité dans Basil Dmytryshyn, *USSR: A Concise History*, New York, Scribner's, 1965, p. 429.

Stalinallee, Berlin-Est
Construite dans le style du réalisme socialiste soviétique entre 1952 et 1964, la Stalinallee (aujourd'hui Karl-Marx-Allee), devait servir de vitrine à l'urbanisme communisme. (Avec l'autorisation du Centre d'information allemand)

communistes sont minoritaires et les sociaux-démocrates et divers partis de paysans ou de petits propriétaires menacent fortement leur maîtrise des classes défavorisées. Dans ces pays, l'occupation de l'Armée rouge rend possible une interférence directe de la part des Russes.

Dans sa zone d'occupation en Allemagne, l'Union soviétique s'est dépêchée d'assurer la domination des communistes. Les piliers de l'ancienne société, les grands propriétaires terriens et les industriels, sont dépossédés immédiatement. Les partis non communistes doivent restreindre sévèrement leurs activités politiques. Les gouvernements provinciaux et, après 1949, le nouveau gouvernement central sont placés entre les mains du Parti socialiste qui est dirigé par les communistes; les activités de la police secrète soviétique et le service de sécurité de l'Allemagne de l'Est en assurent la soumission. En Pologne, la résistance anticommuniste a tenté de s'emparer de Varsovie en août 1944 mais les Allemands l'ont détruite après deux mois de féroces combats de rue. Ainsi, le gouvernement provisoire contrôlé par les communistes, qui est installé après que les Russes aient capturé Varsovie en 1945, rencontre peu d'opposition organisée. En 1948, la Pologne est fermement sous le contrôle d'une coalition de communistes et de socialistes de gauche; son industrie est presque totalement nationalisée et ses grands domaines ont été annexés mais ils n'ont pas encore été collectivisés. En Roumanie et en Bulgarie, des gouvernements de coalition sont d'abord établis en 1944; or sous la direction puissante de Gheorghe Gheorghiu-Dej en Roumanie et de Georgi Dimitrov en Bulgarie, les partis communistes réussissent à prendre le contrôle rapidement. L'opposition des partis paysans et des sociaux-démocrates est écrasée et des programmes de collectivisation massive sont adoptés. À sa mort en 1949, Dimitrov, qui finit par être perçu comme un Lénine bulgare, est enterré dans un mausolée semblable à celui de Lénine sur la place centrale de Sofia. Au début, la Hongrie et la Tchécoslovaquie semblent résister à la conversion au communisme, à l'encontre des autres pays d'Europe de l'Est, grâce à la force de leurs partis non communistes. Mais, en Hongrie, les communistes utilisent le ministère de l'Intérieur pour prendre le contrôle de la police et de la bureaucratie et, en 1949, leurs candidats sont capables d'obtenir quatre-vingt-quinze pour cent des voix aux élections nationales.

C'est cependant la conversion de la Tchécoslovaquie au communisme qui cause le plus d'émoi en Europe occidentale et aux États-Unis. Le président Edvard Beneš, reporté au pouvoir par l'Armée rouge en 1945, est un démocrate confirmé qui a néanmoins témoigné d'une réelle sympathie pour l'Union soviétique pendant toute sa carrière. De plus, il a formé un vrai gouvernement de coalition, dans lequel le chef communiste Klement Gottwald est devenu premier ministre mais où le ministère des Affaires étrangères est entre les mains de Jan Masaryk, le fils du fondateur du pays. Cependant, le Parti communiste a obtenu le contrôle de la majorité de la police locale, des syndicats et de certaines unités de l'armée. C'est pourquoi, en février 1948, il est capable de forcer Beneš à accepter un gouvernement dirigé par les communistes en utilisant la milice des travailleurs pour se saisir des bureaux du gouvernement et occuper les quartiers généraux des partis politiques non communistes. Un mois plus tard, Masaryk, qui est demeuré ministre des Affaires étrangères, est retrouvé dans la cour de son ministère avec la colonne vertébrale brisée. Beneš démissionne en juin et meurt peu après. Les élections qui suivent donnent une majorité de quatre-vingt-neuf pour cent aux communistes qui établissent un régime monolithique, écartent jusqu'à la moitié des membres de leur propre parti, pendent plusieurs de leurs anciens dirigeants et établissent des contrôles d'État policier.

La démonstration la plus dramatique de l'animosité amenée par le contrôle soviétique sur le processus de conversion au communisme en Europe de l'Est, a lieu en 1948, lorsque la Yougoslavie coupe ses liens avec la Russie. La Yougoslavie de Tito semblait être jusqu'alors le plus convaincu des satellites soviétiques. Mais le ressentiment contre les ingérences des Russes dans les affaires internes de la Yougoslavie augmente. En 1948, les dirigeants yougoslaves et soviétiques s'engagent dans une bataille de doctrine, où Tito est finalement condamné d'hérésie. Staline écrit :

Les dirigeants du Parti communiste de Yougoslavie ont pris des positions indignes de communistes et ils ont commencé à identifier la politique extérieure de l'Union soviétique à la politique extérieure des puissances impérialistes... Au lieu d'accepter honnêtement la critique [soviétique] et de s'engager à corriger ces erreurs, les dirigeants du Parti communiste de Yougoslavie, souffrant d'ambition, d'arrogance et de mépris sans bornes, ont répondu à ces critiques d'une manière belliqueuse et avec hostilité.

À la suite de cet affrontement, la Yougoslavie est expulsée du Komintern (Bureau d'information communiste) et on tente de persuader les communistes yougoslaves de renverser Tito. Mais les pressions soviétiques échouent, la popularité de Tito et le contrôle ferme qu'il exerce sont inattaquables; à cause de son armée, toute intervention militaire directe aurait été très coûteuse. De plus, les puissances occidentales viennent à son aide immédiatement, lui accordant des prêts et des vivres, créant ainsi un exemple isolé d'une alternative au communisme hors de l'Union soviétique.

Formation du bloc occidental

Les États-Unis prennent, avec très peu d'enthousiasme, la direction d'un bloc occidental qui s'emploie à contenir l'expansion du communisme. En 1945-1946, ils ont tenté d'abandonner leurs responsabilités en Europe en démobilisant la plupart de leurs soldats et en coupant les programmes d'aide directe. Cependant, en 1946, le gouvernement militaire américain en Allemagne arrête l'expédition d'usines démantelées vers la Russie et tente de gagner les Allemands de l'Ouest au bloc occidental en leur promettant un gouvernement autonome. En mars 1947, Truman offre une aide financière et technique à la Grèce et à la Turquie suivant une nouvelle doctrine qui garantit la volonté américaine «d'aider les peuples libres à conserver leurs institutions et leur intégrité nationale contre des mouvements agressifs qui cherchent à leur imposer des régimes totalitaires.» Trois mois plus tard, le secrétaire d'État Marshall offre une aide financière sur une grande échelle à tous les pays européens afin de les secourir dans leur reconstruction; seuls les pays non communistes acceptent son offre.

Les historiens de la nouvelle gauche ont raison d'affirmer que le plan Marshall a provoqué la division finale de l'Europe en deux blocs antagonistes lorsque l'Europe de l'Ouest a été obligée, souvent avec réticence, d'appuyer la politique étrangère des États-Unis pour bénéficier de l'aide financière américaine. À la demande de Marshall, le programme d'aide est délibérément rédigé en termes non idéologiques, pour au moins donner l'impression que l'on tente de le rendre acceptable à la Russie; mais le fait que chaque bénéficiaire doive dévoiler sa situation économique nationale et accepter la coordination de programmes de redressement national rend le projet inacceptable pour les Russes. Les États-Unis et certains pays d'Europe de l'Ouest sont soulagés du refus des Russes, parce que l'on considère que le Congrès américain n'aurait jamais voté les sommes importantes qui auraient été nécessaires pour inclure les pays dirigés par les communistes dans le programme. Le ministre soviétique des Affaires étrangères a toutefois prévenu la Grande-Bretagne et la France que l'acceptation de l'aide pourrait avoir des «conséquences graves»: «Cela résulterait non pas en l'unification et en la reconstruction de l'Europe mais aurait plutôt provoqué une division en deux groupes.»[10] Presque immédiatement après, le gouvernement soviétique forme le Kominform (Bureau communiste d'information) afin de coordonner les politiques des

10 Roy Douglas, *From War to Cold War, 1942-48*, London, Macmillan, 1981, p. 158.

partis communistes de l'Europe de l'Est et de l'Europe de l'Ouest. Des régimes totalement dominés par les communistes remplacent les gouvernements de coalition en Hongrie et en Tchécoslovaquie, et un blocus est institué pour couper tous les liens autres que les liaisons aériennes entre Berlin-Ouest et l'Allemagne de l'Ouest. Il en résulte une escalade des tensions entre les deux blocs. Les États-Unis font échouer le blocus en établissant un pont aérien qui ravitaille Berlin-Ouest pendant presqu'un an. Des plans sont mis en place pour réunir les territoires occupés par les États-Unis, la France et la Grande-Bretagne en une République Fédérale d'Allemagne unifiée. Finalement, en 1949, le gouvernement américain prend la direction d'une nouvelle alliance militaire, l'Organisation du Traité de l'Atlantique Nord (OTAN), constituée du Canada et de dix pays européens dans laquelle tous les membres promettent d'agir de concert pour repousser toute attaque armée dirigée contre eux dans la région de l'Atlantique Nord. La formation de l'OTAN amène la confrontation entre la Russie et les États-Unis à une impasse en Europe. Ce n'est qu'à Berlin-Ouest, un avant-poste occidental situé à plus de cent soixante kilomètres à l'intérieur de l'Allemagne de l'Est qu'il subsiste des désaccords majeurs entre les deux blocs — surtout parce que Berlin-Ouest est la porte de sortie des réfugiés d'Allemagne de l'Est. Lorsque l'érection du mur de Berlin ferme cette route en 1961, Berlin-Ouest cesse d'être une source de tension potentielle entre les deux blocs. L'Allemagne de l'Ouest et l'Union soviétique acceptent même, en 1972, de reconnaître que les changements politiques amenés par la Deuxième Guerre mondiale sont inaltérables dans un avenir rapproché. Le traité de Moscou de 1972, entre l'Allemagne de l'Ouest et l'Union soviétique, reconnaît la perte des territoires d'Oder-Neisse et de la Prusse orientale par l'Allemagne. Cet accord est presque l'équivalent d'un traité de paix qui met fin à la Deuxième Guerre mondiale; il promet un relâchement de la tension de la guerre froide en Europe.

Pour certains observateurs, la conférence sur la sécurité d'Helsinki en 1975 semble même signaler la fin de la guerre froide. Trente-cinq États d'Europe et d'Amérique du Nord y assistent. La conférence se termine sur des accords qui reconnaissent l'inviolabilité des frontières européennes et par le fait même, tous les changements de frontière survenus en Europe de l'Est à la fin de la Deuxième Guerre mondiale. En retour, les puissances communistes acceptent d'accroître les contacts entre les blocs, et donc de faciliter les voyages, les échanges culturels et l'émigration.

RECONSTRUCTION POLITIQUE DE L'EUROPE OCCIDENTALE

Pendant l'occupation allemande en Europe occidentale, on croit dans le milieu des mouvements de Résistance que les membres entreprendront une rénovation politique sur une grande échelle à la fin de la guerre. Au sein des partis communistes, on envisage une

Échec de l'idéalisme des mouvements de Résistance

reconstruction selon le modèle soviétique. Mais même si les partis communistes sont très populaires en 1945, grâce à leurs exploits lors des combats de la résistance, ils demeurent en minorité dans tous les pays européens. Les groupes non communistes, surtout les socialistes et les chrétiens-démocrates, blâment non seulement le régime nazi pour la Deuxième Guerre mondiale mais aussi l'inefficacité de leur propre classe dirigeante et la machine constitutionnelle qu'elle manipule. Certains vont jusqu'à dire que le malaise politique qui a infligé deux guerres importantes à l'Europe en seulement un quart de siècle, est dû à l'existence de l'État-nation. Ils proposent de créer un État fédéral qui unifierait tous les peuples d'Europe. Tous ces espoirs sont déçus. Alors que l'Europe occidentale est libérée pays par pays, surtout par les armées américaines et britanniques, on restaure les vieilles constitutions ou l'on en rédige de nouvelles, si semblables aux anciennes qu'on ne peut les en différencier. La plupart des dirigeants de l'après-guerre qui n'ont pas été compromis par une collaboration avec les Allemands réapparaissent et reprennent leurs places habituelles dans les gouvernements des États-nations. Surtout, il n'y a aucune tentative pour former une fédération d'aucune façon, parce qu'on affirme qu'il est plus urgent de s'occuper de la reconstruction économique.

Les faiblesses de la rénovation constitutionnelle

L'échec de la modernisation de la structure politique aura des conséquences funestes qui seront ressenties pendant presque toute la période de l'après-guerre. En France et en Italie surtout, les nouvelles constitutions qui sont rédigées perpétuent le pluripartisme du gouvernement. L'échange constant des positions ministérielles entre les membres d'un petit groupe sélect de chefs de partis cause le désenchantement de la population quant au processus politique. Ce désenchantement augmente l'attrait des partis de l'extrême-gauche et de l'extrême-droite qui nient la validité du processus constitutionnel lui-même et qui, pour cette raison, ne sont jamais appelés à faire partie du processus d'alternance du pouvoir. On tente d'éviter le désordre du pluripartisme en cédant des pouvoirs étendus à une personne mais l'effet est le même, le public s'éloigne du processus politique. En Allemagne de l'Ouest, où l'on adopte en 1949 une nouvelle constitution rédigée par de brillants avocats constitutionnels, Konrad Adenauer monopolise le pouvoir à soixante-treize ans. Émule de Bismarck, il se place à la tête d'une *Kanzlerdemokratie* («démocratie du chancelier») jusqu'à ce qu'on le retire du pouvoir en 1963. Lorsque Charles de Gaulle devient président de la France en 1958, sous une nouvelle constitution qui a été faite sur mesure pour satisfaire ses objections à la démocratie pluripartite, ses propres pouvoirs présidentiels sont conçus de façon si grandiose qu'il finit par perdre l'appui de plusieurs personnes qui avaient espéré qu'il leur donnerait un gouvernement discipliné. Cette désillusion est si grande, surtout chez les étudiants et les ouvriers, qu'elle provoque presque une révolution à Paris en mai 1968.

Les démonstrations étudiantes, qui débutent sur un nouveau campus aux limites de Paris par des plaintes contre le système universitaire français désuet et surpeuplé, se répandent rapidement à la Sorbonne, sur la rive gauche. Une multitude d'étudiants formulent des plaintes de toutes sortes, allant des critiques contre le régime gaulliste et le système capitaliste aux protestations contre l'action américaine au Viêt-nam. L'intervention policière fait éclater la violence; les étudiants réussissent à s'emparer d'édifices universitaires et dressent des barricades pour affronter la police dans la rue. Les trois syndicats français se joignent à la révolte en déclarant une grève générale, en partie pour appuyer les étudiants, mais surtout pour demander des augmentations de salaire. De Gaulle ne réussit à ramener la paix à Paris qu'en renvoyant le Parlement et en demandant de nouvelles élections dans lesquelles ses partisans se portent à sa défense. Fort de ce mandat électoral, de Gaulle ordonne à la police de vider l'université de ses occupants. Toutefois, un an plus tard, le public prend sa revanche sur de Gaulle en lui faisant subir la défaite au référendum qu'il a réclamé. Il démissionne de son poste de président, un geste qui chagrine bien peu de Français qui l'avaient pourtant idolâtré autrefois. Bref, cela prouve que le pluripartisme et le système répressif qui place un pouvoir puissant entre les mains d'un chancelier ou d'un président n'est pas satisfaisant — l'un pour son incohérence, l'autre pour son manque de réaction à l'opinion publique.

La création de l'État-providence

Les gouvernements restaurés d'Europe occidentale obtiennent toutefois l'appui populaire lorsqu'ils commencent à fournir une vaste gamme de services sociaux. À partir de la fin du XIXᵉ siècle, l'État a pris la responsabilité de divers programmes d'assurance pour les travailleurs industriels; et dans les pays scandinaves de l'entre-deux-guerres, on a commencé à mettre sur pied un programme modéré de socialisation qui comprend la nationalisation des services publics, la gestion des hôpitaux, et les assurances contre la maladie, les accidents et la vieillesse. Mais après 1945, presque tous les pays européens, peu importe leur système constitutionnel, adaptent des programmes importants qui permettent à l'État de fournir des services de santé, des logements, de meilleures chances d'éducation, et diverses formes d'aide financière directe.

Le gouvernement travailliste en Grande-Bretagne se lance dans le plus vaste de ces programme en 1945. Basant son programme sur des recommandations rédigées pendant la guerre où l'on demandait l'élimination «de la pauvreté, de l'ignorance, de la misère et de la maladie», il détermine que tout citoyen doit au moins bénéficier d'un niveau de vie minimal. Une aide monétaire est accordée aux familles nombreuses et l'État se charge de beaucoup d'autres paiements comme les frais de maternité, et les dépenses reliées à la maladie, aux pensions et à l'éducation. Malgré une forte opposition des membres de la

Panneaux publicitaires pendant les élections d'octobre 1982 en Espagne
Le retour à la démocratie en Espagne après le long règne autoritaire de Francisco Franco fut remarquable par la variété des partis qui se faisaient concurrence, incluant les communistes (en haut à gauche). Les socialistes de Felipe González remportèrent l'élection (en haut à droite). (Jacques Pavlovsky / Sygma)

profession médicale, le gouvernement travailliste crée le National Health Service (Sécurité sociale) qui doit fournir à tout le pays des soins médicaux, dentaires ou chirurgicaux illimités en échange d'une petite cotisation hebdomadaire. En trois ans, quatre-vingt-quinze pour cent de la population et quatre-vingt-dix pour cent des médecins s'inscrivent au programme. Des logements sociaux sont construits sur une grande échelle. Au bout du compte, un quart de la population vivra dans un édifice construit par l'un ou l'autre des gouvernements. Les chances d'éducation s'ouvrent à tout le monde, on offre l'éducation primaire et secondaire gratuitement à tous et des bourses pour les études avancées à tous les étudiants dans le besoin. Pour la première fois dans l'histoire britannique, l'entrée à l'université dépend en grande partie des aptitudes de l'étudiant.

La plupart des pays européens sur le continent instituent des programmes semblables. Dans les deux ou trois années qui suivent la guerre, les communistes collaborent en général avec les partis socialistes et chrétiens-démocrates pour l'élaboration d'un système de sécurité sociale. En France et en Italie, on préfère les programmes d'assurance à la socialisation de la médecine; le système de paiement est intégré à l'État et étendu petit à petit afin d'inclure tous les segments de la population. On paie des allocations familiales pour aider les enfants des familles pauvres. On construit des écoles et des logements à revenu modique de même qu'il y a un contrôle continu des heures de travail, des congés payés et des conditions de travail. En Suède, les dépenses de la sécurité sociale absorbent jusqu'au tiers du budget national, alors qu'en France et en Italie, les employeurs contribuent jusqu'au tiers du salaire des employés au paiement des avantages sociaux.

Le premier ministre Margaret Thatcher en campagne en juin 1983
Profitant de l'accroissement de popularité que lui apporte la victoire britannique sur l'Argentine dans les Falkland, Mme Thatcher mène les conservateurs à une victoire électorale écrasante. (Stuart Franck-lin / Sygma)

L'État-providence amène des changements majeurs aux femmes, que ce soit au travail ou à la maison. Le plus important est peut-être l'amélioration de la santé des femmes et en particulier des femmes enceintes grâce aux meilleurs logements, à une meilleure alimentation et à l'amélioration des services de santé. Les taux de mortalité chutent; en France par exemple, il tombe de cinquante-trois par mille en 1950 à treize par mille en 1976. Tout comme au XIXe siècle, l'augmentation des chances de survie des enfants encourage la planification des naissances. D'un autre côté, certains pays sont déterminés à utiliser les paiements des prestations pour augmenter la population. En France, on ne paie des allocations familiales qu'à la naissance du deuxième enfant, et elles augmentent à chaque enfant suivant. Les femmes reçoivent une subvention pour quitter leur emploi afin de rester à la maison avec les enfants. Cependant, la plupart des États-providence essaient de permettre aux femmes d'avoir des emplois rémunérés, en offrant des service de garderies administrés par l'État. De plus, en ouvrant l'éducation supérieure aux enfants intelligents des familles moins aisées, on permet à plus de femmes d'obtenir des diplômes universitaires. En 1965, les femmes constituent trente-huit pour cent des étudiants aux études supérieures en Grande-Bretagne, quarante-deux pour cent en France et quarante-neuf pour cent — le pourcentage le plus élevé en Europe — en Finlande.

Les revendications de changements: les années 1970 et les années 1980

L'augmentation du prix du pétrole qui passe de 2 $ le baril en 1972 à un sommet de 34 $ le baril en 1982 est la cause principale de la longue récession qui commence en Europe dès 1973. Cette crise accroît la tension sur les systèmes constitutionnels d'Europe occidentale et la réaction presque universelle des électeurs est de changer de gouvernement, qu'il soit conservateur ou socialiste. Dans bien des cas, le résultat est un gain net pour les gouvernements démocratiques. En 1974, au Portugal, de jeunes officiers renversent par un coup d'État le régime autoritaire d'extrême-droite de Marcelo Cætano. Pendant deux ans, on croit que ce groupe d'officiers radicaux, influencés par le Parti communiste, transformera le Portugal en pays procommuniste. Toutefois, des différends entre les radicaux et les libéraux-conservateurs chez les militaires, et l'attrait du Parti socialiste de Mario Soares brisent l'influence communiste, et une tentative de coup d'État par des officiers de gauche en 1976 est réprimée. Lorsque le gouvernement parlementaire est restauré en 1976, Soares gagne les élections et devient premier ministre tandis que l'un des dirigeants réformistes de l'armée est élu président. Mais les socialistes échouent dans leur lutte contre les grands problèmes économiques du Portugal, et en 1978, une terne coalition de partis de la classe moyenne remplace Soares. En 1983, Soares revient au pouvoir en remportant de façon éclatante de nouvelles élections qui indiquent une désillusion avec les politiques de la coalition, orientées vers le milieu des affaires. Malgré le peu d'amélioration dans la situation économique du Portugal depuis la restauration de la démocratie, il demeure important de signaler qu'après presque cinquante ans de régime autoritaire de la droite, le nouveau système démocratique s'est gagné l'appui de la population et fonctionne avec une efficacité relative.

En Espagne, la transition à la démocratie est remarquablement calme après la mort, en 1975, du général Francisco Franco, qui dirige le pays depuis qu'il a gagné la guerre civile. Le roi Juan Carlos, restauré en accord avec les vœux de Franco, appuie fermement une nouvelle constitution démocratique qui légalise même le Parti communiste. Il brise aussi deux révoltes de l'armée qui cherchait à réinstaller un gouvernement de droite. Le gouvernement est entre les mains de conservateurs modérés jusqu'en 1982 lorsque, à la surprise générale, Felipe González mène les socialistes à la victoire, remportant une majorité de sièges au Parlement. L'établissement d'un gouvernement socialiste, réformé pour la première fois depuis 1936 sans aucune intervention militaire, est perçu comme une preuve qu'en Espagne, comme au Portugal, la démocratie a enfin pris racine.

Finalement, en Grèce, gouvernée de façon inefficace par une junte militaire depuis 1967, la démocratie est restaurée en 1974. Les gouvernements conservateurs de la fin des années 1970 sont cependant incapables de susciter le progrès économique ou la stabilité politique, et l'électorat grec se tourne de façon décisive vers les socialistes d'Andreas Papandreou en 1981. Bref, l'Europe du Sud a fortement tendance au début des années 1980, à rejeter non seulement les gouvernements autoritaires mais même les régimes conservateurs et à se diriger plutôt vers les socialistes modérés pour obtenir du changement.

En Europe du Nord, à la fin des années 1970 et pendant les années 1980, la tendance semble différente. En Grande-Bretagne, le Parti travailliste gouverne de façon si maladroite pendant la récession de 1974 à 1979, que les Britanniques s'adressent au Parti conservateur de Margaret Thatcher, dont le but avoué est de ramener la discipline dans l'économie britannique, même s'il faut pour cela érafler les institutions de l'État-providence et s'attaquer aux puissants syndicats. En tenant ses promesses, Thatcher ne fait rien pour accroître sa popularité mais sa décision de partir en guerre contre l'Argentine en 1982, pour reprendre le contrôle des petites îles peu peuplées des Falkland, en fait une héroïne nationale; elle profite intelligemment de ce mouvement d'appui pour remporter de nouvelles élections en 1983.

L'Allemagne de l'Ouest aussi semble lasse de ses longues années de régime socialiste, d'abord sous le chancelier Willy Brandt et puis sous Helmut Schmidt. Même si la rupture du gouvernement de coalition de Schmidt est la seule raison de sa démission en 1982, les élections de 1983 confirment les pouvoirs du gouvernement chrétien-démocrate de Helmut Kohl qui le remplace.

La France est l'exception la plus remarquable de cette tendance vers la droite en Europe occidentale. On y a connu des gouvernements relativement conservateurs depuis que le général de Gaulle a pris le

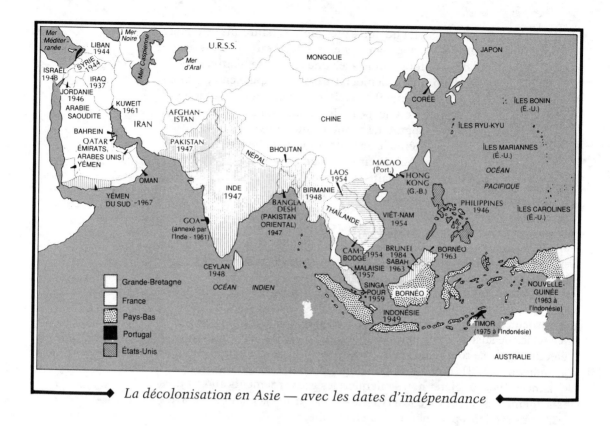

La décolonisation en Asie — avec les dates d'indépendance

pouvoir en 1958. Les Français se lassent des manières de plus en plus majestueuses du président Valéry Giscard d'Estaing (au pouvoir de 1974 à 1981) et, en 1981, ils élisent le socialiste François Mitterrand au poste de président et donnent à son parti une majorité aux élections parlementaires. Cependant, même si Mitterrand poursuit un programme de nationalisation et augmente les dépenses sociales, l'analyse des résultats électoraux ne montre pas qu'il y a eu une transformation idéologique massive de l'opinion française, mais plutôt un changement de moins de deux pour cent des électeurs, dont le passage aux socialistes a été suffisant pour donner la victoire à Mitterrand.

LA TRAGÉDIE DE LA DÉCOLONISATION

Nulle part ailleurs que dans le triste processus de décolonisation n'a-t-on pu assister de façon plus évidente à un manque important de direction politique et d'appui populaire. À la fin de la guerre, l'affaiblissement de l'emprise de l'Europe sur ses millions de sujets coloniaux est indiscutable. En Asie, les Japonais ont provoqué la déroute des armées des puissances coloniales en leur infligeant des défaites humiliantes: les Américains ont été renvoyés des Philippines; les Britanniques de Hong-Kong, de Malaisie et de Birmanie; les Français d'Indochine; les Hollandais d'Indonésie. Des mouvements nationalistes ont émergé dans ces colonies, s'alliant aux Japonais en certains endroits, s'opposant à eux ailleurs. Lorsque les Japonais se retirent en 1945, plusieurs colonies restent entre les mains des mouvements de libération autochtones. Ainsi les gouvernements européens doivent être restaurés par la force dans bien des cas.

Il y a toutefois des exceptions. Le retour des forces américaines est bienvenu aux Philippines en partie parce qu'il y a des accords formels, qui seront respectés plus tard tels que l'indépendance accordée à la fin de la guerre. Le gouvernement travailliste britannique arrive au pouvoir en 1945 avec l'intention d'accorder l'indépendance aux colonies aussi rapidement que possible. Les travaillistes sont opposés au colonialisme pour des raisons morales et parce que selon eux les colonies sont des fardeaux militaires et économiques. Le gouvernement renonce très rapidement aux mandats britanniques au Moyen-Orient. La Transjordanie devient indépendante en 1946. Après avoir persuadé les Nations unies de sanctionner un plan de partition divisant la Palestine entre les Juifs et les Arabes, les Britanniques se retirent en vitesse. Le retrait britannique est suivi de presqu'un an de combats, pendant lequel les Juifs obtiennent l'indépendance de leur nouvel État d'Israël malgré l'opposition des Arabes palestiniens et de plusieurs États arabes voisins. Les Britanniques quittent l'Inde avec autant de rapidité en 1947, laissant les Hindous et les Musulmans se battre entre eux. La conséquence de ce départ, la division du sous-continent en deux États, l'Inde et le Pakistan, entraîne la mort de plus d'un million de civils. Le retrait de Ceylan en 1947 et de la Birmanie en 1948 est plus paisible; et après la défaite de l'insurrection communiste en Malaisie, l'indépendance est accordée aux colonies britanniques en Asie du Sud-Est dans les années 1950 et dans les années 1960. Les Britanniques sont aussi les premiers à accorder l'indépendance à leurs possessions africaines, en commençant par la Côte de l'Or dans l'État de Ghana en 1957.

Les Néerlandais et les Français, déterminés à ne pas être expulsés d'Asie, s'engagent dans de longues guerres vaines et sanglantes pour garder le contrôle de leurs possessions. Les Néerlandais ont investi plus du quart de leur capital national dans les Indes orientales, l'Indonésie, et y ont envoyé un quart de million de colons. Même s'ils réussissent à prendre les villes principales, les Néerlandais sont défaits dans les campagnes par les guérilleros indonésiens; après quatre ans de combats, ils reconnaissent à contrecœur l'indépendance de l'Indonésie. La majorité de leurs investissements sont expropriés et la plupart des colons néerlandais sont forcés de retourner aux Pays-Bas.

L'opposition des Français à l'indépendance de l'Indochine est encore plus véhémente et se révèle plus coûteuse. Les Français sont propriétaires de la plus grosse partie de l'industrie et des finances en Indochine ainsi

Troupes américaines au Viêt-nam

Les civils vietnamiens qui avaient souffert de la guerre de façon presque continue depuis 1941 se retrouvèrent pris entre deux dangers, la pression qu'exerçaient sur eux les guérilleros communistes et la capacité destructive de la force de feu américaine sur terre et dans les airs. (Philip Jones Griffiths / Magnum Photos Inc.)

que d'un grand nombre de plantations. Pour protéger leurs intérêts économiques, ils envoient des forces considérables dans le sud du Viêt-nam en 1945. Après avoir tout d'abord accepté de faire des compromis avec le chef communiste Hô Chi Minh, qui détient le nord du Viêt-nam, ils s'engagent dans une vraie guerre en 1946. Les forces d'Hô Chi Minh, menées par le brillant général Vô Nguyên Giap, entreprennent une guerre révolutionnaire contre eux — employant le terrorisme, la propagande et l'endoctrinement politique afin de s'assurer du contrôle des paysans. Recevant de l'aide de l'Union soviétique et de la Chine, les forces de Minh sont capables de monter des campagnes qui rendent les pertes françaises intolérables. Finalement, lorsque les forces de Giap écrasent la garnison française de l'importante forteresse frontalière de Diên Biên Phû, les partis français désespérés nomment Pierre Mendès France au poste de premier ministre, avec la tâche de faire immédiatement la paix en Indochine. Il y réussit avec beaucoup d'adresse, laissant le Viêt-nam du Nord entre les mains d'Hô Chi Minh et accordant en même temps l'indépendance au Laos et au Cambodge.

Cependant, les guérilleros communistes continuent à agir en Indochine et le gouvernement américain décide qu'il doit reprendre l'action anticommuniste au Viêt-nam, dont les Français se sont extirpés.

Les États-Unis sont déjà intervenus en Asie de 1950 à 1953 lorsque les forces communistes de la Corée du Nord ont envahi la Corée du Sud non communiste. Même si la Chine est venue en aide à la Corée du Nord lorsque les forces du général Douglas MacArthur se sont approchées de la frontière chinoise, les États-Unis ont réussi à obtenir une armistice satisfaisante qui rétablit la frontière entre la Corée du Nord et la Corée du Sud approximativement au même endroit qu'avant la guerre. Espérant accomplir des résultats semblables au Viêt-nam, les États-Unis commencent à envoyer des quantités de plus en plus importantes d'argent et de soldats au Viêt-nam du Sud pendant les années 1960. Ils appuient les dirigeants nationalistes et anticommunistes, sans chercher à savoir s'ils sont coupables de corruption ou de répression politique ce qui permet aux communistes de remporter la bataille politique pour l'appui des paysans à leurs dépens. Le président Richard Nixon finit par reconnaître l'impopularité de la guerre aux États-Unis et, prétextant la création d'une armée sud-vietnamienne vraiment puissante, il retire les soldats américains; en 1973, un cessez-le-feu est signé. Deux ans après, l'armée sud-vietnamienne s'écroule et les forces nord-vietnamiennes de même que les guérilleros réunissent le pays sous la direction d'Hô Chi Minh. Leur vaine tentative d'arrêter la conversion du Viêt-nam au communisme a coûté aux Français presque 100 000 soldats et aux Américains plus de 50 000, tandis que les pertes militaires et civiles des Vietnamiens sont extrêmement élevées.

En Afrique du Nord, Mendès France évite l'éruption de guerres d'indépendance dans les possessions françaises de Tunisie et du Maroc en leur promettant l'indépendance. De telles actions provoquent la colère du Parlement de Paris contre Mendès France et il est renvoyé de son poste de premier ministre à la demande de membres de son propre parti.

Ainsi lorsqu'un mouvement d'indépendantistes frappe sauvagement les colons et l'armée française en Algérie, le gouvernement de Paris est mené par des politiciens qui n'ont ni la vision nécessaire pour négocier l'indépendance de l'Algérie ni la capacité de vaincre le Front de libération nationale. En 1956, les Français se joignent aux Britanniques et aux Israéliens pour attaquer le canal de Suez, soi-disant pour en prévenir la nationalisation par l'Égypte, mais surtout pour renverser le gouvernement égyptien qui aide les rebelles algériens. Les États-Unis et l'Union soviétique dénoncent l'agression franco-britannique; les soldats se retirent sans avoir obtenu d'avantage politique. La guerre d'Algérie empoisonne l'atmosphère politique en France. L'armée songe à la rébellion contre le gouvernement civil. En mai 1958, elle appuie les colons français qui ont pris le contrôle de l'Algérie et prépare même une invasion de parachutistes sur la France. Seule la nomination du général de Gaulle, d'abord au poste de premier ministre et, après décembre 1958, au poste de président avec le mandat précis de trouver une façon de mettre fin à la guerre d'Algérie, permet à la France d'échapper au désordre. Il faudra tout de même quatre ans de négociations et de luttes avant que le président puisse obtenir un cessez-le-feu et la reconnaissance de l'indépendance de l'Algérie. À ce moment, de Gaulle avait déjà accordé l'indépendance aux autres colonies françaises d'Afrique.

Les Belges conservent le contrôle de leur immense colonie, le Congo, jusqu'en 1960, et ils ne font aucun effort pour la préparer à l'indépendance. Cependant, lorsque des désordres internes apparaissent, ils ne font que de

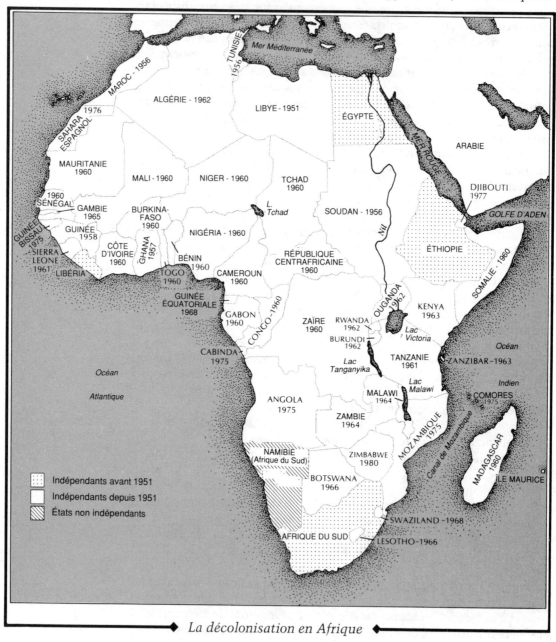

TUNISIE 1956
Mer Méditerranée
MAROC - 1956
ALGÉRIE - 1962
LIBYE - 1951
ÉGYPTE
SAHARA ESPAGNOL 1976
ARABIE
MER ROUGE
MAURITANIE 1960
MALI - 1960
NIGER - 1960
TCHAD 1960
DJIBOUTI 1977
SOUDAN - 1956
GOLFE D'ADEN
SÉNÉGAL 1960
GAMBIE 1965
BURKINA-FASO 1960
L. Tchad
ÉTHIOPIE
GUINÉE BISSAU 1975
GUINÉE 1958
NIGÉRIA - 1960
SIERRA LEONE 1961
CÔTE D'IVOIRE 1960
GHANA 1957
BÉNIN 1960
RÉPUBLIQUE CENTRAFRICAINE 1960
SOMALIE - 1960
LIBÉRIA
TOGO 1960
CAMEROUN 1960
GUINÉE ÉQUATORIALE 1968
OUGANDA 1962
KENYA 1963
GABON 1960
CONGO - 1960
ZAÏRE 1960
RWANDA 1962
BURUNDI 1962
Lac Victoria
Océan
CABINDA 1975
Lac Tanganyika
TANZANIE 1961
ZANZIBAR - 1963
Indien
MALAWI 1964
Lac Malawi
COMORES 1975
ANGOLA 1975
ZAMBIE 1964
MOZAMBIQUE 1975
Océan
Atlantique
NAMIBIE (Afrique du Sud)
ZIMBABWE 1980
Canal de Mozambique
MADAGASCAR 1960
ÎLE MAURICE
BOTSWANA 1966
Nil
SWAZILAND - 1968
AFRIQUE DU SUD
LESOTHO - 1966

Indépendants avant 1951
Indépendants depuis 1951
États non indépendants

La décolonisation en Afrique

légères tentatives inefficaces pour les contenir avant de se retirer en vitesse, laissant le pays en proie à une guerre civile qui ne se termine qu'après l'intervention des Nations unies et la prise du pouvoir par l'armée. Quant aux Portugais, ils refusent d'accorder leur indépendance à leurs colonies, l'Angola, le Mozambique, la Guinée et les îles du Cap-Vert. Ils maintiennent à grands frais de vastes armées afin de contenir les mouvements d'insurrection en Angola et au Mozambique jusqu'en 1974. À la suite du renversement du gouvernement de droite en 1974, on promet l'indépendance aux colonies et en 1975, les Portugais se sont retirés de leurs possessions en Afrique. Le manque de préparation à l'indépendance sème le désordre en Angola où trois factions rivales se disputent le pouvoir; la faction prosoviétique triomphe finalement aidée par le ravitaillement russe et les troupes cubaines. En 1975, les Espagnols acceptent de se retirer du Sahara espagnol qui est récupéré par les pays voisins, le Maroc et la Mauritanie.

Ainsi, le manque de direction politique efficace en Europe et la décision des États-Unis d'intervenir pour arrêter l'expansion du communisme prolongent et enveniment le processus de décolonisation, infligeant d'immenses pertes humaines et économiques aux puissances coloniales ainsi qu'aux peuples libérés. On craint que la perte de ces marchés, de ces matières premières et de ces occasions d'investissements, ne provoquent une dépression. Mais une fois que le concept de l'indépendance est accepté, les puissances européennes bénéficient du stimulant apporté par la décolonisation. Dans la majorité des cas, on maintient les relations économiques avec les anciennes colonies. On met fin aux dépenses provoquées par l'administration coloniale et le maintien de l'armée coloniale; les Britanniques peuvent aussi même mettre fin à la conscription militaire. Les puissances européennes sont obligées de concentrer leurs activités sur l'Europe et c'est peut-être le plus grand bénéfice qu'ils retirent de la décolonisation. Cette concentration produit un rapprochement de la collaboration militaire, elle fait progresser l'intégration économique et amorce même une unité politique.

RÉSURRECTION ÉCONOMIQUE ET CHANGEMENTS SOCIAUX

Dans toute l'Europe, on passe les premiers mois après la fin de la Deuxième Guerre mondiale à la reconstruction économique. Il faut réparer les réseaux de transports. On doit remplacer les fils électriques et télégraphiques endommagés. Les réservoirs, les conduites d'eau et les égouts doivent être remis en état de fonctionner. Il faut reconstruire les usines endommagées par la guerre, réparer les logements et trouver les combustibles requis pour l'énergie et le chauffage. Il faut fournir des semences et de l'engrais aux fermiers afin de les aider à remettre leur terre en état d'être cultivées. Plus de onze millions de prisonniers de guerre, de travailleurs forcés et de déportés doivent être retournés chez eux ou dans de nouveaux pays prêts à les accueillir. Les gouvernements nationaux réussissent à accomplir cette tâche en moins de deux ans grâce à l'aide considérable de la United Nations Relief and Rehabilitation Agency (UNRRA), financée surtout par les États-Unis.

Le plan Marshall

Dans cette période de l'après-guerre, il devient évident que le programme de reconstruction s'est attaqué aux problèmes immédiats mais que l'on a oublié les problèmes économiques plus profonds, en particulier le manque de capital d'investissement, ce qui empêche l'économie européenne de s'engager dans un processus de croissance autonome. Le 5 juin 1947, le secrétaire d'État américain, George C. Marshall, offre une aide américaine sur une grande échelle à tous les pays d'Europe, à condition qu'ils s'engagent dans un plan commun de reconstruction économique. Le gouvernement russe, rencontrant immédiatement les Français et les Britanniques pour discuter du plan, rejette les conditions d'aide comme étant une ingérence inacceptable des Américains dans les affaires internes d'autres pays. La Russie force aussi les autres pays de l'Europe de l'Est à refuser de participer au plan Marshall qui est ainsi restreint à seize pays non communistes. En 1952, ces nations ont reçu plus de 13 milliards de dollars, surtout sous la forme d'aide gratuite plutôt que de prêts. Malgré le peu de coordination entre les différentes nations, le plan connaît énormément de succès. Pendant ses quatre années d'opération, la valeur réelle du produit national brut des pays participants augmente du quart; la production industrielle et la production agricole dépassent leurs niveaux d'avant-guerre de trente-cinq pour cent et de dix pour cent respectivement.

Les miracles économiques d'Europe occidentale

Dans la période de prospérité qui suit le plan Marshall, l'Allemagne prend la tête des pays européens. Une sévère dévaluation en 1948 a stabilisé sa monnaie. Le ministre de l'Économie, Ludwig Erhard, a donné une liberté de planification considérable aux grandes compagnies et aux grandes banques qui ont entrepris de vastes programmes de modernisation. Les travailleurs ont accepté de longues heures de travail et des salaires modestes et il y a eu relativement peu de grèves. En 1953, la production dépasse la production d'avant-guerre de cinquante-trois pour cent. En trois ans, malgré la fuite annuelle de 200 000 Allemands de l'Est vers l'Allemagne de l'Ouest, le chômage a été éliminé.

Au milieu des années 1950, il est évident pour presque tout le monde que l'Europe occidentale jouit d'un grand boom économique, qui continuera avec seulement quelques petits accrocs jusqu'aux années 1970. En France par exemple, le plan Marshall aide plusieurs secteurs de l'économie comme l'acier et la machinerie agricole qui favorisent la relance. On encourage les améliorations technologiques, on importe des techniques de gestion des États-Unis et on modernise le système de distribution. Pour la première fois dans l'histoire de France, le peuple commence à recevoir une part équitable de la richesse nationale et en 1960, la moitié des foyers français possèdent un réfrigérateur et presqu'autant ont une automobile. En Italie aussi, on assiste à une croissance de plus de cinq pour cent pendant les années 1950 et les années 1960. Les Italiens se sont tournés vers les domaines de l'industrie légère, où l'habileté en conception et en vente peut compenser le manque de ressources naturelles. Le boom italien se concentre sur des produits comme les plastiques, les machines à écrire, les machines à laver, les réfrigérateurs, les souliers et le textile. L'Italie s'empare d'une part considérable du marché européen dans chacun de ces domaines. La Grande-Bretagne est la grande exception dans cette époque de prospérité généralisée. La plupart de ses marchés d'outre-mer ont été perdus pendant la guerre. Ses produits industriels sont démodés, ses ressources naturelles sont épuisées. Les syndicats permettent aux grèves de mettre la productivité en danger. Les administrateurs manquent d'imagination et ne peuvent pas répondre aux défis que leur lancent les différents pays du continent.

Lorsqu'en mai 1950 le ministre des Affaires étrangères de France, Robert Schuman, propose de réunir les industries du charbon et de l'acier de France et d'Allemagne avec ceux de tout pays européen qui désire se joindre à eux, il le fait pour des raisons plus politiques qu'économiques. Il espère créer un noyau autour duquel une véritable union politique sera éventuellement formée. Son plan exige la libre circulation des biens, des travailleurs et des capitaux des industries du charbon et de l'acier dans la Communauté européenne du charbon et de l'acier (CECA). Il croit que les succès économiques de ce plan seront si importants qu'ils mèneront finalement les membres de la communauté à chercher à nouer d'autres liens qui culmineront en la création d'un gouvernement européen. Sa proposition est acceptée par l'Allemagne, la Belgique, les Pays-Bas, le Luxembourg et l'Italie et mise en marche en 1952. Les résultats économiques sont meilleurs que prévus. Cependant, les résultats politiques sont décevants. Avant même que la communauté ne démarre, les gouvernements des six nations membres ont tenté de créer une organisation semblable sous le nom de Communauté européenne de défense (CED) pour intégrer leurs armées. De plus, ils ont esquissé les plans d'une communauté politique européenne qui servirait de gouvernement européen. Mais en 1954, l'Assemblée nationale française refuse de ratifier le traité créant la CED et ce vote cause l'échec de deux autres plans. Toutefois, en 1955, les six nations membres se mettent d'accord pour étudier l'intégration de tous les secteurs de leur économie dans une Communauté économique européenne (CEE) ou Marché commun, et pour la fusion de leurs industries d'énergie atomique en une Communauté européenne de l'énergie atomique (Euratom). Après deux années difficiles, on signe les traités complétés sur la colline du Capitole à Rome, un emplacement symbolique approprié pour la renaissance d'une Europe qui n'a pas été unie depuis l'Empire romain.

L'intégration économique de l'Europe de l'Ouest

Euratom et le Marché commun

Euratom est un échec presque dès le début, parce que tous ses membres poursuivent leurs propres programmes d'énergie atomique nationaux. Le Marché commun, d'un autre côté a un succès extraordinaire. En 1968, toutes les barrières tarifaires entre les six membres ont été abolies. Un système extrêmement compliqué de bourses de marchandises a été créé afin d'intégrer la production agricole en même temps que la production industrielle. Au moyen de cette mécanique plutôt controversée, la Communauté donne la préférence aux fermiers dont les produits reçoivent des prix garantis ou des subsides à l'exportation. On accorde un traitement de faveur à l'intérieur du Marché commun aux travailleurs saisonniers des pays membres. On tente d'augmenter la libre circulation des capitaux au sein de la Communauté et, en 1970, on s'attaque à des projets longtemps retardés comme la planification régionale, une monnaie commune, et la création de sociétés européennes. Ces mesures ouvrent un marché de 200 millions de consommateurs aux industries et aux fermes de la Communauté, et stimule la spécialisation et l'expansion rapide des compagnies les plus efficaces. Le Marché commun joue un rôle important dans l'avènement du grand boom économique dont l'Europe jouit dans les années 1960. La première décennie du Marché commun est la plus prospère que l'Europe ait jamais connue.

En 1961, les Britanniques se rendent compte de leur erreur et présentent une demande d'adhésion au Marché commun, mais de Gaulle, le président de France, appose son veto à leur demande d'admission. De Gaulle détruit ainsi l'élan d'expansion de la Communauté au moment le plus crucial et il continue à s'opposer à tous les efforts des autorités de la Communauté qui veulent en faire un gouvernement supranational indépendant. Pour cette raison, le Marché commun ne sera jamais plus qu'une union économique et même l'adhésion de la Grande-Bretagne, du Danemark et de l'Irlande en 1973, offre peu d'espoirs pour une future union politique. Le Marché commun est un grand succès économique mais il a atteint bien peu des buts politiques que Robert Schuman lui avait fixé, du moins jusqu'au début des années 1970.

Rien n'illustre mieux la désunion inhérente qui règne entre les neuf membres du Marché commun, que leur réaction à la crise de l'énergie de 1973-1974. En novembre 1973, à la suite de la nouvelle guerre israélo-arabe, les producteurs de pétrole arabes décrètent un embargo sur tous les produits pétroliers à destination des Pays-Bas et des États-Unis afin de les punir pour leurs positions proisraéliennes et augmentent le prix du pétrole de quatre cents pour cent. Cette augmentation soumet la balance de paiements des pays occidentaux à une grande tension. En 1974 seulement, ils se retrouvent avec un déficit de 60 milliards de dollars face aux pays producteurs de pétrole. Cependant, les pays du Marché commun refusent de prendre le parti des États-Unis et ne fournissent qu'une aide indirecte aux Pays-Bas; de plus, ils s'engagent dans des négociations bilatérales avec les producteurs de pétrole. Des rencontres au sommet entre les chefs de gouvernement des pays du Marché commun n'améliorent pas leur

Rencontre au sommet des chefs de gouvernements européens en juin 1983
Lors de rencontres échauffées en 1983-1984, le premier ministre Thatcher vainc l'opposition du chancelier allemand Helmut Kohl (au centre) et du président français François Mitterrand (à l'extrême-droite) et réussit à obtenir une grosse réduction de la participation britannique au budget de la Communauté européenne. (Regis Bossu / Sygma)

solidarité et en 1975, on reconnaît qu'il faut abandonner les plans concernant une unité économique et monétaire complète pour 1980.

Pendant les années 1970, la situation économique empire dans la plupart des pays européens. L'inflation et le chômage augmentent avec le prix du pétrole. Seule l'exploitation de nouveaux gisements de pétrole dans la mer du Nord offre un répit à la crise économique précipitée par le haut coût de l'énergie. Mais le Marché commun demeure un grand espoir pour les États du sud de l'Europe. La Grèce est admise en 1981 et on ouvre des négociations avec l'Espagne et le Portugal quant à une adhésion éventuelle. Finalement, la première élection au Parlement de la Communauté européenne par suffrage universel (1979) promet de faire renaître l'intérêt et le soutien du public pour les activités de la Communauté.

La renaissance économique de l'Europe de l'Est traîne loin derrière celle de l'Europe de l'Ouest. Les pertes en vies humaines et en biens ont été très dures, surtout en Union soviétique. Le refus du plan Marshall signifie que les habitants du bloc communiste devront reconstruire l'économie de leurs pays à la sueur de leur front et au prix de grands sacrifices. En Russie, Staline vise une grande industrialisation et il impose

La lente reprise économique de l'Europe de l'Est

des objectifs très élevés dans le plan de relèvement de 1946, qui a beaucoup de succès. Dans les années 1950, on laisse une plus grande liberté aux administrateurs et des mesures incitatives sont accordées aux travailleurs sous forme de provisions ou de biens de consommation. En 1960, la production industrielle a probablement doublé. La production agricole avance beaucoup plus lentement, malgré divers plans ambitieux comme le plan des Terres vierges, dont le but est d'amener de grands territoires nouveaux à la culture car les paysans russes demeurent des participants peu enthousiastes à l'agriculture collective.

En Europe de l'Est, après une lente reprise jusqu'à 1950, des plans d'industrialisation sur une grande échelle sont entrepris, surtout en Allemagne de l'Est et en Tchécoslovaquie. L'Allemagne de l'Est crée une grande industrie sidérurgique, restaure sa production chimique et reconstruit son industrie d'optique et de machines-outils en se concentrant surtout sur les marchés d'Europe de l'Est et de Russie. Après que la construction du mur de Berlin ait mis fin à la fuite de réfugiés vers l'Ouest en 1961, son économie monte en flèche: sa production industrielle atteint le dixième rang mondial et le sixième rang en Europe. La Roumanie aussi tente de créer une économie industrielle diversifiée, utilisant ses riches gisements de pétrole, de gaz naturel et de métaux; lors des années 1960, elle quadruple sa production industrielle. On encourage la collectivisation agricole en divers degrés dans toute l'Europe de l'Est, sans réussir à créer de grandes augmentations de production et plusieurs pays, surtout la Pologne et la Hongrie, permettent à de nombreuses fermes privées de continuer d'exister afin de s'assurer assez de produits agricoles pour nourrir leurs villes.

En comparaison avec l'Europe occidentale, le développement de l'Europe de l'Est est plutôt lent. Mais il est tout de même plus rapide que pendant les années de l'après-guerre, surtout dans les Balkans, dont les terres agricoles arriérées se transforment en États industriels modernes.

Les nouvelles sociétés d'Europe de l'Est et d'Europe de l'Ouest

C'est en Europe de l'Est que l'on assiste aux changements sociaux les plus marquants; une révolution sociale semblable à celle de la Russie après 1917 se déclenche. Les vieilles classes terriennes sont rapidement dépossédées, et certaines des plus vieilles aristocraties d'Europe disparaissent — les junkers de l'Allemagne de l'Est, les aristocrates de Pologne, les magnats, grands propriétaires terriens de Hongrie. Mais les paysans, qui ont espéré que l'annexion des terres ayant appartenu aux aristocrates et à l'Église leur permettrait de devenir eux-même propriétaires terriens, se retrouvent dans des fermes collectives et ils doivent aussi s'adapter à une nouvelle vie. L'État s'empare des usines et des logements de la vieille classe capitaliste et la structure de classe en vient à ressembler à celle de l'Union soviétique. Les différences de salaire et de fortune personnelle sont beaucoup moins considérables que dans l'Ouest, en partie à cause du manque de possibilités d'investissement. Il y a aussi moins d'écart entre les conditions de vie, de logement comme de consommation. L'État fait la promotion de l'égalité en fournissant la plupart des loisirs, allant des vacances jusqu'au théâtre à bon marché, ainsi que les soins médicaux et l'éducation de masse. En dépit de ces conditions, une nouvelle classe privilégiée se crée, constituée des bureaucrates du parti, des officiers de l'armée et d'une élite technologique, artistique et administrative qui bénéficie de salaires plus élevés, de meilleures chances d'éducation et qui a accès aux biens de consommation les plus rares.

En Europe de l'Ouest, l'affluence produit des tensions sociales inattendues. La structure de classe se modifie remarquablement peu. Une classe supérieure composée des gens extrêmement riches se lie à l'ancienne aristocratie et réussit à conserver ses salaires élevés de même qu'à maintenir son capital élevé, malgré de nombreuses tentatives de redistribution des richesses par l'État. Elle conserve aussi une part disproportionnée des places dans l'éducation supérieure, ainsi qu'aux postes les plus élevés de la diplomatie, de l'administration et de la fonction publique. En Grande-Bretagne par exemple, deux cinquièmes des richesses du pays appartiennent à seulement un pour cent de la population. La classe moyenne bénéficie beaucoup du boom économique et de l'État-providence.

La nouvelle cité de La Grande-Motte en France
En 1961, le gouvernement français décide d'ouvrir la côte méditerranéenne entre Marseille et la frontière espagnole au développement touristique et construit six nouveaux centres de villégiatures. La plus spectaculaire des nouvelles villes fut La Grande-Motte près de Montpellier, qui était composée presque uniquement de brillantes pyramides de béton blanc. (H. Rober-Viollet)

Simone Veil

Veil fut choisie comme présidente du premier parlement élu de la Communauté européenne en 1979. Elle s'était bâtie une solide réputation d'avocate à son retour des camps de concentration allemands, où elle avait été déportée en tant que juive. De plus, en tant que ministre de la Santé elle se battit pour des lois libérales sur l'avortement et la contraception.
(R. Darolle / Sygma)

Femmes au travail en Union soviétique

Même si un grand pourcentage de femmes ont un emploi en Union soviétique que dans tout autre pays industrialisé et que le principe d'un salaire égal pour un travail égal y est reconnu, plusieurs femmes travaillent aux tâches manuelles mal payées, comme le nettoyage des rues, la peinture des murs et l'enlèvement de la neige.
(James Adamson / Sygma)

En plus des hauts salaires, le boom crée plus d'emplois de cols blancs aux niveaux les plus bas de l'administration industrielle et de la fonction publique. L'État-providence fait disparaître les ennuis financiers provoqués par un accident ou une maladie et permet aux enfants de la classe moyenne d'obtenir les meilleures chances d'instruction. Les universités privilégiées comme Oxford et Cambridge en Angleterre et l'École normale supérieure en France sont ouvertes à tous, et plusieurs de ceux qui profitent des cours offerts en éducation peuvent atteindre sans difficulté les niveaux supérieurs des affaires et du gouvernement. D'autres cependant, qui n'ont pas les bons antécédents familiaux se heurtent à l'opposition que la classe supérieure a érigée vis-à-vis l'avancement social. En Grande-Bretagne, comme nous l'avons vu, cette exclusion produit le phénomène des «jeunes gens en colère». En France et en Italie, la réaction prend souvent une forme politique, alors que de nombreux jeunes très instruits se joignent au Parti communiste afin de protester contre la structure sociale de leur pays. Les émeutes de 1968 sont essentiellement une protestation des étudiants contre une société qui les met à l'écart.

Dans les années 1970, surtout en Allemagne de l'Ouest et en Italie, de petits groupes de radicaux extrémistes s'embarquent dans une campagne étendue de terrorisme, dirigée surtout contre les dirigeants du monde des affaires et les politiciens, pour tenter de paralyser le fonctionnement normal du système capitaliste et de la démocratie politique. En Italie, il y a entre mille et deux mille attaques terroristes par année entre 1977 et 1981. L'enlèvement de l'ex-premier ministre Aldo Moro par un groupe connu sous le nom des Brigades rouges constitue la plus dramatique et la plus horrible de ces attaques pour le peuple italien. Les terroristes annoncent qu'ils ont «jugé» Moro, avant de laisser son corps criblé de balles près du quartier général de son propre parti.

La classe ouvrière industrielle profite d'un mode de vie plus élevé et d'une plus grande sécurité d'emploi comme jamais auparavant. Les travailleurs peuvent se payer des vacances, des loisirs, des appareils ménagers, des vêtements et même des voitures, mais beaucoup d'entre eux ne se sentent pas dédommagés pour les frustrations engendrées par le travail ennuyeux et répétitif de la chaîne d'assemblage. Incapables de changer la nature de leur emploi, ils expriment leur ennui par des grèves fréquentes pour de meilleurs salaires, peu importe l'augmentation de leur productivité. Ils désirent de meilleures chances d'éducation pour leurs enfants afin de leur éviter la vie ennuyante de l'usine mais ils sont rarement capables de leur fournir des programmes éducatifs à la maison. Les enfants d'ouvriers réussissent rarement à se rendre jusqu'à l'éducation supérieure et encore plus rarement à atteindre les hautes positions dans le monde des affaires ou au gouvernement. En France par exemple, seulement douze pour cent des étudiants d'université sont des enfants d'ouvriers et même en Grande-Bretagne la production n'est que de trente pour cent.

Les modifications au milieu rural

Les plus grands changements sociaux ont probablement lieu à la campagne. Des foules de paysans quittent la ferme, alors que la mécanisa-

L'humanisation des centres-villes

Dans plusieurs villes d'Allemagne de l'Ouest, des sections des centres commerciaux sont fermés au trafic et les places pour piétons abondent de fontaines, de bancs et de cafés en plein air.   (Centre allemand du tourisme, Munich)

tion de l'agriculture réduit le besoin de travailleurs sans formation et que les villes offrent de meilleures chances d'emploi. En Italie par exemple, 300 000 personnes quittent l'agriculture chaque année et le même phénomène est observé en Europe de l'Est et en Russie de même qu'en Espagne et au Portugal dans les années 1960. Les paysans qui demeurent sur la terre en Europe occidentale doivent changer de mode de vie, consolider leurs avoirs, s'unir en coopératives pour la mise en marché et apprendre de nouvelles techniques. Dès que les changements sont acceptés, le niveau de vie des fermiers augmente rapidement mais tout de même moins rapidement que celui des travailleurs industriels. Les paysans sont moins isolés maintenant qu'ils possèdent une voiture, une motocyclette, une radio et souvent une télévision.

La démographie des femmes et leurs carrières

Pour les femmes occidentales, la période de l'après-guerre amène de grands changements. L'espérance de vie des femmes a augmenté pendant tout le XXᵉ siècle et une femme des années 1970 peut espérer vivre vingt ou vingt-cinq ans de plus que sa consœur des années 1900. De plus, elle peut s'attendre à vivre de quatre à sept ans de plus qu'un homme. C'est surtout dans les pays qui ont perdu beaucoup d'hommes pendant la Deuxième Guerre mondiale, que l'on note une grande différence entre le nombre d'hommes et le nombre de femmes. En Russie, en 1967, il y a quinze millions de femmes de plus que d'hommes. Il en résulte une augmentation du nombre de femmes célibataires et surtout du nombre de veuves. Cependant, comme on l'a observé au fil des siècles, l'équilibre se rétablit parce qu'il y a plus de naissances de garçons que de filles. Ainsi, par exemple en Grande-Bretagne, en 1971, on compte 28 562 000 femmes dans la population, alors qu'il n'y a que 26 950 000 hommes, mais dans le groupe d'âge de quinze à vingt-neuf ans qui n'est presque pas affecté par la perte d'hommes pendant la guerre, on compte 5 915 000 hommes et 5 764 000 femmes.[11] Les femmes se marient plus jeunes, ont moins d'enfants et complètent leur famille à un plus jeune âge. Près de la moitié ont leur dernier enfant avant l'âge de vingt-six ans et sont ainsi capables de réintégrer le marché du travail, si elles l'ont quitté pour avoir des enfants, avec l'espoir de travailler pour trente autres années.

Pour un grand nombre de ces femmes, les exigences cruciales du mouvement féministe sont le droit au contrôle des naissances et à l'avortement. Les barrières légales contre le contrôle des naissances tombent assez rapidement aux États-Unis et dans les pays du nord de l'Europe, mais plus lentement dans les pays catholiques. Ce n'est qu'en 1967 que la contraception est légalisée en France, même si la loi qui interdit l'information sur le contrôle des naissances, passée en 1920, n'est plus respectée depuis des années. L'opposition à l'avortement est beaucoup plus forte, non seulement de la part de l'Église catholique mais aussi de la part des Églises protestantes et de plusieurs groupes «pro-vie». Ainsi, chaque mesure qui permet le choix à l'avortement rencontre une vigoureuse opposition qui continue même après que l'avortement ne soit légalisé.

Au fur et à mesure que la compétence et la détermination des femmes augmentent, les occasions d'emploi se multiplient, surtout dans le secteur des services. Dans les années 1960, les femmes constituent entre trente-quatre et trente-six pour cent de la main-d'œuvre aux États-Unis et dans les pays du Marché commun. Alors qu'au début du siècle, la plupart des femmes qui travaillaient étaient de jeunes célibataires, dans les années 1970, la main-d'œuvre féminine est surtout constituée de femmes mariées, de trente-cinq ans ou plus. L'instruction, au niveau secondaire et plus avancé, devient plus accessible et il y a des signes que des domaines exclusivement masculins, comme les professions, s'ouvrent aux femmes. Il y a cependant des différences considérables entre les pays. Alors que les femmes constituent par exemple vingt-six pour cent de la profession médicale en Grande-Bretagne, elles n'en composent que six pour cent aux États-Unis.

Tandis que leur participation au monde du travail augmente, les femmes deviennent plus conscientes de la persistance de la discrimination envers elles. Le salaire moyen pour les femmes dans presque tous les domaines d'emploi demeure plus bas que celui des hommes. L'égalité d'accès à l'éducation supérieure n'existe toujours pas et on dirige encore les femmes vers les arts plutôt que vers les sciences ou les professions. L'entrée dans la sphère politique, même si elle est facilitée dans certains pays, reste

11 Arthur Marwick, *British Society Since 1945*, Harmondsworth, Angleterre, Penguin, 1982, p. 175-176.

difficile malgré la nomination occasionnelle d'une femme au rôle de premier ministre ou au sein d'un Cabinet. Il n'est donc pas étonnant que plusieurs femmes occidentales des années 1970 et 1980 imitent les féministes américaines et se mettent à organiser des groupes de pression pour obtenir des changements plus rapides à leur statut.

Il est plutôt surprenant que les femmes ne réussissent pas à s'imposer en politique en plus grand nombre. Même si le Parti socialiste français a mis l'accent sur la participation des femmes, seulement six pour cent des députés élus en 1981 sont des femmes. En Allemagne de l'Ouest, le pourcentage est un peu plus fort à huit pour cent. D'un autre côté, en Grande-Bretagne, les femmes n'obtiennent que trois pour cent des sièges au Parlement, même si le premier ministre est une femme. Les gouvernements communistes affirment que l'égalité sexuelle est l'un des buts fondamentaux de leur révolution. Il n'y a pas de doute que les femmes forment alors une grande proportion de la main-d'œuvre. En Russie, les femmes composent cinquante-deux pour cent de la main-d'œuvre en 1977, contre vingt-cinq pour cent en 1922. Dans les pays de l'Europe de l'Est, à l'exception de la Pologne, les femmes constituent quarante pour cent de la main-d'œuvre à la fin des années 1970. Les femmes dominent plusieurs des professions. En Russie, quarante pour cent des ingénieurs et des chercheurs scientifiques et soixante-dix-sept pour cent des médecins et des dentistes sont des femmes. De plus, les femmes ont pénétré les niveaux les plus bas de la hiérarchie politique et cela, en plus grand nombre que dans les pays non communistes. Presque la moitié des sièges des gouvernements locaux et même le tiers des sièges du Soviet suprême sont occupés par des femmes. Les femmes sont beaucoup moins bien représentées dans les plus hautes positions économiques ou politiques. La plupart des dirigeants d'hôpitaux ou d'usines sont des hommes. En 1983, le Comité central du Parti communiste soviétique ne comprend que huit femmes et le Politburo, le corps législatif suprême, n'en a pas. Le plus grand problème de la femme soviétique est peut-être que même dans les familles où la femme travaille à l'extérieur de la maison, la structure patriarcale demeure. On s'attend à ce que la femme fasse les emplettes, la cuisine, qu'elle nettoie la maison et qu'elle s'en occupe, ce qui prend beaucoup de temps et d'efforts, surtout qu'il n'y a pas beaucoup d'appareils ménagers et que les systèmes de distribution sont inefficaces. Les femmes paient ainsi, de leur sueur, l'échec des planificateurs soviétiques qui ont été incapables de diriger plus de ressources à l'approvisionnement en biens de consommation. Leur réaction est de se protéger, d'abord en ayant rarement plus d'un enfant, et deuxièmement, dans le tiers des mariages, en obtenant un divorce.

La nouvelle urbanisation

L'exode rural augmente l'urbanisation de la population européenne. En 1970, quatre-vingts pour cent de la population de la Grande-Bretagne et soixante-dix pour cent de la population de l'Allemagne de l'Ouest vivent dans les villes. En Union soviétique et en Europe de l'Est, on tente de nouveau de réglementer cette urbanisation en créant de nouvelles villes, en établissant des communautés dans des régions sous-développées ou dans des villes satellites aux abords des villes plus anciennes. En Europe occidentale, en dépit de la fondation de villes comme les «new towns» autour de Londres, la majorité de la population se retrouve dans les grandes villes. L'Allemagne de l'Ouest et l'Italie ont un grand nombre de capitales, comme Stuttgart et Milan, dont les charmes urbains attirent encore les immigrants. Mais dans la plupart des pays, la capitale est le choix des migrants. En Europe, la congestion des grandes villes se fait sur une échelle inconnue même aux États-Unis. Comme nous l'avons vu, chaque ville européenne, possède un petit secteur moyenâgeux de rues étroites et tortueuses où la plupart des fonctions du gouvernement, de l'économie, de la culture et de la religion sont concentrées. Autour de ce secteur, de nombreux faubourgs résidentiels et industriels ont pris place, surtout au XIXᵉ siècle. Dans la période de l'après-guerre, de nouveaux secteurs résidentiels se développent dans les villes. L'emploi des banlieusards au cœur de la vieille cité cause un engorgement des trains de banlieue, des autobus et surtout des routes menant aux villes. Ainsi celles-ci se retrouvent aux prises avec des problèmes de pollution de l'air et de l'eau, d'effondrement des systèmes de transport municipaux, d'accroissement de la criminalité, de surpeuplement des logements et même parfois des confrontations raciales, ethniques ou religieuses.

L'ÉCHELLE HUMAINE

Avec une telle tension qui avive notre civilisation occidentale, nous avons le sentiment que le gouvernement, l'industrie, les institutions scolaires, la technologie et la science, les urbanistes, la moralité sociale et même l'individu ont perdu de vue le sens de la vie humaine. Après un long voyage dans les cités du passé, nous voici de retour, à la fin de ce livre, à l'idée centrale de notre ouvrage — la ville civilisée. Dans la plupart des grandes cités, l'individu n'est pas pour autant oublié. La ville vraiment civilisée augmente la qualité de vie de l'individu et de ses concitoyens. Elle donne plus de variété et de sens à son travail et permet, par les efforts de l'individu, de créer un système économique plus productif. Elle encourage la créativité de l'esprit par la compétition et l'interaction de ses membres. Elle invite à une meilleure compréhension des différentes religions, de la science et de l'art. L'environnement urbain lui-même est une source de satisfaction individuelle parce qu'il s'est bâti à l'échelle humaine par de fréquents contacts entre des êtres humains d'une grande diversité. Ces avantages ne profitent pas à tous les habitants des villes que nous avons étudiés et même souvent, seule une minorité en jouit. Mais, pour un grand nombre de personnes, la ville offre une riche amélioration de la vie individuelle qu'elle devient un intérêt majeur pour qui sait l'apprécier.

**L'échelle humaine :
Amsterdam**
*(Gracieuseté des services
d'information des Pays-Bas)*

**L'échelle humaine oubliée :
New York**
*(Gracieuseté de Trans
World Airlines)*

INDEX

Achevé d'imprimer
en l'an mil neuf cent quatre-vingt-douze
sur les presses des ateliers Guérin,
Montréal (Québec)